KU-403-718

Stephen Graham Jones

MI CORAZÓN ES UNA MOTOSIERRA

Traducción de
Manuel de los Reyes

LA BIBLIOTECA DE CARFAX

2023

Primera edición: octubre de 2023
Segunda impresión: octubre de 2024

Título original: My Heart is a Chainsaw

Ilustración de cubierta: © Rafael Martín Coronel

Publicado por La biblioteca de Carfax
Calle Olivar 5, 28012 Madrid

www.labibliotecadecarfax.com

ISBN: 978-84-125640-5-1
IBIC: FK
Depósito Legal: M-9350-2023
Impresión y encuadernación: Imprenta Kadmos
Impreso en España - Printed in Spain

Mi corazón es una motosierra

La trilogía del lago Indian
Libro I

A Debra Hill: gracias, de parte de todos.

Índice

Por lo que a géneros cinematográficos se refiere, el slasher, en términos generales, habita lejos del ámbito de lo respetable.

—Carol J. Clover

Escuela nocturna

Según el arrugado mapa con el que han estado orientándose a través de ya no saben ni cuántas líneas de demarcación ahora se encuentran en Proofrock, Idaho, y la masa de aguas caliginosas que se extiende ante ellos no es otra que el lago Indian, un manto que da la impresión de perderse en la noche.

—¿Y eso qué significa, que hay indios sumergidos dentro del lago o que fueron ellos los que lo hicieron? —pregunta Lotte con un destello de ilusión en los ojos.

—Aquí cualquier nombre guarda alguna relación con los indios —susurra Sven con la solemnidad que requieren esas ocasiones en las que uno está despierto mientras todos los demás duermen.

Tras ellos, el motor de su coche de alquiler se enfría después del arreón de seis horas que los ha llevado hasta allí desde Casper, con las puertas abiertas porque solo querían ver, mirar, admirar el paisaje antes de regresar a los Países Bajos, a finales de esta misma semana.

Lotte proyecta el haz de la linterna del móvil sobre el mapa, que aletea agitado por la brisa, levanta la cabeza y deja vagar la mirada sobre las aguas, como si estuviera intentando relacionar las líneas y las cuadrículas que acaba de consultar con el escenario tangible que la rodea.

—*Wat?* —dice Sven.

—En americano —le recuerda ella por enésima vez. Si quieren recibir los créditos correspondientes al programa de inmersión, tendrán que aplicarse.

—¿Qué? —repite Sven, y la palabra suena beligerante en inglés, como si hubiera brotado de sus labios abriéndose paso a codazos.

—Eso del otro lado debe de ser el parque nacional —dice Lotte, utilizando la barbilla para señalar por encima del agua porque sus manos están demasiado ocupadas intentando domar el mapa y plegarlo de nuevo.

—Aquí todo son parques nacionales —refunfuña Sven, que ladea la cabeza como si quisiera escudriñar hasta el fondo de las tinieblas que generan esos árboles negros.

—Pero en el Koningsbosch no se puede ver eso, ¿a que no? —replica Lotte, terminando de imprimirle al mapa una de las seis formas distintas en las que es posible doblarlo.

Sven sigue la dirección de su mirada, fija en el lago Indian, donde flotan unos alfilerazos luminosos que solo adquieren nitidez si uno se concentra en la oscuridad que les sirve de telón de fondo.

—Ajá —murmura, y Lotte se acerca a él por la espalda para apoyar la barbilla en su hombro y las manos en su cintura.

Sven contiene el aliento, maravillado, cuando la súbita reconfiguración de esos destellos sugiere la presencia de unos gigantescos cuellos amarillos que resplandecen en la noche cerrada: unas criaturas gigantescas, insólitas, que se dirían enhebradas en los ojales lacustres del mundo. A continuación, orilla abajo, una bola de luz se eleva trazando una trayectoria parpadeante y se queda en suspensión en el firmamento aterciopelado.

—*Mooi* —le murmura Lotte al oído, y Sven lo repite en americano:

—Precioso.

—No deberíamos —dice Lotte, lo cual, evidentemente, significa justo todo lo contrario.

Sven mira atrás, al coche, y se encoge de hombros, por qué no, qué diablos. Tampoco es que vayan a volver a pasar por aquí, ¿no? Como si alguna vez pudieran volver a disfrutar de esta oportunidad, como si alguna vez pudieran volver a patearse los Estados Unidos con veinte años y tener un lago entero a sus pies, conjurado ex profeso para que ellos vayan y se mojen los dedos, y tal vez algo más.

Dejan la ropa encima del capó, en la antena, colgada de las puertas abiertas.

El aire de la montaña es tan frío y seco como pálida y desnuda es su piel.

—El agua va a estar... —empieza a decir Sven, pero Lotte termina la frase por él («¡Estupenda!») y ya están corriendo a través de la grava, descalzos, en pelota picada, abrazándose a sí mismos para repeler el helor pero riéndose también, disfrutando de la mera acción, de haberse atrevido a hacer esto.

Tras ellos, la oscuridad de Proofrock, Idaho. Ante ellos, un largo embarcadero de madera que se adentra en las aguas apuntando a la margen opuesta del lago.

A fin de armarse de valor para resistir el frío que van a pasar, una vez que sus pies tocan las tablas, Lotte y Sven se desovillan y aprietan el paso sin preocuparse por ningún posible clavo, astilla o caída. Sven lanza un aullido a la vastedad inabarcable que se abre a su alrededor y Lotte usa el teléfono para inmortalizarlo en una fotografía borrosa.

—¿Te has traído eso? —dice él, girándose para continuar trotando de espaldas.

—Hay que documentarlo todo —replica ella, con los brazos encogidos como un boxeador ahora que Sven la está mirando.

Su compañero saca una cámara imaginaria y la retrata a su vez.

Ahora Lotte mira detrás de él, sin embargo, con menos seguridad en los ojos que antes mientras sus zancadas se acortan, y ella aminora, y sus manos y sus codos entran en modo de cobertura estratégica.

Hay una luz que parpadea mucho más cerca de ellos, en lo que solo puede ser el pie del embarcadero, y tiene toda la pinta de tratarse de un pescador embozado en un impermeable oscuro que sostiene una lámpara antigua a la altura del rostro. Pero no, no es ningún pescador, sino tal vez el encargado de un faro que podría llevar sin cruzarse con un alma por lo menos tres años. Un farero convencido de que lo mejor para la vista es pegarse el quinqué a los ojos.

La luz se apaga de golpe.

La mano de Sven busca la de Lotte y ambos continúan despacio casi arrastrando los pies, con las fauces del cielo bostezando huecas e insondables sobre sus cabezas. Engulléndolos por completo.

—*Wat?* —dice Lotte.

—En americano —la reprende Sven, arrancándole una sonrisa.

—Ya no me parece tan buena… —empieza a decir ella, pero deja la frase inacabada porque Sven, caminando ahora, está dando saltitos sobre el pie izquierdo, con el derecho lastimado por alguna astilla, clavo o golpe, en cualquier caso algo inesperado y desagradable. La luz vuelve a brillar al final del embarcadero, curiosa—. Mira —dice Lotte.

Cuando Sven deja de brincar y de agarrarse la planta del pie, la luz se apaga de nuevo. El muchacho asiente, captando el mensaje, y aporrea el suelo con el pie derecho lastimado, con autoridad.

La luz continúa brillando.

—Prueba tú —le dice a Lotte, que da un pisotón a su vez, vacilante, sin obtener tampoco respuesta, y después salta con los dos pies y aterriza lo bastante fuerte como para que titile lo que sea que están viendo—. A esa *gloeilamp* le falta una tuerca —diagnostica Sven mientras tira de ella.

—Un tornillo —lo corrige Lotte, dejándose remolcar.

Cuando llegan allí y se internan en ese charco de luz titilante, Sven se humedece la punta de los dedos con la lengua y mete la mano por debajo de la pantalla oxidada para apretar la bombilla. Los parpadeos se estabilizan de inmediato, transformándose en un cono de claridad cálida y firme que baña ahora sus pálidos muslos y proyecta tras ellos unas sombras alargadas que se funden con la oscuridad.

—Vamos a arreglar este sitio —dice Sven, refiriéndose al conjunto de los Estados Unidos.

Lotte le da un beso rápido en la mejilla y, sin apartar en ningún momento los ojos de él, sujetándole los dedos hasta que estos se escurren entre los suyos, se deja caer por el borde del embarcadero con extraordinaria facilidad.

Sven gira la cabeza anticipando el chapoteo, sonriendo y mortificado a la vez, pero no se oye nada.

—¿Lotte? —Da un paso adelante y levanta una mano para protegerse el rostro de las salpicaduras que sin duda están a punto de caerle encima.

Lotte ha aterrizado encima de una canoa de color verde que se mece de un lado a otro; debió de verla por el rabillo del ojo mientras él arreglaba la lámpara. Sven forma otra cámara imaginaria con las manos, le saca otra foto ficticia y dice:

—Tápate, que esta es para nuestros nietos. Quiero que vean lo asombrosa que era su *grootmoeder* cuando la conocí.

Lotte frunce los labios, incapaz de reprimir una sonrisa, y Sven desciende junto a ella estirando los brazos a los lados para evitar que la embarcación se desestabilice.

—Esto no es robar —se excusa mientras desata la canoa—. Estaba flotando aquí, ahí a lo lejos, quiero decir. Incluso tuvimos que lanzarnos al agua para llegar a nado hasta ella, para rescatarla.

—¡Vamos a arreglar este sitio! —exclama Lotte a voz en cuello mientras se inclina para esquivar a Sven y, apoyándose en la pequeña nevera abandonada a bordo de la canoa, empuja contra el embarcadero. Desliza las manos por el agua y, ahora que se están adentrando en el lago, puede ver su coche de alquiler. Parece la víctima de una bomba de lavandería. No: parece como si dos chiquillos de los Países Bajos se hubieran esfumado de puro alborozo, como si se hubieran volatilizado sin dejar más rastro que la ropa que llevaban puesta.

—¿Qué? —pregunta Sven en un americano impecable.

—No tenemos remos —dice Lotte. Le parece la cosa más divertida del mundo. Hace que esta pequeña excursión sea aún más perfecta.

—Ni pantalones, ni camiseta —añade Sven, agarrándose a los costados de la canoa para mecerla de un lado a otro.

—*Koude* —conviene Lotte, abrazándose. Y luego, como si lo estuviera retando—: En el agua hará menos frío.

—Donde sea *diepere* —dice Sven, que se corrige antes de que lo pueda hacer ella—: Donde sea más profundo.

Se inclinan para remar con las manos, el agua está helada, y cuando han recorrido unos veinte metros así, Sven levanta la tapa de la nevera. Como pala es más eficaz que sus manos y, lo más importante de todo, le da igual la temperatura.

—Mi héroe —dice Lotte en correcto inglés mientras se pega a su espalda.

—Aquí también podría hacer menos frío —sugiere él, aunque no deja de alejarlos cada vez más de la orilla.

Lotte apoya la mejilla en su espalda, lo que le permite ver el interior de la nevera diminuta, ya abierta.

—¡Mira! —dice, y saca un sándwich envuelto en una bolsa transparente, con el interior pringado de crema de cacahuete.

—Puaj, *pindakaas*. —Sven hunde un poco más la tapa de la nevera con cada nueva palada y la canoa acelera.

Lotte tira el sándwich al agua sin tocarlo, se lleva un dedo a los labios para que a Sven no se le ocurra regañarla por eso, mete el teléfono en la bolsita, la cierra y sopla por el extremo hasta dejar el móvil encerrado en una especie de globo.

—Su bolsa hermética puede convertirse en un frotador —anuncia con la voz de una azafata de KLM.

A Sven se le escapa una risita mientras la corrige:

—Flotador.

Dentro de la bolsa, el teléfono continúa grabando. Lotte estira el brazo y lo levanta para ver mejor lo que tienen delante.

—¿Qué crees que son? —pregunta Sven, inclinando la cabeza en dirección a esas luces que no dan la impresión de estar más cerca que antes.

—Luciérnagas gigantes —replica Lotte con un estremecimiento de emoción—. Luciérnagas americanas.

—Mastodontes *met*..., con colmillos bioluminiscentes —dice Sven.

—Medusas volantes —sugiere Lotte bajando la voz, como si estuviera entonando una plegaria.

—¿No hay un hongo de los árboles que es fosforescente? *Nu* hablo en serio.

—Ahora —lo corrige Lotte, aún con la misma voz soñadora—. Serán los indios. Seguro que están pintándose la cara y el cuerpo, preparando una revuelta.

—Hasta que se entere John Wayne Gacy —dice Sven, con tanto aplomo que Lotte se ríe sin poder evitarlo.

—Se dice solo John Wa… —empieza a decir, pero no termina la frase porque Sven se echa hacia atrás de golpe después de haberse asomado por el costado de la canoa, se echa hacia atrás y retira las manos muy deprisa, con algo largo y hebroso colgando de ellas. Se levanta sacudiéndoselo de encima, o lo intenta, y la canoa zozobra, empieza a volcar. Salta al agua por el lado contrario para evitarlo, con la mayor parte de sus partes pudendas ocultas al ojo voraz de la cámara. Se zambulle sin hacer ruido, una zambullida imperceptible, y desaparece.

Ahora, sola a bordo de la canoa, Lotte se tambalea indecisa, con el dorso de su mano elevándose de inmediato para cubrirle la nariz y la boca, para repeler el hedor de lo que sean esos jirones repugnantes que Sven ha izado por la borda. Sufre una arcada que la postra de rodillas.

Se han adentrado en… ¿qué? ¿Un banco de algas? ¿De légamo? ¿A esa altitud, con las zanjas todavía llenas de nieve?

—¡Sven! —grita a la oscuridad que se agazapa sobre ella por todos los frentes.

Se cubre con los brazos e intenta sentarse sobre los talones.

Ni rastro de Sven.

Y entonces entiende a qué se debe esa peste: tripas de pescado. Alguien de la ciudad habrá limpiado el botín de la jornada, habrá tirado los restos al lago en vez de dejarlos en su embarcación, una masa de intestinos y despojos limpios de carne cohesionados por la sangre coagulada hasta formar una costra viscosa y flotante.

Tose de nuevo, tiene que cerrar los ojos para no vomitar.

O puede que no se tratara de una red entera llena de peces (la pesca de arrastre está prohibida en el interior de los Estados Unidos,

¿verdad?), sino de un par de ellos muy grandes, de esos que podrían habitar en las profundidades de un lago. ¿Esturiones, lucios, siluros? Seguro que Sven lo sabe. Su tío es pescador.

—¡Sven! —lo llama de nuevo. No le hace gracia este juego.

No necesariamente en respuesta a su llamada, sino debido más bien a su capacidad pulmonar, Sven sale a la superficie unos seis metros a la izquierda de Lotte.

—*Gevonden!* —está gritando—. ¡La tengo!

Lo que agita sobre su cabeza es la tapa de la nevera, blanca y brillante.

—¡Vuelve! ¡Ya no quiero ver luciérnagas gigantes!

—¡Mastodontes! —replica Sven mientras chapotea con la tapa en el agua, un estruendo ensordecedor para Lotte, como si estuvieran atrayendo sobre ellos una atención no deseada. Gira la cabeza para observar las luces de la orilla opuesta, para ver si se dirigen todas en su dirección.

Recoge el móvil dentro del globo, sacude la cámara para que la apunte a ella y dice en perfecto inglés:

—Te odio, Sven. Estoy aterida y asustada, y cuando te preguntes en qué te equivocaste, cómo es posible que no echaras ningún polvo en el gran estado de Idaho, ponte este vídeo para averiguarlo.

Dicho lo cual, encaja el móvil bajo la cubierta de proa de la canoa y algo hacia arriba, contra la quilla, en ese resquicio oculto que parece diseñado a propósito para esconder una bolsita hermética inflada con un teléfono dentro.

—¡Ven tú! —dice Sven—. ¡No quiero volver a tocar eso, esos pelos!

—¡No es pelo! —replica Lotte—. Son tripas de pes…

Lo que le impide terminar la frase es la sensación inconfundible de que hay alguien detrás de ella. Lo cual sería imposible, por supuesto, dado que lo único que tiene a su espalda es el lago. Pese a todo, se gira en redondo hacia la otra punta de la canoa, convencida de que había una sombra allí, en los límites de su visión periférica, aunque ya se ha esfumado.

—¿Son algas? —pregunta ahora Sven—. ¿Es así como se dice en *Engels*?

—¡En inglés! —lo corrige Lotte, a la que se le está empezando a agotar la paciencia con esto.

—¡A la mierda el inglés! *Het is haar!*

Pero no son pelos.

Porque, si lo fueran, eso significaría que... Lotte no sabe qué: ¿significaría que un alce, un oso o el caballo de un vaquero habían muerto allí, o flotado hasta allí ya muertos e hinchados para después reventar a causa del calor de la jornada, rociándolo todo como un géiser de entrañas sanguinolentas?

El hecho de que la canoa acabe de chocar con algo donde no debería haber nada le sugiere que esa es la explicación más plausible.

Profiere un chillido y nota las mejillas surcadas de lágrimas, entrecortada su respiración, a punto de perder el control sobre ella.

—¡Sven! —se desgañita, agarrada con fuerza al costado de la canoa, y ahora, en vez de otro golpe, lo que oye, tan veloz como unos pasos a la carrera, es una serie de, no exactamente chapoteos, sino otro tipo de perturbación en la superficie del agua. ¿Un banco de peces, saltando? ¿Una formación de murciélagos, cebándose con los insectos del lago? ¿Una piedra que alguien habría lanzado durante el día y que aún continuara brincando, botando, buscando la orilla contraria?

Sea lo que sea, se aparta de ello.

—¡Sven, Sven, Sven! —está diciendo, pero en voz cada vez más baja, porque tiene el presentimiento de que sus gritos le han colocado una diana en la espalda.

Jamás deberían haber venido a América. Esto no es ninguna gran aventura.

Lotte se vuelve hacia el embarcadero, hacia esa luz que sabe que es real, y justo cuando mira, la luz parpadea de nuevo. No, no, no se ha apagado, es que algo ha pasado por delante de ella.

Segundos después, un chasquido obscenamente íntimo surca las aguas hasta llegar a la canoa como un desgarro delicuescente. ¿Desde la posición de Sven? ¿Continúa ella en el mismo sitio respecto a él?

Lotte se yergue sintiéndose más expuesta que nunca aunque ni siquiera llega a verse los brazos. Y se cae de espaldas, casi por la borda, cuando Sven empieza a gritar. En neerlandés, en inglés, en humano, solo que más primitivo. La clase de alarido, Lotte lo sabe, que solo se puede proferir una vez.

—*Wat is er mis met haar mond?* —es lo único que alcanza a entender antes de que la voz de su compañero se trunque con un gorgoteo para cesar bruscamente después.

Lotte se estira para remar, para alejarse, lo siente, Sven, lo siente en el alma, y se disculpa también con América, no debería haberla profanado de noche, tendrían que haber seguido conduciendo, rodeando Idaho, se lo contará a todo el mundo, les advertirá que no se acerquen a este sitio si logra... Su brazo se hunde hasta el codo en la masa de entrañas, pelo y carroña, una masa que cuelga en hilachos de ella y se enrosca en la canoa, se enrosca a su alrededor, pero a Lotte no le importa, se tumba sobre el estómago para buscar con más ahínco la orilla, introduciendo la punta de los dedos allí donde las aguas están más frías aún.

Una vez, dos, veinte, hasta que su mano ¿toca algo sólido? En su cabeza, al instante, se materializa la imagen a cámara lenta de un cadáver equino flotando bajo la superficie, las yemas de sus dedos rozan el lucero que media entre sus ojos, un contacto sutil que empuja a la deriva el inmenso cuerpo sin vida, todavía más hacia el fondo.

Retira la mano y se queda sentada, sujetándosela como si se hubiera lastimado, y es entonces cuando lo que había tocado con ella la adelanta bamboleándose.

La tapa de la nevera, blanca, veteada ahora de rojo.

Lotte niega con la cabeza, no, no, no, y luego, porque qué otra cosa iba a hacer, se deja caer por el costado de la canoa y se abre paso a través de esos filamentos de descomposición, algunos de los cuales intentan introducirse en su boca, nadando con todas sus fuerzas en dirección a las tenues luces de Proofrock, con las brazadas propias de una antigua veterana del equipo de natación.

El teléfono que se ha dejado atrás, envuelto en su globo traslúcido, ya no está grabando nada más que la canoa de aluminio, ahora vacía, y una esquina borrosa de la pequeña nevera. Pero, a su amortiguada manera, continúa a la escucha.

Y lo que registra no es más que la antesala del grito de Lotte.

Un grito que, nada más empezar, ya se ha truncado.

PÁNICO ANTES DEL AMANECER

Jade Daniels entra en la zona de obras de Terra Nova con la espalda encorvada (sería la descripción más exacta) la noche de un trece de marzo a diez grados bajo cero, el viernes previo a que comiencen oficialmente las vacaciones de primavera en Proofrock.

Lleva un cúter en el bolsillo izquierdo de su fino mono de trabajo, lo que su padre seguramente habría calificado de «navajilla de mierda», y en el derecho está enfundado su puño. Debajo del mono hay una camiseta entallada de los Misfits (es posible que demasiado pequeña, si es que estas cosas le importan a alguien) y unos vaqueros raídos, con la mayoría de los agujeros a la altura de los muslos, no de lavar platos en la Casa de las Tortitas ni de acarrear cajas en ningún almacén (Proofrock no es tan grande como para que haya esas cosas), sino de clavar las uñas en la tela durante la séptima hora, la clase de Historia de Idaho, lo que ella denomina Lavado de Cerebro Para Principiantes. Lleva las uñas pintadas de negro, por supuesto, y el pelo debería ser verde, esa era cien por cien la idea, iba a quedarle espectacular, pero el cabello indio no se lleva bien con los tintes, ni siquiera con aquellos cuya caja asegura que sí, de modo que ahora tiene que lidiar con una fregona naranja como melena, motivo por el que hace treinta minutos se desató la discusión en su casa que la ha terminado llevando allí.

Si su padre hubiera sido capaz de morderse la lengua al verla cruzar desde la puerta principal al pasillo, lo más probable es que ella estuviese ahora en su habitación, con los auriculares incrustados en las orejas y un slasher pirata llenando de nieve distorsionada la pantalla de su televisor de trece pulgadas, el que cuenta con un reproductor de cintas de vídeo incorporado.

Pero su padre es incapaz de mantener la boca cerrada, y menos en una de esas noches en las que ya se ha bebido seis cervezas y casi con toda seguridad se habrá ventilado una caja entera antes de que se haga de día.

—Tienes que dejar de zampar tantas zanahorias, enana —dijo con una risita indolente, bebiendo a morro de la botella a modo de punto final.

Jade se detuvo como correspondía, como supone que él quería que hiciera.

A su padre lo llaman Chapi Daniels, mote que se ganó en el instituto por su afición a enhebrar sedales en la tapicería del techo de su Grand Prix, festoneado de anzuelos de los que luego procedía a colgar anillas o chapitas de cerveza, tantas que la antedicha tapicería acabó por venirse abajo y caérsele encima una de esas noches en las que tanto le gustaba circular a ciento y pico por hora.

Debería haberse matado en aquel accidente, Jade lo sabe. O lo desea. Ella ya estaba en camino por aquel entonces, así que no habría dejado de existir por eso ni nada por el estilo. La única existencia que se habría perdido es la de esta cutre versión de su vida en la que ella no está con su madre, sino con su autoproclamado progenitor.

Pero, evidentemente, como estaba condenada a vivir bajo el mismo techo que su hombre del saco particular, el accidente se limitó a triturarle los huesos y a dejarle la cara como la de Freddy Krueger, porque, como él mismo se encarga de repetirle hasta la saciedad a todo el que no haya tenido la sensatez de haber abandonado todavía la sala, los indios y los borrachos son los hijos predilectos de Dios.

Jade discreparía humildemente de esa aseveración, siendo como es medio india por parte de padre y recibiendo como recibe, a ojo de buen cubero, más o menos cero predilecciones por parte del Todopoderoso. Para muestra, un botón: Rexall, el compañero de cogorzas de su padre, riéndose del chiste paterno a cuenta del pelo anaranjado de Jade e inclinando la barbilla en su dirección para apostillar:

—Pues si te gustan las verduras, aquí tengo yo un nabo que...

Jade, sin dejar de odiarse a sí misma durante todo el proceso, le había enseñado los dientes al oír aquello, esperando que su padre le cruzase la cara a Rexall, despojo humano donde los haya. O, a falta de guantazos, que le diera un codazo admonitorio, qué menos. Como mínimo, Chapi Daniels podría haberle susurrado un «baja la voz» a su colega del instituto. Un «córtate hasta que se haya ido la chiquilla, colega» o algo. Lo que fuera, cualquier cosa le habría valido.

Por toda reacción, sin embargo, su padre se había limitado a reírle la gracia.

Quizá si la madre de Jade estuviera aún allí habría sido ella la que le clavara ese codo materno, la que lo apuñalase con la mirada, pero en fin, qué más da. La casa de Kimmy Daniels se encuentra a tan solo mil doscientos metros de la sala de estar de Jade, aunque lo mismo podría estar en otra galaxia. Una galaxia a años luz de la órbita de Chapi Daniels, lo cual, y esto Jade también lo sabe, es precisamente la idea.

Otra certeza que tiene es que fue una equivocación pararse como lo hizo en la sala de estar. Debería haber seguido caminando, bregando, capeando el temporal de pullas y humo hasta desembarcar en su cuarto. Una vez arriadas las velas, no obstante, desplegarlas de nuevo sin réplica alguna habría equivalido a aceptar la derrota.

Le lanzó una mirada fulminante a Rexall.

—Mi padre decía lo de las zanahorias porque hay chicas que no comen otra cosa para estar muy delgadas, dieta que, en exceso, puede hacer que el blanco de los ojos se te ponga naranja. —Jade se atusó el cabello para que a Rexall no se le escapara la referencia—. Supongo que por eso tú tienes los ojos así, de comer tanta mierda.

Rexall se incorporó de golpe, provocando una avalancha de botellas vacías que rodaron en todas direcciones desde la mesa de centro, pero el padre de Jade, sin apartar la vista de su hija en ningún momento, sí que lo contuvo esta vez.

Rexall tiene nombre de cadena de farmacias porque, en su momento, le había dado por trapichear con droga, fuera cuando hubiese sido el susodicho momento, aunque Jade sospecha que debió de ser eso ni más ni menos, una vez contada y no más.

El padre de Jade se mordisqueó la cara interior del carrillo, otra costumbre asquerosa que tiene y que a Jade le permite vislumbrar el bulboso cúmulo de tejido cicatricial que le divide los molares.

—Ha heredado la lengua de su madre —le dijo a Rexall.

—Ojalá —replicó este, y Jade tuvo que desenfocar la mirada en un intento por exorcizar la imagen que su imaginación acababa de conjurar.

—Pues sí, porque... —empezó, sin saber ni siquiera cómo iba a seguir, aunque no tuvo ocasión de terminar la frase porque Chapi ya se había levantado y estaba sorteando la mesa de centro con una placidez engañosa, sin dejar en ningún momento de mirarla a los ojos—. Atrévete —lo desafió Jade, con el corazón como la cuerda de un arco en tensión pero sin que sus pies cedieran ni un palmo a pesar de la acre viscosidad de su aliento, de la pestilencia de su calor corporal.

—Si esto hubiera sido hace dos siglos... —dijo él, sin necesidad de continuar porque era la misma chorrada de siempre: que había nacido demasiado tarde, que esta época, esta era, no estaba hecha para él, que estaba chapado a la antigua, que se las habría apañado a la perfección en cualquier otro tiempo, que él solito le habría arrancado el cuero cabelludo al primer colono que hubiera intentado hundir su arado en la tierra, o levantar un granero, o hacerse un lazo en la cofia, lo que fuese.

Ya.

En realidad su reserva habría sido la primera en caer, y él, el primero en plantarse a las puertas de la taberna para que le sirvieran un trago.

—A lo mejor debería darte unos azotes —añadió, pero esta vez, en lugar de proseguir con el habitual intercambio de asaltos verbales, el puño derecho de Jade ya había comenzado a ascender como si estuviera dotado de vida propia y su torso rotando, amartillado el hombro, el lote completo, mientras su cuerpo, carente de forma y entrenamiento, se disponía a poner toda la carne en el asador.

Y debería haber funcionado, además. Chapi había girado la cabeza para apurar la botella y ella no había intentado nunca nada por el estilo, por lo que su padre no estaba particularmente en guardia. Llevaba toda la vida recibiendo golpes cuando menos se lo esperaba, no obstante, de resultas de lo cual debía de haber desarrollado una especie de radar. Eso, o Dios quería poner de manifiesto cuál de los dos gozaba más de su predilección.

Él, no su hija.

Le atrapó el puño con la zurda, sin esfuerzo, tiró de ella hasta que sus rostros se tocaron y gruñó:

—No me busques las cosquillas, mocosa.

—Las cosquillas, no —replicó Jade contra sus labios—. Esto.

El rodillazo le impactó en los huevos como si el tacón de la bota tuviera un cohete adosado, y acto seguido, en el tiempo que su padre tardó en desplomarse encima de la mesa de centro, desperdigando aún más botellas vacías, Jade salió corriendo por la puerta con mosquitera y se zambulló en la noche como una exhalación, aunque su atuendo no fuese el más adecuado.

Si había agarrado su mono de trabajo era únicamente porque estaba colgado en el tendedero, tapizado de escarcha; nadie se esperaba que las nubes invadiesen el paso de esa manera. Sin embargo, no se lo puso hasta que hubo llegado al final de la calle, y cuando lo hizo fue sin dejar de mirar en todas direcciones. Sus ojos eran la única fuente de calor que le quedaba.

—Alice —murmura ahora mientras cruza arrastrando los pies la puerta abierta de la zona de obras para la construcción de Terra Nova, en curso las veinticuatro horas del día, siete días a la semana, en la orilla opuesta del lago.

Alice, la chica final de *Viernes 13*, también tiene el pelo más o menos anaranjado, ¿no es cierto? Lo es, decide Jade con una sonrisa cruel, y eso hace que su intento por teñirse ya no sea tan calamitoso, sino algo providencial, una señal del destino. Hoy es viernes trece, al fin y al cabo, la más sacrosanta de las efemérides. Pero se recuerda que está cabreada. Con semejante enfado, sonreír no le pega. Ya solo resta esperar a que la encuentren tirada en cualquier parte, incapacitada por la hipotermia. Lo que le dirá al sheriff Hardy es que su padre estaba de juerga, como de costumbre, y la ha echado de casa, como la última vez.

Tendrá que echarle ovarios, es su única opción. Dejarse de tiritones y sustituirlos por unos labios más azulados y unos ojos más secos. Su improvisado plan pasaba por bajar al embarcadero de la ciudad (público, melodramático, alguien se tropezará con ella antes de que termine de diñarla del todo), pero cuando vio las luces parpadeantes de la zona de obras, no le quedó más remedio que dejarse seducir por ellas como una polilla.

Resulta que el resplandor se debe a una conflagración. Aunque no se trata de ninguna hoguera, sino de… Cuando lo ve, sonríe sin poder evitarlo: los curritos del turno de noche han usado la pala mecánica para recoger toda la madera y los escombros de alrededor de la obra, seguramente su último cometido antes de fichar, llenando la enorme escombrera de acero y dejándola elevada a un par de palmos del suelo antes de acercarle algo en llamas, quizás el extremo de una toalla que alguien habrá sujetado hasta el último momento antes de quemarse los dedos.

Contra la basura, supone Jade, el fuego es un remedio tan bueno como cualquier otro. Y con Proofrock esforzándose por reducir su población a los dedos de una mano, quizá sea el más recomendable de todos.

Lo que le concede a Jade licencia para acercarse a la pira con el resto de los obreros es que, según su razonamiento, al menos lleva puesto el uniforme de trabajo, mugriento después de tantas tardes y fines de semana fregando suelos, vaciando cubos de basura y frotando inodoros. Su nombre («JD» por «Jennifer Daniels»), cosido en el pecho con trazos de hilo en cursiva, da fe de que es como ellos: no lo suficientemente importante como para que uno deba tomarse la molestia de recordar su nombre, pero de alguna manera tendrán que llamarte desde la oficina cuando se haya derramado algo y necesiten que alguien venga a secarlo.

—¿Cómo estamos? —dice a modo de saludo generalizado sin mirar a nadie a los ojos, sin querer llamar la atención en exceso. Se arrepiente inmediatamente de haber abierto la boca, convencida de que van a tomárselo como una afrenta, pero bueno, qué más da, ya es demasiado tarde para tragarse esas palabras.

El de las gafas de aviador (de tiro, ¿verdad?) amarillas asiente una vez con la cabeza y se inclina para escupir a las llamas.

El tipo que tiene al lado, el de los guantes desparejados, reprende a Gafas de Tiro con un tortazo e inclina la cabeza en dirección a Jade, como diciendo ¿es que no ve este cazurro que hay una señorita entre ellos?

Para que vean que no pasa nada, Jade se arrima a las llamas, que hacen que sus mejillas congeladas crepiten, y proyecta contra la pala el salivazo más grande que consigue reunir mientras se le rizan las pestañas debido al calor, o eso le parece.

El currito de los Carhartts verdes y descoloridos, embutidos en unas botas camperas, lo celebra con una risita.

Jade se seca los labios con el dorso de la mano desnuda, sin notar ni los unos ni la otra, y aprovecha ese gesto efímero para inspeccionar el lugar.

Desde dentro ofrece el mismo aspecto que a través de la valla de tela metálica de tres metros de alto: palés y más palés de materiales de construcción, zanjadoras y elevadoras hidráulicas, carretillas de aspecto cansado y volquetes encostrados de hormigón, camiones aparcados allí donde estaban cuando llegó la puesta de sol, trayendo el auténtico frío consigo. La maquinaria pesada, como las apisonadoras y las palas excavadoras, se concentra a este lado de la zona vallada, con la silueta de la retroexcavadora elevándose en la parte de atrás como un saurópodo cuellilargo, siendo la grúa la reina indiscutible de todas, con los pies plantados a medio camino entre el fuego y la barcaza que transporta todos estos equipos de un lado a otro del lago Indian.

El día en que un convoy de semiarticulados entregó la antedicha barcaza, montada *in situ* justo antes de la festividad de Acción de Gracias, constituyó un acontecimiento tal que más de una clase de primaria vino de excursión para asistir al espectáculo. Y desde aquel momento, Proofrock no ha sido capaz de dejar de mirar. Nadie diría que esa plataforma plana y alargada, una embarcación que parece incapaz de flotar, vaya a poder con cualquiera de esos tractores de diez toneladas, pero todas las veces se limita a agazaparse en el agua como si confiara en sus posibilidades, como si creyera en sí misma, y luego, no se sabe cómo, lo consigue. Observando a través de la ventana durante la séptima clase, Jade odia cómo se le acelera el pulso al ver la monstruosa retroexcavadora en equilibrio sobre el lomo semisumergido de aquella barcaza. No sabe qué le gustaría más, que la retroexcavadora se escurra, que se precipite a las calles de Ciudad Sumergida, en el fondo del lago, o que el agua comience a elevarse cada vez más alrededor de esas ruedas tan altas, sin que nadie se percate hasta que ya sea demasiado tarde.

Cualquiera de las dos opciones le vale.

Al otro extremo de ese viaje en transbordador está Terra Nova, lugar que Jade aborrece por principios. Terra Nova es una urbanización de lujo que se asienta en la orilla opuesta del lago, en lo que solía ser un parque nacional antes de que unas cuantas retorcidas maniobras legales le arrancaran un bocado al bosque para construir lo que los periódicos denominan la comunidad más inaccesible de todo el estado de Idaho: «¡Tan exclusiva que ni siquiera hay carreteras que conduzcan a ella!». Solo se llega allí en barco, en globo o nadando; los globos se llevan mal con el viento de las montañas y el agua está justo por debajo del punto de congelación durante la mayor parte del año, así que, en fin.

Lo que significa Terra Nova, se enorgullecen de revelar todos los artículos, es «Nuevo Mundo». Y lo que dijo uno de los futuros residentes, una cita ya relativamente famosa, es que, cuando no quedan fronteras, uno tiene que crearse las propias, ¿verdad?

En esos momentos hay diez mansiones en construcción, a un ritmo tan vertiginoso que es casi como si las casas se estuvieran levantando a cámara rápida.

Lo que esos emprendedores, ricachones y magnates seguramente ignoran, no obstante, es que si caminas por la orilla hacia el este, desde Proofrock a Terra Nova, haciendo equilibrios por el espinazo del dique llegado cierto punto, el claro en el que acabarás es el antiguo campamento de verano, abandonado hace tiempo: nueve cabañas decrépitas recortadas contra un acantilado blanco como la cal, una capilla con los laterales abiertos que parece un techo bajo con zancos, como una iglesia que se estuviera hundiendo en el suelo, y una casa de reuniones central en la que hace siglos que no se celebra ninguna reunión. Sin contar los fantasmas de todos aquellos críos asesinados hace cincuenta años en esos terrenos.

Para todos los habitantes de Proofrock es el «Campamento Sangriento». Dale a Terra Nova un par de veranos, se imagina Jade, y el Campamento Sangriento pasará a llamarse el Campo de Golf del Campamento Sangriento, con cada calle bautizada en honor de una de esas cabañas.

Es un sacrilegio, le dice a todo el que esté dispuesto a escucharla, requisito que básicamente solo cumple el señor Holmes, su profesor de Historia. No se hacen nuevas versiones de *El exorcista*, no se hacen secuelas de *La semilla del diablo* y no se profana el escenario por el que se ha paseado un asesino en serie real. Hay cosas que no se pueden tocar. Como si a la gente de la ciudad le importara. O, dicho de otra manera: como si a la gente de la ciudad eso le importara más que los quince dólares la hora que los lisonjeros portavoces de Terra Nova están pagando a todo el que esté dispuesto a echar una jornada de trabajo en la obra. Incluido, pongamos por caso, Chapi Daniels. De ahí la gigantesca ola de cerveza que se dedica a cabalgar desde hace dos meses.

El quid de la cuestión, sin embargo, es que esa transacción no es lo que parece. Lo que están vendiendo no es su tiempo, su sudor, su trabajo, sino la misma Proofrock. Cuando Camelot empiece a relucir en la otra punta del lago Indian, nada volverá a ser lo que era (perorata patrocinada por el señor Holmes). Antes, el paisaje de vallas torcidas y coches con parachoques incompatibles a este lado del lago era lo habitual, lo que siempre había sido. Ahora, cuando aparezcan los Porsches, los Aston Martins, los Maseratis y los Range Rovers de Terra Nova para aparcar en el muelle, la flota de vehículos de Proofrock va a parecer un desguace ambulante. Cuando los habitantes de Proofrock puedan apuntar con sus prismáticos al otro lado del agua y ver el estilo de vida de los ricos y famosos, se darán cuenta de que el suyo es un asco con esas vallas torcidas, con esos tejados que tendrían que haber arreglado hace dos inviernos, con esos caminos de acceso de tierra prensada, con esos dobladillos y esas hombreras de la década pasada, porque escalar dos mil quinientos metros es algo que a la moda le lleva su tiempo.

En palabras pronunciadas por el señor Holmes durante uno de sus deprimentes sermones (lo espera la jubilación al término de este curso), Terra Nova quiere que la otra orilla del lago sea bonita y serena, impoluta, impecable, mientras que la última de sus preocupaciones es Proofrock, que no dentro de mucho quedará reducida a un despojo que se abandona en busca de algo mejor: colillas aplastadas con el tacón de la bota, meadas furtivas detrás de unos neumáticos tan altos como casas, ángulos de acero incrustados en la tierra junto con una capa sedimentaria tras otra de juntas solitarias y tuercas extraviadas, razón por la cual de ninguna manera piensa Jade quedarse aquí ni un minuto más de lo imprescindible después de su graduación. Es la promesa que se ha hecho a sí misma. La espera Idaho City, Boise, el resto del mundo. Cualquier sitio antes que este.

Aunque eso, como la hipotermia, pertenece a la esfera de lo futurible. Ahora mismo se conforma con frotarse las manos, impasible, sin hacer caso de los remolinos de chispas que proyectan las llamas. Si se apartara de ellas sería una niña pequeña y no pintaría nada en ese lugar a esa hora.

—¿Todo bien? —pregunta Gafas de Tiro.

—Excelente —replica Jade con la sombra de una sonrisa—. ¿Y tú?

En vez de contestar, Gafas de Tiro intenta establecer un sutil contacto visual con los otros obreros, solo que la distancia es demasiado corta como para admitir sutilezas.

—¿Interrumpo algo? —pregunta Jade al grupo en general. Guantes Desparejados se encoge de hombros, lo que significa que sí—. Es que me siento como si acabara de colarme en un velatorio —dice Jade, examinando sus rostros uno por uno.

—Caliente, caliente —replica Botas Camperas mientras se suena la nariz.

—No soy católica —dice Jade, apartándose con todos los demás de una vorágine repentina de chispas—, pero ¿en los velatorios no suele haber más alcohol?

—En los irlandeses, sí —sonríe Guantes Desparejados.

—A ver si adivino cómo te llamas. ¿McAllen? ¿McWhorter? ¿McAlgo?

—Eso sería escocés —dice Gafas de Tiro con la mirada fija en el fuego—. Los irlandeses se llaman O'Shaunessy, O'Brien. Un apellido O'Algo, esa es la regla que sigo para recordarlo.

—¿De quiénes eran los duendecillos? —pregunta Botas Camperas.

—Tío, qué sabrás tú, si eres indio —lo pincha Gafas de Tiro—. Estamos hablando de movidas de Europa.

—Yo también —dice Jade.

—¿También quieres saber de quiénes eran los duendes? —inquiere Guantes Desparejados, sonriendo ahora a su vez.

—También soy india —explica Jade, que a modo de presentación para Botas Camperas añade—: Pies negros, según mi padre.

—¿No sería pie negra, más bien? —pregunta Gafas de Tiro.

—¿De Montana o de Canadá? —tercia Guantes Desparejados.

Lo que Jade se abstiene de contarles es que, en primaria, hasta que no se fijó en la dirección del remitente de Montana de lo que al final resultó ser un cheque por Navidad, siempre se había tenido por shoshone, porque esos eran los indios que su asignatura de Estudios Sociales decía que eran originarios de Idaho. Así que, estando ella en Idaho como estaba, cuál si no sería su tribu. Hasta que vio aquella dirección y aquel sello tribal junto a la misma (sello que había guardado como un tesoro escondido junto a su cinta de *Candyman*). Además, por aquel entonces todavía pensaba que, puesto que había nacido medio india, a medida que creciera y se volviera más alta, a medida que la raza que corría por sus venas adquiriera más fuerza y eso se manifestara en su físico, tarde o temprano acabaría siendo cien por cien purasangre, como su padre.

—Pies negros —insiste con una autoridad que dista de sentir—. ¿Por quién coño me has tomado?

—Vale —dice Guantes Desparejados mientras levanta las manos de distintos colores como si se estuviera rindiendo, como si no quisiera seguir golpeando ese avispero—. Habla como una pies negros, qué duda cabe.

—Adoptado —explica Botas Camperas, refiriéndose a sí mismo, para presentarse a su vez—. Podría ser cualquier cosa.

—Se refiere a que es como un chucho callejero —matiza Guantes Desparejados.

—Chucho callejero, los huevos —replica Botas Camperas, y Jade archiva esa información: en esta obra, añadir «los huevos» al final de la frase debe de ser el argumento definitivo que se utiliza para zanjar cualquier discusión. Se empieza a sentir como en casa.

—Bueno, ¿y quién se ha muerto? —pregunta a quien quiera responder.

—No se ha muerto —dice Botas Camperas, parpadeando como si se le hubiera metido algo en el ojo.

—Depende de lo que entienda uno por muerto —añade Guantes Desparejados.

—Greyson Brust —contesta Gafas de Tiro, mostrándose respetuoso con el nombre.

—Entró con nosotros —le explica Guantes Desparejados a Jade antes de encogerse de hombros con un gesto exagerado, como si estuviera intentando no pensar en algo.

—¿Cero días desde el último accidente? —pregunta Jade, consciente del berenjenal en el que se ha adentrado. Gafas de Tiro reacciona con una risita desprovista de humor—. Si es que este sitio está maldito —murmura Jade, lo que consigue atraer la atención de todos, acompañada de otro puñado de miraditas cruzadas, menos sutiles que antes—. O no, yo qué sé —se apresura a añadir.

—Bueno, ¿y adónde te diriges? —pregunta Botas Camperas, procurando acelerar la inevitable despedida de Jade.

Y esta, que no tiene madera de jugadora de póquer, lanza una mirada involuntaria a la inmensidad que es el lago Indian bajo el firmamento nocturno mientras se encoge de hombros.

—No se dirige a ninguna parte. —Guantes Desparejados sostiene la mirada de Jade—. Pero sí que proviene de alguna, ¿verdad?

—Es un nombre de asesino —replica Jade, contestando a una pregunta que se encuentra en las antípodas de lo que él quería saber.

—¿Disculpa? —dice Botas Camperas.

—Greyson Brust —explica Jade, aunque no debería hacer falta—. No sé, parece sacado de un panteón del terror, ¿no os parece? «Greyson Brust» debería estar ahí arriba, en lo más alto del podio, junto con Harry Warden, con Billy Loomis, con John Wakefield, con Victor Crowley y Sammi Curr. Junto con..., lo diré..., Jason Voorhees. Es que hay nombres que tienen un timbre asesino, ¿a que sí?

—¿Estás bien? —pregunta Guantes Desparejados, y Jade baja la mirada al detonante de su curiosidad: la flor carmesí que se extiende sobre el bolsillo izquierdo del mono, donde ha estado abriendo y cerrando el cúter contra su pierna mientras caminaba hasta aquí.

—Me he manchado, sí —parafrasea ella, restándole importancia a su escrutinio, a la colección de diminutas cicatrices que le surcan las caderas y los muslos montándose unas sobre otras para hacerse visibles. Y a continuación, dado que ahora nadie se atreve a abrir la boca y la situación se ha vuelto superincómoda y empieza a apestar, Jade se aparta ligeramente del fuego y añade—: Pero vamos, que sí, tienes toda la razón. Debería andarme con ojo. Que no hay que arrimarse tanto a las llamas, quiero decir.

—Estabas... —dice Botas Camperas, aunque se interrumpe y comienza de nuevo—: Pensaba que te referías a...

—Los slashers —sentencia Jade con su sonrisita más diabólica—. Me refería a los slashers, a las pelis de miedo. Por eso no estaría bien que saliera ardiendo ahora. Soy conserje, o sea, empleada de mantenimiento, que prácticamente equivale a decir que soy como una cuidadora, ¿verdad? Cuando me pongo esto me convierto poco menos que en la protectora de Proofrock. Y si me acerco demasiado, si se me prende una manga y el resto hace lo propio, pues... —Jade tiene que tragar saliva para borrarse la sonrisa del rostro—. Estoy hablando de Cropsy —dice, mirándolos uno por uno en busca del menor atisbo de reconocimiento—. Slashers de 1981, Alex.

—Ajá —murmura Gafas de Tiro.

—Vale, de acuerdo. —Jade da un paso atrás en su cabeza mientras se esfuerza por dilucidar por dónde debería empezar para que ellos lo entiendan—. Imaginaos que sois el principal y único encargado del Campamento Pie Negro. El de *La quema*, ya sabéis. No confundirla con *Campamento sangriento*, que para otros es una película, mientras que para nosotros es un lugar, pero dejemos eso a un lado por el momento. Es como..., es lo mismo que pasa con Higgins Haven tanto en la tercera de *Viernes 13* como en *Sueños tortuosos*, ¿vale?

—Tú eres como la encargada de este campamento —interviene Botas Camperas, siguiéndole la corriente.

—Si fuera Cropsy, sí, lo sería —dice Jade, enfrascada en la historia—. Y tengo mi propia cabaña y todo. Pero estos chavales, estos gamberros, no ven con muy buenos ojos mi forma de «encargarme» de las cosas. Recordad que estamos en una colonia, un ecosistema cerrado con sus castigos y recompensas particulares.

—Me quiere sonar —murmura Gafas de Tiro.

—¿Tú ibas de convivencias? —pregunta Guantes Desparejados.

—Que me suena lo de los castigos, quería decir.

—Total, que soy como Cropsy, la encargada. La cuidadora —continúa Jade antes de que se les olvide que estaban escuchándola a ella—. Mi trabajo consiste en limpiar toda la sangre de las duchas, en recoger todos los deditos amputados del suelo de la canoa. Ya puedes morir por culpa de una picadura de abeja, un flechazo, un hachazo, que yo me encargaré de que no quede ni rastro. Pero a los mocosos estos se les ha metido en la cabeza que alguien debería ponerme en mi sitio, así que deciden gastarme una broma inocente. La tradicional novatada propia de todos los campamentos, ¿no?

—Tengo un abrigo en la camioneta, si quieres —le dice Botas Camperas a Jade, seguramente porque a esta le tiemblan la mandíbula y los músculos que le rodean los ojos están dando saltitos, pero eso no es por culpa del frío. Si se está estremeciendo es de emoción. El señor Holmes, por lo general, ya la habría interrumpido a esas alturas interponiendo una mano enorme entre ambos para subrayar el hecho de que, sintiéndolo mucho, no piensa aceptar más redacciones sobre pelis de miedo.

Pero también puede disertar sobre ellas de viva voz.

—Lo que maquinan estos chavales —continúa bajando la voz, metida en su papel hasta el fondo— es colar una calavera, puede que falsa, en la habitación de Cropsy, en mi habitación, digo, aprovechando que estoy dormida, dejarla con dos velitas encendidas en las cuencas oculares y aporrear la ventana para despertarme. Os podéis imaginar lo que pasa a continuación. La broma funciona y yo estoy asustada, aterrada, me he despertado dentro de una pesadilla, ¡mi cabaña está ardiendo! Lección aprendida, ¿verdad? Pues no, porque, medio grogui y presa del pánico como estoy, lo que hago es tirar la calavera, las sábanas empiezan a arder y, casualidades de la vida, resulta que me gusta acostarme con un bidón lleno de gasolina en el cuarto. Para que los críos no hagan tonterías con él, no sé, para evitar que alguien se lastime.

—Joder —dice Gafas de Tiro.

—Y ahora, viajemos en el tiempo hasta cinco años después de aquella explosión —prosigue Jade, como si estuvieran sentados en torno a una fogata—. Yo, Cropsy, sobreviví al incendio, no se sabe bien cómo. Más o menos. Porque me he quedado con la carne como derretida, llena de cráteres que disimulo poniéndome gabardinas y calándome el sombrero hasta donde deberían estar las cejas porque el menor rayo de sol basta para hacer que mi piel, tan delicada, sisee, mi piel como buñuelos de tejido cicatrizal. Todo esto es tres años antes de Freddy, ¿vale?

—También tengo unos guantes de sobra —le ofrece Botas Camperas, empezando a quitarse los suyos.

—No los necesito —dice Jade, la ambientación es perfecta—. A mi primera víctima me la cargo con unas tijeras.

—¿Deberíamos…? —pregunta Gafas de Tiro, dirigiéndose a todo el mundo menos a Jade.

—Calla, calla —replica Guantes Desparejados, cada vez más metido en la historia.

Jade intenta que su sonrisa deje de ensancharse, con escaso éxito.

—Sin embargo, para cuando regreso al lago en el que se encuentra el Campamento Pie Negro, así en singular, esas tijeras ya se han vuelto gigantes. Ahora estamos hablando de unas tijeras de podar enormes. Y ¿por qué tijeras, os preguntaréis? ¿Por qué unas tijeras de podar? Ahí es donde quiero llegar. A lo mejor vosotros lo adivináis. Mi profesor de Historia no fue capaz.

—¿Quieres que avisemos a alguien? —pregunta Gafas de Tiro.

—Volvamos a aquella broma inicial, ¿vale? —dice Jade, deteniéndose en cada rostro como si estuviera en un interrogatorio—. ¿Las dos velas como ojos llameantes en la calavera? Pues bien, supongamos que me despierto y veo eso en el último instante de lo que terminaré considerando la mejor parte de mi vida. ¿No sería mi impulso inicial tapar esos ojos, destruir esos ojos, impedir que suceda esta cosa tan aterradora? Pero, si únicamente tuviera un abrecartas, pongamos por caso, estaría jodida. Tendría que elegir dónde clavarlo, si en el ojo izquierdo o en el derecho, y eso no acabaría con el miedo, sino que lo dejaría tuerto, lo convertiría en un simple pirata. Ahora bien, si tuviera unas tijeras como las de *Psicópata*, del año anterior, en fin, entonces me podría cargar los dos ojos a la vez. Son el arma perfecta para esta pesadilla en la que me he despertado. Solo que ya han pasado cinco años cuando vuelvo al viejo Campamento Pie Negro y tengo una tonelada de asesinatos por cometer, así que paso de las tijeras normales. Las de podar, en cambio, con esas puedo mantenerme a una distancia prudencial mientras hago chas chas chas. —Jade hace el gesto de cortar con las manos mientras apunta a la garganta de cada uno de los obreros, que la observan sin rechistar—. Y en cualquier caso, lo de las tijeras de podar, uno, no había salido en ningún slasher anterior a 1981, y dos, si las levantas para que reflejen la luz de la forma adecuada hacen que te sientas como si ya hubieras muerto.

—¿No quieres que te lleve, no sé, a alguna parte? —pregunta Gafas de Tiro.

—Pero es que, además —continúa Jade, embalada, obligándose a recordar que debería respirar—, las tijeras de podar, como que encajan con mi nombre, ¿verdad? Paraos a pensarlo: Cropsy. Si nos atenemos a su significado en inglés, está relacionado con el recorte de cosas. Con hacerlas más pequeñas de lo que son. Cuando lleguéis a casa, lo buscáis en el diccionario. *To crop* significa eliminar las partes superiores o exteriores de algo. Y eso es lo que hago para vengarme de esos campistas ese verano. Los recorto a base de bien. En el bosque. En una balsa. En el túnel de una mina, cosas todas ellas de las que Proofrock está más que servida.

—¿A qué te refieres? —murmura Botas Camperas, que mira a su alrededor como si quisiera cerciorarse de que todos se están haciendo la misma pregunta que él.

—Me refiero a que por eso he dicho que debería tener cuidado con esto —replica Jade, extendiendo las manos abiertas al fuego—. Si me acerco demasiado y salgo ardiendo, tendré que volver dentro de cinco años y abrirme paso a tijeretazos por esta ciudad como si, como... Ay, mierda, que se me olvidaba contaros lo otro. ¿Sabíais que, durante el rodaje de *La quema*, Tom Savini todavía conservaba la cabeza que le habían cortado a Betsy Palmer en *Viernes 13* y que los actores la usaban para jugar al voleibol? Y, hablando de *Viernes 13*, ¿sabíais que se rodó en 1979, al mismo tiempo que *El Día de la Madre*, solo que cada una en una punta del lago? Pues sí, los equipos quedaban para tomar cerveza por las noches, sin sospechar ni por asomo que las c-c-compuertas estaban a punto de abrirse, como las puertas del ascensor en *El resplandor*, ¿no? Tuvo que ser..., fue, tuvo que ser..., os imagináis siquiera...

Por mucha rabia que le dé, lo cierto es que Jade no puede evitar que se le escape una lagrimita. O unos lagrimones, más bien. Y ahora Gafas de Tiro, que está sujetándole el brazo, se ha quitado la chaqueta para echársela por los hombros. La aleja del agradable calor de la hoguera improvisada y la deposita en el asiento del copiloto de un coche último modelo, cubierto de polvo, que no podría desentonar más en el escenario de la obra que lo rodea.

—E-estoy bien —consigue tartamudear por fin Jade, empeñada en demostrar que no pasa nada, que puede quedarse, que se podría tirar hablando toda la noche, que ha hecho los deberes y lo sabe todo sobre los slashers, que le pregunten lo que sea, por favor, preguntad, preguntad.

—Voy a llevarte a... —dice Gafas de Tiro desde detrás del volante mientras saca las llaves del bolsillo que hay en el respaldo del asiento de Jade, acción que esta nota en el espinazo—. ¿Estás, no sé, huyendo de algo?

Jade sopesa esa pregunta durante tanto tiempo que termina respondiendo sin necesidad de despegar los labios.

—Bueno, ¿adónde puedo llevarte? —El motor arranca con una sacudida.

—¿Este es tu coche? —replica Jade enjugándose el rostro, respirando de nuevo por fin, respirando demasiado deprisa, demasiado hondo, como si estuviera a punto de desmoronarse como una cariátide decrépita hecha de anhelos y lágrimas.

—Como Cody —dice Gafas de Tiro mientras inclina la cabeza hacia atrás, apuntado a Guantes Desparejados o a Botas Camperas—. Es adoptado.

Botas Camperas, entonces.

—Adoptado, los huevos —dice Jade, que antes de continuar deja transcurrir una pausa infinitesimal para ver si el hombre se ha dado cuenta de que está hablando como ellos—. Adoptar un coche significa que lo has r-r-robado.

Detesta tiritar de esta manera, mostrar debilidad de esta manera, tener que doblegarse a estos dictados de su cuerpo. Pero sabe que se le pasará. Tiritar es algo temporal, hasta que el organismo abandona toda esperanza de volver a entrar en calor.

—Íbamos a cargar la barcaza el fin de semana pasado y estaba abandonado en medio del camino —comenta Gafas de Tiro con un encogimiento de hombros, sin concederle mayor importancia—. Nos lo trajimos aquí para que no se abollara.

—Eso n-no quiere decir que sea t-t-tuyo.

—Se lo devolveremos a su dueño cuando decida venir a buscarlo.

—A lo mejor es m-mío. —Los hombros de Jade continúan estremeciéndose a pesar de la chaqueta que los envuelve.

Por toda respuesta, Gafas de Tiro levanta del salpicadero una camiseta de Deadwood de color rosa, reluciente de purpurina, y se la enseña sosteniéndola en alto.

Jade sonríe sin poder evitarlo, pillada. Ninguna fanática del terror que se precie se pondría algo así.

—Bueno, ¿adónde vamos, chica final? —pregunta Gafas de Tiro.

A Jade se le para el corazón al oír esas palabras. Se le para y después se le hincha como un globo en el pecho. Pero:

—No me llames así —se ve obligada a decir mirando por la ventanilla del coche, a través de su propio reflejo—. Las chicas f-finales son vírg…, p-p-puras, no como yo.

—La pregunta sigue siendo válida.

—Yo te indico. —Jade apunta con la barbilla a la derecha, al centro de Proofrock, antes de decirle a Gafas de Tiro—: Y ahora t-tú.

—¿Yo qué? —dice Gafas de Tiro mientras conduce el coche con cuidado por el panel de madera que Jade supone hace las veces de puerta. Da el pego. Cuando enciende las luces largas, sin embargo, Jade le toca el brazo y niega con la cabeza. El chico las quita. Parece que estén conduciendo por el interior de una iglesia—. No había estado aquí antes —dice Gafas de Tiro refiriéndose a Proofrock, dormida a su alrededor.

—Qué suerte. —Una oleada de escalofríos vuelve a recorrer la espalda de Jade, que aprieta los labios, traicionada físicamente de nuevo—. Por aquí.

Gafas de Tiro maniobra el volante a la izquierda, llevándolos por delante de la tienda, del banco, y ya no parece que estén conduciendo por el interior de una iglesia. Ahora es como si estuvieran dentro de un cuadro: *Pintoresca ciudad de montaña. Pastoral a orillas de un lago. ¿Y si 1965 todavía no se hubiera acabado?*

—Ahora tú, te toca —le dice Jade a Gafas de Tiro—. Te he contado algo. Ahora te toca a ti contarme algo a mí. Así funcionan las cosas. *Quid pro quo*, Clarice.

Gafas de Tiro menea la cabeza de un lado a otro, despacio, aparentemente impresionado por el hecho de que, pese a encontrarse en las fases tempranas de la hipotermia, la chica conserve aún el genio.

Jade asiente, sí, así es ella, este es su rollo.

—¿Dónde has estado los últimos cuatro años? —murmura como si no fuera esa la pregunta que en realidad quería hacerle, como si se le hubiera escapado.

—He estado… —empieza a contestar él, hasta que comprende el significado que se oculta tras esas palabras, momento en el que aprieta los labios y se limita a dejar la mirada fija al frente, en las tinieblas sin barrer por los faros.

—Ahora es cuando tienes que contarme lo de vuestro colega —le explica Jade—. Ese por el que no estabais de velatorio ahí atrás. El que no se ha muerto del todo o lo que sea.

—Greyson.

—¿Qué pasa, se ha ido a pasar la convalecencia con alguna tía lejana? ¿De esas que tienen el granero lleno de horcas, las manos llenas de agujas de c-coser y la cabeza llena de mala ideas? —Gafas de Tiro se gira para observarla—. Es lo habitual, por eso lo digo —añade Jade para que vea que no pretendía ofender a nadie—. La parte agraviada, víctima de la jugarreta, tiene que desaparecer hasta que la gente se haya olvidado de ella, para que su regreso los pille a todos por s-s-sorpresa.

—Dijiste que este sitio estaba maldito —dice Gafas de Tiro.

—Lo visitan los fantasmas de quien todo el mundo aspiraba a ser antes de pudrirse por dentro.

—¿Qué hacías ahí?

—¿Sabías que *Viernes 13* intentaba sacar tajada del éxito de *Halloween*, claro, qué cosas tengo, pero justo al final como que se le olvidó cuál era el plan original y empezó a pensar que era *Carrie*?

—¿Por qué hablas tanto de pelis de miedo?

—De slashers —puntualiza Jade, siempre dispuesta a corregir al profano.

—Es que, a ver, no te lo tomes a mal, pero ¿no te has parado a pensar que quizás utilices eso como parapeto porque…?

—¿No puede gustarme el terror porque mola y ya está? ¿Tiene que haber una explicación para todo?

—No, si lo que pasa es que, tu pierna, me parece que podría ser sangre. Creo que tal vez debería…

Jade se pierde el final de la frase porque ya ha abierto la puerta de golpe y está rodando por el frío exterior, harta de todo: de su padre, del instituto, de esta ciudad. La inquisición, las miradas furtivas, los prejuicios. La expresión lastimera del sheriff Hardy cuando se cruza con ella. El señor Holmes y sus preguntas, siempre las mismas, cada vez que le entrega un trabajo. Y ahora, incluso unos curritos de la construcción que no la conocen de nada la tratan como si necesitara cuidados especiales o algo.

Pues que les den. Que los follen a todos.

Cae sobre las palmas de las manos y las rodillas, pero no deja que eso la detenga, sino que echa a correr como una muñeca de trapo por los muelles de la ciudad, con ese paso propio de quien lleva desatados los cordones de las botas y la barbilla levantada porque sabe que está yendo demasiado deprisa. Hacia la mitad del embarcadero, los focos del coche robado se encienden y provocan que su sombra la adelante de golpe, rebase los límites de las tablas y se zambulla en el agua.

Jade intenta frenar pero el suelo resbala, así que, en fin, la guinda del pastel para esta noche tan perfecta: se precipita por el extremo agitando los brazos, como hacen los niños durante todo el verano, solo que aún no es verano, ella ya ha cumplido los diecisiete y son las nieve y media de la muertísima madrugada.

Lo último que le da tiempo a pensar mientras se cae por el borde es que tiene guasa que, por una vez, esa dichosa luz esté brillando con tanta firmeza, sin parpadear, y a continuación aguanta la respiración para el chapuzón glacial que la aguarda, intenta impermeabilizarse con slashers que tengan lugar en la nieve, aunque solo se le ocurren *Cold Prey* y su secuela, y eso no va a ser suficiente para evitar que se le congele la sangre.

Solo que, en vez de hundirse en el lago o atravesar la fina capa de hielo que lo recubre, sin duda, lo que hace es estamparse contra el fondo de la canoa de color verde que siempre está allí, amarrada, esperando a todo el que quiera traerse su propio remo para montar en ella. La canoa se estremece y zozobra, pero no llega a volcarse del todo.

Jade se sienta con una mano apoyada en la nuca, con el mundo cada vez más difuminado, más borroso ante ella, y al oír los pasos que se aproximan, suelta la rasposa cuerda de nylon y proyecta una bota contra la madera para zarpar rumbo a la oscuridad. Con parsimonia, la pátina de hielo de la superficie se resquebraja en grandes láminas a su alrededor. Así no tendrá que ver a Gafas de Tiro oteando allí arriba, buscándola. Se encoge en posición fetal en el fondo de la canoa, oculta por las regalas, ella y su pelo naranja, sus labios azules, su pierna izquierda teñida de rojo y su corazón, tan negro como la brea. Y aunque no haya nada que le dé más rabia, ahora sí que está sollozando.

No, ella jamás podría ser una chica final.

Porque las chicas finales son buenas, sin complicaciones, dotadas de unas inagotables reservas de aplomo, lejos de las capas sobre más capas de vergüenza, o culpa, o lo que sea esta ponzoña que se encona en su seno.

Las chicas finales de verdad solo quieren que se acabe el terror. No se quedan despiertas hasta las tantas rezando a Craven y a Carpenter para que le envíen uno de sus ángeles sanguinarios, aunque solo sea por un fin de semana. Por una noche, eso es todo. Lo que dura un baile, por favor. Un último baile.

Eso es lo único que Jade necesita en el mundo, lo sabe.

Pero, en vez de eso, lo que ha recibido es a Chapi Daniels por padre, Proofrock por prisión y el instituto por cámara de torturas.

«Que se mueran todos —entona en lo más hondo de su alma—, y que Dios reconozca a los suyos». O que pase de ellos y los deje tal y como hayan caído, aunque sea bocabajo en el agua. Eso también le valdría.

Jade se ríe a pesar de las lágrimas y se palpa el bolsillo de la pechera en busca del tabaco que no lleva encima, porque este mono estaba en el tendedero.

Cuando se ha alejado lo suficiente como para escapar del radio de acción de la luz del embarcadero, se sienta, respira hondo y prosigue con su monólogo a pesar de que el fuego de la construcción ya no es más que un puntito titilante en la orilla: «¿Sabéis que, en *Tiburón*, la criatura se merienda a un chaval que también se llama Voorhees?», pregunta a los curritos de la obra, dispuestísimos los tres a sonreír maravillados ante semejante perla de sabiduría. «Pues sí, en efecto, todos los Voorhees del mundo deberían desconfiar bastante del agua, ¿no os parece? El caso es que ni siquiera era eso lo que os iba a contar, vale, lo siento. Lo que pasa es que, a ver, cuando Jason sale del agua a cámara lenta para saltar sobre Alice, que flota en su canoa tan tranquila, creyéndose a salvo, con la sintonía de los créditos empezando a sonar y todo, ahí se produce el momento *Carrie* de *Viernes 13*, ese es el pistoletazo de salida que señala el nacimiento de la época dorada de los slashers, los ochenta, y si se alza por los aires y la abraza por la espalda no es con intenciones violentas ni porque le quiera hacer daño, sino porque no es más que un niño pequeño, joder, un chiquillo indefenso, asustado de cojones porque se está ahogando y, aterrado, intenta aferrarse aunque sea a un clavo ardiendo, ¿vale? Él se muere de miedo y ella, ella debería protegerlo, rescatarlo, mantenerlo a salvo».

Jade hunde la barbilla en el pecho con la esperanza de que el aire esté más caliente ahí abajo. Nota como si se le hubieran congelado los pulmones, inundados de algo sólido y permanente.

Sheriff Hardy, señor Holmes, esto no va a ser una hipotermia cualquiera.

Ahora Jade es Alice al final de *Viernes 13*, lo sabe, cuando el sábado se dispone a recoger el testigo, es Alice y está flotando a la deriva en un lago, en una canoa, esperando a que se obre el milagro, desesperada por quedarse allí hasta que Jason se fije en ella, inmóvil en la superficie, y comience a subir, a subir.

—Aquí estoy —dice Jade aletargada por el frío, sonriendo porque ya no le duele, y a fin de proporcionarle a Jason un poco de color que lo ayude a encontrarla, extiende la muñeca izquierda y usa la mano derecha para sacar la hoja del cúter, una lengüecita afilada, y se practica un corte profundo, a lo largo, se abre como la boca de un manantial, nada de esas heridas superficiales, de esos rasguños transversales, calculados, que en última instancia son un simple grito de auxilio.

La sangre brota humeante de esa parte de su brazo que parece un vientre de pescado y ella la observa, murmura:

—Aquí estoy, estoy… es…

Lo que la silencia es lo fascinante que resulta toda esa sangre condensada en la superficie del gélido lago. Está segura al setenta por ciento de que hay un rostro deforme observándola a través de las aguas turbias, unas facciones que enmarcan una boca como una lápida erizada de dientes, intentando sonreír. Le devuelve el gesto antes de mirar a su alrededor para despedirse de Proofrock, donde se ha criado, de Terra Nova, donde no ha estado nunca, y del Campamento Sangriento, donde reside su corazón.

—*Momma, I'm coming home* —canturrea imitando la voz de Ozzy, tan característica, y sabe que nadie la va a abrazar por la espalda a modo de final espectacular, no va a ser la coprotagonista de la versión slasher de ningún giro mortal, maniobra que no es sino el abrazo de un cocodrilo, pero cierra los ojos de todas maneras, decidida a fingir.

INICIACIÓN AL SLASHER

Una sola quedó. Una sola unidad de mí, quiero decir, señor Holmes, una Jade Daniels para cogerlo a usted de la mano y guiarlo de una punta a otra por los pasillos del videoclub repletos de cintas de slashers a modo de compensación por lo que me perdí por culpa de aquel incidente con un guante de Freddy, incidente que provocó que me expulsaran en noveno a pesar de que yo ni siquiera tenía la culpa de nada. Además, las cuchillas eran de plástico. El caso es que ya estamos casi en octubre y el terror es mi religión. ¿Acaso no tengo derecho a celebrarlo de la forma más ortodoxa y honrar los días sagrados para mi fe?

Aunque para eso, en menos de dos páginas, le tendré que explicar lo que son los SLASHERS.

Sería fácil caer en la trampa y pensar que este género nació con Halloween, titulada originalmente El asesino de niñeras, o que adquirió rostro cuando la tercera parte de Viernes 13 sacó a la luz cierta máscara de hockey de Black Christmas, pero lo cierto es que muchos fans y verdaderos creyentes prefieren remontarse a Psicosis y a El fotógrafo del pánico. Sin embargo, no obstante, si uno se planteara la pregunta de quién fue el primer asesino en serie enmascarado, tendría que remontarse hasta El fantasma de la ópera, obra que usted recordará haber visto en más de una excursión con el instituto.

Pese a todo, señor Holmes, qué fue primero o casi primero no es tan relevante como lo que hay DENTRO del slasher. Y eso, lisa y llanamente, es VENGANZA.

Me explico: hace años se produjo alguna jugarreta o un crimen y alguien salió lastimado, después de lo cual el asesino regresa para impartir su violenta versión de la justicia sin atender a razones ni excusas porque no hay perdón que valga, ni por asomo,

su misión consiste en abrirlos a todos en canal y no va a parar a menos que alguien lo pare.
Así que, en el caso de Jason Voorhees y Freddy Krueger, lo que los convierte en asesinos de slasher es que Jason SE AHOGA por culpa del descomunal y a todas luces odioso abandono al que está sometido, mientras que Freddy es EJECUTADO por una turba enfurecida, ilegítima, y ni los monitores que consintieron ese ahogamiento ni los padres de los que surgió esa turba reciben castigo alguno jamás, siguen con sus vidas como si nada, y esa injusticia se convierte en el motor del slasher. Por lo que a Michael Myers respecta, su Ahab particular, el doctor Loomis, lo tilda de malvado, pero si es malvado es porque LO HAN HECHO ASÍ, señor Holmes. El crimen que cometieron con él fue que su hermana su NIÑERA debería haber estado más pendiente de él en vez de despelotándose para hacer cochinadas. A Michael podrían haberlo atropellado en la calle. Podría haberse atragantado con un caramelo. Podría haber encontrado un cuchillo y ponerse a repartir puñaladas. Solo una de esas tres cosas terminó haciéndose realidad, señor Holmes. De lo contrario, la película habría sido muy corta.
En cuanto al Ghostface de Scream, vale, Billy alias Ghostface dice que da más miedo cuando no existe un motivo, pero eso no significa que no lo tenga, señor. La madre de Sidney, la chica final, había tenido un lío con el padre de él, lo que destrozó su familia, así que es normal que, un año más tarde, empiece a vengarse.
A lo que voy es que, en el slasher, las injusticias siempre se pagan. Los integrantes del grupito que cometió la Broma Pesada reciben el postre que se merecen, con su guinda bien ensangrentada en lo alto, y además cuando menos se lo esperan, que es lo mejor de todo, razón que debería ser suficiente para atraerlo a mi lado del pasillo del videoclub, señor Holmes, el agua está

estupenda, se lo aseguro. Un poquito teñida de rojo, a lo mejor, pero aquí no muere nadie que no se lo merezca. Y esa es la base de toda mi tesis, en pocas y sanguinolentas palabras.

El día de los inocentes

Ocho semanas son las vacaciones que contempla el Instituto Henderson para los intentos de suicidio, al parecer. «Siete, en realidad», piensa Jade, puesto que una de ellas fue de las vacaciones de primavera.

Siete tampoco está mal, pese a todo, aunque las haya pasado en el psiquiátrico de Idaho Falls. Podría habérsele ocurrido esta estratagema hace años. ¿Y lo mejor de todo? Que ahora, piensa, es una especie de paciente a la fuga con problemas mentales. O lo más parecido.

Y esas historias siempre terminan igual.

—¿Qué te hace tanta gracia? —pregunta el sheriff Hardy por encima del salpicadero de su Bronco oficial de color blanco, como el de OJ, calesa en la que Jade va a ir al instituto la última semana de clase para, con suerte, terminar por inercia el último curso.

—Esto —replica Jade, apuntando con la barbilla al carril de estacionamiento limitado en el que se encuentran varados.

—Pero ¿lo de los servicios comunitarios lo has entendido? —El sheriff cambia de mano sobre el volante con un gemido y un chasquido húmedo, cartilaginoso, que escapa de las profundidades de su zona lumbar.

—Doce horas —recita Jade por tercera vez en este trayecto. Doce horas de recoger basura por…

«Atención», le diría a su mejor amiga, si la tuviera: los servicios comunitarios son por haber hecho «uso indebido de la canoa de la ciudad».

«¿Lo llaman así de verdad?», se extrañaría dicha amiga del alma imaginaria, indignada en su justa y comprensible medida.

«Ni más ni menos», corroboraría Jade, para la que esta conversación casi consigue que las doce horas de recogida de basura merezcan la pena.

Sigue siendo un engorro, pero menos.

En cualquier caso, hoy debería ser la estrella del instituto, ¿verdad? Sus quince minutos oficiales de fama. El regreso de la antiheroína. La adolescente que haría que cualquier progenitor se echase a temblar. La que casi se esfuma, antes de que Hardy recibiera la llamada de un desesperado Gafas de Tiro y saliera disparado en su lancha, surcando las aguas hasta la zona semicongelada del lago en la que flotaba Jade para comprimirle la muñeca hasta que el helicóptero de salvamento aterrizó en la orilla, momento en el que Proofrock en pleno se congregó tras el aparato en zapatillas, en bata y, por lo que Jade sabe, medio muerta como estaba, con esos gorritos larguiruchos para dormir que salen en los dibujos animados, unos gorros cuya punta, en la vida real, acabaría mojada mil veces en el agua del váter.

La imagen es lo suficientemente graciosa como para regodearse en ella y Jade ha dispuesto de interminables semanas en el Centro Residencial de Tratamiento de Teton Peaks para hacerlo, pero lo que siempre acaba recordando de aquella noche, más que la multitud de curiosos, es al sheriff Hardy, saliendo de los bajíos con ella en brazos, proporcionándole todo el calor corporal del que es capaz, el modo en que sus carrillos sexagenarios temblaban con cada bramido que profería, prometiendo a voz en cuello que esa chica no se iba a morir, ni de coña, no si él podía evitarlo.

En los slashers, el cuerpo de policía de la localidad siempre lo compone un hatajo de inútiles. Es una de las normas fundamentales del género. El hecho de que el sheriff Hardy se empeñe en contravenirla no es más que otro clavo en el ataúd de los sueños de Jade.

Aunque, bien mirado, ya hay tantos que casi ni se ve la madera.

—No tendrás ninguna cuchilla escondida por ahí, ¿verdad? —El sheriff inclina la cabeza en dirección a las puertas del instituto delante del que ya, por fin, se han parado.

—¿Las hachas y los machetes cuentan? —replica Jade con la mejor de sus sonrisas perversas y los dedos en la manilla del coche, pero… ¿Eso que se ha materializado de súbito, inesperadamente, en la diestra de Hardy no será uno de esos sobres marrones en los que se guardan las pertenencias?

Hardy resopla como si Jade estuviera haciéndole perder la paciencia.

—Si lo prefieres, puedo llevarte de vuelta a…

—No, sheriff, nada de armas en el instituto. Todo el mundo sabe que mi arsenal de hachas y machetes está en el Campamento Sangriento, en la cabaña número seis, enterrado bajo las tablas del suelo. —Hardy se humedece los labios con la lengua como si no supiera qué hacer con ella. Tal y como a Jade le gusta—. ¿Eso es para mí? —pregunta refiriéndose al sobre misterioso antes de que Hardy se lo entregue con gesto dubitativo.

—Tan solo quiero que estés sana y salva, ¿de acuerdo?

Jade intenta por todos los medios sostenerle la mirada e inspeccionar al mismo tiempo el intrigante sobre que pesa ahora en su mano. «¿Pertenencias?».

—Considéreme salvada —dice, abierta ahora la puerta, buscando el suelo con el pie derecho, y no ha hecho más que cerrarla y girarse cuando un papá al volante de un Honda dorado le besa las espinillas con su parachoques de plástico al estridente son de un frenazo.

Jade se ve obligada a dar un saltito hacia atrás para evitar que la caricia se convierta en algo más serio, salta y descarga las manos sobre el capó. Se mira las rodillas, ese insultante conato de desastre, a través del filtro azul eléctrico de su flequillo y eleva la mirada despacio, deslizándola por el capó, hasta perforar el parabrisas mientras gira la cabeza como lo haría Kane Hodder para asomarse al alma del papá. Alma que debe de ser tan negra como el café que ahora recubre todo su pecho. Jade levanta las manos de una en una, esperando hasta el último momento para retirar la mirada. Con la muñeca de momia en alto y el sobre apuntando hacia abajo, se aleja a grandes zancadas y vadea la marea humana que la rodea bajo las lánguidas banderas hasta entrar en los sacrosantos pasillos del saber, aspirando el olor a napalm por la mañana. Una fragancia mezcla de laca para el pelo, friegasuelos y humo de cigarrillos furtivos.

—Instituto de Woodsboro, allá voy —dice.

No la oye nadie.

Le pica bajo las gasas del brazo, desearía quitárselas de una vez, pero ese apósito va a ser su armadura durante toda la jornada, así que le parece aconsejable esperar. Y Hardy está demasiado chapado a la antigua como para interrogarla al respecto, aunque Jade lo ha pillado mirando: ¿para qué necesita esta suicida cubrir con vendas unos puntos que ya hace tiempo que le quitaron, unas vendas que recubren una soldadura de tejido cicatricial alrededor de la cual ella ya está contemplando la posibilidad de hacerse un tatuaje, tatuaje en el que unos dedos cadavéricos estarían intentando abrirse paso a través de la marca? La respuesta, por supuesto, es: para nada. Pero, al mismo tiempo, las necesita de veras.

El vendaje, ni que decir tiene, es robado. Como todas las cosas que tienen valor en la vida, a Jade no le cabe la menor duda. Como, por ejemplo, este sobre.

Puesto que nadie está fijándose en ella, se cuela en la habitación del silencio que hay al lado de secretaría, refugio de aquellos alumnos a los que la ansiedad amenaza con cortocircuitarles los sesos, ansiedad fruto tal vez del divorcio de sus padres, de ese novio o novia que ha dejado de contestar a sus mensajes, de los exámenes finales, de la vida en general o lo que sea.

Jade suelta el cordón rojo que mantiene el sobre cerrado y mete la mano para sacar esas supuestas pertenencias.

Lo primero que encuentra es el parche con su nombre del uniforme, seguramente lo único que queda de él después de que los paramédicos se ensañaran con sus tijeras de punta redonda. Jade se lo guarda en el bolsillo con la intención de traspasarlo al próximo mono. A continuación, una bolsa de plástico diminuta con los pendientes que llevaba puestos la noche de autos: uno, una carita sonriente de un blanco nacarado y un centímetro y medio de ancho; otro, la misma cara pero llorando sangre con un pentagrama entre los ojos, a lo Charles Manson. ¿Que por qué? Por los Crüe. Se calza el sobre bajo el brazo y se reinserta el *Theatre of Pain* en las orejas mientras se disculpa con Vince, Nikki, Tommy y Mick por no haberlos extrañado ni siquiera un poquito.

Pero el parche y los pendientes no son lo que hace que el sobre pese tanto. No, lo que le confiere auténtica gravidez es una bolsa de plástico que deja traslucir el teléfono rosa con diamantes de imitación que se aloja dentro de ella.

—¿Y tú de quién eres? —pregunta Jade mientras menea el móvil como si intentara despertarlo de su letargo, pero, supone, debe de llevar muerto desde aquella noche. O antes.

Pero ¿por qué iba a pensar Hardy que este teléfono es suyo? ¿Estaría en la canoa? ¿Será de alguna enfermera? ¿Y por qué huele a crema de cacahuete?

Jade levanta la funda de color rosa en busca del documento de identidad o la tarjeta de crédito de emergencia que podrían estar escondidos debajo. Lo que encuentra, sin embargo, es una pegatina con un número de teléfono que empieza por +31 y un nombre posiblemente en consonancia con ese prefijo: «Sven».

Jade usa su propio móvil para marcar el número y se queda escuchando los tonos hasta que salta un mensaje de voz en un idioma que ella no entiende. Hace una búsqueda por «+31» y le sale «Países Bajos».

—En fin —dice, y ahora que ya tiene ese número de teléfono en la lista de contactos, quita la pegatina, hace un gurruño con ella y la tira a la papelera para que, a partir de ahora, por lo que a profesores, directores y sheriffs respecta, este móvil siempre ha sido el suyo. Para demostrarlo, se lo guarda en el bolsillo trasero derecho y traslada el otro a su sostén, lo cual, es consciente, conlleva cierto riesgo de contraer cáncer de mama, pero a la mierda. Si a su imaginaria mejor amiga le da por llamarla algún día, Jade notará las vibraciones de inmediato sobre el corazón, ¿a que sí?

Seguro que sí.

Fuera como fuese, celebra el golpe de suerte que la ha llevado a no mirar el móvil durante el paseo en coche con Hardy, que se habría fijado en el dispositivo sobre sus piernas y le habría preguntado por el de la bolsa, con esa funda rosa que Jade no habría elegido ni loca, ahora que se para a pensarlo.

El rosa le recuerda algo, no obstante, pero ¿qué?

Jade entorna los ojos mientras se esfuerza por activar su memoria, por establecer la conexión necesaria, y se zambulle en el tumulto propio de los dos minutos que faltan para que suenen los primeros timbrazos de la mañana. Aunque no tiene la menor intención de ir a Química. Todavía no. Antes irá al baño de las chicas, junto al gimnasio de los chicos, porque es el menos frecuentado. Durante todo el camino se espera que las conversaciones cesen a su alrededor, que los pasos aminoren hasta detenerse en su ceñuda proximidad, pero, en vez de eso, lo que recibe es el mismo tratamiento de siempre: miradas que la rehúyen en cuanto se dan cuenta de que es otra vez Jennifer Daniels, o Jade, o JD, o como quiera que se haga llamar este año. Ni siquiera la baliza de señalización de su brazo es suficiente para granjearle algo más que un segundo vistazo.

¿Qué pasa, se habrá suicidado alguien más aparte de ella, y mejor? ¿Ya se ha convertido en agua pasada?

Entra en el baño de las chicas y coge el rímel comunitario que hay encima del espejo del fondo, el que tiene en la baldosa de arriba la leyenda EL PILÓN DE LAS PERRAS, grabada bien por una de las animadoras que jamás se arriesgaría a pillar una infección ocular o bien por la madre de dicha animadora hace quince años.

El caso es que, a pesar de los pesares, Jade jamás osaría afrontar la jornada sin antes colocarse su máscara negra.

Abre los ojos de par en par para delinearse los ojos con trazo grueso, de mapache, y tiene el rostro pegado al espejo cuando suena una voz a su espalda.

—Anda. Así que, al final, parece que sí que va a haber treinta y dos Halcones este año.

Jade deja que su enfoque se reajuste y ve el reflejo de Rica Lawless y Greta Dimmons, de camino a la salida contoneándose, con el bocadillo de sus palabras prácticamente flotando en el aire, tras ellas, para que Jade lo lea.

¿Treinta y dos Halcones de Henderson?

Aun contando de nuevo con ella en el grupo de la última promoción, vale que las matemáticas no sean su fuerte, pero ¿no deberían ser treinta alumnos de último curso, excluyéndola a ella? ¿O será que vale doble ahora que ha vuelto de entre los muertos? A lo mejor es que alguno de los novatos, llevado por el exceso de celo, ha hecho como los salmones y se ha saltado un curso entero.

Pero, lo más importante de todo: ¿le importa? ¿Va a permitir que Rica y Greta ocupen ni siquiera el uno por ciento de sus pensamientos? Si están contando graduados se debe únicamente al hecho de que las dos son las encargadas de elaborar el anuario, lo que significa que entre sus responsabilidades se cuenta la foto de clase: esa ridícula serie de instantáneas en plano general junto a la vitrina de los trofeos contra la que, al final, todos los grupos de último curso acaban acorralados sin remisión, como si del pasillo sin salida del laberinto de *El resplandor* se tratara. Su paredón particular consiste en una cosa de cartón con círculos, como una de esas bandejas para coleccionar monedas, solo que en este caso las monedas son las caras de los graduados, caras adosadas a un Halcón de Henderson de verdad, con sus plumas marrones y todo, con un rollo de pergamino al pie que les promete que van a «desplegar las alas con rumbo al futuro», o «agarrar la serpiente por la cola», o «ser testigos de la historia a vista de pájaro», o… Jade ya ha perdido la cuenta de todos esos bochornosos lemas inspirados por la cetrería.

Pero bueno, que sí:

—He vuelto, zorras —dice con rabia para la puerta que está terminando de cerrarse detrás de Rica y Greta.

Subrayan sus palabras los gorgoritos de una cisterna.

Jade se queda sosteniendo el lápiz de ojos a escasos milímetros de su labio inferior, esperando que un par de botas militares bajen de la tapa de uno de los inodoros, seguidas de una gabardina negra que se despliega despacio alrededor de los tobillos de su portador, pero en vez de eso…

«Ay, mierda», está a punto de espurrear en voz alta.

A esto se debe el que a nadie le importe que la Suicida cabalgue por los pasillos de nuevo. A esto se debe el que haya que sumarle un uno al número de alumnos de último curso que están a punto de graduarse.

El lápiz de ojos de Jade se cae al lavabo con un tintineo, dejando el blanco de la porcelana surcado de rayones y motas. Y es por quien está abriendo la puerta del cubículo en estos momentos, cruzándola, deslizándose sin esfuerzo hasta colocarse a su lado. No es nadie del pasado de Jade, nadie que esta reconozca salvo por su estatura, su tipo, su porte. Si esta chica tuviera un aura, sería «princesa», aunque el acero de su mirada encajaría mejor con «guerrera», la clase de rostro que parece diseñado para cobrar vida cuando un chorro de sangre salpique esas mejillas tan altivas, tan intachables, tan carentes de acné.

Jade no está segura de si la chica llega a estirar el brazo para abrir el grifo o si el agua, al percatarse de que se requiere de ella que le bese las manos, decide manar por su cuenta. Por espacio de un instante accidental, infinitesimal, Jade se descubre oteando el espacio que las rodea en busca del séquito de pajaritos azules de dibujos animados que sin duda deben de estar sujetando su velo de gasa prendido del pico.

—Eh, hola —dice la chica como si nada, aunque sin, por supuesto, tenderle la mano. Están en un baño—. Yo soy Letha. ¿Letha Mondragon?

Cabría interpretar esos signos de interrogación que flotan ahora entre ambas como un «Habrás oído hablar de mí, seguro», aunque en absoluto presuntuoso.

Jade nota las mejillas incandescentes por toda respuesta. Es la primera vez en toda su vida que le sucede algo así. Se pregunta hasta qué punto su tez india la delata o no, y lo que se pregunta a continuación es si esta tal «Letha Mondragon», negra como es, estará acostumbrada siquiera a interpretar el estado emocional de sus interlocutores fijándose en la afluencia de sangre a su dermis.

Nada más formular esa observación para sus adentros, decide que es racista de cojones y se muerde la lengua en castigo. Fuera como fuese, el caso es que todavía no ha conseguido apartar la mirada de la imagen de Letha Mondragon en el espejo, ¿a que no?

Pero no porque sea negra, condición no del todo insólita en Idaho, aunque los ejemplos comienzan a escasear a medida que se elevan las cotas. No, si es presa de este vórtice de fijación es por culpa de, ¿por culpa de su pelo?

Que no es que sea sencillamente glamuroso y perfecto, una cascada que se derrama por su espalda y consigue ascender en espiral a la vez, sino que además es, es... Ah, Jade ya sabe lo que pasa, claro que sí: navegando por internet a las cuatro de una madrugada legañosa, perdida en el pozo de los deseos del móvil, se tropezó una vez con una foto extraída a hurtadillas del rodaje de un anuncio de champús. Uno de esos en los que los largos y exuberantes rizos de la modelo ondean a cámara lenta a su alrededor, como una extensión sedosa y broncínea de su hipnotizadora sonrisa.

Lo que Jade siempre había dado por sentado que obedecía al efecto de unos ventiladores colocados estratégicamente para ahuecar y elevar la despampanante melena de esas modelos resultó ser un humanoide verde sin rostro: alguien vestido con un polo de cuello alto ceñido, guantes del mismo color y una media de nailon en la cabeza, todo de color verde para volverse invisible al ojo de la cámara. Para manipular los mechones de la modelo hacia aquí y hacia allá.

Letha Mondragon debía de tener toda una cohorte de esos humanoides siguiéndola adondequiera que fuese, siempre prestos a su servicio, encargados de conferir volumen y sublimar sus cabellos.

¿Y la cuestión es? La cuestión es que Jade se da cuenta de que Letha, a juzgar por la diplomática paciencia con la que está esperando su respuesta con los labios fruncidos, los ojos muy abiertos, enjabonándose las manos, no ve a ese ejército de hombrecillos verdes. Ni siquiera sospecha de su existencia.

—¿Y tú eres? —le dice a Jade, con gesto de querer establecer algún tipo de interacción pero sin ser machacona al respecto—. Me parece que no te había visto antes por aquí, ¿o sí?

Jade se obliga a acercar la cara al espejo de nuevo mientras sus dedos entumecidos levantan temblorosos el lápiz de ojos, plenamente consciente ahora de la leyenda EL PILÓN DE LAS PERRAS grabada encima de ella. Y, como si su reticente percepción de ese encabezamiento lo hubiera hecho parpadear como un cartel luminoso, los ojos de Letha Mondragon se posan fugazmente en él y descienden igual de deprisa, casi con recato, y las facciones de Jade ya no son las únicas que relucen de calor, de consciencia, conocimiento, posibilidad, sino que también lo hace, jamás se atrevería a decir esto en voz alta, ni por todo el oro del mundo, su corazón.

Letha Mondragon se muestra azorada, no por la obscenidad en sí, sino por su mera existencia. Tal es su pureza. No cabe otra explicación. Jade sabe que debe de, no, que seguro que trabaja de voluntaria en alguna parte de la ciudad. En una iglesia no, pero solo porque estas, pese a todas sus buenas intenciones, tienen un historial deplorable. Un historial indigno de alguien como Letha Mondragon. Ella jamás se mancillaría de semejante manera, ni siquiera por asociación. No, seguro que es voluntaria en..., la biblioteca del instituto tampoco, porque la señora Jennings es una alcohólica reconocida y fuma mentolados, para colmo de males; en el hospital menos, con lo sobón que se pone el doctor Wilson a última hora de la tarde; y no hay tienda de ropa de segunda mano en la que Letha pueda ayudar doblando prendas después de las clases, ni refugio de animales en el que alimentar con biberón a las crías de gato. Sea donde sea, en cualquier caso, estará desempeñando una labor justa y necesaria, llegará a su puesto caminando con aplomo, a Jade no le cabe la menor duda de eso, con sus libros firmemente pegados al pecho, pero Jade ve aún más allá: Letha Mondragon trabaja de voluntaria para ayudar, sí, eso es lo más importante, por supuestísimo, pero también porque, si no estuviera ocupada, carecería de excusas razonables que le impidieran hacer acto de presencia cuando los padres de Randi Randall se van a pasar fuera el fin de semana. Si no tuviera tantos compromisos previos, tampoco tendría absolutamente ningún motivo para no bajar al sótano de Bethany Manx, célebre fumadero, cuando el director Manx se ausenta para asistir a alguna de sus conferencias.

Por otra parte, con lo bien dotada que está, Jade infiere que el número de libros que puede abrazar contra su pecho es limitado. Nadie tiene los brazos tan largos. Pero incluso parapetándose así, seguirían estando presentes sus piernas, apéndices que, por muy humanos que sean y por muchos vaqueros que los recubran, es evidente que serían la envidia de una gacela, casi con toda seguridad gracias al voleibol, al waterpolo o a los cuatrocientos, y el resto de su figura hace gala de las mismas proporciones perfectas, poco menos que esculturales, a lo largo del ¿metro setenta y pico que mide de pies a cabeza?

Tía, joder. Pero ¿esta mujer es real? Jade se esfuerza por centrarse en la punta del lápiz, medio preguntándose si no es descabellado pensar que alguien la haya mojado en algún tipo de droga, porque ¿es factible que existan especímenes como Letha Mondragon en el reino de los mortales, más allá de las aerografiadas fantasías masturbatorias de todo portador de pene soñador que se precie?

Pero, como si su diseño obedeciera a esas fantasías, tampoco es exageradísimamente alta, ¿verdad? Porque, de lo contrario, le generaría inseguridad al público masculino. Además, aunque las falditas y las coletas no estén a la orden del día ni siquiera en los valles más altos de Idaho, eso no impide que «falditas y coletas» sea la impresión que Letha Mondragon le da a Jade. Quizá porque no hay ningún *piercing* a la vista, se dice. Quizá porque no se vislumbra ningún tatuaje, ninguna lengua bífida que despunte del cuello o los puños de su blusa.

No, Letha Mondragon jamás contemplaría la posibilidad de someterse a semejante mutilación, semejante manifestación de unos hipotéticos «conflictos internos», semejante y flagrante grito de auxilio. Sus vaqueros ni siquiera son demasiado ceñidos, ni siquiera luce ningún aspa de diamantes de imitación en el culo, a diferencia de la mitad de los traseros con los que se cruza una por los pasillos, porque colocarte la retícula de un punto de mira en los pantalones, en fin, horteradas así no son para ella.

A Jade le gustaría aborrecerla por ello, por todo ello a la vez, le gustaría soltarle cualquier bordería en un arrebato de celos, indignada por la injusticia inherente a la arbitrariedad de la biología, pero se siente incapaz, anestesiada como se encuentra por esta proximidad, de dejar de repetir ese apellido para sus adentros: Mondragon, Mondragon, Mondragon.

Donde «Greyson Brust» posee la eufonía asesina de un Harry Warden, «Letha Mondragon» se diría igual de incorruptible que Laurie Strode o Sidney Prescott, mujeres ambas de atuendo conservador que jamás se rebajarían a teñirse los pelos de azul eléctrico después de habérselos decolorado con el agua oxigenada sustraída de los lavabos de un hospital.

No, Jade no se parecerá nunca a una auténtica chica final, lo sabe, hace años que lo sabe.

Las chicas finales no llevan botas militares al instituto, desatadas en homenaje a John Bender. Las chicas finales no tienen las venas abiertas al mundo. Todas las chicas finales son, por supuesto, huelga decir, vírgenes. Las chicas finales no van a clase con camisetas en las que se puede leer «Metal Up Your Ass», ilustradas con la imagen indeleble de un cuchillo saliendo del váter. Las chicas finales no eligen nunca EL PILÓN DE LAS PERRAS para mirarse al espejo ni se sombrean tanto los ojos, porque no lo necesitan. Sus ojos ya son de natural penetrante, perfectos.

En vez de perderse en los de Letha, lo que hace Jade es echar un rápido vistazo a los zapatos que esta chica-mujer imposible debe de llevar puestos en esos pies tan lejanos y sip, nada de tacón, ni de aguja ni de ningún otro tipo. Porque es demasiado joven para eso, todavía es Sandy la Animadora, no Sandy la de la Chupa de Cuero.

Podría vomitar allí mismo, solo que también podría echarse a llorar y no está segura de qué va a ocurrir, por lo que se limita a admirar las manos de Letha, bañadas ahora por un sólido chorro de agua, los regueros de espuma, el frotar de las manos, las uñas sin pintar, por supuesto, ni largas ni a la francesa.

—Jade —consigue carraspear antes de que el nudo que le oprime la garganta reafiance su presa.

Letha cierra el grifo y le da la espalda para coger una toallita de papel.

—Jade. —Le brillan los ojos cuando repite su nombre—. Pero si esa es mi piedra natal, qué pasada.

—Eres…, eres…

—De Terra Nova. —Letha se encoje de hombros, como cohibida por esta notoriedad no solicitada—. O lo seré, cuando terminen de construirnos la casa. Entonces, supongo que somos vecinas, ¿no? A lo mejor podríamos quedar una tarde.

—Terra Nova. —Jade se obliga a no dar un respingo cuando la punta del lápiz, blanda y redondeada, se le clava en el blanco del ojo. Agradece el escozor, de hecho. Lo utiliza para anclarse en este momento, para no alejarse flotando.

—Bueno, será mejor que… —Letha se ladea, se inclina en dirección a la puerta y desaparece sin más, con el timbre probablemente conteniendo el aliento a la espera de que llegue a su clase antes de atreverse a sonar, de lanzar las campanas al vuelo.

Letha Mondragon, la chica nueva, la chica final.

—«Uso indebido de la canoa de la ciudad» —susurra Jade para sí cuando ya se ha marchado. Tarda una exhalación entrecortada, dos, en descifrar qué son esas gotas negras que se escurren por el lavabo en el que tiene engarfiados los dedos.

Lágrimas.

Está llorando, sonriendo, todo a la vez.

INICIACIÓN AL SLASHER

No se sienta mal, señor Holmes. Saber lo que es una Chica Final dentro del slasher no está al alcance de todos. Por esta vez se libra de la cartulina roja, que sería como la amarilla, solo que empapada de sangre. Ante todo y aunque sobre decirlo, las chicas finales tienen los nombres más guapos del mundo. Ripley, Sidney. Strode, Stretch. Connor, Crane, Cotton. Hasta Julie James, la de Sé lo que hicisteis el último verano, cuenta a su favor con el detalle de que sus iniciales estén repetidas, peculiaridad que hace que pronunciar su nombre se convierta en algo adictivo. Sin embargo, un nombre molón no lo es todo. Como habrá deducido ya, si las llamamos así es porque son las que llegan con vida al final. Pero eso solo significa que son las últimas, fruto tal vez de la suerte, y no las "mejores", cuando la verdadera RAZÓN de que lleguen al final es porque son mejores que todos nosotros.
El MOTIVO de que una chica final haga honor a su nombre se encuentra en su determinación, señor Holmes. Correrá y se caerá, por supuesto, y seguramente también gritará y llorará, pero eso es porque ha comenzado su aterradora odisea siendo amante de los libros y retraída, íntegra en sus valores, la típica hermana mayor que nunca se salta el toque de queda y a las nueve y media está en casa. Pero de todos los personajes de la película ella es la que tiene dentro "algo más", con lo que me refiero a que en algún momento de todas esas huidas, de todas esas agresiones y persecuciones, cuando el derramamiento de sangre ha alcanzado ya ese punto de ebullición frenético en el que los cadáveres se acumulan a diestra y siniestra, esta Chica Final se erige en el corazón de todo el meollo, se abre paso a través del frágil cascarón de su antiguo yo y se enfrenta al mal cara a cara.

La Chica Final es la heroína de nuestra época, señor Holmes, casi como cierta alumna, que el director Manx no puede demostrar que sea yo, que dejó un cubo lleno de sangre de cerdo en las vigas del baile de Sadie Hawkins, sangre que en realidad ni siquiera era de cerdo. Aunque el mejor ejemplo de chica final de verdad lo encontramos en Pánico antes del amanecer, cuando Constance se vuelve por fin para encararse con su asesino paleto de las montañas, el mismo que ya se ha cargado a todo su grupo de amigos. Está harta. La incesante batería de asaltos, lejos de mermar sus fuerzas, lo que ha hecho es liberarla. El asesino se creía que la estaba atormentando. Se creía que era él quien movía los hilos. Se equivocaba. Estaba allanando el camino a su propio final. Estaba fabricando la máquina de matar definitiva.

Lo que hace esta chica es darse la vuelta y gritarle a la cara que ya no lo soporta más, BASTA, se acabó. Y acto seguido, en un movimiento que nadie ha conseguido superar en todos los años transcurridos desde entonces, ni siquiera Sidney Prescott, ni siquiera Alice a cámara lenta cuando Pamela Voorhees no deja de ir a por ella, ni siquiera Jamie Lee Curtis en esa interminable noche cerrada de Haddonfield, Constance se encamara al pecho de su asesino y como no tiene arma, porque ELLA es el arma, le mete la mano en la boca, hasta la garganta, aún más adentro, y la extrae con su corazón bombeando en el puño.

A modo de conclusión, señor Holmes, me gustaría añadir que las chicas finales son el arca que contiene todas nuestras esperanzas. Es que, a ver, los malos no van a morirse solos. A veces necesitan ayuda en forma de una furia que se abalanza sobre ellos corriendo, profiriendo alaridos desgarradores, tan incandescentes sus ojos como inagotable su pureza de espíritu.

La iniciación

Para Jade, el resto de la jornada transcurre en un abrir y cerrar de ojos. Es como si estuviera moviéndose a una velocidad normal, mientras que en los pasillos, en las aulas y en la cafetería todos fueran hormigas hiperveloces. O eso, o es ella la que va más despacio, como si estuviera nadando en jarabe de arce.

Al llegar la séptima hora, seguramente porque ya está aburrido de impartir la misma clase de historia de siempre (los shoshone y la Ruta de Oregón, la minería y Ciudad Sumergida), el señor Holmes les pone un vídeo que ha grabado desde el pequeño ultraligero con el que se pasa todo el año zumbando de aquí para allá, y que a veces deja en el aparcamiento del instituto a pesar de que vive a tan solo tres calles de allí.

Como aún no existen leyes que rijan el espacio aéreo sobre el lago Indian («Pero vosotros esperad, ya veréis», entona apesadumbrado), puede planear hasta Terra Nova si las condiciones del viento lo permiten e informar sobre el estado de las obras. Quizás eso explique que se haya fabricado el ultraligero, tras decidir que Terra Nova va a ocupar sus pensamientos de prejubilado paranoico. El avión mola, no obstante, en opinión de Jade; es algo así como un kart volador. Le extraña que todavía no se haya matado con él.

Se imagina que no tardará mucho, ahora que ha montado una de las cámaras de vídeo de la escuela en el fuselaje. Escorar las alas a este lado o al otro como hace él para obtener un ángulo mejor, una panorámica más amplia, es la mejor manera de estamparse contra el asta de una bandera, un árbol, la alta pared de ladrillo de la tienda o incluso la contundente superficie del lago.

Sin embargo, como el propio señor Holmes dice siempre, todos vamos a ser historia tarde o temprano, ¿no? Y, si Jade está en lo cierto y de verdad que ha llegado a la ciudad una chica final, después de tantísimo tiempo, si eso es lo que Letha Mondragon es, sentada dos filas más adelante y una a la derecha, entonces lo que eso significa es que está intentando iniciarse un ciclo de asesinatos, lo que a su vez significa que, por estos lares, vivir está a punto de convertirse en un lujo. Que se van a desparramar un montón de intestinos.

A Jade le cuesta horrores contener la sonrisa. Es el regalo de graduación de sus sueños. Aunque, se recuerda, todavía no hay nada seguro. Todavía se podría quedar en un mero deseo. Cuando una se pone las gafas de slasher, todo le parece un slasher. Lo que necesita es una prueba de que el ciclo va a comenzar, y en los slashers, dicha prueba solo adopta una forma: el destripamiento de un par de donnadies, a poder ser medio en bolas. Esa es la sangre que se debe derramar para que el ritual salga bien.

Pero ¿quién podría ser?

Jade examina la clase de Historia en busca de indicios delatores de muerte inminente: una botella de agua en la que chapotea algo bastante más fuerte que el agua (sí); un hilo de mensajes de texto que corre como la pólvora con la dirección de una fiesta (sí); un par de pupilas dilatadas bastante más allá del punto de relajación (sí, sí y sí); la esquina morada del envoltorio de un preservativo que sobresale de alguna cartera o un bolso (ya está rasgada, pero vale: sí).

Aparte: ¿qué se propone el asesino, castigar a la promoción de graduados por alguna jugarreta olvidada hace tiempo en la que participaron sus padres? ¿O estará relacionado más bien con alguna infracción, con el despertar de algo que debería haber seguido dormido? Si se trata de esta última opción, lo más probable es que el Campamento Sangriento esté relacionado de alguna manera, puesto que ese tipo de horrores siempre poseen tentáculos que los conectan al neblinoso pasado. Sin embargo, si el asesino ha venido por algo que hicieron los padres (y que estos saben que hicieron), entonces seguramente la chica final y él se verán las caras en el escenario de la broma original, el cual casi con toda probabilidad va a ser el lago.

Cualquiera de las dos cosas le vale.

Jade sonríe sin poder evitarlo.

—¿Señorita Daniels? —dice el señor Holmes, devolviéndola al aula.

—Estoy atenta, estoy atenta —replica Jade, y el caso es que sí que lo está, más o menos. En la pantalla del televisor montado en una mesita con ruedas al que el señor Holmes ha conectado la videocámara, acaba de cruzar la orilla opuesta del lago Indian y está escudriñando las copas de los pinos que se yerguen aproximadamente medio kilómetro al norte de Terra Nova.

—Esperad, esperad —murmura el profesor para la primera fila antes de abalanzarse sobre el botón de pausa cuando el avión rebasa el último árbol—. Advertencia —se gira para anunciar con un destello travieso en la mirada—. Todos los vegetarianos, listos para desembuchar los rabanitos y el apio del almuerzo.

El señor Holmes no se cansa de argüir que no comería vacas si no estuvieran hechas de carne, declaraciones tan grimosas como enternecedoras, a su deplorable manera.

—O el pepino, en tu caso, ¿eh, Ambs? —entona Lee Scanlon, con lo que consigue que Amber Wayne le arree un patadón por detrás a su silla.

—Venga, venga —dice el señor Holmes, cuyo método para poner la reproducción a cámara lenta consiste en oprimir el botón de pausa una y otra vez, avanzando milímetro a milímetro. Ahora parece más bien un pase de diapositivas, piensa Jade, que se repantinga para ver qué es lo que encontró el profesor en su última gran expedición a la otra punta del lago.

En la primera fila, Tiffany Koenig, la más próxima a la pantalla, suelta un gritito de asombro, se tapa la cara y se da media vuelta.

El señor Holmes se limita a sonreír mientras continúa castigando el botón de pausa con singular parsimonia.

En la ladera elevada que linda con los inmensos árboles de la orilla, distribuidos de forma que aún se puede intuir qué lugar ocupaban en la formación del rebaño, hay como diez o veinte ciervos muertos, con las patas y la cabeza retorcidas y contrechas en configuraciones grotescas.

Jade se inclina hacia delante sobre el pupitre, pues es evidente que lo que tapiza esa pradera solitaria es el resultado de un dolor inconmensurable y real. Algún cenobita itinerante se ha cobrado su presa, y con creces.

Banner Tompkins se levanta para pegarse a la pantalla, al igual que un par de integrantes del equipo de fútbol, a los que de golpe y porrazo parece que la clase de Historia les interesa también. Por primera vez en su vida.

—¿Qué, qué ha hecho eso? —pregunta Letha, hacia la que pivotan todos los cuellos.

Aunque no aparta la mirada, la angustia que denota su voz, su rostro, da la impresión de estar a punto de desbordarse en forma de caudal de lágrimas, en llanto por esas pobres e inocentes criaturas.

—Menuda tragedia —dice Banner, intentando igualar su nivel de emoción.

—Por favor —se oye resoplar Jade, y Banner la mira con una sonrisa que solo puede significar «Shhh, calla, que estaba a punto de colarme en sus bragas».

Si él supiera con quién se las está viendo.

—Qué lo ha hecho, sí —está diciendo el señor Holmes, improvisando sobre la marcha mientras la imagen temblorosa continúa pausada—. Como veis, no hay orificios de bala o flecha, ninguna herida en absoluto.

—Se habrán ido por la pata abajo —sugiere Lee, que recibe un choca los cinco de Banner y una mueca de asco de todas las chicas.

—Giardiasis —lo corrige el señor Holmes, como sopesando esa posibilidad—. Sin embargo, ¿no debería ser inmune el estómago de un ciervo, con sus cuatro cámaras, a la mayoría de los parásitos? ¿Podrían sucumbir a algo así diecinueve ejemplares, y todos al mismo tiempo?

—Un grizzly —sentencia Banner que, una vez manifiesto su dictamen con semejante asertividad, regresa a su sitio.

El señor Holmes se gira muy despacio sobre el talón del mocasín derecho, barriendo el suelo con el izquierdo hasta ejecutar la parada perfecta, maniobra que Jade siempre ha admirado, aunque no se lo confesaría ni muerta.

—Es posible que el señor Tompkins no esté desencaminado —dice—. ¿Veis ese macho de ahí, cómo tiene el cuello partido? ¿Qué otro animal sería capaz de ejercer la fuerza bruta necesaria para hacer algo así?

—¿¡Un oso!? —exclama Letha, como si acabara de descifrar las palabras de Banner.

—Santo cielo —es la melodramática aportación de Amber, cuyos dedos, tan delicados, ascienden para cubrir la O que están dibujando sus labios.

—Pues sí, señorita Mondragon, hay fauna salvaje en esa parte del lago —informa el señor Holmes a Letha—. Uno de los muchos riesgos de vivir en lo que antiguamente era una reserva nacional.

—¿Y no podríamos…? Ya sabe —implora Tiffany K, dibujando círculos en el aire con la mano para animar al profesor a reanudar la cinta.

El señor Holmes sonríe, deja que su vuelo deje atrás esa pradera cubierta de cadáveres de ciervo y se eleve virando sobre el bosque, que descienda para regresar a Proofrock.

—Espere, espere —dice Letha, levantándose de la silla un poquito.

El señor Holmes aplasta la tecla de pausa y Jade se da cuenta de que lleva mucho tiempo fuera: en los dos últimos meses, además de ver sus armazones de madera revestidos de una piel palpable y real, las casas de Terra Nova también disponen ahora de caminos de acceso, de piscinas improbables y estanques excavados en la roca, además de un embarcadero de verdad adosado a la orilla. Y amarrado en él, aunque seguramente anclado también, porque el lago es bastante profundo en la cara más escarpada del valle Pleasant, fondea uno de esos yates que, hasta este preciso momento, Jade solo ha visto en las pelis. Las que van de narcotraficantes. ¿Habrá llegado hasta allí transportado por una flota de helicópteros de carga? ¿O lo habrá traído algún camión de esos con remolques gigantes?

—Ah, vale, si solo es Tiara —dice Letha, cuya voz denota, más que orgullo, ¿derrota?

Tiara debe de ser la rubia pálida y escultural que está tomando el sol en una de las numerosas cubiertas del yate sin más protección que la de un minúsculo microbikini. Sacada como parece de *Animadoras asesinas*, a Jade le inspira odio a primera vista.

—¿Hermana? —pregunta Banner con expresión soñadora.

—Madrastra —replica Letha, con aspereza pero sin malicia, aunque Jade cree detectar en su voz trazas de lo que tiene toda la pinta de ser una afabilidad impostada. Es la primera mella que ha visto en la armadura de Letha, pero lo cierto es que no hace sino reafirmarla en su condición de chica final: antes de verse absorbidas por el ciclo de asesinatos, todas las chicas finales necesitan algún tipo de problema previo que superar. Por ejemplo, señor Holmes: en *Scream*, el trauma de Sidney era la muerte de su madre. En *Leyenda urbana*, Natalie intenta superar la muerte que causó accidentalmente años atrás.

El problema de Letha debe de ser esa mujer florero que ha ocupado el lugar de su progenitora. Eso o lo que sea que le ocurriera a su madre biológica, todo ello rematado por la velocidad con la que su padre le ha encontrado una suplente que podría ser la hermana mayor de Letha.

¿Es posible que esta tal Tiara supiese de antemano que era la siguiente de la lista? ¿No serían las circunstancias que rodearon el fallecimiento de la madre de Letha, tal vez, misteriosas?

Jade tiene que bajar la mirada para evitar que alguien vea cómo le brillan los ojos.

—Siga, siga —apremia Amber al profesor, tan solo para quitar el bikini de Tiara de delante de toda la clase, y el señor Holmes, con sus dedazos de anciano, por supuesto que reanuda la proyección y enseguida vuelve a pausarla, en esta ocasión congelando la imagen temblorosa, culpable, de su mano izquierda, cuyos dedos sostienen un cigarrillo, vicio al que es de dominio público que le había prometido a su esposa renunciar para siempre. Jade no puede sino imaginarse la lluvia de colillas que habrán caído sobre Proofrock desde las alturas. Colillas que podrían ser de cualquiera, pero no.

El muy cochino.

Eso hace que Jade sienta una especie de respeto renovado por él. Da igual que sea irremediablemente incapaz de llevar la grabación más allá de esa imagen. Por lo menos sirve para que los deje salir antes de que suene el último timbre. Jade se dirige al aparcamiento en solitario, quitándose las gasas de la muñeca por el camino. Deja que el vendaje se arrastre tras ella hasta que llega a la escuela de primaria de Golding. No es que frecuente ese sitio, pero allí es donde se encuentran el almacén principal y su próximo uniforme.

—Bueno, adiós —les dice a las gasas, que se elevan danzando en alas de la brisa como un fantasma interminable y escuálido.

Jade entra en la escuela por la parte de atrás, encuentra el almacén a la primera (estudió seis años allí) y elige su mono de trabajo de entre los que quedan. Estupendo. Mete los pies por las perneras del que tiene menos manchas, se ajusta los hombros y desliza los brazos por las mangas. Vuelve a quedarle demasiado grande y huele a quienquiera que fuese su anterior usuario, pero bueno. Por lo menos la cremallera va bien.

Usa los pendientes de los Crüe para sujetarse el parche con su nombre en el pecho, encima de las rozaduras dejadas allí por el último desgraciado que se lo puso.

—Comienza la función —dice mientras se hace una coleta lo mejor que puede, con el pelo tan corto como lo tiene, y así, al agachar la cabeza, lo que ve por el rabillo del ojo es el antiguo anaquel para las tarjetas de fichar que hay junto al hueco de la puerta, una reliquia de tiempos más analógicos. Rexall, el conserje por estos pagos (y maestro en limpiar potas) se ha dejado allí el móvil, cargando.

Eso le recuerda a Jade el teléfono misterioso que lleva todavía en el bolsillo trasero. De puntillas ahora, como si eso importara, desenchufa el de Rexall y usa el cable para empezar a cargar el rosa. Tres eternos minutos más tarde, con Jade dando golpecitos con el pie en el suelo, como si el teléfono pudiera capturar la energía que a ella le sobra, el aparato se enciende. Otros cinco minutos después, Jade se enfrenta a la hercúlea tarea de descifrar la clave. «SVEN» 7836, nada, ni 1234, ni 4321, ni ninguna de las combinaciones posibles con los números de las esquinas, ni del derecho ni del revés. Se dispone a encogerse de hombros y a decir que le den, se dispone a salir y tirarlo al suelo a ver si se rompe, porque, por qué no, pero entonces, coge su propio teléfono, busca la última llamada, la del número de fuera de los Estados Unidos, y lo marca, lista para colgar para evitar unos costes de conferencia internacional que no le hacen falta.

El teléfono que tiene en la otra mano no suena. Por supuesto. Si el número que dejas en tu móvil por si se pierde y alguien lo encuentra es el mismo que el de dicho móvil extraviado, no te mereces que te lo devuelvan. Y si te pensabas que era precisamente eso lo que iba a pasar, en fin, Jade también se merece algo, aunque no sabe qué.

Se sienta en el taburete que tiene justo al lado, empieza a introducir una tormenta de claves al azar tecleando con los pulgares y deben de haber pasado noventa segundos cuando se percata de que ya no está sola, de que hay una figura cerniéndose sobre ella, al costado, medio por la espalda. Una figura que exuda un olor inconfundiblemente acre, mezclado con ¿será Jergens?

—Tío, ¿qué quieres, que me dé un puto ataque al corazón o algo? —le dice a Rexall, que se coloca junto a ella vestido a su vez con un mono. Los dos van a juego.

Hasta este preciso momento, y contando todas las noches que el hombre se tira durmiendo la mona en el sofá, a cinco metros de su cama, Jade siempre había conseguido evitar quedarse a solas con él en un espacio cerrado.

—Así no lo vas a desbloquear en la vida, Azul —dice Rexall refiriéndose al teléfono. Su aliento, ligeramente mentolado, desentona con el resto de su presencia.

—Es que se me ha olvidado la clave —murmura ella—. Estoy probando las habituales.

—¿A dos manos? —observa Rexall para recalcar el hecho de que Jade las tenga ocupadas con sendos dispositivos antes de humedecerse los labios, despacio y de punta a punta, seguramente a fin de evitar que se le agrieten con la inevitable sonrisa lasciva que Jade se ve venir a la legua.

—¿Sabes? —replica, reconduciendo la conversación—, dentro de nada Hardy se va a poner a buscar sospechosos por aquí, por algo que está a punto de empezar a pasar. Y como tú tienes todas las papeletas para encabezar esa lista, te recomiendo que vayas blindando esas coartadas.

—No sé de quién me habla usted, señoría —dice Rexall levantando los dedos, palabra de *boy scout*, antes de agacharse para pegarle una olisqueada obscena al del centro.

—Me acabo de acordar. Si yo no te hablaba.

Rexall extiende la mano izquierda, pidiéndole el teléfono rosa, y la abre y la cierra dos veces al ver que Jade no quiere dárselo.

—¿Para qué?

—Dijo la que le había retirado la palabra —cita libremente Rexall y, qué demonios, es rendirse o prolongar esta conversación—. No te imaginas la de trastos como estos que se pierden aquí para siempre —continúa, acercándose a un ordenador de sobremesa sepultado debajo de aproximadamente quince reparaciones informáticas a medio terminar—. Los abro, los limpio y los libero a ciento cincuenta la unidad, es lo más fácil del mundo.

—No me interesa venderlo, tan solo…

—Que sí, que sí, que es tu teléfono de repuesto —la interrumpe Rexall mientras lo conecta al PC y va pasando pantallas hasta llegar a una ventana de terminal—. Cincuenta pavos.

—No tengo cincuenta dólares, Rexall. Ni siquiera tengo cincuenta centavos.

—Bueno, pues enséñame algo, ¿no? Un par de algos, ya sabes, de esos redonditos y no tan pequeños.

—Ajá —dice Jade rehuyendo cualquier posible contacto visual mientras resiste la tentación de comprobar si la cremallera del mono todavía sigue estando en su sitio—. Es que tengo diecisiete años. Aunque, si fuese mayor de edad, lo que me estás pidiendo seguiría siendo ilegal.

—Había que intentarlo. —Rexall se encoge de hombros para quitarle hierro al asunto, aquí no ha pasado nada, antes de pronunciar en voz alta la mágica combinación de teclas que está pulsando para ejecutar su programa: 36-26-36.

—¿Seguro que deberías trabajar rodeado de niños? —pregunta Jade—. ¿O de personas vivas, en general?

—Ya he probado suerte en el tanatorio de Boise, pero se produjo un incidente. Pregúntale a tu padre un día de estos, que estaba presente.

Jade espera que resople o se ría, porque tiene que ser una broma, ¿verdad? ¿Por favor? Al cabo, se limita a decir:

—¿Qué tal si me haces este favor de gratis y yo no me chivo de ti a Hardy? Pero no por hackear este móvil, sino por, ya sabes, corrupción de menores.

Rexall se tensa y, sin girarse, replica:

—Solo era una broma. —Parece dolido mientras le da al intro con gesto melodramático. El teléfono rosa parpadea dos veces antes de apagarse de nuevo.

—Estupendo, tu superprograma lo ha bloqueado —dice Jade, arrebatándole el dispositivo a Rexall cuando este se lo ofrece de nuevo—. Gracias por nada.

—Actívalo. Ya no tiene contraseña, pero toda la información sigue estando en su sitio. De nada, calientapollas.

—No podrías dar más grima aunque lo intentaras, Rexall. —Jade deja el dedo encima del botón de encendido.

—Me lo puedes agradecer ahora o más tarde. Oye, vuelve a enchufar el mío, ¿vale? —añade él, refiriéndose al dispositivo del anaquel—. Que estaba haciendo una cosa. —Jade asiente con la cabeza sin comprometerse, esperando a que el teléfono rosa se encienda de una vez para largarse de allí—. Y no mires, ¿vale? —añade Rexall mientras sale, con las cejas arqueadas, como si le estuviera pidiendo un mínimo de decoro.

Jade ni siquiera se digna contestar, sino que continúa observando la pantalla hasta que el hombre se ha ido. Medio paso después ya tiene el móvil de Rexall en la mano y lo apaga sin molestarse en introducir la clave, en gran medida porque quiere negarle la satisfacción que seguramente le produciría saber, incluso sin haberla visto, que ha tecleado ese 36-26-36. Una vez desactivado el teléfono, se sube al taburete, esconde el teléfono de Rexall en el techo, vuelve a colocar la baldosa en su sitio y dice con voz engolada:

—Sheriff Hardy, la prueba que busca está en lo alto del almacén de suministros, una vez lo vi guardando algo allí.

El teléfono rosa se despierta con un zumbido en su mano. Jade toquetea las distintas opciones del menú, la mayoría de ellas en un idioma desconocido, hasta aterrizar en el álbum de fotos, porque los selfis son el verdadero lenguaje universal.

La entrada más reciente es un vídeo.

—Qué tenemos aquí… —murmura mientras sale del almacén con paso furtivo, mirando en todas direcciones mientras camina, intentando adelantarse a la marabunta de chiquillos que enseguida se van a agolpar en las puertas.

Al principio se ve borroso, como si la grabación no existiera, pero luego la cámara del móvil acierta a enfocarse a través de lo que sea el obstáculo (¿la misma bolsa de plástico?) y aparece una rubia desnuda, secuencias entrecortadas de un chico también rubio, también en pelotas.

—Uso indebido de la canoa de la ciudad, que lo sepáis —los informa Jade mientras desenrolla los cascos y comprueba la fecha: seis días antes de su «intento», como lo denomina el terapeuta de Idaho Falls.

Supone que tiene suerte de que la canoa de la ciudad hubiera vuelto a su sitio justo cuando ella más la necesitaba, ¿verdad?

En cuanto a la identidad de esos chicos, primero, su inglés tiene una entonación un poco rara, y segundo, por estos pagos serían Mocho 1 y Mocho 2, rubitos con los que habría compartido lápices de colores, caras con pecas que deberían sonarle. Pero no le suenan de nada.

—Sven —dice Jade, dándose la vuelta para empujar contra las puertas y salir al soleado exterior mientras el timbre resuena por los pasillos de la escuela de primaria de Golding, lo que significa que Jade le saca una ligera ventaja a la oleada de toses, sorbidos, chillidos y gritos. Oleada que podría pasarle por encima sin que ella se diera ni cuenta. Porque el chico, Sven, se acaba de zambullir por el costado de la canoa.

—Pero qué co… córcholis —murmura, mirando a su alrededor por si acaso diera la casualidad de que alguno de los padres del carril de estacionamiento limitado hubiese visto el instante tan fortuito inmortalizado en la pantalla de ese teléfono. Pero todos se limitan a mirarla fijamente, esperando a que, por favor, se aparte ya de una vez. Jade asiente con la cabeza, perdón, perdón, y reanuda la marcha mientras retrocede el vídeo hasta la zambullida de Sven, todo plantas de los pies que descienden y desaparecen.

La chica se ha quedado sola y, a juzgar por cómo la ha llamado Sven en el embarcadero, su nombre es «¿Jotmuder? ¿Yodmider? ¿Yoquesequé?». Jade se decanta por «Rubita», más fácil. Como en ¿por qué parece asustada Rubita?, por ejemplo.

Jade levanta la cabeza y mira en dirección al lago Indian, como si pudiera ver qué fue lo que aterrorizó a la chica esa noche.

Retrocede de nuevo hasta la zambullida de Sven y memoriza cada salpicadura, cada jadeo, cada momento mágico de este prodigio que tuvo lugar mientras Proofrock dormía, y en esta ocasión da un respingo con Rubita, se gira incluso con ella, intentando vigilar todos los costados de la canoa también.

—Te podría haber pasado a ti, fan del terror —se dice.

El mismo lago, el mismo embarcadero, la misma canoa, casi la misma noche.

Ahora la chica rema con las manos para alejarse de algo que hay junto a la canoa, y luego (no, no) se deja caer por la borda porque nadando seguro que va más deprisa. Lo que significa que, a partir de ese momento, Jade se tiene que conformar con el audio.

El alarido de la muchacha desgarra la noche y se trunca igual de deprisa, seguido de un silencio más profundo e intenso que cualquier otra cosa que Jade haya experimentado en su vida.

En *Viernes 13* son dos monitores rubios, Barry y Claudette, los que pasan por la cuchilla para comenzar el ritual. En Proofrock, en comoquiera que se vaya a llamar esta cosa, son dos forasteros rubios. Dos holandeses, Sven y Rubita.

—Gracias —les dice Jade, que besa la pantalla y se aparta de golpe cuando el teléfono rosa suena contra sus labios. Se los frota para eliminar el cosquilleo y a continuación, al quinto tono, porque la riada de niños está fijándose en ella, preguntándose si piensa responder o qué, lo hace. O se lo pega a la oreja, al menos.

Es el mismo idioma del vídeo. La única palabra que reconoce, evidentemente, es «detective». Es cuanto Jade necesita escuchar. Con calma, para nada presa del pánico, otro número equivocado, qué le vamos a hacer, cuelga y se agacha para recolocarse la bota derecha, y cuando se levanta, la recia suela oculta el teléfono rosa. Camina con la oleada de chiquillos y desliza el teléfono hasta lanzarlo a un charco de la carretera que se lo traga de inmediato, pero luego el cacharro sale a la superficie. Mierda, la carcasa debe de ser de esas que flotan. Se queda allí como una tabla de corcho, tan rosa, tan chillona, sonando de nuevo, y dos mocosas de cuarto se paran junto a Jade para ser testigos de la tragedia que se está desarrollando a la vista de todos.

—Ups —dice la más alta de las dos.

Jade se limita a quedarse mirando.

—Espera —dice la más baja antes de adelantarse para recuperar el teléfono de Jade, que es evidente que está demasiado devastada, demasiado asustada para hacerlo ella misma, pero Jade, apuñalando el pecho de la niña con la palma de la mano, la detiene en el preciso instante en que aparece un autobús que ya ha empezado a tocar el claxon como si la vida de alguien dependiera de ello, un autobús que pasa tan cerca de la pequeña que las puntas de los cabellos de esta acarician la cochambrosa pintura amarilla.

Una mujer chilla de súbito a espaldas de Jade, la clase de sonido que hace que esta sienta como si acabaran de asestarle un mazazo en la boca del estómago, así de ronco y grave es el grito.

Se gira para ver quién ha sido, maravillada, medio esperando encontrarse con la rubia del vídeo. Pero se trata de Misty Christy, la agente inmobiliaria con rima incorporada, que se acerca corriendo a la más bajita de las niñas para estrecharla entre sus brazos como si quisiera asfixiarla.

—La has salvado —le dice la más alta a Jade, cuya mirada salta del bus que está batiéndose en retirada a Misty Christy, que está achuchando a su hija, sana y salva, y por último al charco. En el agua flotan unos cuantos cachitos del teléfono destrozado.

Jade traga saliva con dificultad y ahora Misty Christy la abraza a ella también, llorando, y Jade, incapaz de pronunciar palabra, no es capaz de decirle que ha sido un accidente, que solo intentaba evitar que la pequeña cogiera el móvil, no intentaba salvarle la vida a nadie, convertirse en una especie de heroína, esas cosas no van con ella. Más bien todo lo contrario.

Cuando Jade se libera por fin del abrazo, ve que sobre el césped se ha formado un semicírculo de progenitores alrededor de ella, esperando a ver qué hace a continuación esta aficionada a las pelis de miedo. Jade esboza una sonrisa con los labios apretados. También a ella le gustaría saber qué va a hacer a continuación. Transcurridos unos instantes, se mete las manos en los bolsillos, gira sobre los talones para darles la espalda a todos y su primer paso la lleva a hundir el pie en el charco que se ha tragado el teléfono. Continúa moviéndose a pesar del frío, de la humedad, y media manzana más tarde exhala por fin una bocanada entrecortada de aire antes de volver a aspirar, hondo esta vez, aún más hondo, cubriéndose la boca con las manos.

Esos chavales holandeses del lago. Están…, que hayan fallecido en esas circunstancias significa, lo que significa es que ya…

«Ya ha empezado», se dice Jade, y lo sabe. Esto va a pasar de verdad.

INICIACIÓN AL SLASHER

Lo cierto es que los slashers, señor Holmes, ni son imposibles ni se dan únicamente en el cine. Sin embargo, para que sucedan, tras la broma inicial deberá cumplirse una serie de requisitos.
Lo 1° de todo es el Sacrificio de Sangre. Piense en Judith Myers, la hermana mayor de Halloween, o en Casey Becker, de Scream. O en su versión de 1960, Marion Crane, la de (lo ha adivinado) Psicosis.
Lo 2° que necesita un slasher son Adultos, sorpresa. Y por adultos me refiero a esos padres, profesores y polis que le quitan hierro a lo que ocurre porque seguro que son cosas de críos. Piense en Pesadilla en Elm Street, donde el padre de Nancy, inspector, debería haberle hecho caso a su hija. O en el agente Dorf de Viernes 13, que ni siquiera sabe conducir su propia moto, aunque, llamándose Dorf, qué otra cosa se podría esperar. Si los adultos y la policía fueran medianamente competentes, se evitaría todo esto.
O vayamos al Bludworth de Destino final, interpretado por el inmortal Candyman, Tony Todd, un adulto que CREE de verdad a estos chicos, pero por culpa de eso no puede hablar con ningún otro adulto. O incluso cuando el adulto en cuestión lo sabe a ciencia cierta y cree a pies juntillas, lo cual es raro, como el doctor Loomis en Halloween o Ralph el Loco en Viernes 13, entonces nadie cree en ÉL, que es lo que menos mola de ser un crío. Bueno, es 1 de las cosas que menos molan, pero no me tire de la lengua porque tendría que hablar de cómo no me parece motivo de suspensión que alguien sustituya la cinta de Educación Sexual por esa escena de la flecha que sale por la garganta de Kevin Bacon, aunque el valor educativo de este ensayo es tal que debería compensarlo con creces.

Lo 3° que necesita un slasher es que todo esto ocurra de Un Día Para Otro, como quien dice. La razón por la que esto es así es que si se produce un asesinato aislado en Haddonfield, una de esas noches malas que tiene cualquiera, no sería inconcebible que los adultos que hubieran podido evitarlo estuvieran distraídos u ocupados en cualquier otro menester. El 3er y medio ingrediente imprescindible, casi integrado en el concepto de Un Día Para Otro, es la Fiesta. A los asesinos de los slashers les encanta colarse en las fiestas. Imagínese que Proofrock estuviera a punto de recibir la visita de alguno. ¿Qué noche podríamos estar todos reunidos en el mismo sitio para facilitar su truculenta tarea?
En 4° lugar tendríamos el Arma Característica. Jason y su machete, Michael y su cuchillo de cocina, Ghostface y su cuchillo de caza, Freddy y su guante, Cropsy y sus tijeras de podar, el Pescador que todavía sabe lo que hicimos el último verano y su garfio, y en 5°, el número del pentagrama, hace falta alguien que ESGRIMA ese arma, señor Holmes.
Ahí entran en juego el Asesino y su némesis la Chica Final, nuestro n° 6, con quien ya está familiarizado de cuando yo estaba en primero.
Así que, para concluir, cuando un asesino vuelve "de entre los muertos" y hace un Sacrificio de Sangre con un Arma Característica, los Adultos se vuelven unos ineptos, hay una Fiesta que se celebra de Un Día Para Otro y una Chica Final sale de la biblioteca y se mete en esta picadora, pero no nos olvidemos del n° 7. Esa es la Secuela, señor Holmes, algo que esta redacción TAMBIÉN va a tener, donde le entusiasmará conocer otros 2 elementos necesarios, Máscaras y SlasherCam, pero eso será el semestre que viene, porque ahora tengo que terminar este proyecto de entrevista por valor de la mitad de la nota de la clase de Historia o morir en el intento.

El día de la graduación

El padre de Jade no se sienta para ver la ceremonia, pero allí está con Clate Rodgers, antiguo Halcón de Henderson que ahora trabaja en unos talleres en Ammon. Los dos se han apostado contra la valla, junto a los escalones de aluminio corrugado que conducen a las gradas, como el Chuck de *Footloose* y el Wooderson de *Movida del 76*: ambulantes, parlantes y alcoholizados ejemplos a no seguir, se diría que su presencia está calculada para evitar que esta promoción se descarrile, para cerciorarse de que envíen esas solicitudes de acceso a la universidad, so pena de terminar estacionados contra esa valla. Por lo menos eso es lo que son hasta que el sheriff Hardy se pasea delante de ellos, despacio, como si acabase de oler algo extraño pero se resistiera a girarse para comprobar exactamente qué es: para ver que, en efecto, Clate Rodgers se ha atrevido a volver a poner un pie en Proofrock después de tantos años.

Chapi levanta su lata empapelada en dirección a Hardy, desafiándolo a comprobar si se trata o no de cerveza, mientras que Clate se ríe por lo bajo y se restriega la nariz con toda la cara interior del índice, hecho lo cual se alejan en busca de algún lugar menos público. Jade, fingiendo no haber sido testigo de esta interacción tan típica como lamentable, deja que su mirada vague por la multitud y escale las gradas.

El funcionamiento habitual de la graduación consiste en que los padres de los treinta y pico alumnos tienen que llegar al campo de fútbol con la antelación necesaria para reservar los asientos centrales con mantas y termos de café, pero esa mañana ha sido diferente. Unos cuantos curritos de la obra de Terra Nova ya estaban allí desde antes de que amaneciera, o eso infiere Jade de sus refunfuños. Pero también se respira cierta admiración, ¿a que sí? Hasta ese momento, los inminentes nuevos vecinos de Terra Nova no habían sido nada más que una gorrita de golf recorriendo los pasillos de la tienda, un bronceado brazo con Rolex apoyado en la mesa de la cafetería, un Aston Martin aparcado delante del banco: avistamientos aislados todos ellos, esporádicos, que nunca se habían producido simultáneamente y de golpe. Incluso en los artículos del periódico salían fotografiados por separado, no apiñados como si de un equipo de superhéroes se tratara.

Lo que se rumorea ahora, no obstante, es que los obreros que llevan todo este tiempo allí arriba, sin apartarse de los asientos centrales, no han venido en representación propia, puesto que no tienen ningún graduado al que animar en esta celebración, sino que solo han venido para reservar esos sitios, heraldos uniformados de librea amarillo reflectante en la fábula que está a punto de representarse.

Por eso, los murmullos y los cuchicheos tienen otro cariz. Más entusiasta y quedo a la vez, como si una formación de Oprah Winfreys estuviera a punto de lanzarse en paracaídas desde las nubes repartiendo coches a espuertas.

Jade se dice que, si sucediera algo así, ella no se rebajaría a arrastrarse con el resto de la turba para rapiñar ninguna limosna, pero, al mismo tiempo, es cien por cien consciente de lo fácil que resulta conservar la dignidad cuando los peniques todavía no han empezado a rodar por el suelo.

Donde está sentada ella es en la primera fila, detrás del escenario, y lo que lleva puesto debajo de la toga es su mono de faena, porque después de esto comienza su turno. Es una pena que la vida real deba tomar el relevo nada más concluir este autoproclamado mágico momento, pero, por otra parte, también es un poco como si estuviera en un videoclip, ¿no? Uno de esos en los que a la protagonista no le queda más remedio que marcharse corriendo de su graduación mientras se suceden las imágenes montadas de lo que le depara el futuro, con la línea de bajo retumbando al compás de sus pasos: pasillos sin fregar, aseos de espanto, pizarras que piden a gritos que alguien las sacuda como un Telesketch para que la siguiente ronda de estudiantes se las encuentre sin la menor sombra de tiza. Jade menea la cabeza un par de veces, al son de ese vídeo en el que ella es la estrella, pero se queda petrificada al divisar la fila de Bentleys que están entrando en el aparcamiento.

—Joder —dice.

—¿Qué? —pregunta Greta Dimmons, tocándose el pelo, el birrete y los hombros en veloz sucesión.

Jade, que no contesta, ya les ha dado la espalda a los Bentleys y se ha vuelto hacia a quien le va a importar más que a nadie: al señor Holmes, ahí arriba, en el escenario, que dice:

—Bueno, tócate los cojones —lo bastante alto como para llegar a los oídos incluso de la segunda fila, a juzgar por las risitas que oye Jade tras ella. Y a los del director Manx también, a juzgar por el modo en que se le crispa la espalda.

El caso es que «tócate los cojones» es la única reacción acertada. Los terranovos por fin se han dignado a asomar sus naricitas por la ciudad. Aunque a Jade no le guste admitirlo, también su espalda se está enderezando, estirando para verlo mejor, para no perderse detalle.

Los Bentleys se detienen en la entrada y los potentados y magnates se apean con lánguidos movimientos. Las mujeres no llevan vestidos, sino faldas ceñidas en las caderas, rebequitas entalladas y tacones como si hubieran nacido con ellos. Y los hombres no van de esmoquin, sino con trajes hechos y rehechos a medida, además de unas gafas de sol apoyadas lo bastante abajo sobre la nariz como para darles un aspecto informal, casi accidental se diría. El camino de tierra prensada que serpentea desde la entrada hasta las gradas es para ellos una alfombra roja por la que desfilar cogidos de la mano.

El primero es Mars Baker, socio fundador de cierto bufete de abogados de postín en Boston, cuyas maniobras legales son, según los periódicos, lo que ha conseguido talarle un hueco a Terra Nova en el parque nacional. Es un cincuentón, como todos, básicamente calvo y de sonrisa exultante, en contraste con la severidad de su esposa, Macy Todd, que camina enganchada a su brazo; la misma Macy Todd que los tabloides acusaban de asesina allá por los noventa, antes de que se casara con el brillante picapleitos que evitó que acabara entre rejas. Sus gemelas son Cinn y Ginny, de doce o trece años, según el reportaje que Jade ha leído en el periódico; las niñas los acompañan con sendos vestidos a juego que podrían haber estado estampados de flores pero prefieren no estarlo.

Tras ellos camina el larguirucho Ross Pangborne, con su desgarbada torpeza de Bill Gates y su encanto pueril en consonancia con ella. También calvo, observa Jade, que no puede por menos de preguntarse si existirá alguna relación entre el exceso de testosterona, capaz de arrasar con la raíz del cabello, y el predominio en el ámbito financiero. En el monográfico sobre él que ha leído en la tienda ponía que, en vez de llevar encima un teléfono que le permita seguir la actualidad de la gargantuesca red social que creó por las risas, lo que utiliza es un simple móvil de los antiguos, y a veces ni eso. Donna, su esposa, es igual pero en versión femenina. Más que marido y mujer, parecen hermanos, aunque Jade sospecha que podría deberse a lo mismo por lo que un perro se termina pareciendo a su dueño cuando llevan mil años juntos. Lo difícil sería saber cuál de los dos es el chucho. Su hija de diez años, Galatea, cuyo nombre significa algo refinado, Jade no recuerda qué exactamente, camina encorvada tras ellos vestida con unos vaqueros y un suéter, probablemente lo más elegante que la han podido convencer para que se ponga. «Bien por ti, chica —proyecta Jade en su dirección desde el otro lado de la pista roja de atletismo—. No cambies nunca».

El siguiente es Deacon Samuels, este sí con una buena mata de pelo y una sonrisa que parece cien soles. Es la herramienta que ha utilizado para convertirse en un magnate de la construcción, por lo visto (bueno, evidentemente, más bien), y también lo que exhibe en la portada de todas las revistas de golf que honra con su presencia. Jade resopla para sus adentros. De la mano de Deacon Samuels camina la famosa exmodelo de su mujer, Ladybird, la «primera dama de la moda» o cualquier otro calificativo presuntuoso por el estilo, aunque lo cierto es que Jade no tiene más remedio que admirar la agilidad con la que remonta los escalones de las gradas con esos taconazos imposibles. Cuando Deacon llega a los asientos que los obreros de Terra Nova le estaban guardando, les da discretamente, pero sin pasarse, unos cuantos billetes a cada uno, señal de que ya pueden irse.

Cientos de dólares, seguro. Quién pillara ese curro.

Cuando los obreros empiezan a intentar abrirse paso a través de la corriente de terranovos (los periódicos han dado en llamarlos «Fundadores», puesto que eso es lo que están haciendo, fundar una nueva comunidad), Macy Todd se las apaña para, sin usar nada más que la mirada, informarles de que tienen que salir por el otro lado, gracias, sí, por el más largo y enrevesado.

Mientras se retiran acobardados, con sus chalecos amarillos casi reluciendo a causa de la humillación, familiares para Jade dos o tres de sus portes cabizbajos, Lewellyn Singleton hace su tímida entrada por las escaleras de las gradas, sonriendo azorado por todas las miradas que los siguen a él y a su esposa, Lana. No está acostumbrado al escrutinio público, probablemente, preferiría estar en el despacho de su cadena de bancos, o franquicia de bancos. Son como huevos de *Aliens* que la reina ha depositado por todo el país, esmerándose para que haya por lo menos uno en cada ciudad. No, en serio, todas las grandes poblaciones cuentan con su sucursal, como rezaba aquel célebre eslogan, «nuestras entidades bancarias son necesarias», jajaja. Ja. Sin embargo, Lewellyn o Lana deben de tener un pasado bastante molón, quién sabe si también un poquito sórdido, dado que a su hijo de seis años le han puesto el nombre de Lemmy, indudablemente en honor al líder de los Motörhead, puesto que no puede haber otro Lemmy.

Detrás de ellos aparecen Theo Mondragon y su flamante nueva esposa, la apropiadamente llamada Tiara. Theo sostiene el codo de Tiara mientras esta hace equilibrios sobre sus tacones, todavía más imposibles que los de Ladybird, por la escalera de aluminio, al tiempo que con la otra mano dedica un escueto saludo en dirección al paredón de graduados: a Letha. Por lo que Jade acierta a distinguir, y sin contar a su propio padre, que solo tiene la piel morena porque es indio y, de todas formas, ya se ha refugiado en las sombras más recónditas y cerradas, Theo es la única persona negra que hay en las gradas. Aunque está segura de que llamaría la atención en cualquier parte con esos hombros de jugador de fútbol que forman un triángulo invertido con su talle de treintañero, con esas zancadas que devoran los escalones y con el hecho, en fin, de que es el cabeza de cartel de todo este asunto. No es que sea una competición por ver quién tiene el extracto bancario más largo, aunque, por otra parte, sospecha Jade, quizá sí que lo sea. Y en los tiempos que corren, un imperio mediático vale más que cualquier banco, bufete de abogados o agencia inmobiliaria, más incluso, tal vez, que cualquier red social.

Las cinco parejas ocupan sus asientos y, como eso es lo que suelen hacer los monarcas en este tipo de funciones, Theo Mondragon, el macho alfa de esta manada de alfas, se levanta y traza un círculo en el aire con la mano derecha, conteniendo la sonrisa, para indicarles a todos que ya pueden proceder. Circulen, circulen.

Y así lo hace Jade, o lo intenta, pero, es igual que cuando le explicaron cómo funciona la gravedad en segundo: cada planeta es una bola de bolos en la rampa del espacio-tiempo y los cuerpos más pequeños ruedan por ella de forma natural, sin poder evitarlo, del mismo modo que todos los ojos de esta graduación, incluidos los suyos, vuelven una y otra vez a estos Fundadores y sus esposas. Sabe que eso explica por qué Brad Pitt no come en el Burger King (todas esas miradas, toda esa atención), pero las bolas de bolos solo pueden hacer lo que hacen todas las bolas de bolos, ¿verdad? Los habitantes de Proofrock no han visto nunca nada parecido a estos Fundadores, y ahora, literal y físicamente, se están codeando con ellos.

Todo lo cual nos lleva a corroborar que las profecías del señor Holmes sobre el calamitoso impacto de Terra Nova están haciéndose realidad.

Jade consigue apartar la mirada de Theo Mondragon y dirigirla a su profesor de Historia, que ahora está en la zona de los oradores, un poco hacia el lateral; como este es el último rodeo del señor Holmes, el director Manx se dispone a darle el micrófono para que pronuncie su discurso de despedida, declame sus augurios y vaticinios finales, les dé una última lección, quién sabe. No deja de palparse el bolsillo de la chaqueta, como si quisiera cerciorarse de que sus cigarrillos van a estar ahí cuando termine la ceremonia. A fin de superar lo que está aconteciendo en las gradas, sin embargo, Jade sospecha que se tendrá que fumar la cajetilla entera de golpe, aplastando las colillas bajo sus pies hasta erigirse sobre una montaña de soldados caídos. Y puede que ni siquiera le baste con eso.

Para echar leña al fuego de sus preocupaciones (y posponer su jubilación), Jade le ha pedido que por favor por favor por favor le permita terminar el ensayo que está escribiendo para su asignatura. A los demás profesores no les ha importado que se salte dos meses de trabajo, pero el señor Holmes es el señor Holmes, y de momento no parece dispuesto a que su canto de cisne dentro de la docencia incluya el sacrificio de la política de «ni excusas ni perdón» por la que siempre se han regido sus clases. Lo que significa eso para Jade es que esta ceremonia es una farsa, puesto que aún no ha obtenido el último crédito de Historia que le falta, y ahora, con la llegada del sustituto del señor Holmes prevista para no antes de agosto, ¿cuándo va a terminar? Además, ¿le dejará ese sustituto improvisar sus ensayos, escribirlos a través del prisma de los slashers sin llegar nunca, no del todo, a hablar sobre la Historia de Idaho?

Conoce la respuesta a esa pregunta.

Sin proponérselo, se frota la cara interior de la muñeca sin cicatrices mientras se pregunta si una muñeca a juego es lo que ella, y el mundo, en realidad necesitan.

Sentado junto al señor Holmes, por disparatado que parezca, se encuentra Rexall, vestido con algo que podría calificarse de traje. A él también lo están homenajeando. Tiene guasa: Misty Christy, cuya hija estuvo a punto de recibir el sopapo de aquel autobús, escribió una carta al superintendente del distrito para dar las gracias y elogiar al «personal de mantenimiento» de la escuela por haberle salvado la vida a su hija, consiguiendo, no se sabe cómo, no usar nunca un pronombre en el proceso.

Cuando el radar de Rexall detecta la mirada iracunda de Jade, se la devuelve con una sonrisa repugnante y una zalamera inclinación de cabeza antes de agitar algo en su dirección, desde su regazo, con ademán insinuante. Jade mira sin poder evitarlo: su teléfono. Lo ha encontrado. Lo que significa que ya no podrá usarse en su contra, mierda. Lo que significa también que, puesto que no pudo encontrarlo ni llamándose ni enviándose un mensaje a sí mismo, debía de haber una cámara oculta en el almacén de suministros, espiándola. Todo lo cual podría ser la única razón de que la dejara allí «sola» con tanta facilidad, por la remota posibilidad de poder verla cambiándose el sujetador fotograma a fotograma.

La piel de Jade hormiguea como si quisiera alejarse de allí, independizarse de ella y huir. Se estremece, sacude los hombros y gira la cabeza para observar la fila más alta de las gradas, que es donde se está diciendo que preferiría estar. Aunque ya lo está, en cierto modo, al menos una pálida versión de sí misma: su madre está allí, sentada en la esquina superior, aislada a pesar de la muchedumbre que la rodea.

Es la primera vez que Jade la ve desde, ¿desde poco después de Navidad, puede ser? Desde su último, furtivo y enfurruñado deambular por los pasillos del Family Dollar, en cualquier caso. Aunque, técnicamente, el padre de Jade y ella siguen estando casados, ya lleva como cinco años viviendo en un tráiler con otro Chapi de la vida cualquiera. Por lo que a Jade respecta (por lo que sabe, supone), su madre es la cajera más veterana que haya tenido el establecimiento en toda su historia. Y, lo más importante de todo, si no hay mucha gente en la tienda, y si el encargado tiene algún fuego que apagar en algún pasillo lejano, Kimmy siempre la deja irse sin pagar los tintes que tanto necesita su pelo. Jade no está segura de si está robando o si es que su madre pone el dinero de su bolsillo, pero eso se debe principalmente al hecho de que jamás cruzan ni media palabra. Jade se limita a pasar por delante, fulminándola con la mirada, y Kimmy se limita a vigilar cada paso que da, con los músculos de sus piernas tal vez tensándose y relajándose a su vez, porque recuerda lo que es tener esa edad, ser tan joven.

El motivo de que ahora esté en las gradas, se imagina Jade, es porque su hija está haciendo lo que ella no pudo, dado que, para cuando llegó el momento de lo que habría sido su graduación, estaba embarazada de ella. Embarazada y apostada a las puertas del hospital de Idaho Falls, para ver si el amor de su vida volvía a abrir los ojos después del descomunal porrazo que se había pegado.

«Si tú supieras, mamá —proyecta Jade en su dirección—. En realidad no me voy a graduar. Todo esto es una pantomima».

En pocas palabras: digno final de su paso por el instituto.

Quizá Jade debería haber usado el rollo de cinta de carrocero para decirle todo eso a su madre desde lo alto de su birrete de cartón piedra en vez de ponerse el clásico smiley con aspas por ojos, pero qué cojones, ¿verdad? Presentarse aquí un día antes de que su infancia entera haya tocado a su fin tampoco es que compense gran cosa. En próxima batida por el Family Dollar, Jade piensa llevarse la estantería de mierdas para el pelo al completo.

Chúpate esa, mamá.

En cuanto al color que ha elegido especialmente para la ocasión, para el gran día (rosa chillón), no es tinte, sino espray de Halloween. Porque el pelo indio no se decolora lo suficiente como para ponerse de un rosa eléctrico de verdad. Pero mira, pasando. Tampoco es que nadie vaya a acariciarle el cabello, ni a fijarse en el forro del birrete.

Sus pendientes son unos dados colgantes de tamaño natural, porque la vida es una apuesta y luego te mueres; ha elegido un lápiz de labios tan negro como su corazón (e igual de viscoso) y lleva las uñas de color rojo sangre.

Letha Mondragon, la chica nueva sin historia real como Halcón, no tarda en subir a la palestra para pronunciar el discurso de apertura entre unas rondas de aplausos cada vez más ensordecedoras. La más atronadora de todas coincide cuando cede su medalla de graduada con las mejores calificaciones a Alison Chambers, puesto que «las notas medias transferidas no reflejan realmente las calificaciones obtenidas sobre el terreno, ¿a que no?».

Si es que es perfecta, ¿a que sí?

Por si acaso a Jade le quedase alguna duda sobre su estatus de chica final, estas se disipan al ver cómo el público se derrite con cada nueva palabra que brota de esos labios, con cada salva de aplausos.

Cuando terminan las ovaciones, el director Manx sube al estrado pavoneándose y levanta dos dedos para pedir que se haga el silencio (su V de la victoria son orejas de lobo, lo que significa «parad de aullar, escuchad») y él reorganiza sus papeles e informa a la multitud de que el siguiente orador no necesita presentación. Si el Instituto Henderson es una institución, no se puede decir menos de él por su entrega en la enseñanza de la Historia de Idaho a una hornada tras otras de alumnos, porque, «como todo el mundo sabe, los que no conocen el pasado están condenados a repetirlo».

Unos pocos aplausos de compromiso acompañan al señor Holmes hasta el micro, que lo primero que hace es inspeccionar los papeles que el director Manx se ha dejado. Los levanta apenas lo justo para que los graduados que tiene detrás vean que todas las hojas están en blanco: atrezo. Porque Manx ya ha pasado tantísimas veces por esta misma ceremonia que podría pronunciar sus discursos dormido.

El señor Holmes alisa sus papeles, los suelta, se vuelve y mira de izquierda a derecha, a todos los graduados, antes de girarse para observar fijamente los rostros que están en las gradas. Cuando el silencio se vuelve lo suficientemente sepulcral, comienza con un:

—Lo que dice la cita, en realidad, es que «el progreso, lejos de consistir en cambios, depende de la retentiva. Aquellos que no pueden recordar el pasado están condenados a repetirlo». —Para puntuar esta matización que nadie le ha pedido, se aclara su garganta de fumador y levanta discretamente una mano para tirarse de la piel floja que cuelga sobre su nuez, como si intentara hacerle sitio al aire que sabe que va a hacerle falta—. Son palabras de George Santayana, filósofo español emigrado a los Estados Unidos que falleció a mediados del siglo pasado. El mismo al que se le atribuyen las célebres palabras acerca de cómo la historia no es más que una sarta de mentiras contadas por personas que no la han vivido. —Cierra los dedos sobre el podio, se apoya en él, eleva la mirada llameante hacia las gradas y añade—: Este momento, sin embargo, lo estamos viviendo todos nosotros. En efecto, en los meses y años venideros, nuestras historias sobre este día tan importante se convertirán tan solo en eso, en meras historias, pero por ahora, por este instante en el que nos encontramos, quizá podamos, como colectivo, comprender exactamente qué es lo que está sucediendo aquí. Aunque solo sea un poquito. —Ahora le toca al director Manx aplicarle un correctivo en forma de carraspeo, dirigido tal vez a recordarle al señor Holmes cierta conversación que podrían haber mantenido sobre el mensaje de fondo de este discurso de despedida. El señor Holmes no se da por aludido—. Hoy nos acompañan varios invitados —dice mientras levanta la mano en dirección a los terranovos, lo que parece autorizar a todo el mundo a girarse hacia el centro de las gradas de nuevo. Extiende los brazos como si se dispusiera a brindarles un aplauso, pero el gesto posee un inconfundible tinte sarcástico, por lo que los pocos que caen en la trampa y comienzan a aplaudir con él dejan de hacerlo enseguida—. He dicho «invitados», pero, por favor, señor Mondragon, señor Baker y el resto de ustedes, no pretendía insinuar que su estancia aquí vaya a ser temporal, por supuesto. Deberíamos esperar que sea todo lo contrario, puesto que lo que traen consigo no es sino la salvación para esta ciudad de las montañas, para este lago, este valle, este condado, para todos nosotros. —El señor Holmes vuelve a hacer una pausa para aclararse la garganta; cuando retoma el micrófono, lo hace asintiendo con decisión—. La palabra «invitado» podría interpretarse a través de otro filtro, evidentemente, como sin duda tantos de estos graduados ya saben después de haber prestado atención en mis clases. En la antigua Grecia, los dioses bajaban del monte Olimpo para caminar entre los mortales, pero lo hacían disfrazándose de viajeros, de mendigos, lo que en el seno de aquella sociedad llevó a desarrollar, merced a dicha creencia, una serie de normas de etiqueta basadas en el temor más abyecto. Un temor absolutamente fundado, por lo demás, pues si no se portaban como debían, si no le ofrecían al extraño un cuenco de sopa, por ejemplo, aunque ese cuenco de sopa fuera su último sustento, entonces Zeus podría despojarse de sus harapos y fulminarlos, aniquilarlos como si nunca hubieran existido. —El señor Holmes deja que el mensaje cale durante unos segundos antes de repetir, para enfatizarlo—: Como si nunca hubieran existido.

—Señor Holmes… —empieza a decir el director Manx, levantándose de la silla, pero el señor Holmes levanta la mano a su vez, no para rogarle que le conceda un minuto más al micrófono, sino para informarle de que se va a tomar ese minuto.

«Con un par, señor Holmes», lo anima Jade para sus adentros, sonriendo de admiración.

—Pero esto es América, claro, no el Mediterráneo —continúa el señor Holmes—. Debería ser más ecuánime, emplear una iconografía más acorde con nuestro suelo. Me disculpo por ello. Veamos, ah, ya lo sé. La América del Sur precolombina, ¿qué les parece? Creo que ahí podemos encontrar el ejemplo adecuado. Pensemos en los incas, por ejemplo. No en los incas tal y como eran cuando los españoles se extendieron por los Andes, sino en un imperio que llevaba milenios creciendo y decayendo sin ayuda de nadie. Antes de que alguien me lo pregunte, no, no estoy diciendo que esta montaña en la que vivimos sea como los Andes, o que haya dioses y reyes caminando entre nosotros. El caso es que aquellos incas de antaño, cuya sofisticación tecnológica no tenía parangón entre sus contemporáneos repartidos por el globo, terminaron alcanzando un nivel de estratificación social que, en esencia, deificaba a la clase gobernante, a los más acaudalados, y lo que esto supuso para ellos es algo a lo que deberíamos, tal vez, prestar mucha atención, ciñéndonos todavía a nuestro Santayana, puesto que esa clase gobernante, la élite adinerada, no solo se apropió de todos los recursos, sumiendo a las clases trabajadoras, no ya en la pobreza, sino directamente en la miseria, pero se adoraban tanto a sí mismos que construían majestuosos edificios para sus muertos momificados y continuaban sirviéndoles alimentos, y asignándoles sirvientes, y cualquier sociedad cuya cúspide tenga tanto peso es inevitable que se acabe desmoronando una y otra vez, hasta encontrar una forma más estable, más igualitaria, de persistir y prosperar. O si se resisten a escuchar a

Santayana, tal vez le hagan más caso a Mark Twain, quien dijo que la historia no se repite, pero rima. Tan solo espero que Proofrock no termine formando parte de ese pareado. Pero, por favor, no me gustaría que ninguno de ustedes asociara aquellos templos incas para los muertos con las casas tan bonitas que se están construyendo en la orilla opuesta del lago, de ninguna manera. Nosotros no somos como los incas, ¿verdad? Tampoco deberíamos ser como los antiguos griegos. Cuando los dioses llaman a nuestra puerta, en vez de ofrecerles nuestra última escudilla de esa sopa que tanto sudor nos ha costado poner en la mesa, lo que deberíamos hacer, quizá, es ofrecerles la punta de nuestras lan…

—Gracias, gracias por este apasionante recorrido por la historia, señor Holmes —dice el director Manx, interponiéndose al fin entre el orador y su podio antes de volverse hacia el lateral para encabezar una nueva ronda de ovaciones. La definitiva.

En las gradas, el primero en incorporarse es Theo Mondragon, que prorrumpe en clamorosos aplausos, pero después se pone de pie a su lado Mars Baker, y Ladybird Samuels, Macy Todd, la plana mayor al completo, venga a dar palmas sin que entre todos consigan reunir ni una sola sonrisa.

El señor Holmes se gira hacia los graduados para decir, lo bastante alto como para imponerse al estruendo:

—No se van a conformar con la sopa —y Jade es la primera en incorporarse de un salto, aplaudiendo, observando de reojo a Letha, en la segunda fila. La única otra fila que hay. Aunque el temblor de sus labios denota incertidumbre, no puede levantarse con sus compañeros, contra su padre, y Jade se odia por ello, pero lo cierto es que se arrepiente de haber encabezado esta salva de aplausos. No, si se arrepiente de algo es de haber venido a esta chorrada de ceremonia. De haber nacido en esta puñetera ciudad.

Como si quisiera ratificar lo lamentable de todo este asunto, el director Manx, en un intento por rescatar la graduación, le indica a Rexall que se ponga de pie para aceptar su certificado por, como dice Manx al micrófono, «haber excedido con creces las responsabilidades correspondientes a su cargo de conserje». La ovación continúa, y Jade sabe que ahí fuera, en el aparcamiento, su padre está levantando una lata en honor a Rexall, que tiene que ser por lo que ha venido. No por su única hija, la segunda no-graduada india de los últimos veinte años. Las únicas palabras relacionadas con la graduación que han cruzado fue cuando Chapi le preguntó si se pensaba ir de casa por fin en verano.

Lo que respondió Jade fue que eso no era de su incumbencia, gracias. Lo que no le dijo fue que sería al Campamento Sangriento o al sofá de quienquiera que fuese la persona con la que estaba viviendo su madre.

Rexall sube a la tarima arrastrando los pies, con el teléfono todavía en la mano como si su vida dependiera de ello, pero cuando Manx se hace a un lado para presentarlo oficialmente, Misty Christy se levanta en medio de la multitud y se pone a hacer aspavientos como si quisiera pedirle al director que tuviera la amabilidad de cederle la palabra.

Eso detiene la ceremonia. Ahora todos están pendientes de ella.

Y Misty Christy está negando con la cabeza, que no, señalando al otro lado del podio.

A Jade.

Jade se encoge, se encorva, se humedece los labios, seguramente corriéndose la pintura, pintándose la lengua de negro. Por primera vez en toda su vida, desearía que su pelo fuera un poquito menos cantoso.

—¡Que fue ella, no él! —está diciendo Misty Christy, sin micrófono que amplifique su voz pero lo bastante alto de todas maneras.

El director Manx se fija en Jade y esta deja que su mirada vague más allá de él, de las gradas, de todo.

—¡Yo también lo vi! —exclama Lucky desde otra parte de las gradas. Es el que conduce el autobús escolar. El que estuvo a punto de arrollar a la hija de Misty.

—¡Y yo! —se une al coro el atronador vozarrón de Judd Tambor, el otro agente inmobiliario de Proofrock.

Jade está entre un noventa y nueve y un ciento cincuenta por ciento segura de que él no estuvo presente aquel día, pero esta es su oportunidad de solidarizarse con los más desfavorecidos y ni loco dejaría que su principal adversaria acaparara toda la publicidad positiva que este tipo de gestos conllevan.

Y ahora, después de Judd Tambor, Jade pierde la cuenta de todos los vecinos de Proofrock que intervienen para asegurar que ellos estuvieron allí, lo vieron, lo saben. En parte se trata de esas movidas de rebaño sobre las que siempre les está hablando el señor Holmes, a Jade no le cabe la menor duda, que es algo así como la antesala de la histeria colectiva, pero en parte se trata también de que, si no la apoyan ahora, Rexall se llevará ese certificado, y probablemente lo conocen, a él y a sus correrías de los tiempos del instituto y las posteriores, mucho mejor de lo que Jade aspiraría a conocerlo jamás.

Cierra los ojos y cuenta hasta tres para que todo esto se acabe, pero solo va por el dos cuando ya está mirando otra vez. No a Misty Christy, no a Judd Tambor, que ha levantado a su hija y la agita de un lado a otro como si ese bebé fuese la prueba fehaciente de las heroicidades de Jade, no a todos los que están ovacionándola ahora, sino a la esquina superior de las gradas. A su madre.

Que sonríe con los labios apretados, como acostumbra.

Jade cierra los ojos con fuerza, no piensa echarse a llorar ahora, joder, delante de todos. Y de súbito, su padre sale de debajo de las gradas, no del aparcamiento, entrechocando dos tapas de cubo de basura como si fueran címbalos, con la cerveza sujeta entre los dientes, salpicándole la cara y la pechera de la camisa.

Eso interrumpe los vítores, pero él sigue aporreando las tapas hasta que Hardy frunce los labios y se encamina en su dirección, pegado a la valla.

Jade aprieta los párpados de nuevo, más todavía, y se recuerda que, por cada cosa buena que ocurre, siempre hay dos malas. Es ley de vida. Quizá sea algo propio de los indios, o solamente de ella, pero en realidad eso no importa. No hace que sea mentira. Cuando se atreve a mirar de nuevo por fin, parapetados sus ojos bajo el flequillo, Rexall ya ha vuelto a su asiento y el director Manx está gritando al micrófono:

—¡Vamos a entregar esos títulos!

Como los órdenes alfabéticos son como son, Jade es la segunda en subir a la tarima, la segunda en darle la mano a Manx, y la primera y única en no recibir ni aplausos, ni bocinazos, ni cañonazos de confeti, porque a su padre han tenido que sacarlo a rastras de allí y su madre, que ya no podía soportar que todos estuvieran pendientes de ella, se ha escabullido aprovechando el amparo de tantas ovaciones.

Cuando sube Letha, sin embargo, por una vez con tacones (debe de superar el metro ochenta con ellos), el yate que nadie se había dado cuenta de que estaba fondeado tras ellos hace sonar la sirena largo y tendido, señal que libera la coreografía de una bandada entera de palomas blancas ocultas en algún lugar en la orilla.

Cómo no.

Letha, que recorre la segunda fila caminando de lado hasta volver a su asiento, le da a Jade un apretón afectuoso, solidario, en el hombro derecho, y Jade odia con toda su alma el modo en que ese contacto consigue que se le irriten los ojos.

«¿Dónde has estado toda mi vida?», le pregunta mentalmente a Letha, momento en el que recuerda haber dicho eso mismo antes, o algo parecido.

A Gafas de Tiro.

Jade hace un barrido con la mirada de derecha a izquierda, buscando algún chaleco de seguridad que aún no se haya ido del todo, y en efecto, allí está, apoyado en la barandilla de las gradas del lado derecho, como si no se hubiera ganado el honor de ocupar un asiento. No después de habérselos robado a sus legítimos propietarios.

Jade asiente con la cabeza y él le devuelve el gesto, se toca la visera del casco a modo de enhorabuena y se aleja, y Jade se da cuenta de que eso era lo único que estaba esperando: estaba esperándola a ella.

¿Porque la salvó y quiere cerciorarse de que esté sana y salva? ¿Porque…?

Jade niega con la cabeza, no, eso no, ella no. Es imposible que le guste. Se sacude esa posibilidad y descubre sus ojos clavados en Theo Mondragon otra vez. No podría parecerse más a Bruce Wayne, con Batman oculto justo debajo de su traje elegante. Es cautivador, debe de dominar todas las salas de reuniones en las que entre, todas las juntas de accionistas que se digne honrar con su presencia, todas las cenas de gala en las que se siente. Todas las ciudades en las que construya una casa.

Jade no puede estar segura, pero, a juzgar por la inclinación de su cabeza, juraría que el señor Holmes lo está observando a su vez, o memorizando todos los rostros de los terranovos con la intención de quemar su efigie más tarde. Hay quienes cuentan ovejas y hay quienes encienden cerillas bajo los pies de sus enemigos, se imagina Jade. Sabe a cuál de esas categorías pertenece el señor Holmes. Solo que, en vez de cerillas, él se limita a arrojar un cigarrillo encendido a la leña empapada de gasolina que les sirve de plataforma.

«Con un par, señor Holmes», repite para sus adentros.

Esto es lo que va a recordar, lo sabe. Que no fue la única en esta patética y embarazosa jornada que preferiría haberlo arrasado todo hasta los cimientos. Está bien ser la chica de las pelis de miedo, sí, siempre al margen del resto de la multitud, fumando un cigarrillo amargo tras otro, no lo cambiaría por nada, pero también resulta agradable establecer contacto visual con otro corazón negro antes de exhalar esa bocanada de humo, despacio, a modo de sentencia.

Cuando llega el momento de lanzar los birretes al aire, Jade se aferra al suyo, lo saca a hurtadillas del campo de fútbol, lo deja sonriendo en la última papelera camino del instituto en busca de la fregona y el cubo y susurra para la cámara que sin duda la está espiando que se concentre durante unos segundos más en esas aspas por ojos.

Porque son un buen adelanto de lo que se avecina.

INICIACIÓN AL SLASHER

Para mi Proyecto de Entrevista sobre la Historia de Proofrock, dado que no he podido entrevistar a ningún ASESINO real porque no aceptan citas y tienen bastante fama de matar a todo el que se acerque a menos de un navajazo de distancia, por lo general junto con sus mascotas, compañeros de clase y parientes, he tenido que conformarme con hablar con alguien que una vez fue ALLEGADA de un asesino, cosa que usted me dijo que podría hacer si encontraba a tal personaje. Bueno, señor Holmes, pues lo he encontrado. Sospecho que no lo decía en serio, pero, por si acaso, permítame darle la puntilla a la broma. Le presento a la señora Christine Gillette, de la Residencia Asistida del valle Pleasant, que dentro de dos años será centenaria.
Quizás esto le sirva de descanso después de todas las otras entrevistas de este montón de papeles relacionadas con la historia de la minería o con Henderson-Golding o con la presa de Glen o con el lago Indian o con el Parque Nacional de Caribou-Targhee, todo lo cual me imagino que debe de saberle a refrito porque ya nos ha hablado de esas cosas este semestre, cosa que una alumna solo sabría si hubiera estado prestando suma atención en todo momento, para nada ausente si se para a pensar en lo PRESENTE que está cuando está presente, y sí, esto tenían que ser 5 páginas, pero como no he empezado con la entrevista tal cual, ni siquiera estoy empezando a contar todavía, todo esto que estoy haciendo ahora no es más que material de introducción a modo de extra.
En cuanto al asesino en cuestión, o asesina, no es otra que Stacey Graves, sorpresa, la Bruja del Lago. Lo que es sabido por todos los que vivimos aquí es que se trata de una leyenda urbana, como Bloody Mary,

la versión de Idaho de Slenderman para la generación que ha vivido y fallecido con Las desventuras de Beaver. Pero esto se debe únicamente a la capa de herrumbre que recubre la verdad con el paso del tiempo, señor Holmes, óxido para el que esta entrevista será el disolvente, ahí queda eso.

Mi plan original e inicial consistía en buscar a algún superviviente de la matanza del Campamento Sangriento, pero esto es mejor en el sentido de que es anterior a eso. Y contiene incluso detalles de los viejos tiempos que yo no habría podido inventarme ni aunque lo intentara mil veces. Déjeme darle el ejemplo perfecto.

Evidentemente, cuando la minería colapsó después de que todas las canteras de la por aquel entonces nueva ciudad de Proofrock acabaran inundadas por la imparable crecida del lago Indian, la gente empezó a tener que cruzarlo en barca para cazar ciervos y no morirse de hambre. Sin temporadas establecidas ni límites más allá de cuántas balas tenía uno y de cuán listos eran los bichos. Pero el problema que no tardó en surgir fue cómo transportar aquellos cadáveres tan grandes de regreso a la ciudad. Basta con buscar en internet para ver que pueden pesar desde 220 a 330 kilos.

La solución para toda esa carga pasaba por usar correas de cuero o un cinturón para cerrar la boca del ciervo, así como para taponar el extremo de popa, como diría el señor Krabs y yo no quiero pensar mucho en ello, y después usar tu propia boca para soplar todo el aire que pudieras por los orificios nasales del ciervo y sellarlos con barro antes de que el aire pudiera escaparse silbando.

Lo que se consigue así, señor Holmes, es transformar ese enorme animal muerto en un objeto flotante. Total que un día el padre de la amiga de Christine Gillette, el señor Bill, cazó un ciervo, y solo le había disparado en la cabeza en vez de en el costado para limitar el número de agujeros a tapar con barro. Y allí estaba él, volviendo a la ciudad con su presa flotante como un cazador consumado cuando el ciervo se despierta, patalea en el agua y resopla, proyectando los pegotes de su nariz contra la barca del señor Bill como excrementos de perro recién expelidos, y ya se habrá dado cuenta de que ahora estamos en plena entrevista, porque esto es Paráfrasis y Condensación más que Transcripción, igual que el ejemplo aquel que nos puso usted.

Lo que había pasado, dice Christine Gillette porque quiere que yo saque un 10 en este proyecto y consiga así salvar de un plumazo la nota del semestre, fue que el señor Bill evidentemente había disparado al ciervo tan solo en la BASE del cuerno, no en el cráneo, así que el bicho se había quedado inconsciente. Y el señor Bill no lo había rematado rajándole el estómago porque entonces habría tenido más vías de aire que cerrar.

Así que ahora tenemos un ciervo despierto y furioso amarrado a la barca, situación que debe de ser como para que cunda el pánico, y lo que hizo el señor Bill para no irse hasta el fondo de Ciudad Sumergida, que para él todavía se llamaba Henderson-Golding, fue descerrajarle un tiro entre los ojos y cortar la cuerda, momento en el cual el animal empezó a hundirse y a hundirse.

¿Fin de la historia? Ni por asomo, señor Holmes.

Era demasiada carne como para dejarla escapar en tiempos de hambruna, así que el señor Bill regresó con un gancho de hierro de la ferretería y se pasó toda la noche remando de acá para allá hasta dar con lo que estaba seguro de que era aquel ciervo. Eso o un tronco sumergido. Aunque no creía que fuera ningún tronco. Como pesaba demasiado para levantarlo a tirones, reclutó a un fulano de la localidad, un tal Toro Bravo Joe, que conducía la primera versión de una camioneta con grúa. Eso significa que tenía un cable con manivela, y lo que hizo fue dar marcha atrás con esa camioneta por todo el viejo embarcadero, como lo llama Christine Gillette, con el borde de las ruedas sobresaliendo por las tablas a ambos costados.

Lo que le pregunté llegado este punto como seguro que ha adivinado fue ¿"VIEJO" embarcadero? En plan, ¿es que había otro antes del que tenemos AHORA? ¿Cómo es posible que no sepamos algo así? ¿Qué MÁS ignoramos, señor Holmes? Por eso es obligatoria la asignatura de Historia. Si no fuese porque me voy a graduar, seguro, me matricularía una y otra vez, hasta saberlo TODO sobre los viejos embarcaderos.

Pero bueno, Christine Gillette. O Toro Bravo Joe, más bien. Su cable se tensaba y crujía y me imagino que, igual que Quint en Tiburón, tuvo que echarle agua por encima de lo mucho que se recalentaba. Lo que extrajo por fin hizo que todas las mujeres gritaran, que todos los niños cayeran de rodillas y que todos los hombres dieran un paso atrás, de los largos, patidifusos.

Porque era una chica india, señor Holmes.

Lo cual, ya sé lo que usted está pensando, señor Holmes. Está pensando que es una lástima que haya personas que se ahoguen en los lagos todos los días, seguramente más entonces antes de los chalecos salvavidas y los carteles de advertencia, y que el lago Indian es tan frío que ni siquiera se descomponen, van meciéndose por la nevera de Ezekiel, esperando el día en que alguien con una camioneta las enganche y las saque a la luz. Sé que esto es lo que está pensando porque es lo que pensé yo también.

Pero los dos nos equivocamos, señor Holmes.

Por lo que me contó Christine Gillette, fue lo que sucedió 10 segundos después por lo que supieron que esa no era una shoshone o una bannock cualquiera con un vestido robado y empapado de agua apestosa.

Pero espaciemos estas bombas en la medida de lo posible. Lo primero que pregunté allí sentada en la habitación 522 de la Residencia Asistida del valle Pleasant fue lo mismo que se estará preguntando usted ahora, que es ¿"Stacey Graves era INDIA"? Si está consternado y atónito es porque esto no es precisamente de dominio público y tampoco forma parte de la leyenda aceptada de nuestra Bruja del Lago. Pero evidentemente Stacey Graves había sido medio india, lo que significa que como su padre era todo blanco, su madre debía de ser purasangre. Cosa que antes todo el mundo sabía y nosotros también lo sabríamos si habláramos con las personas indicadas. Christine Gillette me contó que el azote original del lago Indian ni siquiera era Stacey Graves, y TAMPOCO Ezekiel con sus manazas. Era la MADRE de Stacey Graves, que siempre vagaba por la orilla buscando a su hija desaparecida y llevándose a los niños por la noche a su cueva para poder hacer de madre con ellos, para abrazarlos, en las gráficas palabras de Christine Gillette, contra sus "ubres correosas" y amamantarlos a la fuerza, con lo cual básicamente conseguía el efecto contrario que si les diera auténtica leche materna, así que la lección es que no hay que salir de casa después de la puesta de sol, ¿entendido, enanos?
Total, que con ESA bomba de que Stacey Graves era india flotando en el aire sobre nuestras cabezas, la de Christine Gillette y la mía, se activó la experta en demoliciones que lleva dentro y detonó la siguiente carga, gesticulando incluso para asegurarse de que la importancia del asunto no se me pasara por alto. Lo que hizo en su silla de ruedas fue estirar el brazo derecho para agarrar el gran garfio de hierro que sobresalía bajo la barbilla de Stacey Graves, perforándole la cabeza como si fuera un pescado enganchado al final del sedal. Y luego su mano izquierda se unió a la derecha, y

usando esa fuerza combinada se liberó de ese garfio negro, que según Christine Gillette valía 2 dólares, era de los buenos, dato que seguramente deberíamos investigar para corroborar la veracidad de su historia. Debido al espolón de la punta del garfio que se había enganchado en la barbilla de esa muchacha justo al final, cuando ya estaba intentando dejarse caer y hacer lo que HACE Stacey Graves, cosa que usted por supuesto ya sabe después de llevar viviendo aquí tanto tiempo y haber escuchado todas las historias, la liberación final de sus manos la dejó colgando de lado solo por el mentón y todo el mundo pensó que se iba a romper y a desencajarse. Pero entonces solo UN POCO de piel se rasgó y manó una sangre negra y viscosa y ahora sí que se zafó del gancho y a volar, y todo el mundo estaba chillando y mesándose los cabellos y yendo a misa lo primero y prometiendo no volver a cruzar el lago para cazar ciervos, lo cual, a mi juicio, es más o menos el verdadero origen secreto de esta reserva natural.
Christine Gillette fue testigo directo de todo esto, señor Holmes. Tenía catorce años. Y sé que no se lo está inventando porque la historia seguía, y no porque estuviera intentando retenerme allí dado que ya nadie la visita según la hoja en la que tuve que firmar. Después de que PASARA lo que pasó, nadie quiso acercarse nunca más al viejo embarcadero. Ni siquiera Toro Bravo Joe para recoger su camioneta. Hasta que una mañana oyeron golpes y crujidos y para cuando a alguien se le ocurrió ir a mirar el viejo embarcadero ya se había venido abajo por culpa del peso de la camioneta, seguramente después de que un pájaro de más se posara en aquel garfio negro y aquella V alta que sostenía aquel cable. Pongamos el embarcadero por vaso y el pájaro por última gota, ¿de acuerdo?
El padre de Christine Gillette le dijo que le daría una moneda de 10 centavos entera para ella solita si

nadaba hasta allí y recuperaba ese garfio de 2 dólares para él, pero Christine Gillette sostiene que su vida valía más de 10 centavos, que por aquel entonces era mucho más dinero que hoy por supuesto.
Así que el gancho todavía está allí, supongo. Y a lo mejor la camioneta también, toda podrida y descascarillada, con las ventanas hechas añicos.
Lo mismo que Stacey Graves, señor Holmes.
Así que en resumen y para concluir TODO EL SEMESTRE incluida mi nota media que tal vez no debería ser historia, lo que pensábamos que solo era un cuento en realidad se sustenta sobre el testimonio de una testigo ocular. Y sabrá que no me he inventado nada de esto porque si la historia dependiera de mí al final Christine Gillette resoplaría por la nariz y dos tapones de barro se estrellarían contra el suelo entre nosotras, y yo levantaría la cabeza un segundo después de que una silueta desapareciera de la ventana por la que nos estaba espiando, y seguramente habría también música tétrica de piano y violines.
Pero nada de eso, señor Holmes.
Christine Gillette se limitó a extender una mano temblorosa en busca de su taza de café, llena solo de agua, y yo se la acerqué para ayudarla, y después contuve el aliento mientras bebía porque parecía que se iba a derramar todo aunque al final no lo hizo.
Y luego cuando ya me iba después de muchos cabeceos y sonrisas y palabras de agradecimiento, conmigo imaginándome en todo momento cómo sería tener 14 años y ver una chica muerta sacada de las frías profundidades del lago, Christine Gillette empezó a tararear un poquito, señor Holmes. Me paré. Me volví para mirar a ver qué pasaba por si le estaba dando un ataque o algo de eso.
"Solíamos saltar a la comba cantando esto", me explicó antes de añadir que saltaban a la comba cantando eso cuando conseguían robar alguna cuerda de las

tiendas de sus padres o las cajas de sus camionetas o el cobertizo de los "aperos".
"¿Saltar a la comba cantando qué?", pregunté, porque una buena entrevistadora siempre da pie a la información relevante con las frases más pertinentes, como usted nos ha explicado.
Con lo que me salió Christine Gillette, señor Holmes, parecía sacado directamente de una de las pesadillas de Freddy, y ya sabe usted que la poesía no es lo mío, así que esto es 100 x 100 enterito de ella:

Stacey Graves Stacey la niña
Tan pronto como nace va y la diña
Si te encuentras con ella al anochecer
Que sepas que te toca desaparecer
Cuidado con el agua, cuidado con la sangre
Si ves huellas en el barro es que tiene hambre
Stacey come niños come retoños
Y como te pille te atrapará el...

Christine Gillette se abstuvo de pronunciar la evidente rima final, pero tampoco hacía falta. Noté un escalofrío igualmente y todavía las oigo a sus amigas y a ella golpeando el suelo de tierra prensada con los pies mientras entonan esa cancioncilla, con cuidado de ponerse a cubierto antes del anochecer porque Stacey Graves no es una simple historia de las que se cuentan alrededor de la fogata, señor Holmes.
La Bruja del Lago es real y todavía anda suelta, solo podemos desear verla próximamente en nuestras pesadillas. Y si no "podemos", no se preocupe.
Ya lo deseo yo por todos.

Cortinas

Puñalada, Puñalada, Puñalada.

Jade hunde el pincho de su bastón para la basura en un vaso de plástico y se lo imagina retorciéndose, gimiendo, implorando clemencia. Lo levanta y usa la mano enguantada para extraer el recipiente moribundo de la punta de acero inoxidable y soltarlo en la bolsa de lona que cuelga sobre su cadera izquierda como el bolso más cavernoso del mundo.

Hoy el bastón para la basura de color amarillo brillante es una lanza, pero en las tardes transcurridas desde la graduación ya le ha dado tiempo a ser una pica como las que se usan con los toros (solo que eso le puso mal cuerpo), un dardo para ahuyentar carcayús y tejones (rabiosos, por supuesto), un rayo láser que desintegra todos los desperdicios con los que entra en contacto (con muchos siseos y silbidos a modo de efectos especiales), una jeringuilla para extraer sangre a los cocodrilos (seguramente rabiosos también) y, como en tantas de sus fantasías, el arma homicida descubierta sobresaliendo de la cuenca del ojo derecho de su padre.

Aunque el izquierdo valdría igualmente. No es quisquillosa.

Puñalada.

En el universo de *Scream*, ese es el título de la adaptación cinematográfica del libro en el que Gale Weathers expone toda la verdad. Te lo digo todo y no te digo nada, piensa Jade, que sonríe sin poder evitarlo.

Como no hay nadie cerca para pillarla, puede sonreír todo lo que se le antoje. Sonreír y cantar, bailar desenfrenadamente al son de Cyco Miko en los cascos e incluso dar volteretas si a la animadora que lleva dentro le diera por querer expresarse. En esto consiste ser empleada de mantenimiento para el condado durante el verano: en los pasillos de las escuelas ya no hay chiquillos detrás de los que ir barriendo y fregando, así que toda la ciudad está a tu cuidado.

Y, cómo no, si Jade lleva dentro una animadora, será una de esas punkarras desgreñadas como las del vídeo de Nirvana, toma coreografía del averno. Vale que eso es más de los noventa que de los ochenta, pero lo mismo se podría decir de *Popcorn*, *La nueva pesadilla de Wes Craven* y *Scream*.

—Sin memoria, no puede haber retribución —murmura mientras destripa la reluciente tapa de aluminio de una lata de pastillitas de menta con un agradable chasquido—. «Sin memoria, no puede haber retribución» es una frase de *La otra cara del terror*, posiblemente «la» frase. Esta es otra de las cosas que puede hacer porque no hay nadie en los alrededores: pasarse el día entero citando pelis de miedo para ponerse a prueba a sí misma, para afilar sus conocimientos sobre asesinos en serie. Al fin y al cabo, aquí fuera solo están ella y la basura que se lleva el viento, mientras que ahí fuera, en alguna parte, seguro, hay un asesino de verdad emergiendo de las profundidades.

Si sus sospechas van bien encaminadas, se parecerá a Stacey Graves si es que no es ella directamente, lo que sería la caña, o si no se parecerá a o será el Ezekiel de Ciudad Sumergida, el terrorífico predicador de manos enormes y boca demasiado ancha, para entonar salmos mejor; pensemos en *Poltergeist 2*, «Dios está en, Su temp-lo sagrado», estrofa que Jade dedica de improviso y a grito pelado a los pájaros que no paran de congregarse a su alrededor por si acaso les descubriera algún aperitivo sabroso.

Uno de los primeros trabajos para subir nota que escribió para el señor Holmes iba sobre él; sobre Ezekiel, no el predicador de

Poltergeist 2. Una redacción de dos páginas copiadas casi enteras de internet: cuando Henderson-Golding se estaba inundando con lo que habría de convertirse en el lago Indian, Ezekiel encerró a su congregación en la pequeña iglesia y cantaron hasta que las aguas barrieron la ciudad, y puede, había sentenciado Jade a modo de conclusión, que aún continúen cantando, esperando el día en que resurjan de las profundidades para castigar a la población que había reemplazado a Henderson-Golding. Eso antes de volcar su atención sobre la presa de Glen y dejar que las aguas del juicio se desparramen por el valle, liberando así a su querida y empapada ciudad.

Lo malo de Ezekiel, sin embargo, es que no da para asesino de slasher. ¿De qué querría vengarse? Las gentes de Henderson-Golding lo habían encontrado en el bosque, habían cuidado de él y le habían enseñado a hablar, aunque para entonces ya tenía el pelo blanco. Seguramente le habían proporcionado también la biblia que más tarde usaría como una maza con la que aplastar lo que a sus ojos era pecado, es decir, básicamente todo. Si Ezekiel rondaba por allí, sería para darles las gracias a todos los que lo habían rescatado de la espesura, no para estrangular a sus descendientes con esas manos tan grandes.

No, Ezekiel es más bien como una fuerza temible y siniestra. Lo único que tiene contra los adolescentes, o contra cualquiera, es que todos son pecadores. Pero, según él, el mundo es pecado, ¿no? Por consiguiente, debería arder por completo. Es como Nix, el de *El señor de las ilusiones*: vino por el caos y se quedó por la masacre.

Bueno, pues Stacey Graves, entonces. Ella o alguien vestido como ella. Alguien que mata como seguramente haría ella. Para muestra: esos dos holandeses del lago.

Jade ensarta un pañuelo de papel que no se atreve a tocar ni con el recio guante que lleva puesto, apuñala el costado de una lata de Coca-Cola Light y va a por el triplete: la larga y borrosa tira de papel de un tique de la compra además del refresco y el clínex. Levanta el conjunto con delicadeza, despacio, y lo guía al interior de su bolsa de contención infinita. Infinitamente apestosa.

Tendría sentido que Stacey Graves saliera del agua, supone. Pero lo mismo se podría decir de Ezekiel. El lago es el territorio de ambos, y la orilla probablemente también.

Jade mira a la orilla opuesta del lago y hace como si se impulsase con el bastón a modo de pértiga, con las dos manos, corriendo para capturar el envoltorio de un caramelo que intentaba escabullirse entre los altos tallos de hierba. Los papelajos esos siempre son los más rápidos: algo en su superficie inmune a la fricción y en su naturaleza liviana y cómo cada envoltorio sin arrugar es una vela al viento

Puñalada. Puñalada.

Cuando el envoltorio hace una cabriola en el aire en vez de dejarse transportar por su lanza hasta la bolsa, Jade prueba a ralentizar sus movimientos para empalarlo al vuelo, en la cúspide de una trayectoria en espiral que lo eleva hasta los dos metros y medio de altura. Después de tres intentos fallidos con los que solo consigue que se vaya cada vez más arriba, da un par de pasos para coger impulso y le lanza el bastón. Una millonésima de segundo después de que este haya salido disparado, se le ocurre levantar la cabeza para ver dónde podría aterrizar.

El tiempo se detiene por completo.

En el otro extremo de su lanzamiento de jabalina, lo que hay es: la enorme ventana blindada de la comisaría, dos vehículos del condado, la farola con la bombilla de cristal esmerilado de la acera que conduce al edificio del sheriff y un buzón de Correos azul cuya perforación seguramente esté tipificada como delito federal.

Jade gira la cabeza para no tener que verlo y, cuando ya debe de haber terminado, cuando su futuro ya debe de haber quedado sellado, se atreve a echar un tímido vistazo.

El bastón ha aterrizado de punta en un montículo de hierba. Un pajarito marrón baja revoloteando, se posa en él y observa a Jade con hostilidad, como si esta nueva e inesperada atalaya fuese propiedad suya ahora, muchísimas gracias. Jade mira más allá del pájaro, a la ventana de la comisaría, que es como una gigantesca pantalla de televisión con un solo canal: Proofrock. Solo que ahora incluye a una chica que se pasea por ella con paso titubeante. Una chica que le debe ciertos servicios a la comunidad. Servicios que ya no puede seguir postergando, ¿verdad?

—Total, qué más da —dice. De todas formas, debe acercarse hasta allí para recoger el bastón. A lo mejor apuntándose para trabajar más horas puede pagar por la suerte que ha tenido de no romper ninguna ventana ni atravesar el techo de ningún coche.

Jade agita la mano para ahuyentar al ave, cuyas uñas afiladas se resisten a soltar el mango del bastón hasta el último instante.

Eso sí que daría miedo, piensa Jade mientras sigue con la mirada al pájaro que se bate en zigzagueante retirada: un cuerpo humano con cabeza de gorrión, como el fulano con cabeza de búho de *Aquarius*. Aunque, de un tiempo a esta parte, los slashers tienden a ser más estándar.

Como para ratificarlo, Jade levanta la, por así llamarla, solapa izquierda del mono para comprobar que la máscara de Michael Myers que lleva ahí guardada esté cómoda. No es más que una lámina de plástico rígido con una banda elástica fofa, la clásica careta sin rasgos, pero ni loca se arriesgaría a llevar en el bolsillo una efigie blanqueada del capitán Kirk, de esas que cuestan sesenta dólares, por las risas. No, en circunstancias como las suyas, empléese un apaño de un par de pavos del que no duela desprenderse en caso de necesidad. Que tampoco es que haya pagado dos dólares por eso, la verdad.

Ahora que está delante del edificio de Hardy, sin embargo, tan cerca de la amenaza de los servicios a la comunidad, como que empiezan a asaltarla las dudas.

¿Y si le pide que le lave el Bronco? ¿Y si le pide que se vaya con su bastón para la basura a los cañaverales del lago Indian, donde uno de cada tres desperdicios flotantes va a ser, no solo un condón, sino el condón de algún conocido?

No, gracias.

A lo mejor consigue capear el verano con esas doce horas intactas. ¿Qué va a hacer, arrestarla? ¿Impedir que se gradúe más todavía?

Lo que hace, con discreción, es sacar el asqueroso pañuelo de papel que corona el montón de malolientes contenidos de la bolsa y dejar que se lo lleve una racha de viento para volver sobre sus pasos porque, siendo como es una apuñaladora de basura tan concienzuda, no le queda más remedio que intentar capturarlo de nuevo. Solo que no deja de esquivar sus arponazos. Una y otra vez, hasta quedar fuera de la vista de la ventana del sheriff.

Ah, la vida de una empleada de mantenimiento en verano. Gloria y más gloria, tanta que, cuando el exceso de gloria se vuelve incontenible, una revienta de gozo, de la pura felicidad que se acumula dentro de ella.

Todo lo cual es mentira, aunque solo a medias: cuanto más tarda en desencadenarse este slasher, más se acrecienta su trepidación. Una y otra vez, al ver a Letha Mondragon apeándose del estilizado Audi de su madrastra para embarcar en su yate de lujo, el Umiak, Jade se ha acercado a ella para prevenirla, para explicárselo todo, solo que no es un acercamiento físico, en realidad. Más bien es con la mirada. Pese a todo, le tendrá que decir algo tarde o temprano. No para trucar los dados ni nada, sino por elemental cortesía.

Aunque, debe reconocer Jade, supone que el motivo por el que aún no se ha acercado a Letha Mondragon es que no está absolutamente segura al ciento cincuenta por ciento de que todo esto no sean más que imaginaciones suyas, de que su mente no le esté gastando una mala pasada. Cabe la posibilidad de que todos esos vídeos le hayan podrido el cerebro. Cabe la posibilidad de que todo el odio que se condensa dentro de ella haya empezado a proyectar zarcillos hacia sus pensamientos, enturbiándolos, eclipsando su percepción del mundo real. Lo sabrá a ciencia cierta, se dice, cuando empiece a ver mensajitos en las nubes.

Hasta entonces, se limitará a seguir observando, a esperar.

Salvo que esta vez tiene que ser cierto, ¿verdad? Letha Mondragon no estaría aquí si no hubiera un asesino en serie en los alrededores, ¿verdad? Las cosas no funcionan así. Jade se confiesa que ignora qué fue primero, si el slasher o la chica final, la gallina o el huevo en su charco de sangre, pero si algo tiene claro es que donde está el uno está la otra, así que, en realidad, le da un poco igual.

Además, vale, sí que sabe qué fue primero: el asesino, por supuesto. Surge para enmendar las injusticias, luego se deja llevar por el entusiasmo y la naturaleza escupe a su dirigente, a su válvula reguladora, a su cuerpo de policía de una sola mujer, al más feroz de sus ángeles: la chica final. El único tope capaz de frenar el ciclo de asesinatos.

Pero Jade ya no está escribiendo redaccioncitas para el señor Holmes. Esos tiempos ya quedaron atrás, son agua pasada.

Ahora está dentro de un slasher.

Puñalada.

En esta ocasión es un pájaro muerto. La resistencia carnosa y el crujido apagado se propagan por el bastón de fibra de vidrio hasta la palma de la mano de Jade, que prolonga la sensación al máximo mientras se imagina una mano masculina abierta en el suelo, unos dedos paternos engarfiados en la grava, el estremecimiento involuntario de un pie izquierdo enfundado en una bota de trabajo, un reguero de sangre que resbala por los surcos de una oreja. Izquierda o derecha, da igual.

En vez de enterrar el pájaro en la bolsa para la basura de su cadera, usa el talón y la punta del bastón para escarbar un agujero lo bastante profundo debajo de un arbusto junto a la oficina de Correos. Es sábado, así que no hay nadie allí para preguntarle qué hace.

Lo empuja dentro, lo tapa y contempla la mancha de sangre oscura que ha dejado en el pincho de acero inoxidable. Se le forma un nudo en la garganta. Sufre lo que sabe que en la ficción se llamaría una arcada. Se gira y escupe un salivazo largo, colgante, pero no llega a vomitar. Técnicamente. Y eso por culpa de un pajarito de nada, ya.

«Eres supervaliente, Jennifer —se dice—. Metal a tope».

Para lidiar con el trauma, rodea el edificio de Correos y se queda allí sentada una hora, medida en cigarrillos, con las sombras estirándose a su alrededor y la temperatura descendiendo al mismo ritmo que el sol.

Y si no vuelve al Colegio Golding a tiempo para devolver el bastón, pues qué lástima, ¿no? Lo único que se perderá es volver a salir en la cámara oculta de Rexall, que no es lo peor que podría pasarle. Además, Hardy ni siquiera está en la comisaría para pillarla descuidando sus obligaciones. Desde allí lo puede ver en el agua, yendo de un lado a otro en la lancha que se compró con el dinero del seguro por la muerte de su hija, hace tiempo.

—Atrápelo, sheriff —dice Jade.

Se refiere a Clate Rodgers, el noviete de instituto de la hija de Hardy cuando esta se ahogó. ¿Cómo se llamaba? La madre de Jade mencionaba a veces su nombre, como si, de seguir viva esta chica, la ciudad entera pudiera ser distinta, mejor, como si, con esa muchacha recorriendo sus calles, Proofrock pudiera ser lo que estaba destinada a ser. Y no lo que es. «Melanie», eso es.

Más de cerca, Jade lo vería escrito con letras bonitas ahí mismo, en los costados de la lancha de Hardy. La primera vez que pronunció ese nombre en voz alta, intentando formar una palabra no un amasijo de caracteres azules adheridos al casco, estaba en ¿segundo? Aunque podría haber sido primero, quién sabe. En verano, es tradición que todos los niños que aún no se las den de mayores se alineen en el embarcadero con su bañador, cogidos de la mano, con el sheriff Hardy paseándose con su lancha por delante de ellos como un sargento de instrucción para informarles de cómo comportarse en el agua, de cómo todos ellos, si siguen sus indicaciones al pie de la letra, podrán disfrutar del mejor, y el más seguro, verano de sus vidas. De principio a fin los pequeños están temblando y esforzándose por no salir corriendo, sobre todo cuando el sheriff gira el timón bruscamente y acelera el gigantesco ventilador para ejecutar una ingeniosa ciaboga en el agua. Están esperando, aguantando la respiración una y otra vez, pero también tienen que respirar. Jade lo recuerda con nitidez, con todo lujo de detalles. Sujetaba la mano de Bethany Manx a un lado, la de Tim Lawson al otro, y todavía no era esta chica rara tan fan de las pelis de miedo, solo era otra cría, tenía nueve años y el verano entero se desplegaba ante ella, expectante.

El sheriff Hardy no paraba de sermonearlos sobre la seguridad en el agua, sin embargo, y seguía sin hacerlo, y otra vez sin hacerlo, y ella estaba a punto de estallar de ilusión, a todos les ocurría lo mismo, ya no podían seguir esperando, y Jade recuerda haber visto los labios de Hardy, intentando no sonreír mientras deslizaba el dedo índice por el puente de la nariz, subiéndose hasta arriba las gafas de espejo, y entonces lo hizo por fin, por fin aceleró al máximo con su lancha, girando el timón de golpe para bañar a la fila al completo de niños con una muralla ondulante de aguas heladas. Después de lo cual prosiguió su camino, de pie con la espalda recta en su lancha, adentrándose sin parar en el lago Indian.

Eso, calcula Jade, debía de haber sido como diez años después de que su hija apareciese en la orilla.

Seguramente necesitaba las gafas de sol para que nadie le viera los ojos.

No, cuando sacó a Jade de los bajíos, no, no iba a permitir que en su lago se ahogaran más chicas.

Jade se seca las lágrimas, intenta impedir que su barbilla se convierta en una enclenque ciruela pasa y le dice que lo siente, ¿vale? Lo siente, no pudo evitarlo. Y espera que mate bien muerto al puto desgraciado de Clate Rodgers.

Y también a algunos de sus amigos, de paso.

Sorbe por la nariz, se levanta arrastrando la espalda por la pared del edificio de Correos y se pregunta si será eso, entonces, si en esta ocasión el asesino irá vestido como un policía de la zona, como el terminator que se derrite en *El juicio final*. Puede que llamen así a este ciclo de slasher cuando cope las noticias nacionales: «El juicio final». Aunque lo más probable es que se decanten por «Masacre en las montañas» o cualquier otra cosa denigrante por el estilo.

No, por supuesto: «Campamento Sangriento, capítulo 2». Porque, como dice Randy en la segunda parte de *Scream*, en las secuelas siempre tiene que derramarse aún más sangre. A menos que quienquiera que sea lleve puesto un vestido de Stacey Graves, en cuyo caso: *Los crímenes de la Bruja del Lago*.

Eso ya le gusta más cómo suena.

Eso será más tarde, no obstante. En estos momentos lo que necesita es fichar, sin levantar en ningún momento la mirada del suelo para no mirar por accidente a una de las cámaras de Rexall.

Se aplasta contra la pared del edificio de Correos, sujetando el bastón para la basura cruzado sobre el pecho con las dos manos, apretados los labios.

Un Jeep pasa como una exhalación ante ella, con la capota bajada, lleno hasta la bandera de antiguas animadoras de los Halcones. Su trayectoria de colisión lo lleva directamente hacia el Umiak, que surca las aguas del lago con Tiara Mondragon al reluciente timón cromado, envueltas las caderas por un pareo vaporoso sacado de algún catálogo de moda, un diminuto bikini de color negro como parte de arriba y los ojos cubiertos, ver para creer, por unas gafas de esquí.

Cuando el Umiak se desliza hasta detenerse de costado, bañando de agua la superficie del embarcadero, Letha Mondragon se materializa en cubierta.

Jade se aparta de la pared para verla mejor.

Las animadoras del Jeep están todas de pie, llamándola para que se acerque. Jade oye un «por fin», un «¡va a ser la caña!». Para ellas, haberse graduado hace dos semanas sigue siendo motivo de celebración. Pero eso seguramente es porque los cordones de sus birretes ya están enmarcados y colgados en la pared en vez de quemados hilo a hilo con una serie de cigarrillos, tan solo para ver cómo el nailon se retuerce de dolor intentando escapar, regresar al refugio del instituto.

Letha mira a Tiara y esta se encoge de hombros, lavándose las manos, así que Letha baja de un salto de la alta cubierta del barco, con la gracia de una ladrona de guante blanco, y aterriza en las tablas resbaladizas como si semejante proeza no tuviera la menor importancia, como si lo hiciera todos los días.

Jade no ve la hora de que se enfrente al asesino que le deparan las cartas. Da igual que esgrima una motosierra, que la apunte con un fusil de pesca submarina o que vaya por ahí haciendo malabarismos con dos machetes como nunchakus, girándolos cada vez más deprisa. Porque Letha Mondragon, chica final de pro, se internará sin pestañear en ese remolino de acero y saldrá de él sosteniendo un corazón corrupto en las manos.

Es todo cuanto Jade siempre habría deseado ser de no haber crecido donde lo ha hecho, como lo ha hecho, con quien lo ha hecho.

El duelo al amanecer entre esta chica final y el asesino van a ser algo épico.

A menos, se recuerda Jade, que ella esté inventándoselo todo.

Para demostrarse a sí misma que no, cuando Letha Mondragon apoya la zapatilla en la rueda trasera del Jeep y sube de un salto para sentarse debajo de la barra antivuelco, no encima, Jade se aparta de la pared contra la que se ha estado escondiendo y sigue la estela del vehículo con la mirada para hacerse una idea de dónde va a ser la fiesta esta noche. Justo antes de que las sombras se traguen a Letha, esta lanza una última mirada anhelante sobre las aguas del lago, como si quisiera proyectar una disculpa hacia el yate, a su familia, por osar hacer algo para sí por una vez en la vida.

Jade conoce bien esa mirada. Dejó de utilizarla cuando estaba en quinto, pero aun así recuerda lo que era no querer abandonar la casa, aventurarse en aquel ancho mundo que tanto la atemorizaba.

—Pero es que todo da miedo —se dice, subiéndose el cuello del mono como si el exceso de exposición a los elementos de Proofrock pudiera ser pernicioso. Cuando las luces del Jeep se despiden por fin con un beso antes de fundirse con las del ocaso, Jade combate la oscuridad encendiendo un pitillo. Emite un destello anaranjado y, con los pulmones llenos de remolinos de muerte y su bastón para la basura oculto entre los arbustos, se pone detrás del Jeep y va y lo dice en voz alta—: ¡Sale una fiesta cojonuda en *Creando el terror*!

Ese es el slasher en el que el asesino lleva puesto un traje de oso con ojos lisérgicos. Pero bueno, puntos extra por las cuchillas ocultas en la zarpa, ¿verdad? Y de 1982, además, un par de años antes de que los dedos con navajas saltaran a la fama gracias al Acuchillador de Springwood. Pero Jade no puede perderse ahora en sus pensamientos, tiene que seguir la pista del Jeep para hacerse una idea de dónde es la fiesta. En cualquier caso, las chicas (la que conduce es Bethany Manx, Jade pondría la mano en el fuego) no se lo están poniendo difícil. A juzgar por cómo abrazan la orilla, su destino solo puede ser la casa de Banner Tompkins, justo en el lago. No es que sus padres sean de la *jet set* ni nada, pero hoy toca noche de bolos en la carretera de Ammon, y nadie suele volver de la bolera antes de las dos de la mañana. Tiempo de sobra para invitar a unos cuantos amigos. Como veinte o así, por ejemplo, con toda la bebida que puedan llevar. Jade sabe que todo van a ser bikinis y bañadores hasta más o menos las doce, y después de eso, todo sonrisas bobaliconas.

En los veinte minutos de paseo hasta allí, soslayando la bahía y el arroyo del Diablo, Jade se descubre mirando a la izquierda, a la orilla opuesta del lago. Intenta prestar atención al frente para no tropezar, para no caerse de morros por culpa de alguna raíz levantada, pero su barbilla no para de apuntar hacia allí, sus ojos no paran de saltar por encima de toda esa agua, hasta Terra Nova.

Detesta esa urbanización por principios, claro, pero también es lo que ha traído una chica final a la ciudad, así que tal vez debería darle un pase, aunque sea a regañadientes. Por lo menos hasta que acabe el ciclo de estos asesinatos. Después de eso, como si arde, como si no queda de ella nada más que un cascarón habitado por fantasmas en la fría tundra de la secuela, donde tendrá lugar el sacrificio de sangre de esa entrega, bien lejos de ojos indiscretos que intentarían frenar las cosas antes de que echen ni siquiera a rodar.

Pero ¿por qué se fija ahora en ella?

Tropieza de verdad al caer en lo obvio: no está fijándose en Terra Nova en absoluto. El blanco de su iracunda mirada no es otro que el padre de Letha, Theo Mondragon, el que gesticuló con el brazo durante la graduación, para dar permiso a Proofrock para proseguir con su ceremonia plebeya.

Sin embargo, la inquina que le profesa no viene exclusivamente de ahí. No, es porque se trata del padre de una chica pongamos que joven, ¿verdad? Una chica «inocente», cuando menos.

Joder.

Jade vuelve en sí y empieza a caminar más deprisa, les imprime más determinación a sus pasos. Su cometido no se limita a educar a Letha sobre lo que se avecina. También debe protegerla para que todo pueda ocurrir. Eso incluye protegerla de su padre, quien, al casarse con una mujer a la que dobla en edad, ya está susurrándole al mundo que picotear fuera de su círculo de edad no es algo que le produzca reparo. Puede que se cuente entre sus aficiones, incluso.

¿Será esta la verdadera mella en la armadura de Letha Mondragon, tan inexpugnable por lo demás? En los tiempos que corren, no es inusitado que las chicas finales sufran ese tipo de dolencias preexistentes, Jade es consciente de ello. Pensaba que se trataría de lo que fuese que le había pasado a la madre biológica de Letha, que ya de por sí sería bastante, pero no no no, lo suyo es más intenso, ¿verdad? Algo de su pasado, de su infancia, que la convierte en presa de la timidez, que ha arrasado hasta los cimientos su confianza en el mundo.

Su padre.

Todo tiene sentido, ¿no es cierto? Letha no es ni recatada, ni conservadora, ni recta por naturaleza, sino porque está intentando compensar algo, diluirlo en buenas acciones. Por algo que ni siquiera fue culpa suya. Solo era una cría a la que una tarde dejaron sola con su padre.

Jade empieza a atajar entre la maleza.

Cuando se atreve a mirar de nuevo a la orilla opuesta del lago, le parece distinguir a Theo Mondragon en su despacho, en su yate, yéndose de rositas una vez más, librándose como siempre merced a su dinero, su privilegio, su apostura y su encanto. Sus excusas baratas, sus mentiras plausibles. Su engreimiento nace de la certeza de que nadie va a descubrir la verdad. Está claro que Letha no contará nada y, que Jade sepa, allí solo están ellos, los Mondragon. El resto de los Fundadores se dejan caer esporádicamente para ver cómo van las obras de Terra Nova, pero tienen imperios que controlar, y además, seguro que sus yates están surcando otras aguas de todas maneras, con eso de que el mundo es su patio de recreo y tal.

—Estás volviéndote paranoica —se dice, pero eso no la frena ni un ápice. Lo que ve ahora que se ha internado en los árboles, atajando en dirección a la casa de Banner Tompkins, lo que no puede evitar imaginarse, es a Theo Mondragon a bordo de lo que él seguramente llamaría un esquife, un bote inflable, una de esas embarcaciones de motor tan ligero como silencioso. No a bordo del Umiak, puesto que ya todos lo conocen, y menos aún, claro está, a bordo del transbordador con todos esos asientos que es lo que utilizan cuando se dan cita en la ciudad los Fundadores en pleno. En cualquier caso, ahora está cubierto de lucecitas festivas. Y el catamarán, con esa vela tan grande, sería como anunciar a gritos que está cruzando el lago, y la góndola amarrada en su embarcadero debe de ser únicamente para presumir, no aguantaría el oleaje del lago Indian, y la canoa y el bote de remos son demasiado lentos, demasiado físicos para un señor CEO, y la ridícula barquita de pedales con su estilizado cuello de cisne y su aristocrática cabecita de cisne debe de ser únicamente para los niños que vayan alguna vez de visita, ¿verdad? No, una lancha pequeña, con el fondo plano y el motor amortiguado. Como ponerle un silenciador a una pistola de pequeño calibre. Seguro que Theo Mondragon está sentado en la proa ahora mismo, con la mano en el timón, el viento en sus impecables cabellos, hirsuta su sombra de barba, con el destello del vino más caro en los ojos. ¿Tendrá un catalejo en la cofia del yate? ¿Habrá estado siguiéndole la pista a la fiesta?

Jade no se atrevería a decir que no cabe la más remota posibilidad.

Y en esos momentos Letha se encuentra en tierra de nadie, en paradero desconocido, es la primera noche que sale a la ciudad por su cuenta. Podría pasar cualquier cosa.

Jade aminora unos cuantos pasos antes de rebasar la última línea de árboles y saca la careta de Michael, se la pone por si acaso, ahuecándose sobre el elástico el pelo teñido de púrpura. La máscara adquiere otra virtud cuando la usa para espiar así. No es la primera vez que lo hace, claro (afronta las fiestas como un trabajo de campo en antropología, sin parar de tomar notas mentales), pero sí que es la primera vez que lo hace por una razón que podría tener sentido más tarde.

La hoguera que ruge en el jardín es la versión XXL de las fogatas que enciende su padre en el patio trasero sea cual sea la época del año, las mismas que le obliga a limpiar algunos domingos.

El Jeep ya ha llegado.

Jade se aproxima con sigilo, acerca la mano al tubo de escape para comprobar la temperatura, se arma de valor apretando los labios y cierra los dedos con fuerza a su alrededor.

Todavía está caliente, pero no quema.

Así que Letha está dentro de la casa. Con toda la música, todas las conversaciones a voz en cuello, todos los gritos.

Bien por ella. Se lo merece. Se merece hacer cosas de niña antes de que sea demasiado tarde, este verano será su última oportunidad.

Jade tantea en busca del árbol más indicado para apostarse tras él, en busca de la oquedad perfecta en la que agazaparse, el montón de chatarra perfecto para disimular los tonos claros del mono, y aunque no pegue con la máscara, hace unos cuantos efectos de sonido sin poder evitarlo: *ki-ki-ki, ma-ma-ma.*

Sin embargo, no ha venido para destripar la fiesta. Que se diviertan, eso la trae sin cuidado. Si ha venido es porque ¿y si Theo Mondragon estuviera a punto de atracar su superbarco especial de sábado noche en la orilla?

Jade jamás mataría a nadie así porque sí. Si hubiera alguna justificación, no obstante, pues sí. Dos veces, si hiciera falta, con creces y no poco ensañamiento, poniendo incluso tal vez un poquito de carne extra en el asador para sumar puntos por estilo.

Su plan consiste en esperar a que Theo Mondragon arroje a Letha al suelo, entre los altos tallos de hierba. Entonces Jade aparecerá en la escena, no sin antes haber extraído una barra de hierro del montón de chatarra, de haber extraído un hacha del tronco en el que estuviera clavada. Porque siempre hay algún hacha cerca si la necesitas. Otra cosa no, pero todas las pelis de miedo coinciden en eso. Por ahora, sin embargo, se limita a ponerse un cigarrillo apagado en los labios. No es tan tonta como para sacar el mechero.

Ya hay parejas metiéndose en los coches, empañando los cristales. Lo que significa que, dentro, todas las camas deben de estar ocupadas.

En condiciones normales, en una ciudad del tamaño de Proofrock, sería fácil ganar la apuesta de que en séptimo habría ido a la fiesta de fin de curso con alguna de esas espaldas desnudas de los asientos delanteros, de que se habría hecho un tatuaje secreto a juego con esa reina del baile cuyos pies descalzos presionan contra los cristales, de que les habría escrito cartas de amor a quienesquiera que sean los ocupantes de ese coche al que le chirría tanto la suspensión. A él o a ella, da igual.

Aunque no hay nada normal en Jennifer Daniels.

Para cuando llegó la hora de cursar séptimo, Jade ya era la que escuchaba death metal, la que jugaba a Dragones y Mazmorras, la niña diabólica, poco menos que el póster ambulante de *Campamento sangriento 2*. Se sabía todas las canciones que se sabían los padres de los otros chiquillos, había memorizado todas las películas con las que esos padres habían chillado cuando estaban en el instituto a su vez y era capaz de citarlas a voluntad, a la menor provocación, como si con ello tejiera un manto de protección a su alrededor, una capa en cuyos pliegues se embozaba con fuerza.

En cualquier caso, ella no tiene ninguna necesidad de participar en esta clase de rituales absurdos, ¿a que no? Donde todas las risas son nerviosas, forzadas, donde todos los acercamientos e invitaciones carecen de sutileza y refinamiento.

Mucho mejor limitarse a observar, se asegura. Mucho mejor esconderse entre los árboles, apartar las hojas, tomar notas mentales y no perder detalle, porque nunca se sabe qué podría ser importante. Y luego, llegado el momento, salir de repente armada con esa puntiaguda barra de hierro, salir y clavarla en un recio pecho paterno, y cuando la sangre bañe el rostro de sus compañeros de graduación, estos le darán las gracias a coro, porque la noche podría haber salido de otra forma completamente distinta.

Jade es capaz de verlo todo en su cabeza, desde todos los ángulos.

Horas más tarde, de la hoguera solo quedan rescoldos, no obstante, y aún no ha sucedido nada, salvo en su mente. El número de coches se ha reducido, pero no hay ninguna silueta de dragón cobrando forma en las sombras. Se da golpecitos en la mejilla de plástico rígido como si fuera un metrónomo para anclarse en el momento, para mantenerse despierta, y por fin, media hora antes de las doce, diez minutos después de que ya se haya dicho, a la mierda, la puerta lateral del garaje se abre y un débil resplandor azul se derrama en la noche.

Ah.

Así que están viendo películas ahí dentro. De miedo, seguramente. ¿Qué otra cosa se podría ver en un garaje, en grupo, a esas horas tan intempestivas?

Será algo que ella ya ha visto, seguro (se las ha visto todas, dos veces), pero aun así, nada le apetece más en esos momentos que echar un vistazo, reconocer la cinta a partir de cualquier fotograma suelto. ¿Será alguna de la saga de *El muñeco diabólico*, quizá? *¿The Ring?* ¿O algo más retro, como *La matanza de Texas*? Arde en deseos de tomar la palabra desde el fondo del garaje, de contarles la verdadera historia de esa producción maldita, de la tibia recepción que recibió la peli en Italia, de cómo la banda sonora con la que se estrenó en las salas no es la misma que la de su distribución en VHS. Por motivos que ella es perfectamente capaz de explicar, enumerar y desarrollar durante tanto tiempo como ellos estén dispuestos a quedarse escuchando.

No va a pasar, sin embargo. O perteneces al rebaño o lo sabes todo sobre el cine de terror, una de dos. Además, seguro que se están partiendo de risa con los efectos. Reaccionando exageradamente a los sustos. Sin prestar la debida atención, ni siquiera.

Jade se alegra de no estar allí. Se levanta la máscara para escupir, y cuando los agujeros para los ojos regresan a su sitio como unos binoculares, la puerta se abre. Aparece una chica en el umbral, dos chicas, tres, la segunda ayudando a la primera.

La segunda en cuestión no es otra que Letha Mondragon, con unos pantalones blancos brillantes que debe de haberse puesto en la fiesta, puesto que en el embarcadero no los tenía. Por supuesto que es ella la segunda. Letha jamás iría por ahí dando tumbos, borracha, como es evidente que está la primera. Pero siempre protegería a la ebria.

La tercera es Bethany Manx, la conductora del Jeep, la hija del director, siempre esforzándose por quitarse ese sambenito de encima. Jade sabe que se trata de ella por su perfil espigado, su pelo a lo mod, más largo por delante que por detrás, y por los destellos plateados que emite su boca: el *piercing* en la lengua del que su querido papi no sabe nada, el que la niña, tradicionalmente, reserva para guateques como el de esta noche.

Bethany se separa del grupo, tiene asuntos que atender parapetada detrás de los coches, y deja sola a Letha con la borracha, que es Tiffany Koenig. Una Tiffany Koenig que empieza a vomitar sobre los hierbajos junto a uno de los vehículos, actividad con la que, si los rumores que traspasan los muros de separación de los cubículos de los aseos son ciertos, es habitual que termine las fiestas. Con toda la paciencia del mundo, Letha le aparta el pelo de la cara para que no se lo manche de pota.

Lo bueno de que la gente se tome la molestia de salir para vomitar es que nadie tiene que ir a limpiarlo después. En el vasto mundo exterior, los mapaches hacen de barrenderos. Y les encanta su trabajo.

Tiffany K acaba, empieza a llorar (normal, cuando te sale por la nariz además de por la boca; normal, cuando te entra el pánico pensando que no vas a ser capaz de volver a respirar con normalidad en toda tu vida) y Letha se incorpora, la ayuda a aguantar el equilibrio y la conduce de regreso a la casa poblada de sombras para que se adecente un poquito.

Tiffany K se aparta. Es embarazoso, acabar así. Con los dedos pringados de porquería. Las mejillas empapadas de lágrimas abrasadoras.

Aunque, por otra parte, la fiesta está teniendo lugar justo al lado de un lavabo gigante, así que…

Letha mira a su alrededor en busca de apoyo, de guía, de Bethany, que no aparece por ninguna parte, y al final se limita a rodear los restos de la hoguera con Tiffany K, con cuidado. Como las personas con el sentido del equilibrio perjudicado no deberían acercarse solas al agua, se quita los zapatos y vadea el fango de la orilla con Tiffany K, la ayuda a salpicarse la cara.

Jade acorta la distancia, furtiva, esforzándose por ver si esta «amistad» guarda algún parecido con lo que sale en las películas. De las dos, se imagina que aquí ella es Tiffany K, la autodestructiva. No la responsable. No la buena amiga.

Sería mejor irse ahora, lo sabe. Sería mejor no haber venido nunca. No hay ningún magnate multimillonario cruzando el lago en su bote silencioso con la intención de violar a nadie. No hay ningún dragón surcando las aguas con las poderosas eses de su cola.

Jade se gira, su aliento dentro de la máscara es pesado y opresivo, sabiendo que en cuanto se haya alejado veinte pasos encenderá un cigarrillo y aspirará hondo, aguantando el humo tanto como sus pulmones de proletaria se lo permitan, pero entonces se para, inclina la cabeza de nuevo hacia el lago.

¿Hay alguien caminando en el agua?

Letha.

—¿Qué? —dice Jade en voz alta, por accidente, aunque nadie mira en su dirección. El problema es que esto no está en el guion, esto se aleja de los tropos del género. En el primer acto, la chica final no es curiosa. Porque la curiosidad es lo que va a conseguir que todas las otras se mueran, a diferencia de ella.

Jade se aproxima al tenue fulgor de la extinta fogata, cuyo calor residual provoca que se le contraiga la piel del cuello. El plástico que le cubre la cara se mantiene impertérrito.

Letha está adentrándose cada vez más en el lago, sus pantalones blancos de prestado ya se han empezado a mojar.

Jade sacude la cabeza, no, no, y es entonces cuando ve cuál es el objetivo de Letha.

Hay… Alguien está flotando en el agua.

Su corazón le descarga un mazazo en el pecho.

—No lo hagas —le dice a Letha, ni de lejos lo bastante alto como para que esta la oiga, pero la presiente de todas formas (el clásico radar de chica final) y vuelve la mirada atrás apenas el tiempo justo para que Jade sea consciente de cada ascua carmesí que se refleja en su máscara.

«Solo es mi uniforme del trabajo», le gustaría susurrar a través de los diez metros que las separan. No es el mono de Michael Myers, es solo la ropa de trabajo. Justificar la máscara blanca ya sería otro cantar.

Letha, que o bien la ha visto o bien no, vuelve a concentrarse en lo que tiene entre manos. En su deber. Avanza un paso más, otro, el agua le llega al estómago ahora, a las axilas de súbito.

Está a un brazo de distancia de esa persona flotante.

—¿Hola? —dice, salpicándolo. Salpicándola. Lo que sea.

No obtiene respuesta.

Podría ser una broma pesada, le gustaría advertirle. Banner Tompkins es relativamente famoso por ellas, y estos son sus dominios. Podría tratarse de una muñeca hinchable que guardaban en el cobertizo para usarla de flotador. Podría tratarse de uno de esos maniquís de entrenamiento, de cuando estaba en segundo y hacía artes marciales con Mason Rodgers. Podría tratarse de un ciervo que algún cazador chapado a la antigua estuviera intentando transportar de una orilla a otra del lago.

Letha se entrega al agua para envolver el cuerpo con los brazos, se gira de inmediato y nada en dirección a la orilla.

Donde Tiffany K está sentada ahora, con las rodillas recogidas contra el pecho, llorando como se suele llorar cuando una está borracha y sabe que lo peor aún no ha pasado. Sin ver lo que Jade está viendo con una claridad absoluta: a la chica final haciendo honor a su nombre, remolcando un cadáver. Encontrando a la primera víctima.

La sonrisa de Jade se ensancha de asombro detrás de la máscara.

Esto significa que todo es real, ¿a que sí? Que no son imaginaciones suyas, sino que, por una vez, está sucediendo fuera de su cabeza.

Está a punto de acercarse corriendo para ayudar a Letha a tirar del cadáver, depositarlo en la orilla, proclamar su identidad a los cuatro vientos, pero no, tiene que ser la chica final quien lo haga. Tiene que ser Letha Mondragon quien lo haga. Y Letha es atlética y capaz, posee una fe inquebrantable en sí misma.

De todos modos, ha llegado ya a los bajíos.

El cadáver se mece con el vaivén de la superficie del lago y el agua, por fin, se lleva las algas que le cubrían la cabeza.

Momento en el que Tiffany K empieza a gritar. Y a gritar.

Letha, que debe de haber superado algún cursillo de salvavidas en alguno de sus clubes de campo de verano, le da la vuelta a ese cuerpo de hombros fornidos de un modo que sugiere que sabe administrar primeros auxilios y su honor la impele a intentarlo. Solo que una pálida tira de piel de la espalda del cadáver se le queda pegada a la mano derecha y el desgarrón se convierte en un manantial del que brota algo negro y viscoso.

El único motivo por el que Jade llega a ser testigo de la siguiente parte es que los pantalones blancos de Letha, aun mojados, todavía relucen. Y sirven de telón de fondo a la cabeza rubia de ese chico holandés. La cabeza que está en su regazo. La cara.

A la que le falta la quijada.

La risa de Jade surge de lo más hondo de su ser para inundar la máscara, para invadir su cabeza.

—Mira tú por dónde —dice, alejándose a toda prisa antes de que los invitados a la fiesta converjan sobre esta tragedia, y después de los primeros veinte metros empieza a correr por el mero placer de correr, con las ramas lanzándole zarpazos a lo que sería su rostro, con el mono de trabajo evitando que su piel se cubra de laceraciones. Cuando se ha alejado lo suficiente, derrapa hasta frenar con las rodillas en medio de un claro, a la luz de la luna, se quita la máscara y se inclina hacia atrás apretándose los ojos con los puños porque, por mucho que lo intente, es incapaz de parar de llorar.

Primero, la chica final. Ahora, el sacrificio de sangre, prueba de que la grabación del teléfono rosa era real.

Esto es como cuando Laurie Strode ve a Michael Myers delante de la escuela. Como cuando Sidney Prescott ve esa túnica negra descendiendo en el último cubículo de los aseos.

Y ahora hay una serie de pasos que habría que dar, una carta que hay que redactar e imprimir. Pero antes, lo único que Jade se siente capaz de hacer es abrazarse a sí misma con todas sus fuerzas, temblando de gratitud.

La emoción la deja jadeando en el suelo, de rodillas; jadeando y sonriendo, sondeando las tinieblas que la envuelven con la mirada.

Porque el asesino podría estar a la vuelta de la esquina, ¿no es cierto?

En realidad, ya lo está.

INICIACIÓN AL SLASHER

Hola, Letha Mondragon. Quizá me recuerdes de los cuartos de baño al lado del gimnasio. Llevaba el pelo de color azul. Adjunta a esta nota encontrarás una copia de Bahía de sangre, de 1971, obra del aclamado director de giallo Mario Bava, película que permíteme que te diga me cambió la vida cuando la descubrí estando en 6°. Había ido a Idaho Falls para ver a uno de esos médicos que no tenemos en Proofrock y estaba en el baño de una gasolinera mientras mi madre debatía consigo misma en el coche sobre si sí o si no y entonces vi esa peli en la caja de las ofertas como si fuese basura. Pero permíteme decirte que no, no lo era.

La razón de que haya decidido legarte esa misma copia sagrada de Bahía de sangre a mi clandestina manera es que muchos incluida yo la consideramos la antepasada directa del género del slasher. Cuando veas Bahía de sangre te darás cuenta del escalofriante parecido que guardan los créditos iniciales con el lago Indian. La primera vez que la vi en secreto te aseguro que el corazón me dio un vuelco. Pensaba que ERA el lago Indian.

En cualquier caso, a propósito del carácter seminal de Bahía de sangre, muchos aseguran que fue Sean Cunningham el director de Viernes 13 el que 9 años más tarde daría forma a su slasher INSPIRÁNDOSE en Bahía de sangre. La base de estas alegaciones se encuentra parcialmente en el escenario y principalmente en las muertes. Por su parte Sean Cunningham se defiende diciendo eso de que las grandes mentes piensan igual y ya está. Aunque una de las premisas principales de Bahía de sangre es que unos adolescentes van a una fiesta en un lago y tienen relaciones y son asesinados de la forma más gratificante y violenta, características que Viernes 13 comparte con ella.

Pero en lo que debes fijarte con *Bahía de sangre* no es que para evitar la consabida cuchillada en la cara convenga alejarse del lago. No, lo fundamental es tener en cuenta que hay 13 formas distintas de morir EN el lago, y también que nadie está libre de sospechas por lo que a ser el asesino respecta.
Lo que intento decirte es que dentro de nada, seguramente durante la fiesta anual del 4 de julio en el lago, Proofrock se va a CONVERTIR en *Bahía de sangre*, hazme caso. En vez de ponerme a explicarte aquí nada sobre bromas, venganzas, pistas falsas, chicas finales y revelaciones lo que voy a hacer es compartir contigo gran parte de los ensayos y entrevistas que he escrito para la clase de Historia del señor Holmes, con bonus sobre *Tiburón* incluido, por la relevancia que tiene. Estos documentos pueden ser tu biblia, tu mapa, tu evangelio y tu guía. A lo que voy es que el chaval holandés que sacaste del agua no es el final, sino el principio.
Y hablando de finales, nadie ni siquiera una experta en slashers como yo aventuraría una hipótesis tan pronto, pero las normas dictan que quienquiera que ya se haya puesto a rebanar pescuezos usará para camuflarse aquello que ya nos infunde temor. Y aquí en el lago Indian eso y Stacey Graves son lo mismo. Hace 2 años creía en ella 100 x 100, aunque ahora me doy cuenta de que la Edad de Oro del slasher fue su fase sobrenatural, con Jason, Freddy, Chucky y demás. Esta es la era de Ghostface y Valentine, o lo que es lo mismo de gente que se pone máscaras para vengarse. Pese a todo deberías estar informada sobre Stacey Graves la Bruja del Lago. Por eso incluyo la entrevista sobre ella.
Si te apetece hablar más encontrarás mi número dentro de la caja de *Bahía de sangre*.

Furia silenciosa

De camino a la salida de la biblioteca a oscuras (los empleados de mantenimiento tienen llaves, llaves y más llaves), cuando Jade está recurriendo a su último ápice de concentración para levantar la puerta de cristal sobre sus goznes desvencijados, lo justo para que el pestillo encaje en su sitio, una voz masculina rasga las tinieblas y le hace enderezar la espalda con las venas inundadas por un nuevo torrente de adrenalina, la cabeza llena de estática y un grito incipiente en la garganta que muy a duras penas consigue evitar que escape de ella.

—Pensaba que Connie y su marido habían discutido de nuevo —dice la voz cascada desde el hueco de devoluciones junto a la puerta—. Que había venido aquí para pasar la noche, ya sabes.

Jade cierra los ojos, lamentando su decisión de inmediato. Debería haber salido por la parte de atrás. Debería haberse quedado a dormir en la sala de descanso. Debería haber usado una caja de cartón de esas de las grandes para cubrir el monitor del ordenador con el que estaba escribiendo. Debería haberse acordado de que Hardy siempre concluye la jornada fumándose un último cigarrillo en el banco que hay en la orilla del lago, el que pusieron allí en homenaje a su hija. El que está a dos pasos, a tiro de piedra, a la vista, como quien dice, de la biblioteca.

—Sheriff.

—Solo que me he dado una vuelta por la casa de Connie —continúa Hardy, con ese tono de niño bueno que pone— y resulta que los dos coches estaban allí, ¿sabes? Y un resplandor azul salía por la ventana del salón, como si alguien estuviese viendo la tele.

—Ya, es que Connie es muy fan de *CSI* —dice Jade, que por fin ha conseguido que encaje el pestillo para sostener la puerta derrengada durante las escasas horas de noche que quedan.

—¿Ah, sí? —replica Hardy, como si estuviera enfrascado a tope en la conversación—. Bueno, en tal caso, espero que no hayas ido por ahí dejando muchas muestras epiteliales.

No le hace falta pedirle a Jade que lo siga cuando se separa de la pared impulsándose con el hombro, lanza el mondadientes al mantillo bajo los arbustos y empieza a caminar sin prisa en dirección a su Bronco, blanco y resplandeciente en la oscuridad.

—¿Qué llevas ahí? —pregunta, refiriéndose al fajo de papeles que se rizan con la brisa nocturna, recién salidos de la fotocopiadora, todavía calientes.

Ante la falta de respuesta de Jade, Hardy se gira para mirarla y extiende la mano. Ni siquiera tiene que chasquear los dedos para que Jade se los entregue, convencida de que su vida ya se ha acabado, de que este es su fin. Bueno, gente, ha estado bien pero ahora me tengo que ir al infierno, nos vemos. Van a requisar mi diario secreto a modo de prueba y me van a acusar de por lo menos seis cargos, entre ellos el de soñar despierta.

Hardy se detiene en la acera combada, se acerca las bifocales al rostro y empieza a leer la primera línea de la hoja de arriba:

—«Una sola quedó. Una sola unidad de mí, quiero decir, señor...» ¿Holmes? —Tanto los signos de interrogación como el exagerado melodramatismo son todo obra de Hardy, que observa a Jade por encima de la montura antes de pasar al siguiente trabajo. Jade los ha ido grapando uno por uno, para que Letha no se pierda—. «No se sienta mal, señor Holmes. ¿Saber lo que es una Chica Final dentro del slasher no está al alcance de todos?» ¿Qué es esto de la «chica final»?

—Nada, un proyecto para la clase de Historia —responde Jade, cuyos hombros no podrían encorvarse más aunque estuviera intentando dar una voltereta.

—«Lo cierto es que los slashers, señor Holmes, ni son imposibles ni se dan únicamente en el cine» —lee Hardy a continuación, haciendo un énfasis especial en lo de «señor Holmes» antes de soltar las gafas y confiar su peso pluma al cordón que lleva en el cuello. Ni siquiera rebotan. Jade lo sabe porque es ahí adonde apuntan sus ojos. No a la cara del sheriff. Lo cual no quita para que note el escrutinio al que la está sometiendo.

—¿Slashers? —pregunta él por fin.

Absorta en sus malabarismos mentales, Jade tropieza con el hoyo en el que siempre ha pretendido enterrar su diploma del instituto y, como eso es lo único a lo que se puede aferrar para salvar el pellejo, lo aprovecha.

—Un trabajo de verano para Sherlock —murmura mientras deja vagar la mirada por las negras, negrísimas aguas del lago Indian. Es un tiro a ciegas, a la desesperada y con una mano atada a la espalda, la primera y única plegaria que Jade haya entonado en su vida, pero no se le ocurre a qué más recurrir.

—Que yo sepa, el Oso…, el señor Holmes no deja que los alumnos lo llamen así —dice Hardy, que está sujetándole la puerta porque a qué poli no le gusta dirigir el tráfico—. Ni siquiera los antiguos alumnos.

—No soy una antigua alumna, precisamente —replica Jade, cuya voz desciende hasta las octavas propias de la sinceridad y el bochorno—. Me falta un crédito de Historia para graduarme.

—Pero estuviste en la ceremonia —le explica Hardy, o protesta, más bien.

Jade monta en la camioneta.

Hardy, todavía no muy convencido, todavía de pie, se sumerge en las fotocopias de Jade, inmersa a su vez en un estado de sonrojo preventivo, puesto que barajada ahí dentro, en alguna parte, no está segura de dónde (el tema de las grapas se acabó complicando), hay una carta que empieza: «Hola, Letha Mondragon», una carta tan condenatoria que seguro que Hardy decide leerla entera en voz alta como si ya estuvieran en los juzgados y no quisiera que la taquígrafa se perdiera detalle.

—«Qué le parece si nos tomamos esto como el punto final de mi...» —lee el sheriff, que tiene que coger aliento para afrontar las líneas siguientes—, «... de mi carrera por conseguir créditos extra, si a usted le parece bien, señor Holmes».

Levanta la cabeza para recitar la última parte.

—¿El punto final? —repite con incredulidad antes de cerrar el montón de hojas y pasar la yema del pulgar por los bordes como si las estuviera contando, sopesándolas—. Pero ¿cuánto ha durado esta carrera?

—Tiene un cesto encima de la mesa —dice Jade—. Su bote de los créditos extra, lo llama.

A Hardy le tiemblan los hombros cuando se ríe para sus adentros y cierra la puerta, rodea el Bronco y se sienta detrás del volante.

—Así que has encontrado la manera de sacarle partido a tu punto fuerte —dice mientras arranca la camioneta—. Sangre y vísceras, zombis y hombres lobo.

—Slashers y ya —replica Jade, tan bajito que le extrañaría que el sheriff hubiera oído algo.

Hardy da marcha atrás con el Bronco, da la vuelta y espera a tocar el asfalto antes de encender los focos del techo. Jade no sabe si la va a llevar al hospital de Idaho Falls, a la celda que hay detrás de su oficina o adónde, por lo menos no hasta que entra en su calle y frena delante de su casa. La camioneta no está en punto muerto y todo lo que Jade ve por el retrovisor está teñido de rojo.

—Supongo que no le contaré a Connie que el personal de mantenimiento se dedica a gastar la tinta y el papel de la fotocopiadora —dice mientras le devuelve a Jade la tinta y el papel en cuestión—. Pero creo que se lo contaré al Oso la próxima vez que coincidamos en el Dot's. Solo para cerciorarme de que esto es algo académico y no personal.

Grady «Oso» Holmes, alias Sherlock, profesor de Historia volador y fumador empedernido en secreto.

Puto Idaho.

La radio crepita bajo el salpicadero de Hardy, provocando que la espalda de Jade se crispe de nuevo. Ella, que debería saber mejor que nadie cómo ver venir un susto barato. Aunque puede que eso únicamente la vuelva más susceptible a ellos, más vulnerable, y no menos.

La voz de Meg Koenig resuena distorsionada y urgente. Hardy baja el volumen y se inclina sobre el volante apoyando los brazos en él, abrazándolo para inspeccionar la fachada de la casa de Jade sin tener que ver también el reflejo de su perfil.

—¿A qué se dedica últimamente, está trabajando en la otra orilla del lago? —pregunta, refiriéndose a Chapi. Jade asiente con la cabeza, una vez—. Bueno, pues nada, supongo que te veré... —Hardy hace una pausa y entorna los párpados, calculando para sus adentros—, el viernes para empezar con los servicios comunitarios. ¿Te parece bien?

—De lujo. Me imagino que debería ponerme algo que luego no me duela tirar a la basura, ¿no?

Hardy se ríe por lo bajo, como si eso fuera justo lo que esperaba escuchar, desengancha el micrófono del retrovisor y dice antes de abrir la línea con el pulgar:

—Ordenarle los archivos a Meg, limpiar la cafetera, no sé. Ya se le ocurrirá algo que puedas hacer. Pongamos, ¿una hora al día durante un par de semanas y listo?

Meg Koenig, la madre de Tiffany Koenig.

—Yupi —celebra Jade sin la menor inflexión en la voz.

—Al habla Hardy —le dice el sheriff a la radio, como si estuviera en una película. O puede que no todo lo que sale en las pelis sea inventado.

Jade se apea y cierra la puerta. Hardy se queda esperando hasta que llega al porche, como si quisiera asegurarse de que va a entrar en casa, antes de irse. Jade sigue allí aún, con la mirada fija en las botas de su padre, cubiertas de barro (¿reciente?), cuando la puerta que tiene delante se ilumina de rojo y azul: Hardy ha encendido las luces unas pocas casas más abajo y está acelerando, derrapando al doblar la esquina, camino de alguna emergencia.

¿En Proofrock, a las dos de la madrugada?

Jade baja el escalón para seguirle la pista, pero no ve nada y continúa caminando hasta el final de la calle, desde donde puede ver la orilla opuesta del lago, Terra Nova.

Nada, las mismas luces parpadeantes de las últimas semanas: el yate gigante, las obras nocturnas.

—Mmm. —Deja vagar la mirada por el vecindario a oscuras; por la ciudad, aún más a oscuras. Será Rubita, decide. La holandesa. Que debe de haber salido a flote por fin.

Jade contempla las hojas que aletean en su mano y las pasa hasta dar con una línea al azar hacia la mitad del montón, donde una niña de ocho años que se llama Stacey Graves vive como una gata callejera en una versión primigenia de Proofrock, siempre con la vista puesta en la orilla opuesta de ese lago que no para de crecer, buscando a la madre que la ha abandonado.

Quién lo diría, ¿verdad?

La vida no es como esos programas de naturaleza. En los documentales, los preceptos biológicos que están tan arraigados en nuestro interior llevan a la mamá conejo a enfrentarse a la serpiente, al coyote o al halcón que van detrás de su cría, la llevan a plantarles cara aunque no tenga ni la más remota posibilidad de imponerse a esos depredadores perfectos, pero, a pesar de todo, arroja igualmente su cuerpecito contra todas esas zarpas, garras y colmillos y lucha hasta el fin con todo lo que su cría vale para ella, que es ¿todo?

—No sé yo —murmura Jade, que se alegra de que no le hayan dado ningún asqueroso diploma, porque eso significaría que habría tenido que aprobar un examen en el que su respuesta habría sido «sí, claro que las mamás conejo defienden así a sus crías», lo cual habría sido mentira.

Pero bueno, a la mierda.

No todas las madres son como Pamela Voorhees, que se carga a todos los monitores de un campamento porque un par de ellos dejaron en la estacada a su niño.

Además, Jade ya dista de ser una cría.

Avanza un paso más, otro, perforando con la mirada la margen opuesta del lago, intentando visualizar lo que Holmes les describió cuando estaban en séptimo: el incendio de 1965 extendiéndose hasta esta orilla mientras Proofrock contenía el aliento, con el estado de Idaho listo para arder al completo.

Aunque no lo hizo. Nunca lo hace.

Jade se encoge de hombros, como diciendo «espera y verás», se gira sobre el talón de una bota militar y vuelve sobre sus pasos casi con una sonrisa en los labios. Pese a todo, lo de esta noche tampoco ha estado tan mal, ¿no? Hardy podría haber confiscado sus papeles, lo que la habría obligado a colarse en alguna escuela para imprimirlos otra vez a partir de su email y, quién sabe, se podría haber encontrado con Rexall, limpiando la lente de todas sus camaritas ocultas.

No, gracias.

Jade cruza el césped con zancadas melodramáticas, no, con zancadas de Holden Caulfield. Que ella sepa, en el Instituto Henderson no hay nadie que haya adoptado nunca esa forma de andar, esa actitud al andar, así que puede ser toda suya.

Sus zancadas de Holden Caulfield la llevan al porche cochambroso de nuevo, después de lo cual se somete al calvario de cruzar la sala de estar, con su padre haciendo el esfuerzo de parar *La noche del cazador* para dejarla pasar, y luego se pone los auriculares, arrima el televisor diminuto y mete la cinta de *Carretera al infierno* pensando que después se pondrá *Noche de graduación 2*, y se odia en todo momento porque de hecho le gustaría escabullirse hasta la sala de estar para ver si pilla un trozo de *La noche del cazador*, para confirmar sus sospechas de que el predicador de tiempos pasados que sale en ella podría ser un trasunto de su Ezekiel. Quizás el hecho de que esté en la pantalla, en su casa, sea incluso una señal, la prueba de que en este ciclo de asesinatos no debería descartar tan deprisa Ciudad Sumergida. Jade congela a Rutger Hauer en su trece pulgadas, intenta escuchar a Robert Mitchum ahí fuera, en el veintisiete pulgadas, y le cuesta tanto esfuerzo que se queda traspuesta, está medio despierta en el sofá de la sala de estar, con su padre tapándola con una manta sin hacer ruido.

Jade se despierta de golpe, parpadeando en un intento por borrar esa imagen, por desterrarla de su memoria, y examina sus cintas de vídeo en busca de la pegatina con una calabaza naranja que le puso en el lomo a *Halloween* hace años, para que pueda ser lo último que vea todas las noches antes de quedarse frita, para poder llevársela a sus sueños, y cuando abre los ojos de nuevo ya casi es mediodía, lo que significa que se ha perdido la expedición en busca de desperdicios que apuñalar de esa jornada. Pero bueno, a la mierda. Que se apuñalen ellos solitos, si quieren. Como si Rexall la tuviera fichada hasta ese punto. No, el zum de sus cámaras está más pendiente de su zona torácica.

Jade se estremece y se restriega los ojos para eliminar las legañas.

Con una caja de cereales con miel en la mano y sin moverse lo que se dice con prisa (la casa parece una tumba), envuelve unos pantalones viejos alrededor de su preciada cinta de *Bahía de sangre* antes de sujetarlos con una cinta blanca que anuda de arriba abajo y también a los lados, todo con tal de que el aparatoso paquete no se deshaga a los pies de Tiara Mondragon, para que no lo aparte de una patada como si fuese una cucaracha.

A continuación dobla los papeles y, en vez de ocultarlos en el centro con *Bahía de sangre*, lo que hace es deslizar el grueso fajo bajo el lacito de la cinta para conferirle el aspecto de una de esas interminables, sentidas y dispersas notas que se escriben las chicas para hablar de chicos, de maquillaje o de lo que sea que hablen las chicas. Luego ya solo es echarle valor, y rodea la orilla fangosa del lago, hace funambulismo por el espinazo del dique y aterriza en el embarcadero de Terra Nova cuarenta y cinco minutos más tarde para llamar a lo que sea que allí pase por puerta.

Solo que el yate ¿no está? Jade otea las aguas, despacio. ¿Dónde podría haberse metido algo de ese tamaño?

Resulta que en el Campamento Sangriento, al que por el camino ella le ha dirigido un saludo marcial desde lo alto del acantilado.

—Pero ¿qué me estás contando? —dice Jade en voz alta, indignada de veras ante semejante transgresión, ante el hecho de que se hayan atrevido a ir al Campamento Sangriento. Se acerca al borde del embarcadero, como si cubrir esos tres metros de distancia pudiera ayudarle a encontrar alguna explicación, y es entonces cuando se percata de que no hay ninguna obra en curso en Terra Nova, a su espalda. ¿Será festivo en Idaho el segundo jueves antes del 4 de julio? No, que ella sepa, y aunque lo fuera, los Fundadores pagarían extra para que sus lacayos estuvieran allí, al pie del cañón.

¿Dónde se ha metido todo el mundo?

Jade hace visera con la mano, entorna los párpados y ve que el yate ha atracado justo delante de la escollera que hay delante del Campamento Sangriento, la que solía servir de trampolín para que los niños se ganaran sus distintivos lanzándose al agua desde lo alto.

Esto tiene cero coma cero sentido. Jade mira a su alrededor, desconcertada, y se encuentra con el buzón por el que ha visto a Dan Dan, el cartero, holgazanear cruzando el lago. Empuja dentro los pantalones, la cinta y las hojas como puede, como si fuese un paquete bomba, tan solo para completar de una vez su misión. Porque ahora tiene otra, esta ya más bien de reconocimiento del terreno.

Veinte minutos sin aliento más tarde llega al acantilado calcáreo que sirve de telón de fondo al Campamento Sangriento y se asoma abajo. Allí está Hardy, con su hidrodeslizador varado en la orilla, como le gusta dejarlo siempre, acompañado de dos alguaciles que van de un lado a otro con bolsas para la basura en la mano. Pero también hay agentes estatales, y un tipo larguirucho y correoso uniformado con los colores de los guardas forestales, y Letha está sentada en la escollera, envuelta en una manta, dejándose abrazar por Tiara.

Jade se inclina hacia delante, sobre el vacío. Es verdad que una vez le dio por enterrar allí un hacha de las grandes, de doble hoja, cuando todavía estaba en secundaria. «Por si las moscas». Y porque la había robado. Pero no. Hardy no movilizaría a todas las unidades disponibles y alertaría a la población civil con el único pretexto de que al fracaso escolar de conserje que tienen en Proofrock una vez le dio por desafiarlo a mirar debajo de la cabaña número seis.

¿O sí?

Jade se asoma aún más al vacío, con el blando acantilado calcáreo desmenuzándose bajo la puntera de su bota derecha, y Letha, con esa manta. Y su odiada madrastra, consolándola.

Consolándola.

¿Por qué?

—Porque se ha cometido otro asesinato —murmura Jade, maravillada, y en ese preciso instante, lo nota: unos ojos fijos en ella.

Mira abajo, en rededor, hasta que encuentra a quién pertenecen: Theo Mondragon, vestido con unos pantalones cortos de color caqui y una camisa desabrochada, como si no le hubiera dado tiempo a vestirse para cualquiera que sea esta ocasión. Como si hubiera salido corriendo para ver quién estaba gritando. Jade se lo imagina surcando el lago a toda velocidad en su yate monstruoso, sin molestarse en comprobar la profundidad ni en asegurar la vajilla en los camarotes de abajo.

Ahora está en la linde del Campamento Sangriento y tiene el teléfono pegado a la oreja mientras observa a Jade, cuyos cabellos medio descoloridos (del púrpura ya no queda ni rastro) seguramente forman un baliza de señalización de color rubio ceniciento en la que resulta inevitable fijarse.

Jade da un paso atrás, vuelve a cruzar la cuerda floja sin barandillas que es el espinazo del dique y no para de correr hasta llegar sin resuello a casa, donde dedica la hora siguiente a pintarse el pelo de negro muy negro con betún para los zapatos, que es lo único que consigue encontrar. El estropicio es inmenso. Parece que en el lavabo hubiera explotado un demonio, como si esto fuese un problema que únicamente Ben Affleck podría resolver.

Solo que Ben Affleck, para variar, no está allí.

Jade saca los productos de limpieza y dedica otra hora a arreglar el desaguisado, eliminando su propia porquería esta vez. Debería habérsele secado el pelo para cuando termina, pero en vez de eso está pastoso y grasiento. Sale al patio y usa la manguera, combinada con friegas de vinagre y alcohol, pero hay desastres que no tienen solución. Como cabía esperar, el negro profundo y el color sin color del nido de ratas quemado que es su cabello se han combinado hasta formar una extraña mezcla de naranja y marrón, como, no sé, ¿zanahoria con reflejos de vómito? Eso, sumado a los mechones naturales que entreveran el conjunto, le confiere a su pelambrera el aspecto de un zapato de charol cubierto de mugre, de esos tan baratos que se ampollan como los dejes al sol.

Qué más da.

«Para intimidarte con la mirada mejor», sisea Jade para sus adentros, la frase motivacional de la jornada, antes de entrar en su habitación como un torbellino para saquearla en busca de cualquier otro documento que poder pasarle a Letha de contrabando, y entonces, entonces... Tiene que decidir cuál será la siguiente película en esta extensión de su curso sobre la chica final, ¿no es cierto?

Vuelve a ponerse los auriculares, dedica el resto del día a revisar *Masacre en la fiesta de pijamas, Inocentada sangrienta* y *Cumpleaños mortal*, y en algún momento durante el proceso se queda dormida. Solo vuelve en sí cuando el siseante crepitar azul que señala el final de la cinta invade la pantalla del televisor. El color es idéntico al del aparato de Casey Becker al comienzo de *Scream*, ¿lo que significa que ahora es su película la que va a comenzar, que el asesino de Proofrock de Jade está oficialmente listo para salir a escena, completados por fin todos los requisitos preliminares? Y si tuviera la misma marca de palomitas caseras que Casey Becker, ¿saltarían en sincronía? ¿El acecho y la muerte de Casey se mueven en tiempo real o en tiempo cinematográfico?

Merece la pena investigarlo, aunque sea con una bolsa de palomitas para el microondas de esas normales. Su padre está en la cocina, no obstante, preparando huevos con expresión adormilada. Se pasa la mano por toda la cara, de arriba abajo y de abajo arriba, intentando aún terminar de espabilarse del todo.

—Ya no funciona como antes —le dice a Jade, refiriéndose a su truco para superar la resaca, y después sonríe con la comisura izquierda de los labios, que es una invitación para que también ella sonría y se solidarice con él por lo malas que son las mañanas. Casi sucumbe a la tentación, pero consigue apartar la mirada y dirigirla a la puerta principal, abierta para dejar que entre el aire, que es lo que acostumbraba a hacer su madre cuando se levantaba antes que nadie para arreglar la casa. Durante medio segundo, Jade se siente como si tuviera diez años de nuevo.

Como si le hubiera leído el pensamiento por primera vez en su vida, su padre, mientras traslada los huevos de la sartén al plato, se enfrasca en una historia que Jade ya se sabe de memoria, la misma que solía contarle cuando ella era una cría y los años previos a su nacimiento conservaban aquel halo de misticismo, una época legendaria a la que su padre sobrevivió únicamente porque era un titán, tan alto como un edificio de diez plantas.

—Nos gustaba escondernos debajo del embarcadero en días así, cada uno de nosotros con un paquete de seis cervezas flotando a su lado —dice levantando la mano a la altura del pecho para indicar la posición relativa de la cerveza.

—¿Os? —pregunta Jade, aunque ya conoce la respuesta: Rexall, Clate y cualquier otro mendrugo que se hubiera dejado liar.

Su padre continúa:

—Esto era antes de que el alguacil Hardy se agenciara ese hidrodeslizador para los pantanos.

El «alguacil Hardy» es lo que era el sheriff Hardy por aquel entonces, pero Chapi Daniels jamás le concede otro rango.

—Mira, seguro que la historia se va a poner más interesante esta vez, pero me… —empieza a decir Jade.

—El departamento tenía aquel fueraborda tan largo, el de los dos motores Evinrude en paralelo —la interrumpe su padre mientras pone el armario patas arriba buscando la pimienta que está delante de sus narices, en la encimera—. Capaz de arrancar una casa de sus pilones, tan solo había que apretar bien el nudo.

—Y vosotros…

—Y nosotros nos pasábamos el día entero flotando allí abajo, con las cuerdas de esquí acuático amarradas a la lancha, esperando a que tu madre o quien fuese avisara de que se había producido una emergencia en la otra orilla del lago.

—¿Lo teníais programado? —dice Jade. Es la primera vez que se le ocurre hacerle esa pregunta.

—Nah, cuando fuera que le diese por ahí —replica su padre, reclinándose para pinchar el primer bocado de huevo poco hecho—. Kimbat sabía dónde estábamos y le gustaba torturarnos haciéndose de rogar.

«Kimbat» es la suma de Kimmy más Batman, porque su bolso era su cinturón lleno de cachivaches o algo por el estilo, para Jade ya es un recuerdo tenue y lejano.

—Y entonces el sheriff... —dice, intentando que la historia llegue a su final de una vez.

—El alguacil —la corrige su padre, con el tenedor levantado para poner el punto sobre esa i en concreto.

Con el timbre más monótono y hastiado que es capaz de imprimirle a su voz, Jade termina la historia por él:

—Pone rumbo a la orilla opuesta del lago para responder a esa llamada de emergencia y Rexall, Clate, tú y no sé quién más salís disparados de debajo del embarcadero con esas cuerdas de esquí, deslizándoos por el agua con los pies descalzos hasta que a él le da por mirar atrás para ver qué es lo que está ralentizando la lancha.

—Tendríamos pruebas si los teléfonos hubieran venido con cámara incorporada por aquel entonces —dice su padre, que se acerca el plato a la cara porque las yemas están en el punto justo para escurrirse en hilillos—. O si hubiéramos tenido teléfono, así, en general —añade con una sonrisa y un arqueamiento de cejas que Jade se apostaría todo lo que posee a que es el mismo gesto que consiguió seducir a su madre para que acudiera a aquella fiesta en el Campamento Sangriento una noche, en el correcto momento equivocado de su ciclo uterino.

Pero así empiezan siempre las cosas, ¿no? Con un tío cachondo poniéndote ojitos cuando debería estar largándose. Incluso cuando busca historias de los antiguos indios en internet, siempre hay algún viejales estrafalario que sonríe exactamente igual que Chapi Daniels mientras parchea el mundo con pegotes de barro, haciendo pactos con las ratas almizcleras y los castores, con los cuervos y los patos, con cualquiera que sea lo bastante insensato como para pararse a escucharlo.

—¿Insinúas que aquel fueraborda podía tirar de tres esquiadores? —le dice Jade a su padre.

—Abultábamos bastante menos que ahora.

Jade menea la cabeza, entorna los párpados y desvía la mirada hacia la puerta principal otra vez mientras se dice que no está haciendo esto, que no está interactuando con él, ni siquiera por accidente. Porque esa tortilla se podría dar la vuelta en un abrir y cerrar de ojos.

—¿Por qué me cuentas otra vez esa historia? —pregunta—. Era una cochina mentira antes y lo sigue siendo ahora.

Su padre se lleva otro trozo de huevo a la boca y lo mastica con parsimonia antes de tragar.

—Tienes una boca que para qué, ¿lo sabías?

—Y una rodilla. Y un machete en el cuarto.

Su padre sonríe para que vea lo poco amenazado que se siente y deja el plato en el fregadero de cualquier manera, o bien para que se pase días enteros ahí o para que Jade lo lave. ¿Y si no lo hace? Pasada media hora, los huevos se transforman en Superglue. Detesta que, cuando todavía está en la casa, pueda oírla fregando sus platos sucios. Pero tampoco andan tan sobrados de ellos como para abandonarlos a su suerte.

—Quería que te fijaras en las cuerdas de esquí —dice él por fin, dejando que todo el silencio previo sirva para enfatizar sus palabras.

—¿Las cuerdas?

—¿Cuánto dirías tú que miden?

—¿Qué más da?

—Como veinte metros —enuncia con suma claridad su padre, que se mete la mano en los pantalones para rascarse la cadera sin dejar de observarla—. Pongamos que son veinte, por redondear.

—No sé adónde quieres ir a parar —dice Jade—. Ni me importa.

—Pues debería importarte. Veinte metros es la distancia mínima a la que me gusta estar de la ley. Era cierto cuando iba al instituto y sigue siéndolo ahora.

—¿Gracias por la info?

—Y la calle que pasa por delante de la casa está bastante más cerca que eso. ¿Quieres que salga y lo mida?

Jade hace memoria, descodifica el mensaje.

—¿Lo dices porque el sheriff Hardy me trajo aquí anoche?

—Lo digo porque eres tú la que está trayendo a la ley hasta mi puerta. Y eso se va a tener que acabar.

—Pero si solo…

—Sigue codeándote con el alguacil Hardy y no me quedará más remedio que pensar que mi hija es una chivata.

—¿De qué quieres que me chive? ¿De que bebes en el curro? Menudo secreto.

—Así es más seguro.

—¿Así cómo?

—Vuelve a dejarte ver con la ley y te echo de casa.

—No puedes echarme —dice Jade, que nota como si le ardieran los ojos—. Todavía no he cumplido los dieciocho.

—Ya no estás en la escuela. Va siendo hora de que te busques tu propio lugar, como hizo tu madre.

—¿Porque aquí ocupo mucho espacio?

—Porque estás trayendo a la ley hasta mi puerta —repite su padre mientras da un paso hacia ella, colocándose al alcance de sus rodillas, Jade lo sabe, como si quisiera retarla.

—El que no debería estar aquí ahora eres tú.

—Es mi casa.

—Me refiero a que deberías estar en el curro. ¿O es que ahora hay que superar la prueba del alcoholímetro para cruzar el lago?

—Todo el mundo a casa, uno de esos ricachones la ha palmado —dice su padre como si estuviera repitiendo un anuncio oficial, y luego, para ser él el que ponga punto final a la conversación, se vuelve hacia la nevera y busca la leche, o una cerveza, o lo que sea, Jade ya está saliendo de la cocina con el corazón galopando de ira, de miedo, pero sobre todo por lo que acaba de oír: ¿que la ha palmado uno de los Fundadores?

Una vez en el dormitorio, se sumerge en el móvil en busca de cualquier posible bocadito de noticia al que hincarle el diente y lo encuentra por fin en un programa de radio de Idaho Falls, lo cual tiene sentido porque Proofrock no es que destaque precisamente por sus emisoras: uno de los terranovos ha fallecido en un «trágico accidente», «permanezcan a la escucha», «les proporcionaremos más detalles conforme vayan llegando».

En ningún momento se menciona el nombre del Padre Fundador en cuestión, pero al menos Jade sabe que no se trata de Theo

Mondragon. Acaba de verlo. ¿Lo que significa que tiene que ser alguno de los otros cuatro? ¿Porque solo son cinco? ¿No hay diez casas allí, lo que sugiere la pronta llegada de más magnates y potentados? Pero ¿acaso no están todos esperando, no sé, a que se hayan terminado de construir sus hogares? Este debe de ser uno de los que hizo una incursión rápida para ver cómo iban las obras, para inspeccionar el terreno.

¿Aun así? Letha sabe quién es. Porque está en el ojo del huracán. Porque ella es el centro, la estrella, la heroína. En cuanto a Jade, estar en la periferia conlleva estas cosas, decide. No corre peligro, o no del todo, pero es como presenciar el desarrollo de la historia a través de un periscopio.

Lo cual para la fan número uno de los slashers de Proofrock es un auténtico asco.

Jade se cala una gorra sobre el estropicio grasiento que es su cabello, se pone el mono para que Meg Koenig sepa que es una empleada del condado y, cuando ha oscurecido lo suficiente, arrastra los pies hasta la oficina del sheriff catorce horas antes de lo previsto. Porque le puede la emoción, claro que sí.

La emoción de enterarse de qué está pasando.

INICIACIÓN AL SLASHER

Antes de dar comienzo a este trabajo EXTRA por valor del <u>40 POR CIENTO</u> de mi nota de Historia, señor Holmes, permítame recalcar por escrito que cierta exclusiva con Christine Gillette como protagonista NO tuvo ni un ápice de ficción. Que no hay grabaciones, vale, pero eso es porque no me quedaba espacio en el móvil, lo cual no quiere decir que se lo estuviera inventando. Los relojes estropeados también aciertan con la hora en alguna que otra ocasión. Pero no se preocupe usted, señor Holmes. He encontrado otro testigo de Stacey Graves, sorpresa. He acudido al personaje histórico más fiable de toda la ciudad, si es que las placas son indicativo de algo.

Le presento ahora al honorable sheriff Hardy, cuyas palabras transcribo A PARTIR DE LA GRABACIÓN ADJUNTA, y si el sheriff excede el límite de páginas no dude en concederme más puntos, a mí no me importa.

El que habla ahora es él. A mí me reconocerá por las MAYÚSCULAS.

"Ah, sí, ¿el Campamento Winnemucca? Campamento Winne-MUCC-a. Hay que pronunciarlo así, como cogiendo carrerilla para llegar al final. Es una antigua palabra india, hablan así. Pero eso es un tema peliagudo para una redacción del colegio, ¿no? Ah, espera. El 50 aniversario, ¿verdad? ¿Entonces qué estás, en el último curso? 50 años, [censurado]. Había empezado a ponerme pantalón largo hacía nada. Don Chambers todavía lucía la estrella. ¿El padre de Alison Chambers? ¿No es la que os ha dado a todos Gimnasia?".

¿SE DA CUENTA DE CÓMO ESTOY ELIMINANDO TODO EL LENGUAJE MALSONANTE, SEÑOR HOLMES?

"En cualquier caso, solo estuvo aquel verano en activo. Nadie tenía estómago para probar suerte otra vez después de, en fin, [censurado], después de lo que ocurrió. Se suponía que había fantasmas, las bobadas de siempre. 'No deberíamos haber perturbado el suelo sagrado', blablablá, ya sabes cómo se pone la gente. El caso es que el nombre viene de los indios. Como el lago. Mi padre me contó que, cuando se estaba llenando, un montón de indios con arcos y flechas salieron de entre los árboles del otro lado del valle con sus ponis pintados y sus plumas en la melena. Los caballos Y los bravos medio desnudos. Venían a ver cómo el arroyo que habían conocido siempre se transformaba en algo más grande. Fue entonces cuando todo el mundo empezó a referirse a él como lago INDIAN en vez de lago Glen, que es como se suponía que iba a llamarse. Y antes de que me lo preguntes, no, NO deberían haber quedado shoshones campando a sus anchas por ahí. Pero Idaho es grande de [censurado], señorita, con perdón. Seguro que todavía queda alguien por ahí fuera que no ha oído hablar de los automóviles y otras modernidades por el estilo. Bueno, que se me va el santo al cielo -- tacha eso si quieres, perdona -- lo que te quería contar sobre 'Winnemucca', la palabra. Parece de buen agüero, ¿verdad? Como si fueses a llegar muy lejos, en vez de sencillamente a la otra orilla del lago. Veamos, volvamos a repasar la historia. Cuando TODO esto era terreno indio -- ".

ES POSIBLE QUE LLEGADO ESTE PUNTO LE REGALARA LOS OÍDOS CON UNOS CUANTOS CONOCIMIENTOS SOBRE EL SLASHER. NO TENGO REMEDIO.

"Campamento de verano, eso es. Pero sí, el artículo ese que has encontrado no va desencaminado. 4 adolescentes. A ver si consigo acordarme de sus nombres sin consultarlo... Stoakes, Howarth, Walker y... ¡TRIGO! Y de eso hace 50 años, señorita. Winnemucca era shoshone, seguro que eso no lo menciona el artículo. Quizá tu trastatarabuelo podría habértelo dicho. Los indios SERPIENTE, los llamaban por aquel entonces. Ignoro cómo se denominaban a sí mismos. 'Winnemucca' en inglés vendría a ser Mala Cara. Supongo que antes nos regíamos por otras normas a la hora de ponerle nombre a la gente, ¿verdad?".

MI RESPUESTA A ESTO AHORA Y PARA MIS ADENTROS TAMBIÉN ENTONCES FUE "SÍ", SEÑOR. Y TANTO. EL PADRE DE STACEY GRAVES ERA "BABOSO GRAVES", QUE BÁSICAMENTE SUENA COMO UN PERSONAJE DE BORIS KARLOFF. PERO YA ESTAMOS ADELANTANDO ACONTECIMIENTOS, COMO USTED DECÍA, EN BUSCA DE DETALLES SOBRESALIENTES, Y TAMBIÉN PORQUE ESTO DE TECLEAR Y REBOBINAR ES UN ROLLO.

"O sea, YO trabajaba de monitor en aquel campamento. Y supongo que ahora soy el monitor de todo el [censurado] condado, ¿a que sí? Tiene gracia. La cuestión es que se lo montaban de tal manera que cada curso tenía un monitor de su clase. De esa forma se pretendía evitar que los mayores se metieran con los más pequeños. Así que ninguno de esos 4 estaba a mi cargo, no señorita. Tenían 12, 12, 14 y 16, si no me equivoco. Bueno, Jefferson llegó al campamento con 14, pero cumplió los 15 al segundo día. El día que sacamos las canoas. Pero no murió durante las prácticas, solo se pegó un buen chapuzón. Como todos. Ahí estaba la gracia. Si llegabas mojado al final de la jornada, te daban una condecoración".

INCISO, SEÑOR HOLMES. USTED CONSÍGAME UNA DE ESAS INSIGNIAS Y SE ACABARON LAS BROMAS DE MIEDO EN EL INSTITUTO DE HENDERSON.

"Jefferson Stoakes, vale. Nadie podía explicárselo... ¿Qué vas a pensar cuando un crío que conoces aparece muerto con un avispero no solo metido en la boca, sino más bien EN LUGAR DE su boca? Un detalle que quizás Alison Chambers recuerde aún de su padre es que Jefferson apareció flotando DE ESPALDAS. En el AGUA. Y las chaquetas amarillas evitan el agua. Se les pegan las alas o algo. O a lo mejor es como esas bolsitas de agua que Dorothy cuelga en el patio. ¿Conoces a Dorothy? ¿La del Dot's? ¿Que no tienes edad para tomar café? Dale un año. El caso es que todos éramos un hatajo de [censurado] mocosos por aquel entonces -- con perdón. Veamos, después de lo de Jefferson, fue... a ver. Howarth, sí. Crane Howarth. El tiro en suspensión más elegante que haya visto en la vida real. Después del instituto habría acabado vendiendo seguros o conduciendo una camioneta, lo sé, pero si lo hubieras visto jugar, era -- supongo que a eso se refiere la gente cuando hablan de gracia. Se levantaba y lanzaba y encestaba antes de que sus pies tocaran el suelo de nuevo".

¿ESTO CUENTA COMO "COLORIDO LOCAL", SEÑOR HOLMES? ¿COSAS DE DEPORTE? SI NO, QUÉ TAL UN POCO DE TIRO CON ARCO.

"No, no, nada de flechas. ¿Dice eso el artículo? No, Crane apareció al pie del acantilado, como si hubiera intentado escalarlo. Era una cosa... No publiques lo siguiente, ¿de acuerdo? Los chicos subían al acantilado y uno de sus amigos les decía a los demás que mirasen la luna, que estaba enorme, y el otro aprovechaba la distracción para bajarse los pantalones y hacerles un calvo -- bueno, yo nunca hice nada de eso. Y después de lo de Crane, el acantilado se declaró zona completamente prohibida. En mi opinión, debería seguir siendo así. En toda la zona, quiero decir. Alguien acabará haciéndose daño".

O ENGENDRÁNDOSE ALLÍ, SEÑOR HOLMES, YA SABE. AUNQUE LOS DETALLES PERSONALES DE LA ENTREVISTADORA NO SON RELEVANTES. TAMPOCO SÉ CON EXACTITUD EN QUÉ CABAÑA PASÓ, ASÍ QUE ESE DETALLE EN PARTICULAR HABRÁ QUE OMITIRLO. LO QUE SÍ SABÍA ERA POR QUÉ NOMBRE PREGUNTARLE AL SHERIFF A CONTINUACIÓN.

"No, es Brockmeir, como juntar 'brock' y 'mayor' en inglés, solo que sin pronunciar del todo la i griega. Pero bueno, que era... Que nosotros supiéramos por aquel entonces, no era más que la rarita de la sobrina pequeña de Remar Lundy. Aunque supongo que,

cuando vivía en el bosque, es posible que alguno de sus primos mayores le hablara de la Bruja del Lago, no sé. Y la cría se lo tomó muy a pecho, al parecer. Que no estaba bien de la cabeza, vamos. Seguramente tampoco ayudaba el hecho de que los aprendices de detectives que nos congregábamos alrededor de la fogata -- para nosotros estaba clarísimo que era Stacey Graves la que se había cargado a Jefferson y Crane. Esto fue justo después del gran incendio del 65, ¿el Oso os ha hablado de eso? Bien, bien. Hay que conocer la historia, nada de jugar con [censurado] cerillas. A lo que voy, en cualquier caso, es que todos estábamos con los nervios a flor de piel. Pero era emocionante, ya sabes cómo son los campamentos. Vale, sí, antes de que me lo preguntes, fui yo el que la identificó para Don Chambers a fin de cuentas. Aunque eso sería más tarde. O sea, 2 tragedias más tarde, para ser exactos. La 1ª de esas fue la de Anthea, Anthea Walker. La de 16 años. Aunque era bajita, ahí está la cosa. Supongo que tenía que serlo para caerse en aquella olla tan grande. Solo que no se cayó, eso lo teníamos todos clarísimo. ¿Cómo te vas a caer dentro de algo en lo que casi ni cabes? Se rumoreaba que fue una apuesta -- eso que tampoco salga en tu artículo. La historia que Midge y Gun Saddleback -- los que estaban intentando que Winnemucca saliera adelante ese verano -- la historia que querían que todos nos tragáramos era que Anthea sacó la pajita más corta en la cabaña nº 2, así que le tocaba hacer una incursión al comedor y ver cuál era la carne misteriosa que iban a servir al día siguiente. Pero Anthea -- todos la llamábamos Thea, igual que tu padre será siempre Chapi -- era amiga de la pequeña Brockmeir, ¿ves? Lo que explicaría que Amy Brockmeir pudiera acercarse tanto a ella por la espalda para empujarla".
COMO TENEMOS QUE PROPORCIONARLES ALGO DE CONTEXTO A LOS QUE NO SEAN DE POR AQUÍ, CUANDO EL SHERIFF DICE

MÁS ARRIBA QUE TODOS LE TENÍAN MIEDO A LA "BRUJA DEL LAGO", LA HISTORIA A LA QUE SE REFIERE Y QUE USTED Y YO CONOCEMOS PERO LA GENTE DE FUERA DE PROOFROCK NO ES QUE HACE 100 AÑOS UNOS NIÑOS Y LA STACEY GRAVES DE OCHO AÑOS ESTABAN JUGANDO A LA "BRUJA" EN LOS BAJÍOS DEL LAGO CRECIENTE Y LA MONTARON EN UN COLUMPIO Y LA LANZARON TODO LO LEJOS QUE PUDIERON PARA DEMOSTRAR QUE NO ERA UNA BRUJA, PORQUE LAS BRUJAS FLOTAN, TODO EL MUNDO LO SABE, PERO SORPRESA, EL AGUA SE NEGÓ A CEDER BAJO SU PESO, ASÍ QUE REBOTÓ HECHA UNA PELOTA, COMO UNA GATA, BUFÓ A LOS CHICOS A TRAVÉS DE SUS PELOS DE LOCA Y SE ALEJÓ CORRIENDO A CUATRO PATAS HASTA LA ORILLA OPUESTA DEL LAGO PARA ENCONTRAR A SU MADRE A LA QUE SU PADRE SEGURAMENTE YA HABÍA ASESINADO Y ESCONDIDO POR ALLÍ, Y ASÍ ES COMO NACEN LAS LEYENDAS, SEÑOR HOLMES.

"Bueno, pues sí, era un viernes por la noche. La noche del sábado fue -- [censurado] -- fue cuando vi lo que vi, sí. Que no sé si debería repetirlo, ni siquiera para los anales de la historia. Pero... en fin [otra vez censurado]. A ver, el Oso, tu profesor, que se llama así de verdad, todo esto ya lo sabe. Estaba en la cabaña nº 4, con los de 6º. Bueno, no pasa nada. Tampoco va a colgar este trabajo en la pared, eso seguro".

Y AQUÍ ES DONDE YA NOS PONEMOS EN MODO WIKILEAKS A TOPE.

"¿Te vas a creer lo que diga el artículo de un periodista que no estuvo allí o la historia de alguien que SÍ estuvo allí? Nadie vio lo que vi yo. Fue Amy Brockmeir, nada de esas [censurado] sobre confusión de la identidad. Eso es fácil decirlo desde la poltrona. Pero yo estaba allí, señorita, con los pies en el suelo y un nudo en la garganta que parecía un melón. El sábado por la noche, nuestra última noche. No sé qué hacíamos que no nos habíamos ido ya a casa, con los chavales cayendo como moscas. Había salido a mear, pero todos los aseos estaban en la otra punta del [censurado] campamento. Doblé 1 esquina por el camino -- al principio pensé que era un tejón, supongo. Es como si lo pudiera ver todavía. Los tejones, ya sabes, cuando se paran a comer es como si se doblaran por el centro, ¿vale?, como si se estuvieran tirando a lo que sea que tienen entre las patas. Tacha eso, no debería haber dicho nada. El caso es que creo que se alimentan así por algo que tiene que ver con la fisionomía de su garganta. Al curvar el lomo, es como si la comida se viera obligada a bajar más deprisa de lo que un simple esófago sería capaz".

SI CREE QUE MENCIONÉ ALGO SOBRE EL CIEMPIÉS HUMANO LLEGADOS A ESTE PUNTO, SEÑOR HOLMES, SE EQUIVOCA. NO QUERÍA INTERRUMPIRLO.

"Trigo, sí, era ella. La número 4. Acababa de mudarse a Proofrock 2 semanas antes de que acabaran las clases. Su padre era el nuevo vigilante del dique. Estamos hablando de 2 o 3 vigilantes anteriores a Jensen, el que trabaja allí ahora. Es como encargarse de un faro. No sé en qué estaría pensando su padre. Venían de Montana. Era india o italiana, flechas o aceitunas, nunca me quedó claro. Pero se notaba que tenía carácter. Y una forma de mirarte especial. En todos mis años, solo he vuelto a ver esa expresión una vez. El día que nació mi hija. Pero bueno, pues eso -- con Stoakes fueron las avispas. Con Howarth, una caída. Con Walker, la olla. Pero esto es -- Amy Brockmeir estaba COMIENDO, en serio. Levantó la cabeza y me miró por encima de la niña, de Trigo. De lo que quedaba de ella, quiero decir. Amy tenía el pelo apelmazado, el camisón hecho jirones. La parte inferior de su rostro estaba negra de -- bueno, de [censurado a base de bien] estuviera haciendo con la hija del vigilante del dique. Siempre me he preguntado qué habría pasado si llego a acercarme corriendo, ¿sabes? Si me hubiera abalanzado sobre Amy Brockmeir para

apartarla de ella. Además, no murió de inmediato, la -- la hija del vigilante del dique. Pero no podía hablar. Tenía la garganta... por eso fui yo el que tuvo que decir que había sido Amy Brockmeir. Que la había visto, que nadie más tenía el pelo así en el campamento. A la noche siguiente, el señor Trigo se encerró en la sala de control de la presa. Estaba desquiciado de pena, se culpaba por haber traído a su hija a este lugar olvidado de la mano de Dios, te lo puedes imaginar. Esa noche, el lago subió hasta el edificio del banco antes de que Don Chambers reventase a tiros la única ventana de aquella sala de control. El lago llegó hasta el 2° ladrillo de la acera. Jamás había visto nada más asombroso que aquello, toda aquella agua desparramándose por todas partes, como si quisiera devorarnos a todos. Cuando me enteré de que Don Chambers la había emprendido a tiros con aquella ventana, creo que fue entonces cuando sentí por primera vez estas 5 estrellas que llevo en el pecho. Es que, a ver, para mí era como Marshall Dillon. Como Chuck Connors".
JADE SOLO VE PELIS DE MIEDO, GRACIAS.
"Anteriores a tu época, sí, muy anteriores. En fin, el artículo acierta en una cosa sobre Amy Brockmeir. Se comió su manta en el hospital del estado. Tengo entendido que le extrajeron como dos palmos de la garganta. En mi opinión, eso lo demuestra todo. Pero, como iba diciendo, llevábamos toda la semana hablando alrededor de la fogata de 'la Bruja del Lago', de 'la Bruja del Lago', así que eso fue lo primero que pensé. Por eso no me abalancé corriendo sobre la hija de Trigo. Pero [censurado], que tenía 11 años y, bueno, me estaba MEANDO, ¿vale? [censurado] claro que puse pies en polvorosa y me fui directamente a la orilla. Era el único sitio al que sabíamos que Stacey Graves no podía acercarse porque era el santo sepulcro de Ezekiel y este era célebre por lo poco que le gustaban las brujas, así que me metí en el agua sin mirar

ni a los lados y dejé la cabeza sumergida hasta que ya no pude aguantar más la respiración, quizás un poco más, pero eso me llevó a imaginármela lanzándole zarpazos a la superficie, a mi espalda, incapaz de llegar hasta mí. Lo dicho, tenía 11 años. Stacey Graves no era más que una historia para que volviéramos a casa antes de que se hiciera de noche. Lo peor es que en el mundo real hay niñas que estén tan mal de la cabeza como Amy Brockmeir. Lo siento si te has llevado un chasco con lo de la Bruja del Lago, señorita. [censurado]. Esta placa me obliga a depender de las pruebas palpables, no de las leyendas urbanas. Además, recuerda que las declaraciones de un testigo ocular solo tienen el mismo valor que la cabeza que hay detrás de esos ojos, y yo no era más que un enano, solo tenía 11 años. Pero Don Chambers me explicó lo que había visto, cobró sentido cuando lo oí, cuando repasó detenidamente los hechos conmigo para que supiese que era importante. Cuando lo oí repitiéndome mi historia, en fin, hasta yo me di cuenta de que parecía un cuento para asustar a los niños. Pese a todo, contenía unos cuantos detalles que él aprovechó, como lo del pelo revuelto, el camisón, detalles que usó para garantizar la seguridad de todos, y así se acabó el Campamento Winnemucca. Mejor, la verdad. Ese sitio está poblado de malos recuerdos".
AUNQUE "MALOS" ES UN TÉRMINO RELATIVO, SEÑOR HOLMES.
"Te pareces a él, ya debes de estar harta de que te lo digan. Los ojos o algo, no sé".
Y LA GENTE SE EXTRAÑA DE QUE ME PINTE TANTO LA RAYA DEL OJO.
"Cierto, sí, ya me di cuenta. Supongo que al periódico se le escapó algún que otro detalle, ¿verdad? Trigo era el apellido de su padre, y el suyo también, claro, así la llamábamos todos, supongo que porque así fue como la había llamado la señorita Spellman al pasar lista el primer día. Pero su nombre

real, su nombre de pila... era Melanie. Se llamaba Melanie”.
UN NOMBRE MUY BONITO, SEÑOR HOLMES.
UN NOMBRE PRECIOSO.

No vayas al bosque... sola

En *Pesadilla en Elm Street*, el padre de Nancy es inspector de homicidios, lo que a ella le otorga acceso prácticamente ilimitado a toda la comisaría, puede campar a sus anchas por donde le plazca y tratar a los polis uniformados como Tatum a Dewey, y todos tienen que conformarse con reordenar sus papeles y dejarla pasar.

Pero Jade no es como Nancy.

Meg le da el alto desde su enorme mesa con forma de L, que hace las veces de mostrador de recepción, y le impide acceder al pasillo que comunica con el despacho de Hardy, con el archivo, con el armario de las pruebas, con las dos celdas y con la única habitación a la que Jade en realidad tiene acceso una vez cada dos semanas: la que contiene los artículos de limpieza.

—Servicios comunitarios —le explica Jade con gesto de hastío, para dejarle bien claro que hay como veinte sitios en los que preferiría estar en esos momentos.

—¿Servicios qué, guapa? —es la respuesta de Meg, seguida de dos rápidos aleteos de sus pestañas postizas.

—Por... ya sabes. —Jade se sube la manga izquierda del mono para enseñarle la cicatriz enrojecida a la que antes (ups) le ha dibujado unas patitas de ciempiés, como si el suicidio fuera un bicho que pudiera cambiar de huésped con un simple apretón de manos.

Meg sisea entre dientes y se apresura a apartar la mirada. Jade todavía puede oír a su hija, Tiff, vomitando en la hierba. De tal palo, tal astilla.

—Me dijo que ibas a darme unas cosas para archivar o algo —añade Jade, empleando su tono más conciliador para ello.

—En horas de trabajo, a lo mejor —replica Meg con el mismo entusiasmo fingido.

—Pero si estás trabajando.

—Circunstancias especiales.

—No puedo irme a casa ahora —insiste Jade, que encubre el resto de esa historia en particular con un encogimiento de hombros de los de «preferiría no hablar de ello», acompañado de un rehuir de miradas que solo puede significar que su fachada de chica dura se desmoronaría si tuviera que ahondar al respecto.

Meg se muerde el labio superior, da media vuelta en la silla giratoria y se da unos golpecitos en los incisivos con la tapa de plástico de su bolígrafo, de todo lo cual Jade toma nota para recordarse que en esta comisaría será mejor no mordisquear ningún boli.

—¿Qué hace aquí todo el mundo? —sucumbe Jade a la tentación de preguntar al cabo de unos cuantos golpecitos más, cada vez más lentos y espaciados entre sí—. ¿Es que la ha espichado alguien o algo?

La expresión de Meg se mantiene inalterable mientras continúa buscando algún quehacer de poca monta que darle. Algo al alcance de alguien con cero acceso, con acceso negativo, más bien, lo que equivale a decir: cuidado con esta, que tiene las manos muy largas, la mirada indiscreta y cuentas que ajustar con la autoridad. Fíate de ella nada más que lo justo y ten en cuenta que no vas armada.

—Te has puesto la ropa de tu otro trabajo —dice Meg, cuyo índice asciende hasta posarse bajo su nariz en un gesto elocuente diseñado para que a Jade no se le pueda escapar la indirecta.

—Hoy tocaba hacer la colada —replica Jade. Desafiante.

—¿Estás presentable debajo de ese uniforme?

—¿A qué te...?

—Que si llevas puesto algo más.

—¿Qué tiene de malo ir vestida de conserje?

—Demasiados bolsillos, eso es lo malo —dice Meg, cuya mirada se asoma hasta el fondo del alma de Jade—. Demasiadas holguras. Cualquier chica de diecisiete años con espíritu emprendedor se podría llevar hasta un perchero ahí dentro.

Jade se pone de pie y se baja la cremallera con parsimonia, sin dejar de mirar a Meg a los ojos. Se quita el mono, hace un gurruño con él y lo deja encima del escritorio de Meg, con cuidado para no desordenar todas las cajas, bandejas y lapiceros que cubren la mesa.

Lo que lleva puesto debajo (lo que Meg puede ver ahora) es una camiseta serigrafiada con una ilustración de Raymond Pettibon, el cartel de un concierto, donde aparece una mujer con el torso desnudo que debe de llamarse Janie, porque el amigo que tiene a su lado le está preguntado a Jesucristo, también representado en la imagen, que, si es quien dice ser, ¿por qué, ay, por qué no levanta a Janie de entre los muertos?

Meg aprieta los labios con desaprobación.

—Me lo puedo volver a poner —dice Jade, que se sienta y se encorva como la criminal que está hecha—. Aunque, quién sabe, podría darme por mangar todas las grapadoras. Seguro que les saco un buen precio en la calle. Los chavales de hoy en día se vuelven locos por el material de oficina, ya te lo habrá contado Tiff.

—Lo que puedes hacer es empezar a preparar sobres —replica Meg mientras se pone de pie con gesto decidido, porte regio y aire de institutriz.

—Siempre a vuestro servicio. —Jade recoge las cenizas de su dignidad y la sigue ¿hasta la mesa de al lado?

—Para que te pueda tener controlada —la informa Meg.

—No esperaba menos —dice Jade antes de empezar a sentarse en la silla de oficina vacía, pero Meg ya la ha apartado y sustituido por un taburete desvencijado.

—Ayuda a corregir la postura. —Meg estira el brazo por detrás de Jade como si se dispusiera a enderezarle la espalda, aunque sin llegar a cometer la peliaguda infracción de ponerle las manos encima a una empleada temporal.

Jade corrige su postura, se sienta a horcajadas en el minúsculo taburete y acepta los sobres y las octavillas que le proporciona Meg, amén de soportar con estoicismo también sus explicaciones del proceso: método adecuado, resultados deseados, blablablá. Los folletos, de color verde claro, son para no sé qué referéndum sobre la restricción del espacio aéreo de Proofrock.

Tronchante.

—Se siente, Sherlock —dice mientras ensaliva el sobre número uno, inaugura su montoncito de terminados y coge la segunda octavilla, que necesita con desesperación una esmerada doblez.

Meg la observa durante los cuarenta primeros sobres o así, carraspeando ante los intentos más torpes de Jade y murmurando su aprobación condicional ante los más esmerados. El sol se pone y las luces del techo adquieren una relevancia especial. Los teléfonos suenan, las radios crepitan, los pies raspan el suelo y los embetunados cabellos de Jade, no le queda más remedio que reconocerlo, ya han empezado a desprender un tufillo penetrante que sospecha que podría estar, o bien colocándola, o bien empujándola hasta el borde de algún acantilado desde el que precipitarse al vacío. Se abate hacia delante al llegar a los ciento catorce, su frente reposa encima de la mesa durante un efímero instante de paz, pero Meg se aclara la garganta para despertarla y así lo hace Jade, sobresaltada, antes de volver a la carga.

—¿Cuántas horas han pasado ya? —pregunta.

—Lleva tú la cuenta —replica Meg—. Y procura que coincida con la plantilla que le pase yo al sheriff.

—Estupendo. —Por accidente, superadrede, a Jade se le rompe el folleto que hasta ese momento estaba intentando doblar con toda la precisión del mundo.

—A reciclaje —dice Meg, dirigiéndola al contenedor que hay en la otra punta de la sala, al lado de la fotocopiadora.

Para cuando Jade regresa arrastrando los pies, sabe que el relativo gustazo de malgastar el papel no justifica el rollo de tener que levantarse cada vez que lo haga. El caso es que nota la espalda un poco mejor. Quizá los taburetes no son el invento del diablo que ella siempre había pensado.

—¿A qué huele? —pregunta Meg unos minutos o varias horas más tarde, interrumpiendo la ensoñación por la que Jade está navegando en ese momento—. ¿Se te ha derramado gasolina en el...? —Aguijonea el mono engurruñado con la capucha del boli.

—No tengo carné —replica Jade, con un hilo de voz al principio—. Y nadie deja que me acerque a su cortacésped.

—Más vale prevenir que curar —murmura Meg como si estuviera hablando para sí misma antes de redirigir su atención a la pantalla del ordenador.

Ciento treinta sobres rellenos más tarde, con la cuarta pila de ellos tambaleándose en el más precario de los equilibrios, Hardy entra en la sala como quien traspone las puertas batientes de una taberna.

—Megan, necesito que... —empieza a decir, pero lo amordaza al instante la presencia de Jade, que lo saluda con un:

—Sheriff —devolviéndole así el susto de la noche pasada.

—¿Y tú qué haces aquí?

—¿Servicios comunitarios?

—Está rellenando sobres, señor —dice Meg, mirando por encima de la montura de las gafas para que a Hardy no le quepa duda de que está estorbando en la oficina de dirección, cuando debería estar en cualquier otra parte antes que allí.

—Ya veo, de acuerdo, está bien. —El sheriff se frota la nariz con el dorso de la mano. Su cerrada barba de tres días emite un ruidito áspero al rozarse con el puño almidonado de la camisa.

—¿Va todo...? —Meg completa la pregunta con la mirada.

—Han venido los estatales —dice Hardy encogiéndose de hombros, como si nunca hubiera querido hacerse cargo del caso del Fundador muerto de todas maneras. Para demostrar lo poco que le importa, cuelga la chaqueta marrón en el perchero que nadie ha robado todavía, deja encima su sombrero de ala ancha oficial y se quita el cinto de golpe, estrellándolo contra el costado de un archivador con tanta fuerza que Jade teme que el revólver de servicio se dispare solo y le pegue un balazo en las tripas—. No hace falta que te quedes —añade para Meg—. Va a ser una noche muy larga.

—¿Y perderme toda la diversión? —replica Meg con una sonrisa.

—No sé qué haría sin ti —dice Hardy, que, al pasar junto a la mesa, saca un objeto negro y achaparrado del bolsillo de su camisa y lo deposita en el lapicero de malla metálica. Le da unos golpecitos al borde—. Si llama alguien…

—Lo redirijo a la centralita —concluye Meg—. Y después te digo quién era, por supuesto.

—Mi luna nueva —suspira Hardy mientras se aleja.

Jade no quiere ni imaginarse qué clase de apodo pornográfico es ese. Mejor no pensarlo.

Hardy se detiene en el pasillo para aflojarse el nudo de la corbata marrón que Jade ni siquiera había visto hasta ese momento.

—Se supone que empezabas mañana —dice el sheriff, cuya voz atruena por toda la comisaría.

—A quien madruga, Dios se la suda —replica Jade con una sonrisita perversa.

—Peca bien y no mires con quién —entona Hardy a modo de despedida antes de internarse en el pasillo, peleándose todavía con la corbata.

—Una jovencita de lo más decorosa —dice Meg sin mirar a Jade.

—Soy una mujer, oye mi rugido —replica esta para, a continuación, ensalivar el sobre siguiente con el lametón más reivindicativo que es capaz de pegarle mientras se imagina un millar de cortes que le laceran la lengua y le dejan los dientes bañados de sangre.

Una hora más tarde, Jade va por el montoncito número siete de mil; cada vez que levanta la cabeza, un filtro de color verde claro le empaña la vista. La esquina de la fotocopiadora en realidad es un pliegue gigante en proceso, y Jade, atrapada en el interior de ese sobre blanco, tiene casilleros por ojos. El taburete al que está pegada tiene una superficie adhesiva por la que ya ha pasado una lengua más portentosa que la suya. Meg es un cabello negro y grasiento que se ha caído en el pegamento para estropearlo todo, un pelo recalcitrante que Jade es incapaz de pescar con los dedos o eliminar de un soplido.

Levanta la mano.

—¿Sí? —dice Meg.

—¿Baño?

—Frases completas, por favor.

—¿Puedo ir al minúsculo baño para mujeres con cuyo inodoro ya he intimado mucho más de lo que me gustaría? —se resigna a preguntar Jade, reconociendo su aplastante derrota—. El mismo que he tenido que limpiar durante ya no sé ni cuántas…

Meg la acompaña por el pasillo.

—Recepcionista y azafata del aseo de señoras —dice Jade—. En esta comisaría ofrecéis el servicio completo, ¿eh?

—Puedes intentar escaparte por la ventana cuando quieras. El marco no se cierra por el óxido.

—La noche todavía está en fase larvaria. —Jade se refugia en el baño, donde se mira de refilón en el espejo mientras se lava las manos—. Chica Pesadilla al rescate —dice—, hasta el infinito y…

Meg la escolta de regreso a su puesto, que le empieza a parecer una celda añadida al presidio que sin duda es la ciudad.

Era un plan sin fisuras para averiguar qué había sucedido en Terra Nova, claro que sí. Enfurruñada, al pasar por delante de la mesa de Meg, Jade alcanza a ver el lapicero de malla metálica en el que Hardy había depositado algo: TRANSCRIPCIONES.

Vaya, vaya, vaya.

—¿No podría hacer cualquier otra cosa? —implora Jade.

—Sí, cuando hayas terminado con los referéndums, puedes empezar a ponerles los sellos —dice Meg mirándola a los ojos, quizá para verla encogerse de miedo.

—Más cosas que chupar, yipi. —Jade se sienta en el taburete.

Los dos montones siguientes los pasa imaginándose que está yendo tan deprisa como para romper a sudar, tan deprisa como pasarse el dorso adhesivo de los sellos por las axilas sudadas antes de ponérselos a los sobres.

Cada cual se entretiene como puede, ¿vale?

De momento, Jade debe conformarse con los manchurrones grises que sus dedos tiznados están dejando en los sobres blancos, inmaculados, detalle que supone que hará que los habitantes de Proofrock se den cuenta de que todo este proceso ha sido manual en vez de mecánico. Como si a alguien le importara un comino. Como si algo de esto tuviera la menor importancia.

Esta vez, cuando Jade apoya la frente en el escritorio durante un efímero instante de evasión, se le olvida quedarse despierta, así que, cuando vuelve en sí, se encuentra a solas en la oficina principal, como si se hubiera visto absorbida por una versión del lugar en el que antes estaba, pasada por el filtro de *Pesadilla en Elm Street*.

Mira a la puerta esperando encontrarse con un cordero balando, a la otra puerta esperando ver una bolsa para transportar cadáveres deslizándose por el suelo, y por último al dispensador de agua fría, tan solo para ver si queda aunque solo sea una poca.

Y así es. Por ahora.

Jade usa el pie derecho para dar unos golpecitos en el suelo, para tantearlo. Nada de gachas viscosas como arenas movedizas. Es el mismo suelo de siempre.

A lo mejor esto no es ningún sueño. Lo que significa ¿que Meg no la ha despertado? Jade agudiza el oído y alcanza a distinguir la voz de Hardy, que está en modo aleccionador en su despacho, los atentos gorgoritos con los que Meg rellena los espacios en blanco y los momentos de silencio que se extienden entre ambos y que seguramente obedecen a las intervenciones de algún agente que debe de estar hablando con ellos a través del intercomunicador.

Cuando Jade intenta acercarse a hurtadillas al lapicero de la discordia que está encima de la mesa de Meg, descubre, demasiado tarde, que se le han dormido las piernas, por lo que sus movimientos devienen en una serie de trompicones que consiguen perturbar el equilibrio de una caja llena de clips metálicos que amenazan con saltar al vacío.

Jade se tira de cabeza para evitar que golpeen el suelo.

Los devuelve con delicadeza a su sitio, echa otro vistazo al pasillo porque Meg podría volver en cualquier momento, y llega a la silla, se sienta y busca la grabadora digital que Hardy había soltado dentro del bote para los lápices. Huele igual que el aliento del sheriff y se inserta en el ordenador de Meg como si sus puertos no tuvieran secretos para él, lo que a Jade le sugiere que sus sospechas sobre el significado oculto de aquel «Mi luna nueva» no estaban desencaminadas. Y ahora, por supuesto (¡por supuesto!), la voz de Hardy se eleva en su despacho con ese timbre que presagia el fin de cualquiera que fuese la reunión que Meg y él estaban manteniendo con la persona que había llamado.

—Joder, joder, joder —masculla Jade mientras abre una pestaña en el navegador de Meg, se mete en la página del correo electrónico del instituto y se identifica, no sin antes equivocarse con la contraseña no ya una vez, sino dos, lo que propicia la aparición de un mensaje parpadeante que le advierte que, un intento fallido más y deberá intentarlo de nuevo mañana.

Se obliga a ir más despacio e introduce los caracteres de «Haddonfield» al revés, sustituyendo todas las vocales por símbolos y números.

La pantalla le muestra su bandeja de entrada.

Consigue arrastrar el único archivo que contiene la grabadora digital a un mensaje nuevo justo cuando se abre la puerta al final del pasillo y los pasos de Meg se acercan con una celeridad dolorosa. Pero el archivo no se ha terminado de adjuntar, es demasiado grande, joderjoderjoder.

Jade lo envía de todas maneras, lo que al menos minimiza esa ventana delatora, y, obligándose a esperar para que al archivo quizá le haya dado tiempo a salir, extrae la grabadora digital del puerto (no sin antes cerrar de golpe el aviso de QUITAR HARDWARE DE FORMA SEGURA que se apresura a saltar) deslizándola muy despacito, despacio, despacio…

No puede levantar la mano para estirarla por encima del borde metálico del lapicero de malla metálica, el repositorio de TRANSCRIPCIONES pendientes. No sin proclamar a los cuatro vientos lo que estaba haciendo.

¿Será este el fin, entonces? ¿Será así cómo la descubran, cuando la encierren en la cárcel donde se ha metido ella solita, desenmascarada?

No necesariamente.

No antes de haber escuchado la grabación, por lo menos.

Como no puede delatarse levantando la mano bajo la que tiene escondida la grabadora, la apoya junto al lapicero y se encorva como si estuviera rendida, esforzándose por darle credibilidad al hecho de que ahí es donde su mano ha ido a parar absolutamente por casualidad, señor, señora. Meg.

—¿Qué tenemos aquí? —pregunta Meg, materializándose ante ella en un abrir y cerrar de ojos.

Jade da un respingo de mentirijillas, «despertándose» de golpe de su siesta en horas de trabajo.

Lo que la mano con la que sujeta el ratón acaba de abrir en un acto reflejo es el último email del señor Holmes. Sigue siendo el primer mensaje de su bandeja de entrada. Y ahora que está abierto, podría acabar de llegar.

—Nada. —Jade traga saliva y apela a su Billy interior, al Stu que lleva dentro, para confesar al final—: El señor Holmes. —Se incorpora, retira la mano y se aparta para que Meg vea el correo—. Mi padre no cree en internet —añade, haciendo un gesto de dolor para sus adentros por haber tenido que recurrir a tan desesperado as en la manga.

Meg le echa un vistazo por encima al email, que va de ciertas libertades que Jade se había tomado con la bibliografía de su último trabajo, siendo la mayor de ellas una flagrante omisión de la misma.

—Es que… —empieza a decir Jade, y empieza de nuevo, plenamente consciente de que esta conversación hace rato que se convirtió en un monólogo—. Pregúntale al sheriff Hardy. Es un trabajo atrasado que quería que presentara aunque sea fuera de plazo.

—¿El sheriff?

—El señor Holmes. Para la clase de Historia.

—De la que ya te has graduado.

—Es largo de explicar.

—Eso ya me lo creo más —dice Meg, acercándose pero sin desplazar aún a Jade, proximidad que esta aprovecha para, exagerando la reacción, sacudir el brazo izquierdo (con su mano) de tal modo que el lapicero de malla metálica caiga rodando por el borde del escritorio, con la grabadora digital haciendo el salto del ángel justo detrás.

—Mierda, mierda, lo siento —se apresura a disculparse. Al levantarse, la silla con ruedas de Meg se estrella contra uno de los archivadores.

—Y esto es por lo que todas deberíamos quedarnos en nuestros puestos —la reprende Meg mientras recoge los objetos desperdigados como si el incidente no tuviera mayor importancia. Cuando llega a la grabadora, sin embargo, añade—: Como esto no funcione...

Jade asiente con la cabeza, haciéndose la culpable. Por eso y nada más que por eso.

—Venga, termina —dice Meg, refiriéndose al email que permanece abierto en la pantalla—. No seré yo la que se interponga en el camino de la excelencia académica. Contesta. Seguro que a los profesores les hace mucha ilusión pasarse todo el verano recibiendo mensajitos de sus alumnos. Sobre todo a los profesores que ya se han jubilado.

Jade coloca los dedos sobre el teclado, en la posición reglamentaria, y redacta el email más escueto que se le ocurre en estos momentos: «Acabo de terminarlo esta mañana, se lo entregaré mañana a mediodía. ¿En doc o en pdf?».

Lo envía con una floritura, como quien pulsa la última tecla de marfil al término de un recital de piano, y lo que consigue con tanto aspaviento es abrir sin querer el archivo adjunto algo más arriba en el hilo. Por un momento de angustia se teme que la voz rezongona de Hardy vaya a atronar en los altavoces de Meg, pero, por suerte, los dos bytes del ordenador están ocupados trabándose digitalmente para abrir el procesador de texto alrededor de su documento.

—¿También lo quiere en papel? —pregunta Meg, quizá porque, siendo como es la madre de Tiff, sabe que el señor Holmes prefiere el formato analógico. Seguramente para poder salir a la calle y fumar mientras corrige los ejercicios.

—¿Te importa?

Meg le indica que no se corte y continúe siendo el incordio que es, así que Jade le da a imprimir y mierda mierda mierda, es verdad. Se trata de una de sus listas, tal vez la de giallos ordenados de mayor a menor según la longitud de los títulos o la de «¡Actores cuyo primer papel fue en un slasher!». Ninguna de las cuales la va a dejar en muy buen lugar, está segura de ello.

La impresora coge carrerilla y empieza a escupir, no el documento de una sola página, que sería la lista de giallos, sino el de tres o cuatro, con Tom Hanks y George Clooney, Jennifer Aniston y Daphne Zuniga tan prominentes que es imposible que Meg no tenga nada que decir al respecto.

Meg deja de leer la circular que tiene en las manos, se acerca, retira la pila que ha salido de momento y le echa una ojeada.

—¿Johnny Depp?

—*Pesadilla en Elm Street* —murmura Jade, mordiéndose el labio.

Meg respira hondo, expele el aire despacio y le entrega las hojas a Jade.

—Usar material de oficina te descuenta quince minutos de la ficha.

—Gracias. —Jade cierra la sesión en el ordenador con más cuidado que antes y da una vuelta en la silla como si llevara toda la vida trabajando para el condado. El mono se ha materializado sobre sus piernas como por arte de magia.

—Es guapo, te alabo el gusto —dice Meg a su espalda. Jade se gira con la pregunta «¿guapo?» evidentemente escrita en la cara—. Johnny Depp —matiza Meg, cuyas cejas ensayan un bailecito travieso—. Me pasé mucho tiempo con un póster suyo en la pared de mi habitación.

—Brad Pitt salía en *Clase sangrienta* —deja caer Jade.

Meg se lo piensa, al final decide que no tiene muy claro que las dos estén hablando de lo mismo y concluye la conversación con un:

—Que quede entre tú y él. El señor Holmes, digo.

—Y el distrito escolar —añade Jade mientras enrolla su lista de debutantes en cintas de slasher, forma un tubo con ella y le da una palmadita en lo alto, señal que Meg al parecer estaba esperando para terminar de acompañarla fuera de la oficina principal—. ¿Ya han pasado doce horas? —pregunta en tono de broma Jade, que opta por empujar la puerta que le corta el paso para abrirla antes de estamparse de bruces contra ella.

—Espera y verás —dice Meg, barriendo de su comisaría el problema que es Jade—. Cuando tengas mi edad, pagarías lo que fuese por recuperar estas horas.

Jade se guarda bajo el brazo el uniforme y el rollo de hojas y, aproximadamente a quince pasos del edificio, cuando toda su atención está volcada en el móvil, esperando a que ese archivo de audio se termine de descargar de su email, oye el peor sonido del mundo: el balido de un cordero en la noche, a su derecha.

De alguna manera se las apaña para contener la respiración y tragar saliva a la vez, lo que le provoca un ataque de tos que la deja doblada por la mitad, con las manos en las rodillas, jadeando entre arcadas.

Otro balido, puede que un poco más pausado esta vez, como si fuese consciente de la reacción que está suscitando.

Ahora que sus ojos ya se han acostumbrado a la oscuridad, Jade logra distinguir una figura que emerge del cúmulo de sombras y, como es quien es y sabe las cosas que sabe, apostaría su último aliento (el mismo que acaba de expeler entre tosidos, básicamente) a que esa forma enigmática va a caminar con las piernas arqueadas y los brazos cada vez más extendidos a los costados, hasta que las cuchillas que tiene por dedos en la mano derecha arañen una pared, un árbol, su garganta, da igual.

—Tranquila, tranquila —es lo que dice este Freddy, no obstante.

Poco a poco, a intervalos, Jade reconfigura esa voz hasta asociarla a un rostro que conoce desde que estaba en la guardería.

—¿Banner? —pregunta. ¿Banner Tompkins?

El chico continúa avanzando, dándole vueltas al reloj de arena que lleva en la mano, el cual no es un reloj de arena en absoluto, sino un señuelo de caza, uno de esos botecitos con algún mecanismo de aire dentro que hace que berree como un ciervo cuando lo giras. Y Banner tiene un rifle colgado del hombro, pintura de guerra bajo los ojos y pantalones de camuflaje metidos por dentro de las botas.

—Jade —replica el muchacho, y los dos levantan la cabeza cuando el mundo se tiñe de un blanco halógeno, presagio de las dos camionetas que aparecen a continuación, derrapando. La que encabeza la marcha sube un neumático delantero encima del césped. Las cajas de ambas están repletas de más cazadores.

—¿Qué? —dice Jade, así, en general.

—Bueno, hasta luego —dice Banner, que se toca el ala de su sombrero de vaquero de paja antes de encaramarse de un salto a la caja de la primera camioneta de la caravana, camioneta que ya está acelerando.

—¿Quién? —dice Jade a continuación, quizás en vista del éxito que había cosechado su primera pregunta.

Se aparta para franquear el paso a las camionetas y observa el gesto serio de todos esos graduados del instituto y sus padres sentados los unos frente a los otros en la parte trasera de los vehículos, con la culata de sus rifles en las rodillas, apuntando al cielo los largos cañones. Parecen soldados, ¿verdad? Es como si se hubiera declarado algún tipo de guerra.

Pero ¿contra qué? ¿Los ciervos?

La última cara que ve pertenece a Lee Scanlon. Está mirando hacia atrás, con la mano libre crispada sobre el portón y los labios apretados, y Jade juraría que esos ojos implorantes apelan a ella, como si lo estuvieran secuestrando, como si solo necesitara que alguien objetara algo al respecto.

Jade se queda observando las luces de cola hasta que la caravana toma un desvío poco antes de llegar a la autopista, a la derecha. Donde solo hay caminos sin asfaltar para el transporte de troncos, una red de ellos que converge en el Puente Viejo, tres kilómetros río abajo. Puente que únicamente comunica con el Parque Nacional de Caribou-Targhee, en la orilla opuesta del lago.

—*Tiburón* —dice Jade, como si por fin hubiera identificado las dos camionetas. Este es el momento cómico de *Tiburón*, cuando todos los botes están compitiendo por hacerse un hueco en el agua, por ver quién es el primero que vuelve a la isla de Amity con el escualo asesino.

En la vida real, sin embargo, no tiene tanta gracia. Lo que Jade ha visto en los ojos de Lee Scanlon durante medio segundo era miedo, sin duda. Aunque no haya tiburones aquí, en las montañas. Y aunque ninguna turba de aldeanos enfurecidos haya podido acabar nunca con ningún asesino; estoy mirándote a ti, *Halloween 4*. Aunque Jade se acuerda de aquel rebaño de ciervos masacrados en la pradera de Sheep's Head, en la otra orilla del lago. Y los ciervos son mucho más duros que las personas. Por un momento contempla la posibilidad de regresar a la comisaría para pedirle a Meg que informe a Hardy de que en este Circle K en particular están pasando cosas muy raras. Cosas que podrían acabar con alguien herido.

Pero bueno, un asesino tiene que hacer lo que tiene que hacer, ¿verdad? Es imposible evitar que unos engranajes tan grandes y atemporales se pongan en marcha y trituren a quien se ponga a su alcance. Lo único que puedes hacer es estar pendiente del cielo, por si acaso a alguno de ellos le diera por precipitarse sobre tu cabeza.

Jade se pone los auriculares, primero el derecho y luego el izquierdo, mueve la cabeza para comprobar que el cable tenga margen de maniobra, y la voz de Hardy emana de ellos en forma de murmullo constante.

«¿... el que se parecía a George Peppard de joven, ese? ¿O es demasiado mayor para ti, Megan?».

Jade mira a su espalda de reojo para cerciorarse de que no haya nadie en los alrededores. Aunque con Hardy susurrándole justo al oído, tampoco es que se sienta muy sola. En cualquier caso, no se le escapa el uso del pretérito por parte del sheriff. Quienquiera que sea el objeto de la conversación, «se parecía a», no «se parece». Ding ding ding, denle una lápida a ese hombre, está muerto.

Ni idea de quién es George Peppard, aunque le gusta la forma en que Hardy pronuncia esa última sílaba. Le dan ganas de pronunciar ese nombre a su vez, solo que, por supuesto, el sheriff no se ha quedado esperándola, sino que continúa murmurando. Deprisa deprisa, detiene el discurso para buscar imágenes de George Peppard y, hostia puta, Hardy tenía razón: es calcado a uno de los Fundadores, hasta en la sonrisa viciosa, el pelo, esos contornos redondeados que denotan dinero.

Deacon Samuels.

A fin de asegurarse del todo, Jade lo busca también, alterna entre esa pestaña y la de Peppard y sip, es como si hubiera hecho la misma búsqueda dos veces.

Punto para Hardy.

—Gracias, sheriff—le dice antes de reanudar la reproducción.

«No es que tuviera permiso, exactamente, no, tacha eso, táchalo, bórralo. A ver, yo ya le había dado un aviso, ¿así está mejor? Vale, parece que alguien estuviera disparando bengalas allí, puf, puf, puf, unas estelas de chispas anaranjadas que salían del campamento y se apagaban siseando en el lago».

—Así que eras tú —le dice Jade a Deacon Samuels mientras levanta la cabeza como si desde su posición se alcanzara a ver el Campamento Sangriento. Pero, si los terranovos están utilizando el antiguo campamento como plataforma de lanzamiento para sus fueguecitos artificiales, ¿dónde se supone que van a quedar los jóvenes de Proofrock para meterse mano, para emborracharse? Y lo más importante de todo, al menos para Jade: ¿dónde va a poder refugiarse ella cuando necesite desaparecer durante un par de noches?

«Solo que no eran fuegos artificiales —continúa Hardy, que baja la voz como si fuese un chiquillo escondido bajo las barras de monos durante el recreo—. Estaba..., atención, tenía un cubo lleno de gasolina, en un *tee* de salida donde había cortado la hierba para que no se le enganchara la cabeza del *driver* al golpear la bola. Que qué es un *tee* de salida, joder, perdona, perdona. Es como si la base de un bateador y un campo de minigolf hubieran tenido un bebé. ¿Te sirve eso de algo? Total, que lo que estaba haciendo... Tenía que llevarle la orden, no sea que le estallara el culo en vez de... Bueno, ya llegaremos a eso.

»El caso es que tenía unas bolas de las caras sumergidas en la gasolina, unas Dixon Fires, en serio, y una vela encendida como a un metro de distancia o así, más o menos la distancia a la que podía llegar con los pies plantados en el suelo, siempre en la misma posición, para saber qué era lo que tenía que corregir. Ya sabes a qué me refiero, Don también juega, lo has visto lanzar contra esa red que monta a veces en el patio delantero. En cualquier caso, lo que hacía Samuels era mojar la cabeza del *driver* en el cubo de gasolina, y te aseguro que es cierto, era un Maruman, Megan, hecho a mano en Japón por las mismas familias que seguramente, no sé, ¿forjan espadas de samurái? Y estos son igual de mortíferos. Uno de esos debe de costar lo mismo que dos de mis camionetas, que la mitad de mi casa, tal vez, ¡y el tío está mojándolo en gasolina! Ah, por si alguien lo pregunta, el palo ya está en Pruebas. Aunque, esperemos que nadie pregunte nada. Ya sabes, a veces las etiquetas se caen, los objetos se pierden. Es una ciudad pequeña, carecemos de los medios necesarios para estar encima de todo. Sigue siendo un buen palo, o sea, podría conseguirme diez metros de ventaja, me sacaría de la mediocridad para siempre. Somos más o menos igual de altos, Samuels y yo. O lo éramos, en fin. Vuelvo a adelantarme a los acontecimientos, perdona, perdona.

»El caso es que hundía la cabeza del *driver* en el cubo y la sacaba con una bola empapada en perfecto equilibrio sobre ella, justo en el centro del logo, y luego, te lo aseguro, la botaba como si fuese una pelota de pádel, igualito que Tiger, solo que con un *driver*, no con un *sand wedge*, cuya corona tiene la superficie plana en vez de abombada. Digno de verse, hazme caso. La primera vez que me acerqué con la lancha me quedé hipnotizado con eso. Pensé que me había colado sin querer en la grabación de un anuncio. Que estaba a punto de hacerme famoso.

»Pero luego, le pegaba un último bote a la Dixon, con ganas, para que la bola ascendiera un poco por encima de su cabeza, tiempo que aprovechaba para pasar el extremo del *driver* por la llama de la vela y puf, toma llamarada naranja, pero sin perder el compás, sin dejar de pegarle a la bola cuando bajaba.

»¿Me sigues todavía? Mira, la cabeza del Maruman está encendida, echando chispas, y la bola se prende a su vez, venga a subir y bajar, subir y bajar. La primera vez que fui esperaba seguir echando ojeadas a la cabaña cinco, como siempre, ya sabes, tu padre te habrá contado algo al respecto, pero bueno, mierda, lo siento, el caso es que me quedé embobado con ese truquito. ¿Sabes que sale en las portadas de las revistas de golf, no, el tal Deacon Samuels? Bueno, pues no es por sus terrenos. Algunos tienen un don. O lo tenían, ya.

»Total, que igualito que Tiger, está venga a driblar y a driblar, haciéndose uno con la bola... Chevy Chase, ¿te suena esa peli? Da igual. Anterior a tu época, otra vez. Samuels seguía con los botes, sus rodillas empezaban a flexionarse al ritmo de la bola o así, hasta que, de repente, prepara el Maruman y lo impulsa hacia delante con la maniobra más bonita que hayas visto en tu vida, te lo aseguro, consiguiendo ese impacto perfecto, pero luego aguantaba la inercia, además, se contenía de un modo que sugería que había jugado al béisbol de crío, no iba a ser todo golf.

»Y esa bola, Meg, hostia puta. Saltaban chispas cada vez que le daba, cada vez que le pegaba con la cabeza del *driver*, y después la condenada salía como un cohete, trazando una parábola por encima del lago como un meteorito antes de hundirse con todas las demás en la nevera de Ezekiel.

»No podía multarlo por hacer algo tan bello, Meg. Ni por enterrar allí tesoros como un cubo entero lleno de Dixon Fires, anda, la hostia, acabo de caer, eran Dixon Fires *on fire*, pero no incluyas eso en el parte. Lo que nos faltaba. "Sheriff muestra favoritismo con los residentes de la orilla opuesta del lago, es evidente que cualquiera lo podría comprar", mira, no. Aunque lo amonesté verbalmente, eso sí. ¿Que luego me dejó lanzar unas cuantas bolas al lago? Bueno, en fin. Pongamos que no y dejémoslo ahí».

La sombra de Jade se derrama ante ella al doblar la esquina de la tienda, proyectada por una de las dos farolas que el banco ha instalado ahí al lado para salvaguardar su cajero automático. Porque Proofrock es un nido de jóvenes John Connor, claro que sí. Cabe mencionar que en todo el valle Pleasant no hay ni un solo campo de golf. Y aunque lo hubiera, a Jade le cuesta imaginarse cuántas bolas harían falta para llenar el lago Indian. Fuera como fuese, nota el corazón henchido en el pecho al visualizar esos arcos llameantes en suspensión sobre las aguas oscuras, como si flotaran. Lo cual evidencia lo fácil que resulta enamorarse de la gente que tiene dinero. De Terra Nova.

El señor Holmes tiene razón, cien por cien. Y suerte, además, supone Jade, porque no parece que ninguno de esos meteoritos flamígeros haya perforado nunca la seda de sus alas cuando sobrevuela la zona. Por otra parte, tampoco es que no pilote con un cigarrillo encendido. Y, ahora que Jade se para a pensarlo, ¿quién sería el que denunció el lanzamiento de esos fuegos artificiales? ¿Y quién posiblemente, tal vez, a cambio de esa denuncia pidió cierto referéndum sobre el espacio aéreo?

Asiente con la cabeza, solidarizándose con el señor Holmes, hace retroceder la grabación aproximadamente veinte segundos y se ajusta el auricular izquierdo porque no quiere perderse ni una sola palabra.

«Fuera como cojones que fuese, te puedes apostar lo que quieras a que eso era lo que Samuels estaba haciendo allí cuando lo asesinaron. Encontramos el cubo, todavía lleno de sin plomo. El palo estaba tirado entre la hierba alta, esperando a que le pusiéramos una etiqueta y lo metiéramos en una bolsita. La vela se había consumido, por suerte sin arrasar todo el puñetero valle. Testigos ninguno, claro. Pero lo encontró esa chica, la Mondragon, ya sabes, ¿la mayor? ¿Negra? ¿La que parece una modelo de revista?».

Jade agita el puño en el aire. Por supuesto que es Letha la que ha encontrado a la víctima. Las chicas finales tienen un radar infalible que las lleva a tropezar constantemente con cadáveres destripados y cabezas cortadas. Cada nuevo hallazgo es otra baldosa en el camino hacia la persona en quien se va a convertir.

«Dice que se acercó hasta allí cuando dejó de ver las bolas de fuego. Hizo que las dos chicas que estaban sentadas en el embarcadero con ella se..., espera, lo tengo apuntado. Las gemelas Baker, eso, supongo que sus padres las dejarían aquí antes de irse a pasar el fin de semana quién sabe dónde. O puede que Samuels las trajera en su camioneta, ya que pasaba por la ciudad, ni idea, nadie me cuenta nada. El caso es que la chica de los Mondragon hizo que, Ginger y Cinn, sí, les pidió a las hijas de los Baker que no se movieran del sitio mientras ella iba a ver si Samuels se había hecho saltar por los aires y estaba revolcándose por el lago para apagar las llamas. Aunque "revolcarse" no fue la palabra que usó, toma nota de eso. Y me figuro que Cinn, nombre que tuvo que deletrearme, es el diminutivo de Cinnamon. Tampoco es que vieran gran cosa.

»Pues nada, la chica de los Mondragon sale para allá a todo correr, solo se tardan quince minutos si sigues la orilla, aunque sea de noche, y... Es muy probable que acabe necesitando terapia, Megan. Menos mal que su padre se lo puede permitir, ¿eh? Samuels estaba..., tampoco quiero que te hagas una idea demasiado gráfica, digamos que esa bolsa para el transporte de cadáveres que llevo en la lancha, la misma que ni confirmo ni desmiento que llene de hielo para las cervezas cuando llega el Cuatro de Julio, bueno, pues no pude apañarme con ella. Tuve que pedirle a la esposa de Mondragon, Queenie o como se llame, que fuera a la cocina del yate ese tan grande que tienen y nos trajera unas bolsas herméticas de plástico pequeñas. Me había quedado esperándola, absorto en mis recuerdos, con la cabaña número cinco parpadeando ante mis ojos, cuando vi lo que tenía justo delante de las puñeteras narices, Megan.

»Una huella de oso, tan clara como la luna y el doble de grande, tal cual. Como el barro estaba muy blando, había incluso zarpazos impresos en el suelo como a cinco centímetros de las marcas de las almohadillas. Un macho grande de narices, en serio, y a juzgar por el estado de Samuels, con muy malas pulgas. Rex Allen intentó hacer un chiste sobre el Oso Smokey, que se limitaba a hacer su trabajo, fumarola incluida, pero le paré los pies enseguida y llamé por radio a los guardabosques.

»Cuando llegó su hombre, me refiero a Seth Mullins, con dos eles, se decidieron a contarme el secretito de que había un oso pardo basurero causando estragos hacia la demarcación con Wyoming. Estamos hablando de los que se aficionan en exceso a los alimentos humanos. ¿Y sabes qué? Que allí, en la bolsa de golf de Samuels, encontré una bolsa de papel llena con algún tipo de dulces. Los olí antes de verlos, ya sabes cómo me pongo cuando hay un dónut en la habitación.

»El caso es que me consta que a veces nos aburrimos por estos lares, que algo de misterio animaría un poquito las cosas, pero, cadáver empaquetado en bolsitas de pícnic al margen, el misterio en esta ocasión no nos duró ni cinco minutos, lo que tardé en caminar desde los restos hasta aquella huella de oso.

»Las otras huellas diseminadas por la zona que encontraron los estatales con sus modernos equipos de miles de dólares fueron las nuestras, aparte de las que había dejado la chica de los Mondragon con los pies desnudos, bueno, descalzos, bueno, tú ya me entiendes. Así que, sin contar todas las huellas fácilmente identificables y contando la del oso sobre cuya pista ahora sabemos que ya estaba el servicio de guardas forestales, el trabajo policial en realidad no es tan duro, ¿verdad, Meggie? No, lo más peliagudo es...».

Jade se quita los auriculares con las respiración tan entrecortada que se tiene que agachar un momento.

De modo que Banner Tompkins, Lee Scanlon y compañía han salido a cazar un oso que anda suelto por ahí. Un oso asesino. Un monstruo verificado.

—*Grizzly*, de 1976, Alex —consigue jadear, escupir—. Denominada por algunos un slasher con oso, aunque realidad se trata más bien de un *Tiburón* de tierra firme, sin Quint.

Que es lo mismo que decir que sin nada.

Aun así.

Si fuese un vecino de Proofrock el que hubiera acabado en la morgue hecho cachitos, Jade sabría que la broma que originó este ciclo de asesinatos se produjo hace veinte años, más o menos, podría tratarse incluso del ahogamiento de Melanie Hardy, lo que seguramente colocaría a su padre en la lista de víctimas, lo que tampoco tendría nada de malo, mira tú por dónde.

Sin embargo, ¿qué supone que sea un Fundador intocable el que ha muerto? Y no de cualquier manera, sino de tal modo que se le puedan cargar las culpas a una pobre bestia. ¿Cuánto tiempo habrá invertido quienquiera que sea el auténtico responsable en seducir a todo un señor oso pardo nada más que para cubrir sus huellas?

Y lo más importante de todo: ¿por qué? ¿Será algún lugareño indignado por el exceso de celo, o ausencia del mismo, de los obreros de la construcción? ¿Estará bloqueando Terra Nova las vistas desde el porche trasero de alguien que contaba con pasarse las horas muertas contemplándolas cuando pillara la jubilación? Y en tal caso, en cualquiera de tales casos, ¿por qué ahora y no meses antes? ¿Elegiría la noche pasada porque quienquiera que fuese sabía que Deacon Samuels iba a estar a solas, puesto que ya lo había visto allí antes?

—¿Quién eres? —le pregunta Jade al lago Indian.

El momento de reflexión es inmejorable y está intentando exprimirle hasta la última gota de dramatismo cuando el móvil suena en su mano y se le cae, se le cae el mono, se le enredan los pies en la prenda y ahora es ella la que se cae mientras las hojas se desenrollan en todas direcciones y se magulla el codo contra el asfalto antes de contestar a la llamada con un desabrido:

—¿Y ahora qué?

Nada, al principio. Luego, tímidamente:

—Esto, creo que nos hemos visto en el baño de…

—Has recibido el paquete —dice Jade rodando hasta colocarse de espaldas, con el firmamento cuajado de estrellas abovedándose sobre su cabeza—. Has encontrado al…, a los…, los has encontrado a los dos. Al chico del lago y al Fun…, Deacon Samuels. Sabes que ya ha comenzado.

De nuevo el silencio.

—¿Quieres que te devuelva los pantalones? —pregunta Letha Mondragon de un modo que a Jade le permite imaginarse sus labios, curvados en algo parecido a una sonrisa.

—Te tengo que contar tantas cosas —dice Jade—. Seré tu…, ¿cómo se llama el fulano de Pinocho, el de las cartas de amor?

—¿Cyrano de Bergerac?

—En plan, juntas, con mis conocimientos, con todo lo que sé, y tu todo.

—¿A qué te refieres?

—Me refiero a que se avecina una tormenta. A que ya está aquí, mejor dicho. Lo has visto con tus propios ojos, has visto las pruebas. —Letha no dice nada. Jade continúa—: No sabía que iba a cruzar el lago, que iba a llegar hasta Terra Nova. Lo siento.

—Tengo tantas preguntas.

—Y yo estoy hecha de respuestas.

—El banco —dice Letha Mondragon, y Jade tarda un instante en repasar todos los bancos de Proofrock hasta dar con el único que podría considerarse el principal: el banco en memoria de Melanie Hardy, frente al agua, cerca del embarcadero. Para Letha, que se ha pasado todas las mañanas del último semestre yendo a la escuela en el Umiak, debe de ser el único que existe en toda la ciudad.

—A la vista de todos, bien, bien. Todavía no sabes si puedes fiarte de mí. Te tienes que andar con pies de plomo, podría ser yo la que está detrás de todo esto. Mierda, se me tendría que haber ocurrido antes.

—Según mi padre…

—En los slashers, los padres son unos borrachos o quieren instalar barrotes en las ventanas de tu habitación. A veces las dos cosas. —Letha toma aire, lo suelta, es posible que esté a punto de echarse a llorar—. No ha sido ningún oso —dice Jade, al cabo—. Creo que eso tú ya lo sabes, ¿verdad?

—Alguien apagó la vela con los dedos —murmura Letha, lo susurra con un hilo de voz, como si esas palabras fueran exclusivamente para Jade.

—¿No se consumió sola? —Letha no contesta, y en ese silencio Jade se levanta y gira sobre los talones, maldiciéndose para sus adentros: a ver, ¿de qué parte está? De la suya propia no, eso es evidente—. No te preocupes —añade.

—Vale —replica Letha, muy queda.

Jade da un paso hacia el agua, otro, ya se ha metido hasta las pantorrillas. Las hojas de la impresora flotan a su alrededor.

—La vela apagada podría significar que es alguien de por aquí —dice, ahora también en voz baja—. Nos educan desde la guardería para tener cuidado de no provocar ningún incendio que pudiera arrasar el bosque.

—Entonces…

—Pero tampoco nadie de por allí querría que se le quemara su casa nueva, así que… ¿Te ha preguntado el sheriff si estabas descalza cuando…?

—No me lo ha preguntado —replica Letha, con el aire justo para activar la laringe.

—No podemos hablar de esto por teléfono.

—¿A las tres?

Jade contraataca con la hora del almuerzo, sacrificio que está dispuesta a hacer a cambio de esto. Lo haría mil veces. Sacrificaría todos los almuerzos de aquí hasta el día de su muerte.

—¿Qué luz es la tuya? —pregunta a continuación.

En respuesta, una de las treinta y tantas ventanas resplandecientes al otro lado se oscurece, para volver a encenderse al momento.

—A mediodía —confirma Letha.

Jade asiente, cuelga sin despedirse y aprieta la cálida pantalla del móvil contra su pecho, sin sentir siquiera el agua helada que le entumece los pies. Para sus adentros, informa al señor Holmes de que no está enamorándose de Terra Nova, qué va, no hace falta que se preocupe.

De toda la urbanización no, por lo menos.

INICIACIÓN AL SLASHER

Bueno, vale, ya sé que había dicho que esta secuela o parte 2 de mi trabajo en 2 partes para conseguir créditos extra llegaría tarde o temprano, y hela aquí, después del proyecto de entrevista al que supongo que nos podríamos referir por el nombre clave de Picadora de Carne. Pero si ve que Mazazo Espiritual suena mejor, adelante. Soy una simple estudiante de décimo, así que, qué sabre yo. Aunque tiene usted suerte de que lo sea, porque quienquiera que fuese la que se hizo una máscara de Leatherface con bragas comestibles compradas en la estación de servicio para luego correr por los pasillos haciendo aspavientos y repartiendo sustos a diestro y siniestro no se escapó por el ala de décimo, sino por la de UNDÉCIMO, lo que significa que se trataba de una alumna de undécimo, sin sombra de duda. Cabe añadir que cualquier posible prueba de lo contrario era de verdad comestible.
Total, que la parte 2 -- máscaras y cámaras, lo que significa que nos vamos a Italia.
Mientras <u>Psicosis</u> se pasaba los 60 cosechando éxitos y dejando que le fusilaran la fórmula, cosa que seguro que usted recordará por haberlo vivido, en la salsa de tomate se cocía otra tradición allá por el tacón de la bota de Italia, o puede que sea una pierna, no sé, esto no es Geografía. Me refiero al giallo, señor Holmes, adjetivo que significa amarillo y sustantivo que significa "peli cutre con cadáveres a mansalva". Como ya se habrá imaginado, un giallo no es más que un protoslasher. Es al slasher lo que los dinosaurios son a las aves.
Por qué es superimportante el giallo es porque ahí es donde nace una técnica de cámara que es básicamente lo que utilizó Carpenter en <u>Halloween</u> en 1978. Lo que quiero decir es que los asesinos de los giallos no

usan máscaras, señor Holmes. O sí, pero para las MANOS. Que qué es una máscara para las manos, se estará preguntando. Bueno, pues... un GUANTE. Todos los asesinos de los giallos se ponen guantes de color negro. Esos guantes son como la túnica de Padre Muerte en *Scream*. Disimulan el género, la raza, la complexión, el estado civil, los tatuajes, el número de dígitos y también el vello de los nudillos, Pamela Voorhees, jajajá. Pero el caso es que la cámara en el giallo siempre está apuntando desde arriba a esos guantes mientras hacen su sangriento trabajo. Y como todo se ciñe a lo que pueden ver los ojos del asesino, unos guantes negros es todo el disfraz que se necesita para mantener oculta una identidad hasta el momento de la Revelación.

Para abreviar, aunque me pese, lo que en los discotequeros años 60 eran unos guantes negros se convirtió cámara del director John Carpenter mediante en una MÁSCARA con agujeros para los ojos a través de los que mirar en los 70, lo que en Estudios del Slasher denominamos "SlasherCam", como por ejemplo el punto de vista inicial de Billy en *Black Christmas* o el tiburón en *Tiburón*, que no es una simple película de monstruos sino también un slasher, guiño guiño.

Da igual que la mano que empuña el cuchillo en los primeros compases de *Halloween* pertenezca a Debra Hill y no al niño que hace de Michael. En lo que hay que fijarse realmente es en lo que cubre esa mano, lo que confirma mi teoría de que John Carpenter sabía qué tradición estaba siguiendo, la de las películas italianas de muertes a tutiplén, los giallos. Porque esos guantes, señor Holmes, son BLANCOS. Ahí tenemos a Carpenter diciéndonos que sí, que le consta cuál es el sanguinolento meollo de la cuestión, pero lo que hace él es DARLE LA VUELTA a todo, señor Holmes, subir las apuestas. No es esta la única razón por la que *Halloween* es tan genial y lo será siempre, pero nos encontramos en una parte 2 de 2 páginas así que solo puedo hablar de los primeros 5 minutos. Aunque "VOLVERÉ...", no se preocupe.

Cumpleaños mortal

Jade se despierta de golpe y se abalanza sobre el móvil para cambiar desesperadamente la contraseña del email de la escuela a «S@v1N!», vale, por qué no, qué más da. Cualquiera con unas nociones mínimas de terror o sobre su persona la adivinaría a la tercera, pero lo fundamental es que no sea la misma de anoche, de esta mañana, lo que sea. El navegador de Meg en la oficina del sheriff podría haber almacenado esa en su memoria, lo que le proporcionaría acceso a la carpeta de enviados de Jade.

Por los pelos.

Vuelve a tumbarse con el corazón martilleando en el pecho, ve cómo trepa el sol por la sábana que le sirve de cortina y se tranquiliza un lento latido tras otro con la certeza de que, en una u otra orilla del lago Indian, quizás a medio camino del Campamento Sangriento, esa misma luz cegadora está bañando también al asesino, cuyo rostro enmascarado probablemente esté apuntando al horizonte refulgente en esos precisos instantes, sus ojos hundidos aún en las sombras.

Jade sonríe sin poder evitarlo. Ya se siente más animada.

Dos horas después está usando cera limpiadora sobre las pintadas incrustadas en el baño masculino en el instituto (así que sí que ha vuelto a poner un pie allí) y cuatro horas más tarde está en la otra punta del pasillo, frente al PILÓN DE LAS PERRAS, poniéndose lápiz de ojos al tiempo que aprovecha el espejo para vigilar su espalda, por si acaso Rexall hubiera instalado alguna cámara oculta, y luego, seis horas después del amanecer, ya está lista para irse a almorzar. Está contenta con el maquillaje, se ha puesto una gorra distinta para ocultar el estropicio que son sus cabellos y…

—Mierda —dice al captar su reflejo distorsionado en el cristal de la puerta de doble hoja que se disponía a empujar.

Jade se cala la gorra un poco más, esforzándose por imponerle un ápice de control a su pelo, y es muy consciente de que se está entreteniendo, de que ahí, en medio de ese día tan inofensivo, está muerta de miedo. Pero no porque la asuste Letha Mondragon, sino por ¿hablar con ella?

¿Y si se ríe cuando Jade le diga que es una chica final? ¿Y si esa mañana, mientras desayunaban tostadas francesas, les ha leído su nota en voz alta a Ginny y a Cinn y las tres han empezado a desternillarse hasta tal punto que les han tenido que pedir que se levanten de la mesa del desayuno? No le gustará el terror, claro, todas las chicas finales tienen eso en común, eso hace que el terror que se les avecina sea más aterrador todavía, pero ¿y si la idea de que un ciclo de asesinatos vaya a tener lugar allí mismo, en Proofrock, no le dice absolutamente nada? ¿Y si se lo toma como una mera intentona de una broma sin gracia?

—Bueno, entonces se compadecerá de mí —murmura Jade. Lo que tampoco es que sea preferible a que se rían de una. En realidad sería bastante peor.

Quizá debería olvidarse de ello y ya está, ¿no? Si Letha es una chica final con todas las de la ley, ya se alzará cuando llegue el momento de alzarse, se batirá con quien haga falta en nombre de todos. Bueno, eso o bajará al sótano corriendo para ver qué es ese ruido tan raro y acabará destripada, o decapitada, o partida en dos, o desollada, y entonces… Jade no está segura de qué pasaría entonces: ¿tendrá que emerger Ezekiel de Ciudad Sumergida para poner punto final a este ciclo de asesinatos? ¿Se podrá redimir un malvado predicador impidiendo que un asesino enmascarado le rebane el pescuezo a toda una ciudad?

Jade niega con la cabeza, no, no consentirá que llegue a ese extremo. Lo que significa que no le queda elección, deberá convencer a Letha para que se transforme en una chica final, como es su destino. Todo el mundo cumple una función, todos los participantes en un ciclo de slasher representan un papel especial. ¿Acaso no lo pone en algún pasaje de la Biblia? No la ultraviolenta que escribieron Craven y Carpenter, con todas sus masacres y sangre derramada, sino la otra, igual de violenta, con todas sus masacres y sangre derramada. Esa que dice que la venganza no llega en forma de figura siniestra que acecha al filo de las sombras sino en forma de plagas que se desencadenan aparentemente de forma arbitraria para luego empezar a adoptar un aire ya más de justicia divina, de balanza recalibrándose.

Misma historia, iglesias distintas.

Jade se felicita por su ocurrencia mientras se interna en el callejón que discurre por detrás de la tienda porque en los callejones es donde moran las protectoras de la ciudad, porque en los callejones es donde la grey del terror celebra sus misas oscuras. Y porque el Bronco blanco de Hardy está aparcado delante del banco.

Setenta y cinco metros más adelante, Letha Mondragon ya está sentada en el banco de Melanie, con el Umiak meciéndose junto al embarcadero. Lo que significa que esta rica heredera de Terra Nova tiene permiso para salir en él por su cuenta, goza de la confianza necesaria para tripular su propia lancha de trescientos mil dólares.

Jade se pregunta si una chica como Letha habrá tenido que limpiar un váter alguna vez. Para los multimillonarios, los inodoros deben de ser desechables. Ahí deben de estar Mario y Luigi, siempre atentos, listos para instalar el nuevo después de cada uso.

—Estás remoloneando… —se recuerda Jade.

Apoya un tímido pie en la grava del aparcamiento que media entre ella y el lago, y después pisa con más aplomo, avante a toda vela, o como se diga. La grava sostiene su peso y acepta de buen grado las crujientes pisadas que Jade va dejando sobre su cálido lomo.

Letha tiene la mirada fija, supone Jade, en su casa, la que está adoptando forma en aquella punta de allí. Para ella será un simple lugar de veraneo, seguramente. Un sitio de descomprensión entre semestre y semestre. El escenario de las fiestas de primavera más desenfrenadas si su padre y su madrastra están en Bali esa semana, o se dejan convencer para estarlo.

A menos, claro está, que el lago Indian se convierta en un repositorio de malos recuerdos. Lo que está prácticamente cantado. Sin embargo, no hay nada que hacer al respecto. Los ciclos de asesinatos en condiciones funcionan así: el primer par de muertes se producen lejos de la periferia de la chica final (un chico holandés, una chica holandesa), pero la sombra continúa extendiéndose y se aproxima cada vez más. Deacon Samuels, a un brinco de distancia del dormitorio de Letha. Y seguirá acortando distancias. Antes de que termine, cualquier mascota que Letha posea y adore habrá desaparecido del mapa, eso seguro, y ¿Theo Mondragon? ¿Tiara? Si tiene que sucumbir solo uno, Tiara es tanto la intrusa de la unidad familiar como, probablemente, la más prescindible para Letha. Súmese a eso la ventaja añadida de que, si la pasan a cuchillo, Letha y su padre estrecharán lazos, se restañarán antiguas heridas y, en fin: que Tiara tiene dos aspas por ojos, básicamente. A Jade le duele por Letha (todo el mundo debería tener una madre), pero tampoco es que ella haya escrito las reglas ni nada. Se limita a sabérselas de memoria.

Sin embargo, no debería romper el hielo con eso. Espantaría a Letha si entrara tan fuerte. No, lo que se hace con alguien como Letha es atraerla como a una avecilla en el patio: dejando migas de pan blanco en el suelo, cada vez un poquito más cerca.

Y, aunque lo desea hasta con la última fibra de su ser, Jade no se gira para ver si Hardy está ya al volante del Bronco, allí sentado, sin más, contemplando el momento de reposo de una chica tan pintoresca como Letha en el banco de sus entretelas, con otra encorvada acortando la distancia que las separa, dispuesta a que esa tranquilidad vuele por los aires sin remisión.

«Mejor eso que la alternativa», le dice Jade. Fuera como fuese, ¿no sería aún más cruel para Letha seguir revoloteando como una mariposa por el utópico sueño de unicornio que es su mundo perfecto, ajena a la sombra que se cierne sobre ella, a su espalda?

—Hola —dice Jade, que se agarra con una mano al respaldo del banco.

Letha está picoteando de una bolsita de zanahorias pequeñas. Por supuesto.

—Ah, bien —replica, y hace un gesto que significa que le va a hacer sitio, aunque ya se ha apartado, Letha no se sentaría jamás de un modo que no invitara a la compañía y a la conversación.

Mientras se acomoda, Jade se esfuerza por averiguar en qué dirección sopla el viento para ver hacia qué lado va a flotar ese olor tan ofensivo que aún se desprende de sus cabellos.

Échale la culpa al uniforme. Al trabajo.

—Ahora sí que podemos darnos la mano —dice Letha, que extiende la suya tras haberse limpiado el infinitesimal concepto de zanahoria que pudiera haberse adherido a sus dedos.

Jade se la estrecha.

—La marginada de la ciudad, encantada.

Los hoyuelos de Letha se magnifican mientras niega con la cabeza, no, de eso ni hablar, y deja la bolsa de zanahorias a un lado antes de replicar:

—Jade Daniels, la leyenda.

Jade parpadea sin poder evitarlo y baja la mirada a sus piernas. Esas piernas que de súbito están tan cerca de las Letha.

—Bonitos pantalones —murmura.

Son los que le sirvieron de envoltorio a *Bahía de sangre*, los que supuestamente no eran más que un pretexto para entregar el paquete. A Letha, enrollados justo por debajo de la rodilla, le quedan holgados y cuquis, cómo no. A Letha le quedan de maravilla.

—Me los ha regalado una amiga. —Letha da unas palmaditas en el dorso de la mano de Jade—. Y, no te lo tomes a mal ni nada —añade—. Si tiene algo de negativo es el lugar en el que me deja a mí, o al lugar del que provengo, cómo me han educado. Pero es que, si no lo digo, creo que eres la primera nativa americana que conozco.

Jade expulsa el aire que estaba aguantando, se relaja un poquito. En alguna parte, en la ciudad, a sus espaldas, resuenan los golpes acompasados de un hacha contra la madera, porque, en esas cotas, siempre se acerca el invierno.

—Una vez se metió un indio por ese embarcadero con una grúa, marcha atrás —dice Jade, orgullosa.

—¿Pariente tuyo? —pregunta Letha, cuyo tono sugiere que se alegra de haber suscitado esa respuesta. —Jade se fija ahora en el Umiak. Según el diccionario del móvil, un *umiak* es una embarcación ballenera de los inuit. Para cazar mejor al siluro gigante que, según las habladurías, se pasea por delante de las ventanas de Ciudad Sumergida, a lo mejor—. He recibido tu carta, sí —dice Letha, indicándole a Jade que los rodeos ya han tocado a su fin. Jade asiente con la cabeza, está preparada—. Me... —empieza Letha, pero no sabe cómo seguir, cómo acabar—. Stacey Graves —consigue decir al final mientras bate sus largas pestañas de cierva—. Esa era la redacción que querías que leyera, ¿verdad?

—Todas podrían salvarte la vida —murmura Jade.

—Pero esa niña —dice Letha—. Lo que intento... Que por qué es tan importante, supongo que es eso lo que me gustaría saber.

—Porque el que esté haciendo esto seguramente irá vestido como...

—Para ti, quiero decir. He leído tu carta seis veces, de pie, junto al buzón. Cuando terminé, estaba llorando.

Jade tiene que apretar los labios para no sonreír como una boba. Si lloras cuando lo escribes, quizás alguien llore al leerlo. Es más de lo que esperaba, es todo cuanto podría haber deseado.

—El expositor con ofertas de Idaho Falls... —dice Letha, cuya voz da la impresión de encogerse de hombros. Jade observa las zanahorias de reojo, aunque solo puede ver la esquina superior de la bolsa. Está abierta, lo que significa que ya habrán empezado a secarse. Proofrock está acabando con ellas—. Que sé leer entre líneas, quiero decir —añade Letha.

—El señor Holmes nos obliga a usar doble espacio —replica Jade, sin seguirla del todo.

—Entre líneas de tu verdadero mensaje —dice Letha, cuya mano se vuelve a posar sobre la de ella—. Sé que no debe de ser nada fácil pedir ayuda, sobre todo a una completa desconocida. Me parece muy valiente, la verdad. —Jade la observa de reojo con la esperanza de que su rostro le proporcione la clave necesaria para descodificar todo eso—. Cuando nos mudamos aquí, no entendía por qué —continúa Letha—. Estaba cursando el último año, todas mis amigas estaban allí, pero ahora lo entiendo. He venido por ti, Jade.

—Porque soy en parte india, en parte de Proofrock y en parte del lago Indian. Claro. Las chicas finales luchan por todo el mundo y… —La mano de Letha comienza a ascender por su brazo, como si quisiera reconfortarla más todavía, pero Jade se aparta, desconcertada—. He escrito eso porque debías saberlo —dice Jade, subrayando una verdad evidente—. Puedo, si me dejas, puedo guiarte por todo lo que está por venir, puedo…

—Puedo ayudarte, Jade —la interrumpe Letha, lo que termina de disparar hasta la última de las alarmas de su interlocutora.

—No, soy yo la que te puede ayudar a ti. Llevo viendo estas películas desde, no sé, desde antes de empezar secundaria.

—De manual —dice Letha—. Tiene todo el sentido del mundo.

—Y eres tú, definitivamente —insiste Jade, intentando traspasar la barrera del tonillo comprensivo de Letha—. Todo el que haya visto cualquiera de ellas, hasta las malas, sabría reconocer de inmediato qué eres, quién eres.

—Una amiga —dice Letha rebosando franqueza, cálida ahora la palma de su mano sobre el brazo de Jade. Hay algo tan de catequesis en toda esta escena que Jade casi puede notar cómo se evapora el esmalte negro que le recubre las uñas.

—Bueno, sí. —Jade intenta apartar el brazo sin que se note—. Podemos ser amigas cuando todo termine, claro. Podemos, tú y yo podemos ir juntas a la reunión de antiguos alumnos dentro de diez años, ¿qué te parece? Para la secuela. Será entonces cuando Ezekiel emerja del lago. Nos colocaremos espalda contra espalda en el centro del gimnasio, con una lluvia de papel crepé flotando a nuestro alrededor a cámara lenta y tú estarás empuñando la espada de la vitrina de los trofeos, mientras que yo habré arrancado la hoja de la guillotina de secretaría, y entonces nos, nos…

—No me odies —murmura Letha, cuya mirada se desvía por un momento hacia arriba, hacia su derecha.

Jade no puede por menos de seguirla hasta la rejilla del Bronco de Hardy, que se ha materializado de súbito a unos dos metros del banco. Los neumáticos deben de haber anunciado su llegada aplastando la grava, pero Jade no estaba pendiente de lo que ocurría a su alrededor. De fábula, fan del terror. Mierda.

Como si estuviera siguiendo un guion, como si todo esto estuviera ensayado, Hardy baja del asiento del conductor con paso pesado, como si la noche en vela lastrara sus movimientos. Se quita las gafas de espejo, parpadea frente al resplandor repentino y clava los ojos en Jade, que tiene la impresión de estar siendo sometida a un nuevo escrutinio, partiendo de cero otra vez.

—¿Qué significa esto? —le pregunta Jade a Letha. El instinto de supervivencia comienza a galopar por sus venas.

El silencio de Letha es una respuesta en sí mismo. Eso y el señor Holmes, que ahora se ha apeado por el lado del copiloto del Bronco.

Jade se levanta, los mira, se concentra en Letha de nuevo.

—Tú... ¿Tú? —consigue tartamudear.

—Tenía que dar parte, Jade —dice Letha, cuyo rictus de decisión parece querer explicarle que es por su bien, de verdad.

Jade se da media vuelta, lista para salir corriendo, pero una de sus botas ya ha recuperado su estado natural, por lo que los cordones sueltos se le enredan en los pies justo cuando ya iba a pulsar el botón de hipersalto. Se cae de bruces, con el pulpejo de las manos despellejado de inmediato por culpa de los guijarros que antes rodeaban el banco y ahora le tachonan la piel.

Letha acude a su lado para sujetarla por los hombros, para comprobar si está bien.

—¿Se la has enseñado? —Jade espera que la pregunta no suene tan estridente en el exterior como dentro de su cabeza.

—¿A quién? —replica Letha, preocupada, mientras mira a su alrededor para reconocer el terreno.

—A ellos —le confirma Jade.

Hardy está deslizando la yema del índice por el canto del respaldo del banco de su hija, concentrado en eso en vez de en la ignominia de Jade, en tanto el señor Holmes se limita a quedarse allí plantado, con la punta de su corbata marrón alteando al viento y la mirada acerada fija en el mismo sitio de siempre: en la orilla opuesta del lago.

—No, no —le asegura Letha—. Solo se la leí por teléfono al sheriff para que lo viera. Para demostrárselo. Para que te pueda ayudar.

—¡Pero si la poli nunca hace nada en este tipo de casos! —exclama Jade mientras pugna por incorporarse.

—Sé que puede dar esa impresión —dice Letha—, pero llevas demasiado tiempo aguantando esto tú sola. ¿Cómo podría dormir por las noches sabiendo que le he dado la espalda a alguien que reclamaba mi atención? ¿A alguien lo bastante valiente como para pedir ayuda?

—¡La que va a necesitar valor no soy yo! —se desgañita Jade, cuya voz ya es presa del pánico.

—Esto no es fácil para nadie —interviene Hardy.

—Jennifer —dice el señor Holmes a modo de saludo, el saludo más reluctante y contrito del mundo.

—Jade —lo corrige esta en piloto automático. Llevan desde el primer curso tropezando con la misma piedra.

—La señorita Mondragon ha actuado como le parecía más adecuado, eso es todo —explica Hardy con el sombrero en las manos, por alguna razón, aunque está medio calvo y el sol cae a plomo sobre su cabeza.

—No es más que una carta personal y mis antiguas redacciones de Historia. No sé qué se creen que…

—Jade —dice Letha, de un modo que obliga a la interpelada a mirarla de nuevo.

—Explícaselo —implora Jade.

—Ya lo ha hecho —confirma Hardy.

—Entonces todos lo sabemos, ¿no? Bien, eso está bien, había que sacarlo a la luz, por qué no. Como si eso fuese a cambiar algo. Ella es la chica final, en efecto, y hay un asesino suelto por ahí, en alguna parte, y…, no quiero ofender a nadie, pero después de lo de Deacon Samuels, lo más probable es que alguien de la otra orilla de…

—Debajo de eso —la interrumpe Letha—. Antes de todo eso.

—Vale, vale —dice Jade, dirigiéndose a Hardy—. Lo que me pilló imprimiendo la otra noche en la biblioteca.

—¿El trabajo aquel para sumar créditos extra? —El sheriff se rasca la cabeza.

—Seguro que el señor Holmes ya le ha contado que eso era mentira —continúa Jade—, porque, por qué no. Ya no pueden castigarme, da igual. Eso no era un trabajo de Historia. El señor Holmes va a jubilarse, ya no tiene por qué seguir leyendo mis chorradas. Y me parece bien, de verdad, no me importa. Pero tenía que avisar a Letha de lo que se avecina. Intentaba protegerla. Velar por la seguridad de alguien no es ningún delito. Puedo pagar por el papel que gasté, aunque a Connie a lo mejor la trae sin cuidado.

—Connie sabe que llevas los tres últimos años yendo allí a horas intempestivas para hacer los deberes. —Una vez dicho eso, el señor Holmes frunce los labios y mira a los ojos a Jade.

Que abre la boca para añadir algo más, pero no se le ocurre qué más podría decir.

¿Así que Connie, la bibliotecaria, siempre ha sabido que Jade se escondía al final del pasillo de los audiolibros después de que se apagaran las luces?

Y es entonces cuando Jade ve por primera vez lo que todos los demás ya habían visto: que ahora que se ha acabado el instituto y ya no tiene al señor Holmes para contarle todas sus teorías sobre el slasher, lo que está haciendo es buscar otra persona a la que aferrarse, a la que impresionar con sus conocimientos.

—No, no. —dice Jade mientras camina de espaldas para alejarse del trío, lo que la va a llevar a caer en el lago como siga así—. Ese chico holandés que encontró en el agua, él, su novia y él, eran el sacrificio de sangre, ¿lo veis? Fueron los primeros, la prueba, la promesa de lo que está por venir, el aperitivo antes del plato fuerte. Funciona así siempre. Cometieron una infracción, se metieron donde no debían y pagaron el precio por ello, el precio definitivo. Así son las cosas, lo siento. Y después, el Fundador ese, Deacon Samuels. Él…, esto demuestra que está ocurriendo realmente, ¿no os dais cuenta?

Hardy manosea el ala de su sombrero. Cuando levanta la cabeza por fin, lo que dice es:

—¿Insinúas que el oso…?

—No fue ningún oso, sheriff —le dice Jade, se lo dice a todos—. Los osos no tienen arcos de venganza. El oso está siendo incriminado, eso es todo, pero nadie se lo va a creer hasta que…

—La fiesta —interviene Letha, lo que significa que se ha leído por lo menos una de las redacciones.

Jade la mira a los ojos y asiente, despacio, antes de preguntar para tirarle de la lengua con extraordinaria delicadeza:

—La fiesta. ¿Y cuál es la más importante que se celebra aquí todos los años? —Ante la falta de respuesta de Letha, Jade se vuelve hacia Hardy y el señor Holmes—. Ella es de fuera, no puede saberlo.

—¿El Día de la Independencia? —Hardy se encoge de hombros.

Jade lo apunta con el dedo.

—Correcto. Aunque vaya entre signos de interrogación.

—¿El Cuatro de Julio? —dice Letha para todos y para nadie en particular.

—Ya lo verás —le asegura Jade.

Momento que elige el señor Holmes para participar en el debate, dirigiéndose a Jade.

—Entonces, ¿ha sido este «asesino» el que mató a todos esos ciervos en Sheep's Head?

—¿Sheep's Head? —dice Letha.

—Así llaman los más viejos del lugar a esa pradera —le explica el señor Holmes con un encogimiento de hombros, como si esa no fuera la parte más importante de su pregunta.

—Le dije que no debería haberos enseñado eso —dice Hardy—. Son precisamente la clase de imágenes que pueden darle alas a una imaginación desatada.

—Tampoco hace falta insultar a nadie, sheriff. —Jade se apunta a la sien, hogar de la imaginación desatada en cuestión.

—El Día de la Independencia —repite Letha en voz baja, lo que, de alguna manera, hace que suene aún más fuerte.

—Sé que creías estar ayudando —le dice Jade, estupefacta hasta el punto de no retorno—. Pero, aunque esto no podías saberlo, a las figuras de autoridad, polis, maestros, padres, les resulta imposible creer hasta que ya es demasiado tarde. Sin embargo, tu impulso de buscar ayuda, de luchar, de parar esto, eso es lo que podemos aprovechar, lo que podemos convertir en un arma, lo que podemos...

—Pero si no podemos pararlo —la interrumpe Letha.

—Tú sí —replica Jade.

—Por eso avisé al sheriff Hardy —dice Letha, de nuevo con ese tono contrito.

Jade se gira hacia Hardy.

—Y yo avisé al señor Holmes porque... —El sheriff titubea, algo insólito en él—. Sé que era tu profesor favorito. Y lo sigue siendo. Es tu profesor favorito.

Jade redirige su mirada implorante al señor Holmes, que se encoge de hombros y remueve la grava con la punta del mocasín antes de decir:

—Doy fe de que te chifla este subgénero cinematográfico. Estas películas de miedo. Estos... slashers.

—¿Gracias?

—Lo que pasa es que, y aquí asumo toda la culpa —continúa el señor Holmes con los dedos desplegados sobre su pecho, inculpándose—, nunca supe verlo como la señorita Mondragon. Tenía claro que no te apetecía escribir sobre historia, pero jamás sospeché que la historia sobre la que no querías hablar fuese la tuya. De ahí todos esos trabajos sobre el terror...

—Sobre los slashers.

—Hombres del saco incluidos —añade el señor Holmes.

—Lo que intenta decir es que no debería haber alertado ese tipo de especulaciones —aclara Hardy, cuyo tono da a entender que está hablando en nombre del señor Holmes, diciendo lo que este no se atreve a decir. Pese a todo:

—Creo que la palabra que buscas es «alentado», Angus —replica el señor Holmes.

—Sheriff —dice Hardy a su vez.

El señor Holmes se encoge de hombros y Jade se da cuenta de que está aquí en contra de su voluntad, más o menos. Aunque eso no le sirva de ayuda.

—La cosa no va de mí —los informa a los tres, y ahora su voz adopta un timbre suplicante, lo que más desprecia en el mundo—. La cosa va del chico muerto en el agua, del Fundador asesinado con ese palo de golf de lujo.

—¿Con? —pregunta Hardy.

—Junto a —se corrige Jade, restándole importancia a ese pequeño matiz—. La cosa va de quién habría ido al bazar para comprarse una peluca negra, de por qué querría adoptar ese aspecto y de cómo está, no sé, fingiendo caminar sobre el agua, a lo mejor es que se ha puesto manguitos con forma de Jesucristo en los tobillos, ¡todavía no lo sabemos!

—Pero, según tus cálculos, alguien está haciéndose pasar por la Bruja del Lago y simulando protagonizar una peli de miedo —clarifica el señor Holmes.

—Slasher —clarifica Jade a su vez.

—Por utilizar el tema que has elegido —murmura Letha a su lado mientras entrelaza sus dedos con los de ella—, sí, como estaba diciendo el señor Holmes, esto va del hombre del saco, cien por cien.

Jade se aparta de golpe y se sujeta esa mano en la otra, como si se hubiera quemado. Intenta restar importancia a todas esas acusaciones con una sonrisa, hacer como si la situación hubiera adquirido un tinte ridículo, pero es consciente de que su gesto debe de parecerles mecánico e inquietante, como si Michael Myers intentara sonreír en la consulta de Loomis. Así que se rinde, sabe que no los puede convencer a los tres. Sin embargo ¿quizá solo a una? ¿A la más importante? Se vuelve hacia Letha.

—Escucha, si te importa tu familia, si te importa Terra Nova, necesito que…

—Sé leer entre líneas, Jade —repite Letha despacio, como si así pudiera conseguir que Jade entendiera lo que le intenta decir—.

Has intentado disimularlo lo mejor posible, ocultarlo, ocultártelo a ti misma, incluso, pero mira, lo he subrayado. —Saca la carta de Jade del bolsillo trasero de los pantalones de Jade y la levanta, pasa las hojas hasta llegar a la que busca y cita de memoria—: «Para ver a uno de esos médicos que no tenemos en Proofrock».

El silencio subsiguiente rivaliza en inmensidad con el lago.

—Eso era… —Jade se interrumpe, empieza de nuevo—: Mi madre no quería ver al doctor Wilson.

—¿Porque era de la zona? —pregunta Letha.

—No —dice Jade mientras da un paso atrás, contemplando los rostros de su improvisado y reducido jurado—. Es que… ¡Te estaba explicando dónde encontré *Bahía de sangre*! En los slashers, todos los asesinos tienen una historia de origen. Jason, Freddy, Michael, Chucky, pero también todas las películas slasher tienen su propia historia de origen. La primera vez que la viste. Dónde la encontraste. No era nada más que eso. No estaba hablando de mí, sino de *Bahía de sangre*.

Jade los observa de nuevo, uno por uno, esperando a que caigan por fin en lo obvio. A que alguno de ellos reconozca la lógica que subyace detrás de todo.

—«Mi madre debatía consigo misma en el coche sobre si sí o si no» —lee Letha en voz alta esta vez, como si la frase fuera demasiado larga para recitarla sin consultar el guion.

Jade se la queda mirando.

—¿Qué insinúas? —consigue decir transcurrido un instante—. Esto es… Estaba en una gasolinera cualquiera y me dio por mirar en el expositor de las ofertas.

—Habías llegado a tu punto más vulnerable, atravesabas tus horas más bajas —dice Letha, al borde del llanto—. Y te aferraste a lo primero que viste, lo usaste para escudarte detrás de ello, como si fuese una armadura. Como si te pudiera proteger. Y así ha sido, ¿verdad?

—*¿Bahía de sangre?*

—Los slashers —dice el señor Holmes.

—También se ha estado escudando detrás de su mala conducta —se siente obligado a apostillar Hardy.

—Pero ¿qué? ¿Qué? —Los pensamientos de Jade se arremolinan en su mente y solo un puñado de palabras consiguen llegar a sus labios—. ¿Qué insinúas? ¿Que mi madre me hizo algo?

—Tu padre —murmura Letha, en voz tan baja que resulta apenas audible.

—¿¡Mi padre!? —farfulla Jade.

—Es más habitual de lo que debería —dice Letha—. Y entre las nativas americanas, el porcentaje es todavía...

—¿Creéis que él es el motivo de que me llevaran a ver al médico de Idaho Falls? —pregunta Jade dirigiéndose a todos, sondeando al jurado.

«Sí», es lo que ninguno se atreve a expresar en voz alta.

Jade cierra los ojos, dolida, se clava los dedos en el mazacote que son sus cabellos y tira, pivota sobre los tacones de sus botas militares, les da la espalda y... No quiere hacer esto, no quiere verse obligada a recurrir a la opción nuclear, pero ¿qué alternativa le queda?

—Usted es padre, sheriff —dice, no más alto de lo necesario—. ¿Alguna vez le habría hecho algo así a su hija? ¿A Melanie?

—Jennifer —le advierte el señor Holmes.

—¡Jade! —sisea Jade, girándose hacia él—. ¿Y usted, señor Holmes, no es el que siempre nos está pidiendo que aprendamos a leer entre líneas? Bueno, pues pruebe con esto. Todas estas acusaciones, todas estas pruebas textuales o como quiera llamarlo. ¿Quién le asegura que no lo he introducido ahí a propósito? ¿Por qué iba una chica como Letha a dirigirme siquiera la palabra a menos que se compadeciera de mí? A lo mejor escribí eso para apelar a su corazoncito, para que se preocupara por mí. Cualquier cosa con tal de atraerla hasta aquí, de embrollarla en mis disparatadas conspiraciones sobre slashers y chicas finales.

El señor Holmes se la queda mirando fijamente, en silencio.

—¿Sobre qué se debatía tu madre consigo misma en el coche aquel día? —pregunta por fin, con una calma extraordinaria—. No te lo pienses, contesta sin más.

—¿Sobre qué...?

—«Si sí o si no».

—Si abandonar al perdedor de mi padre o no —replica Jade sin pestañear.

Antes de que el señor Holmes pueda presionarla, sonsacarle algo más, Jade se da la vuelta de nuevo, cruza los brazos y deja vagar la mirada iracunda sobre los destellos del agua.

—Discúlpate con el sheriff —dice el señor Holmes.

Jade agacha la cabeza, cierra los ojos.

—Lo siento, sheriff. Eso ha estado fuera de lugar.

—Estabas asustada —es la respuesta de Hardy, y Jade aprieta aún más los párpados porque no quiere picar ese anzuelo. Si asiente, la siguiente pregunta será «¿Asustada de qué? ¿De la verdad?». Y si lo niega, entonces lo que le ha hecho a Hardy habrá sido una simple crueldad.

Haga lo que haga, está condenada a perder. Como siempre. Quién sabe por qué se empeña en abrigar esperanzas.

—Solo estamos intentando ayudar —dice Letha.

Jade abre los ojos al resplandor y nota las mejillas surcadas de lágrimas. Unas lágrimas que no podría odiar más. En vez de enjugárselas, lo que hace es estirar la mano en dirección al señor Holmes, porque puede oler la nicotina en el aire. El profesor desliza la colilla entre sus dedos expectantes.

—Tú no tienes la culpa de nada —insiste Letha, que todavía está allí.

—No —repite Jade mientras exhala el humo, y por fin se gira para que vean su rostro mojado, para que vean lo que están haciendo con ella—. No es lo que piensas. Los padres no les hacen eso a sus hijas, ni siquiera los que son tan despreciables como el mío, tan indios como el mío. Te diría que has visto demasiadas pelis de Lifetime, pero, si tú has visto demasiadas películas, ¿qué decir de mí y mis slashers?

Transcurridos un par de segundos, Letha sonríe sin poder evitarlo y Jade sonríe con ella mientras le pega otra calada al cigarrillo. Se lo devuelve al señor Holmes antes de exhalar.

—El caso —dice Hardy, que se enciende un cigarrillo a su vez, para lo cual tiene que ahuecar la mano e inclinar la cabeza como el vaquero de un western—, es que eso explicaría muchísimas cosas. Tu..., toda esta movida tan gótica, tu forma de vestir, tu actitud, los problemas que siempre...

—Es que yo soy así —replica Jade, subrayando sus palabras con volutas de humo—. El terror no es un síntoma, sino una historia de amor.

—¿Quieres decir...? —empieza Letha, pero Jade termina la frase por ella:

—Sería igual de todas maneras, sí.

Solo al levantar la cabeza y mirar al señor Holmes se da cuenta de lo que Letha le ha obligado a decir. Es la misma historia que se oiría en boca de un borracho durante un control de alcoholemia, intentando defenderse con la excusa de que tampoco sabría decir el alfabeto del revés aunque no hubiera bebido una gota. Lo que significa que lo que Jade les acaba de decir a los tres es que: aunque mi padre no me hubiera hecho aquello cuando tenía once años, el terror seguiría siendo el amor de mi vida. E intentar desdecirse ahora equivaldría a contradecirse, lo sabe.

—Bueno, pues preguntadle a mi madre —dice, sacándose esa idea de la chistera antes de comprobar qué más trucos podría haber dentro.

—¿A Kimmy? —pregunta Hardy.

—Está trabajando —dice Jade, apuntando con la barbilla en dirección a la calle principal, al bazar.

Los tres miran a la vez, y en ese momento Jade sabe que podría salir corriendo, que ninguno de ellos sería capaz de alcanzarla, cordones desatados o no. Impulsada por todo ese odio que ruge en su interior, seguramente podría correr sobre el agua, porque ni loco permitiría Ezekiel que le contaminara su lago.

Pero su madre es su as en la manga.

—No tiene ningún motivo para mentir por él —añade Jade a fin zanjar la cuestión—. Atrévase a decirme que intento engañarlo.

Hardy se limita a seguir contemplando la calle principal.

—No le falta razón —dice el señor Holmes—. La madre lo sabría.

—La casa es pequeña. Ya lo era entonces. Se oye todo.

—Esto no me gusta. —Hardy se vuelve hacia ellos—. Podría avisarlo. Kimmy, quiero decir. Podría avisar a Chapi.

—¿Chapi? —pregunta Letha.

No obtiene respuesta.

—Que sea indio no significa que sea capaz de esfumarse —dice Jade—. Se transformaría en un charco de cerveza, a lo sumo. Pero no hay nada de lo que advertirlo. Solo falsas acusaciones.

—Por si te sirve de algo, me parece que ya no se hablan —añade el señor Holmes para Hardy.

—Basta con admitirlo para que dé comienzo el proceso —dice Letha, como si estuviera leyendo un panfleto.

—Sé que intentas ayudarme —murmura Jade, estudiando la grava entre sus botas ahora—, y te lo agradezco, en serio. Soy una desconocida, no soy nadie, soy la marginada de la ciudad, la chica rara, la suicida ambulante, la india que ni siquiera debería estar viva, mientras que tú... Tú eres quien eres, eres lo que eres. Pero en esto te equivocas de medio a medio, hazme caso.

—Hay pruebas —insiste Letha—. Kits, en el hospital podrían...

—¿Examinarme para ver si soy virgen? —resopla Jade—. ¿De verdad crees que alguien en esta ciudad sospecha que la encargada de mantenimiento que todas las semanas lleva el pelo de un color distinto ha sido capaz de mantener las piernas cerradas durante todos estos años? ¿Que lo ha intentado siquiera?

Ni Hardy ni Holmes tienen nada que alegar al respecto.

—He preguntado por ahí —dice Letha transcurridos unos instantes, como si se resistiera a jugar esa baza—. Nunca has salido con nadie, no has tenido ningún nov...

—A lo mejor es que no me gustan los chicos —la ataja Jade.

—No se trata de... —Letha se interrumpe, prueba a empezar la frase de nuevo—. Es perfectamente natural que intentes defenderlo, es lo... Es como si te considerases cómplice por haber estado implicada. Lo que pasa es que tu implicación no tuvo nada de cómplice, no fue algo voluntario, nunca lo es, no puede serlo, ni siquiera sabes que le puedes decir que no a tu padre. Los padres son buenos, los padres son seres de luz, justos, son los dioses de nuestro mundo y por eso, hagan lo que hagan, nunca pueden equivocarse. Deben de ser tus sentimientos los que se equivocan. La paternidad es su máscara. Sin embargo, detrás de ella, algunos son monstruos. Y ahora, cuando han pasado ya tantos años…

—¿Nuestro mundo? —dice Jade.

Todas las miradas se posan en Letha.

—Todos pensamos que nuestros padres son dechados de perfección —continúa esta, parpadeando un poquito más deprisa que antes, tic que Jade detecta—. Nos alimentan, nos visten, nos protegen.

—¿Nos traen una segunda madre cuando la primera…? —dice Jade, dejando el espacio en blanco para que Letha lo rellene: «¿Qué le ha ocurrido a tu madre, chica final?».

Es entonces cuando el rostro de Letha se transforma en una máscara a su vez. No es que se haya operado ningún cambio sustancial en sus facciones, sencillamente ahora se oculta tras ellas. Pero no puede sincerarse por completo todavía, Jade lo sabe. Todo tiene su momento y lugar. Las dos biblias coinciden en eso.

—El Family Dollar —dice Jade para aliviar la presión—. Faltan diez minutos para su descanso, así que nos deberíamos dar prisa.

Es mentira, por supuesto, pero de las buenas, en el sentido de que es la última pregunta con carácter oficial que hará Hardy delante de la caja registradora del bazar.

—Vamos en mi… —dice el sheriff, que estira el brazo hacia atrás para darle unas palmaditas al capó mientras se cala el sombrero, pero Jade ya está dejándolo atrás. Letha la sigue, y después Jade oye que Hardy y el señor Holmes están pisando la grava también, y de golpe y porrazo es como si los cuatro estuvieran protagonizando una marcha épica camino del O. K. Corral. Los ojos entornados de Jade son como aspilleras desde las que disparar flechas, Hardy se sujeta con más firmeza el sombrero, el cabello de Letha bota con cada paso que da y la corbata del señor Holmes se esfuerza sin conseguirlo por encaramarse de un salto a su hombro derecho, entre torva y risueña su mirada, demasiado consciente de lo absurda que es esta escena.

A Jade no le importa el paseo, hasta que se da cuenta de que todos los ojos de la calle principal estarían siguiéndolos desde detrás de los vidrios de las ventanas. Como siempre que se convierte en el centro de atención, sus piernas se transforman en las de un robot, por lo que ahora tiene que darles instrucciones muy precisas a sus caderas mecánicas, a sus pies y a sus tobillos, incluso a sus brazos, que parecen haber olvidado cómo mecerse. ¿Cómo lo hará Michael para caminar como si flotara? Es tan inexorable, tan absolutamente imparable, infatigable, conocedor siempre de la ruta más eficiente que debe trazar.

Jade decide que el motivo de que él pueda hacerlo (lo de caminar) y ella no, no sin arriesgarse a sufrir un derrame a causa de la inmensa cantidad de actividad cerebral que requiere esa acción, estriba en lo singular de su objetivo: la siguiente canguro. Mientras que lo que tiene Jade es la misma mierda que arrastra siempre consigo, eso en lo que no le apetece pensar, solo que ahora hay todavía más latas que van dando tumbos tras ella: la compasión de Letha, sincera pero equivocada; la resignación de Hardy, que sospecha que Letha podría estar en lo cierto, y la inconmensurable desgana con la que el señor Holmes está allí, cuando lo único que le gustaría es jubilarse ya de una vez, por favor. Y, para colmo de males, como un ataque a traición: ¿es posible que Jade se sienta responsable de algo? ¿De todas las vidas que se va a cobrar este asesino? ¿De todas las que se cobrará si ella no consigue preparar en condiciones a Letha?

Esa es la parte que más la desconcierta: debería sentirse emocionada ante la perspectiva de todas esas gargantas cortadas, todas esas extremidades cercenadas, todas esas vísceras desparramadas como regaliz humeante.

Proofrock se merece eso y más.

Pero Letha no, decide. Además, quién sabe, ¿verdad? A lo mejor todas las chicas finales de la historia han tenido a una fanática del terror susurrándoles las cosas fuera de plano. A lo mejor esto no es algo inusitado, sino la norma. Solo que nadie se da cuenta hasta que se ve inmerso en el palpitante corazón del asunto.

Jade asiente, eso le gusta. Además, es mejor que se quede entre bastidores. A menos que la obra vaya de robots, en cuyo caso, sus brazos y piernas ya estarían clavando el papel.

Pensar en la pinta que debe de tener, caminando de esa manera, lo cierto es que tampoco contribuye a animarla. Ni eso ni la presión que se acumula a su alrededor, alrededor de todo Proofrock. Es como si estuvieran intentando cruzar un globo inflado de un lado a otro. Aunque Jade sabe cuál es la válvula de escape para toda esa presión: la puerta del Family Dollar.

Estira los brazos para abrirla, para evitar que se continúe prolongando este instante, por favor, pero Hardy le apoya una zarpa carnosa en el hombro para evitar que entre en la tienda.

—¿Disculpe? —Jade se gira en redondo para rehuir el contacto, seguramente con más melodramatismo del necesario.

—Tú te quedas aquí, con tu profesor de Historia favorito —refunfuña el sheriff, sin un ápice de concesión en la voz, antes de trasponer la puerta en solitario, embarcado en su propia misión. Aunque se da la vuelta en el último momento para ofrecerle su cigarrillo al que quiera cogerlo.

Por solidaridad, o al menos en un intento por suavizar su traición, Letha se cuela en el interior antes de que a la puerta le dé tiempo a cerrarse, inclinando la cabeza en dirección a Jade sobre la marcha como si estuviera prometiéndole que ella se va a asegurar de que todo esto se haga como es debido, tranquila, no permitirá que Jade se hunda en la miseria.

«Pero si la miseria es el hábitat natural de las sabandijas como yo», le gustaría replicar a Jade mientras sus ojos y su boca se convierten en manantiales de los que brotan riadas de sabandijas. Lo que hace en vez de eso es llevarse el cigarrillo de Hardy a los labios, frustrada, pegarle una honda calada y girar la cabeza para expulsar un intenso chorro de humo con el que expresar su cabreo. Se lo tiende al señor Holmes, que se ha quedado allí plantado, con ella, incómodo y sin saber muy bien lo que hacer.

—Ya no va contra las normas —dice Jade, refiriéndose al cigarrillo—. Usted ya no es profesor y yo ya no soy su alumna. —El señor Holmes aparta la mirada, primero hacia la calle principal y después a la orilla opuesta del lago—. Lo odia con todas sus fuerzas, ¿verdad? Terra Nova, quiero decir. —El señor Holmes se encoge de hombros, sin comprometerse—. ¿Cuál es su historia, profe?

—No la hay.

—Siempre hay alguna —replica Jade—. Alguien grabó eso a fuego en mi tierna psique cuando empecé el instituto. Nada surge de la nada. Todo tiene su origen. Todo tiene una historia. Solo es cuestión de ver hasta qué punto nos interesa desenterrarla.

El señor Holmes sacude la cabeza con una sonrisa, impresionado de veras por una vez, se diría.

—No eres la mejor alumna que he tenido a lo largo de mi carrera —le dice, midiendo sus palabras con mucho cuidado—. Pero sí que eres la que nunca voy a olvidar.

—La que tiene más probabilidades de morir en una peli de miedo por votación popular, ¿a que sí?

—Y me disculpo por no haberme dado cuenta de lo que intentabas decirme realmente, Jennifer.

—Jade.

—Debería, la verdad. Habría evitado que todo esto…

—«La historia sin documentación no es historia» —dice Jade con un destello en la mirada. La cita es de él—. Documentos, testimonios, artefactos: la santísima trinidad. De lo contrario, sería un cuento. Bonito pero carente de contenido, esas palabras son suyas, ¿le suenan?

—Todavía no lo hemos interrogado a él —replica el señor Holmes, humedeciéndose los labios en lo que Jade interpreta como un gesto de anticipación, como si quisiera protegerla del «él» en cuestión: su padre. Casi le hace sentir algo, pero no puede permitirse ese lujo.

Lo que hace es respirar hondo y decir:

—No me ha preguntado por qué nuestra princesa de Terra Nova está tan obsesionada con la posibilidad de que haya un padre pederasta aquí, en Proofrock. Como un Rexall cualquiera, el muy…, muy…

—Gorrino —la ayuda el señor Holmes—. Le pusieron ese mote en el instituto, por lo gordo que estaba.

—Pero no es su peso lo que me da escalofríos. Se parece a Krug.

—¿El de *Pesadilla en Elm Street*? Ah, no, el de *La última casa a la izquierda*.

—El alegre asesino de Springfield —dice Jade, impresionada al ver que el señor Holmes recuerda esos títulos—. Fred, Freddy, el señor Rogers de Elm Street. Ese era al que le gustaban los niños.

—Pero el otro era un violador, ¿no?

—La gente de bien escasea en las pelis de miedo.

—Y dices que Rexall te da esas vibraciones. —El señor Holmes se encoge de hombros—. ¿Hace falta que te pregunte por qué tus sentidos apuntan en esa dirección en particular?

—Nada de lo que dijera podría hacerle cambiar de opinión, ¿verdad?

—¿Hacer que me cueste creerlo? —pregunta el señor Holmes a su vez—. La señorita Mondragon ha expuesto su caso de forma muy convincente, Jennifer, basándose en un análisis textual sólido e incriminatorio. Todos los síntomas y características están presentes.

—No todos los bichos con manchas son leopardos —dice Jade—. ¿Dónde habré oído yo antes esa perla de sabiduría?

—Si me diera igual, no habría venido.

—Preferiría estar revoloteando por ahí. Entendido.

Al señor Holmes se le escapa una risita culpable. Y luego, como si tirase la toalla, como si cediera terreno:

—Cuando yo era crío, teníamos un fuerte. —Apunta con la barbilla a la margen opuesta del lago Indian, a Terra Nova. Jade pega otra calada y aguanta el humo, no quiere estropear este momento—. Construimos una balsa, teníamos hasta una bandera pirata y todo —continúa el señor Holmes—. Nos juntábamos a este lado del embarcadero nuevo, era nuevo por aquel entonces, nos reuníamos a medianoche, con velas y todo, mientras nuestros padres dormían, y cruzábamos el lago remando hasta nuestro refugio secreto.

—Así que le están arruinando la infancia con todas esas casas de lujo, ¿es eso? —Jade gira la cabeza para expulsar el humo.

—Del refugio ya no quedaba ni rastro mucho antes de que llegaran Theo Mondragon y sus barones de lo que se entiende aquí por industria —dice el señor Holmes—. La infancia, en fin, eso se desvanece antes de que uno se dé cuenta siquiera, parpadeas y zas, ya tienes una hipoteca. Pero el fuerte también había desaparecido hacía tiempo. Arrasado.

—El incendio. —Jade deja caer la ceniza entre ambos con discreción, con un sutil golpe del índice contra el cigarrillo, como hace la gente en las pelis. Y en la vida real.

—A ver qué te parece esto. —El señor Holmes la mira a los ojos para indicarle que va en serio, nada de su habitual toma y daca—. Hagamos un trueque. Verdad por verdad. Nadie más sabe esto, a excepción…

Inclina la cabeza hacia atrás, hacia el Family Dollar. Hacia el sheriff Hardy.

—¿Él también estaba en su club pirata? —pregunta Jade.

—Aquel incendio fue… —dice el señor Holmes, cuyos labios y cuello denotan el esfuerzo que le está costando confesar esto en voz alta después de tantos años—. Fuimos nosotros. La fogata que habíamos encendido esa noche. Se tiró nueve días ardiendo. Dos excursionistas de Kansas perdieron la vida. Y un bombero de aquí, tío suyo.

Jade abre mucho los ojos, impresionada de veras.

—Viejo granuja —murmura—. Entonces, si nos atenemos a la lógica de los slashers, que es, en fin, la lógica con mayúsculas, uno de los Fundadores, estos barones de la industria, debería haber sido oriundo de Proofrock hace cincuenta años, y también pirata. Por eso sabría que había toda una orilla virgen ahí. No, no. Uno de sus padres, ¿verdad?

El señor Holmes menea la cabeza.

—Nunca te rindes, ¿eh?

—Eso no me parece un no.

—Te toca —dice el señor Holmes mientras estira el brazo para tomarle el relevo con el cigarrillo, que guía a sus labios con mano temblorosa.

Lo apura y aplasta la colilla con la suela del mocasín durante bastante más tiempo del que requiere apagar las pavesas; el tiempo justo para inmortalizar la confesión tan monumental que acaba de hacer.

—¿Me toca qué? ¿Entregar otro trabajo?

—Puedes hacerte la tonta con él —dice el señor Holmes—. Puedes hacerte la tonta con todos, me trae sin cuidado. Pero yo, Jennifer, sé que no tienes ni un pelo de tonta.

—Gracias, supongo.

—Te he contado una verdad dolorosa. Ahora te toca a ti.

—*Quid pro quo* —dice Jade con una risita.

—Latín. Nunca dejarás de sorprenderme, Jennifer.

—O de decepcionarlo. Y es Jade, gracias.

—Total, que te toca.

—Yo no he provocado ningún incendio visible desde el espacio.

—He caído en la cuenta mientras veníamos aquí —dice el señor Holmes—. El único subgénero del terror que no has abordado nunca en tus redacciones, ensayos y trabajos creativos. No era casualidad que lo evitases.

—Lo mío son los slashers, eso usted ya lo sabe. Hay muchos subgéneros sobre los que no he escrito nada. O sea, los exorcismos son aburridos, solo sirven para ensalzar las convenciones religiosas occidentales, y los vampiros y los hombres lobo tienen tanto de leyenda que prácticamente se enmarcan dentro de la fantasía, da igual cuántas gargantas desgarren, y las casas encantadas no son más que un remedo de…

—Me refiero a la venganza por violación, Jennifer.

—Que yo no me llamo así.

—¿Por qué no has abordado nunca ese subgénero?

Jade deja que se le desenfoque la mirada para ver a través de lo que le está preguntando: la venganza por violación es cuando una mujer violada a la que han dado por muerta vuelve a la vida para vengarse de sus agresores de forma brutal, a menudo con un aura de justicia poética, y por lo general con grandes dosis de alaridos bestiales.

—Vale, veamos. Si consideramos la venganza por violación una forma de pariente lejano del slasher —dice, improvisando sobre la marcha—, eso significaría que la violación es la broma inicial, ¿verdad?

—Tú eres la experta.

—Y por consiguiente, esa mujer se convertiría en un avatar de la venganza personificada —continúa Jade—. Lo único que nos falta es una máscara.

—No la necesita —dice el señor Holmes—. Debería estar muerta. Y, de todos modos, a los violadores no les interesaba precisamente su rostro. ¿O puede que su violencia le proporcionase una máscara? Los hematomas, los ojos morados, el labio partido.

—Vale, vale. Pero, normalmente, esto tendría lugar a lo largo del mismo fin de semana, ¿no? ¿Violada el viernes, asesinatos durante todo el sábado y el domingo? Nada de esperar cinco o diez años para que a los artífices de la agresión les dé tiempo a olvidarse del crimen que cometieron.

—Se olvidaron de ella en cuanto acabaron —replica el señor Holmes, aparentemente preparado para responder a todas las teorías de Jade. Lo que significa que el silencio de antes era que estaba pensando. Preparándose. Y tanto que viejo granuja.

—De acuerdo, se lo concedo —dice Jade, aunque sabe que es una trampa.

—Pero si eliges excluirlo de tus slashers —continúa el señor Holmes—, si afirmas que pertenece a otra categoría distinta, eso equivaldría a decir que el crimen en sí no es merecedor de ninguna venganza, ¿no es cierto? Que la violación tiene un pase. Que las agresiones sexuales escapan al ámbito de esa famosa balanza de la justicia que tanto te gusta, que, de alguna manera, están fuera de su jurisdicción. —Jade se limita a observar al pájaro que está intentando sacar algo de una rejilla de alcantarillado—. Eso, o lo que estás reconociendo es que una menor no puede vengarse de esa manera —añade el señor Holmes en voz baja. Porque ahí era adonde quería ir a parar desde el principio.

Jade se podría decir que lo odia en esos momentos. Sin embargo, eso no significa que le vaya a conceder la victoria.

—La razón de que la venganza por violación no sea un slasher es que la asesina y la chica final tendrían que ser la misma persona —dice mientras empuja con las nalgas para apartarse de la fachada del Family Dollar—. Lo malo de eso es que la chica final y el espíritu de la venganza están atrapados para siempre en sus papeles de antagonistas, no pueden compartir el mismo uniforme. Sería como si Batman se quitara la máscara y desvelara que, en realidad, es el Joker. ¿Funcionaría algo así? —El señor Holmes se queda mirándola. Jade niega con la cabeza—. De todas formas, ¿qué podría decir para convencerlo de que Letha está equivocada?

—Ella siendo ella —dice el señor Holmes antes de inclinar la cabeza hacia el interior del bazar, hacia Letha.

—Ella siendo incapaz de no ser ella —replica Jade con un resoplido.

—Una cosa más —añade el señor Holmes tras prolongadas deliberaciones para sus adentros—. ¿Me preguntabas por documentos o PDF en mi bandeja de entrada? Pues bien, cuando me saqué el título de profesor, el último obstáculo que tuve que superar para obtener el diploma fueron unos exámenes orales. La parte oral de la prueba.

—Prestaba atención en clase, se lo aseguro, pero no puedo acordarme de todas las fechas.

—Será solo una pregunta. Nada de fechas.

—Así que está reteniendo mi diploma como rehén —dice Jade después de pensarlo un momento.

—Eso sería muy poco ético. —Ahora el señor Holmes se aparta del Family Dollar a su vez y da un paso al frente para estudiar la calle con las manos enlazadas a la espalda, lo que significa que ya ha entrado en modo docente de nuevo—. Pero me has insistido mucho para que te dejase recuperar las ocho semanas de ausencia.

—Me refería a más redacciones.

—Sobre slashers.

—¿Qué es esto, algún truco?

—Un regalo.

Jade toma aire, sacude la cabeza para negar, no hay ningún truco, no, pero sí una trampa, aunque ¿una sola pregunta y se gradúa?

—Dispare.

—Tienes que ser sincera.

—¿Se lo juro por la vida de mi padre?

El señor Holmes se ríe y formula su pregunta:

—¿Que si sí o que si no qué? Me refiero a tu madre. Allá en Idaho Falls, aquel día, cuando encontraste esa cinta de vídeo en el expositor de las ofertas.

—*Bahía de sangre* —matiza Jade.

—Esa no es la respuesta que estoy esperando —dice el señor Holmes.

Jade lo mira sin verlo mientras lo sopesa todo en su cabeza. Detesta estar arrinconada de esta manera, en esta discusión, en esta jornada, pero luego, antes de que pueda inventarse algo, «darle gato por liebre», como escribió una vez el profesor en el margen de una de sus redacciones, las puertas de cristal del Family Dollar se abren de súbito, dejando escapar a Hardy, a Letha y un hondo suspiro de aire acondicionado.

—¿Y bien? —les pregunta Jade—. ¿Soy una víctima como esas que salen en los documentales o es que nací así de mala?

—Las cosas no son nunca tan simples —replica Letha, y eso es todo cuanto Jade necesita escuchar.

Hardy se pone las gafas de sol, una lenta patilla tras otra, antes de decir:

—Según tu madre, que ha prometido enseñarme la documentación necesaria, aquella visita a Idaho Falls no fue por lo que nosotros pensábamos, basándonos en tu carta a la señorita Mondragon. Fuiste por motivos privados, sí, pero el motivo privado en cuestión era hacerte un lavado de estómago, ¿verdad?

Jade traga saliva. El sonido es ensordecedor.

—Los lavados de estómago no son agradables.

—Esto no ha terminado —dice el señor Holmes para Jade, solo para sus oídos, lo que significa que el examen oral de una sola pregunta todavía queda pendiente y seguramente tendrá lugar cuando ella menos se lo espere, para que así él pueda pensar que la respuesta es sincera.

—No deberían serlo —continúa Hardy, refiriéndose a los lavados de estómago, mirando a los ojos a Jade—. Si lo fueran, nada nos impediría tomarnos un bote de aspirinas de una sentada.

—Sabían a cereza —murmura Jade.

—Entonces, ¿fue un accidente? —pregunta Letha.

Jade vuelve a tragar saliva. El sonido no es menos ensordecedor que antes. Levanta su muñeca de suicida como si fuese un trofeo.

—Todos creíais que este había sido mi primer intento, ¿verdad? —dice con la mueca de superioridad más despectiva que es capaz de imprimir a sus labios.

Las lágrimas relucen en los ojos de Letha, amenazan con desbordarse de preocupación, en tanto el señor Holmes se limita a contemplar la entrada del Family Dollar, deseando tal vez estar a doscientos pies de altura en esos momentos, y Hardy oculta la mirada tras sus gafas de espejo, lo que significa que podría estar en cualquier otra parte. A mil kilómetros de allí. Surcando las aguas del lago Indian, con el casco de su fueraborda rozándolas cada diez metros o así.

«Así que a esto sabe la victoria», piensa Jade.

Menos el júbilo, la sensación de logro y las ganas de llorar de alegría, es más o menos lo que se esperaba, supone. Diez o veinte minutos de borrar palabrotas de las paredes del cuarto de baño y no será más que otro elemento del ruido de fondo habitual, la mediocridad propia de Proofrock.

Y no, esta pausa para el almuerzo no ha salido precisamente como se esperaba. Ahora Letha tendría que estar boquiabierta en el banco, cien por cien convencida de que este slasher es real, de que todo el lago Indian corre peligro y ella es la única elegida que puede salvarlo. En vez de eso está aquí, con los brazos cruzados y la mano derecha delante de la boca, con las cejas arqueadas de preocupación. Por Jade.

Pero tampoco es culpa suya. Jade debería haberlo previsto, ¿no es cierto? Letha es tan buena persona, una chica final tan pura, que si contemplase siquiera la posibilidad de que lo que piensa que le ha pasado a Jade es cierto, no le quedaría más remedio que intentar arreglarlo. Equilibrar el mundo y vengar afrentas es lo que hace el asesino, en definitiva, siempre y exclusivamente. Sí, el slasher es el moderador de la injusticia, pero la chica final es la moderadora del moderador, la que le aplica el torniquete al ciclo cuando este amenaza con desangrarse más allá de su objetivo inicial, con convertirse en una franquicia con todas las letras. Lo que equivale a decir que: la chica final es la encargada de la justicia, la encargada de arreglar cualquier entuerto allí donde se los encontrare. Aunque sea leyendo entre líneas en una carta, entornando los ojos de la manera adecuada.

—Esto no ha terminado —dice Letha, sosteniendo las manos de Jade como si fueran a salir a una pista de baile.

—En eso tienes razón. —Jade intenta poner su mirada más seria, que sus ojos reflejen la importancia de la situación, pero un mechón encostrado de flequillo negro parece empeñado en clavársele en la pupila derecha. Se lo aparta de un manotazo y empieza a enfurruñarse, pero se corrige y se obliga a decir, para todos—: Gracias. Sé que estáis intentando ayudar. Pero, la verdad, me gusta el terror, eso es todo. No siempre tiene que haber alguna razón oculta detrás de las cosas. Y ya ni siquiera gasto bromas pesadas.

—Aunque la última haya sido intentar convencernos de que hay un asesino suelto —apostilla el señor Holmes sin poder evitarlo.

—Eso no es ninguna broma —replica Jade sin inmutarse.

—Me la llevo en el coche —anuncia Hardy, rompiendo la tensión, con su mano de policía rodeando ya el brazo izquierdo de Jade para poder manejarla.

Jade se deja hacer y solo se gira una vez para mirar a Letha, que está contemplando su retirada con unos ojos que proclaman que podría haber hecho algo más, que debería haber hecho algo más, que no tiene por qué terminar así.

«Pero si esto no ha hecho más que empezar», le asegura Jade antes de zafarse del sheriff, adelantarse y tirar de la puerta del copiloto del Bronco antes de que él pueda abrírsela.

—Esta tarde trabajo en el instituto —le dice Jade mientras salen del aparcamiento.

Hardy interrumpe la maniobra a la izquierda que estaba haciendo y tira del volante hacia el otro lado.

—Jade, da igual lo que nos haya contado tu madre. Si tu padre alguna vez...

—Es Letha Mondragon la que tiene una imaginación desatada —dice Jade, esgrimiendo contra él sus propias palabras—. Un complejo de mamá pato que la lleva a querer ocuparse de todos. Y como yo soy la pipiola con menos probabilidades de sobrevivir, eso significa que soy la primera a la que debe salvar.

Hardy exhala un suspiro.

—Creo que la palabra correcta es «patita». —Jade se arrumba en el asiento y encaja las piernas contra el calor del salpicadero—. Tiene razón —añade el sheriff—. Esto no ha terminado.

—Solo estaba...

—Me refiero a que todavía me quedan unas cuantas preguntas. —Jade lo mira, pero Hardy está volcando toda su atención sobre la carretera, como si no hubiera pasado mil veces por ese tramo de la calle principal. Desliza las manos sobre el volante, asiente en silencio, como si sus pensamientos hubieran encontrado por fin el orden que necesitaban, y dice—: Sabías lo del Maruman en el antiguo campamento, lo que significa que, o bien estabas presente cuando ocurrió, o justo después, o bien, de alguna manera, has escuchado la transcripción de Meg. —Jade no dice nada—. Y si estuviste allí —continúa Hardy antes de estirar el brazo hacia el asiento trasero y depositar algo encima del salpicadero, entre ambos—, sé lo que llevabas puesto.

Son las botas embarradas de su padre.

—Preferiría pegarme un tiro en la cara que tocar esas botas —dice Jade, apartándolas con el codo para que vea cuánto asco le dan.

—Tienes un buen historial de intentos de suicidio, eso es verdad.

Jade abre la boca para preguntarle por qué no detiene a su padre, ya que las botas son suyas. Pero eso equivaldría a ponerlo sobre una pista falsa, ¿no? Porque sería inconcebible que Chapi Daniels fuera el culpable. A su manera, los asesinos de los slashers son tan puros como las chicas finales.

—¿Qué? —Hardy levanta el pie del acelerador para que Jade suelte lo que tiene en la punta de la lengua. —Pero Jade sacude la cabeza, no, nada—. En cualquier caso, eso ni siquiera es lo peor de todo —prosigue el sheriff, que por segunda vez en un mes para el vehículo en el carril de estacionamiento limitado del instituto—. Has dicho que había un chico holandés y una novia. Cuando nosotros solo tenemos conocimiento del varón, cuyo análisis dental demuestra que es de procedencia europea, en efecto, al menos en el informe forense que ha llegado a mi bandeja de entrada hace tan solo dos horas. Lo que me lleva a pensar que podrías saber algo que nosotros todavía ignoramos.

—Viajan en parejas —replica Jade—. Todo el mundo lo sabe. Casey y Steve en *Scream*. Barry y Claudette en…

—«Viajan», dices ¿los holandeses?

—Lo llamo así porque era rubio. Como los que salen en las etiquetas de los botes de pintura.

—Así que estabas allí.

—En la fiesta, sí. ¿Es que no puedo salir con mis antiguos compañeros de clase?

Aunque a Hardy no le gustan sus respuestas, Jade sabe que tampoco puede descartarlas sin más.

—En tal caso, sabrás que elaboramos una lista con todos los asistentes a la casa de Tompkins aquella noche. No recuerdo que en ella apareciese tu nombre.

—Me fui pronto.

—Pero también te quedaste hasta el final, ¿no? Para ver el color del pelo del chico muerto y eso.

—Me estaba yendo.

—Cosa que la hija de los Koenig o cualquiera podrá confirmar.

—Los recuerdos de Tiff de esa noche quizá sean un poquito borrosos.

Hardy sacude la cabeza, impresionado. Debe de saber que Tiffany K acabó muy cocida. Aun así:

—Total, que si no estabas en la fiesta —empieza a enumerar, utilizando los dedos para subrayar sus palabras en el aire, o eso parece—, lo que pasa es que posees unos conocimientos adquiridos clandestinamente sobre los hechos que causaron que ese chico acabara allí. Y lo mismo con el palo de golf.

—¿Se creería que un autobús me ha atropellado las pruebas o se parece eso demasiado a lo típico de que el perro se comió mis deberes?

—¿Disculpa?

—Existe una tercera posibilidad. —Jade abre la puerta y descuelga una pierna en busca de tierra firme.

—No te…

—He visto muchas pelis de miedo —lo interrumpe Jade—. Y me invento cosas a diestro y siniestro porque mi padre me ha hecho unas cosas horrendas.

Hardy se queda allí sentado, con el pie plantado en el freno y los ojos ocultos tras las gafas de espejo.

—¿Me estás diciendo que la chica de los Mondragon estaba en lo cierto? —pregunta por fin.

—Lo que le estoy diciendo es que algo viene a por nosotros, sheriff. —Jade termina de apearse—. No sé ni quién ni por qué, pero sí que sé cuándo.

—El Cuatro de Julio —recita Hardy—. Hablando de eso.

Eso detiene a Jade. Hasta que une los puntos necesarios.

—Puede reforzar la seguridad todo lo que le apetezca —dice—. No servirá de…

—En retrospectiva, tu carta representa una amenaza plausible vinculada a la noche de autos —dice Hardy, recurriendo a la fraseología oficial—. Si apareces e intentas cumplir personalmente tu profecía, yo quedaré como un auténtico inepto, el clásico poli paleto que nunca se entera de lo que pasa en su pueblo.

—Pero…

—Lo que digo —continúa Hardy, atajándola, sosteniéndole la mirada para que cale el mensaje— es que su presencia no será necesaria esa noche, señorita Daniels. Rex Allen y Francie te escoltarán lejos de allí si lo intentas.

—No puede hacer eso. Llevo toda la vida esperando…

—Es por tu bien —dice el sheriff, desafiándola a llevarle la contraria.

«Llevo toda la vida esperando que ocurra algo así», es lo que le gustaría decir a Jade, pero no puede.

Lo único que puede hacer es quedarse de pie en la acera de su antiguo instituto, con el mundo desmoronándose a su alrededor, saltando en pedazos. Hardy se toca el ala del sombrero a modo de despedida y se aleja, y a Jade ni siquiera se le ocurre ninguna agudeza ni nada mordaz que decir. Se ha quedado sin habla.

—Te he hecho el favor de fichar por ti —dice Rexall, que en esos momentos pasa por su lado con una tubería deteriorada apoyada en el hombro. Por los dos extremos rezuma una escoria innombrable—. Ya me lo agradecerás más tarde, ¿eh?

Tampoco para él tiene Jade ninguna réplica lacerante, silencio que Rexall seguro que se toma como la confirmación del acuerdo. Ojo por ojo y tarjeta de control por un momento de desenfreno.

Para Jade, todo eso es como si estuviera sucediendo en otro planeta. Como si le estuviera sucediendo a otra persona.

Treinta minutos más tarde vuelve a estar en el interior del edificio, borrando obscenidades de las paredes del baño. A media tarde, valiéndose del cúter, con el tabique metálico de los urinarios como telón de fondo de color azul marino, se dedica a grabar su propia frase reivindicativa raspando la pintura hasta arañar el metal:

LOS CRÍMENES DE LA BRUJA DEL LAGO.

A la mañana siguiente llamarán así a lo que suceda, sin duda, cuando todos los cadáveres estén flotando bocabajo en el agua, con la sangre extendiéndose como alas desplegadas a su alrededor.

Va a ser glorioso.

INICIACIÓN AL SLASHER

La suerte que tiene de poder tomarse un año sabático durante TODO MI PRIMER CURSO y que al volver sigan vigentes las mismas reglas del slasher de siempre, así podremos completar su formación, señor Holmes. O debería decir El aviador nocturno. Esa no es un slasher pero sigue habiendo salido de la mente aterradora de Stephen King, que se ha cargado a muchísima gente en sus libros y pelis aunque su Freddy Krueger sea Pennywise el payaso y su Chucky sea Gage y su chica final sea Carrie y su Jason Voorhees sea un perro, pero ninguno de esos son auténticos slashers. En realidad si quiere que le diga la verdad si comparamos al señor King con cierta ancianita seguramente esta haya hecho más por darle alas y un rostro secreto al slasher que el afamado rey. Correcto me refiero a Agatha Christie y al otro ingrediente fundamental del slasher, la Revelación. Pero antes una revelación propia si no le importa. Puesto que esta solo es la 2ª semana de clases eso significa que esta redacción de 2 páginas que ha encontrado en su bandeja de trabajos para conseguir créditos extra es mi forma de hacer una inversión de futuro. Porque Halloween ya habrá llegado cuando nos queramos dar cuenta.
Total, que la Revelación en el slasher es cuando todo se dice en voz alta y queda claro Quién ha estado haciendo todo esto y Cómo y Por qué. Así que cuando antepongo a la señora Christie sobre todas las cosas me estoy refiriendo al único libro suyo que me he leído casi entero titulado Y no quedó ninguno que a lo largo de los años ha cambiado de nombre más que Bahía de sangre, libro en el que la gente empieza a morir y quién será, quién será, hasta que al final, ¡SORPRESA! Era ese desde el principio, y he aquí por qué, y su verdadero rostro se desvela al final.

O si le va más Scooby-Doo entonces vendría a ser lo mismo, señor Holmes. Ya sé que para usted solo es un chucho jipi pero también se enfrenta a fantasmas y hombres lobos que siempre se quitan la careta al final y explican POR QUÉ estaban haciendo lo que hacían, cosa que en su momento les pareció la cosa más lógica del mundo aunque supusiera UN MONTÓN de trabajo, a la altura de las estratagemas del Joker.

Pero en el slasher donde hay cuellos reales bajo la hoja del hacha, como funciona eso es, vale, imaginemos que todos los personajes que han muerto en la película pudieran resucitar durante cinco minutos y juntarse en la misma habitación, y entonces el asesino aparece y les explica por qué les ha hecho lo que les hizo y todos se miran y asienten y dicen, pues sí, como que les está bien empleado. Es una lata que tuviera que doler tanto y que tuvieran que pasar tanto miedo y que sus familias se hayan puesto tan tristes y a ver ahora quién le da de comer al perro, pero todo eso deberían haberlo pensado antes de hacer esa Cosa Mala que le hicieron a alguien indefenso en aquel momento, alguien que por supuesto no había hecho nada para merecérselo. Momento en el que cualquier buen asesino de slasher que se precie sacará el machete y los descuartizará a todos de nuevo, dejando la salita pintada de rojo desde el suelo hasta el techo.

Nótese no obstante que esto solo vale para los slashers de misterio como Scream y no para los sobrenaturales como Pesadilla en Elm Street. En Scream al final sale Billy Loomis dando una charla REVELANDO por qué ha estado haciendo eso, mientras que en Pesadilla tenemos a Freddy pronunciando su sermón a lo largo de toda la franquicia a base de pullas, porque si bien Tina lo desenmascara, desvelando su calavera animatrónica, Freddy en realidad es todavía más él mismo sin ella, lo que podría calificarse más de magnificación que de Revelación.

Aunque si vamos a hablar en este plan de Agatha Christie, señor Holmes, no podemos pasar por alto la caza y pesca. Los señuelos, las pistas falsas para ser más exactos. Próximamente en su bandeja de trabajos para conseguir créditos extra.

Angustia en el Hospital Central

No es Rexall el que la despide por hacer pintadas cuando se supone que debería borrarlas (esa tarea recae sobre Hardy), pero Jade está casi segura de que fue él el que se chivó, bien en represalia por haberle robado su momento de gloria durante la graduación o bien por no cambiarse nunca a cámara lenta delante de ninguna de sus cámaras espía.

En fin, lástima. Lo de que ya no vaya a ganar más dinero, claro (a partir de la próxima factura, nada de móvil), pero también porque tenía grandes planes para que una de las grabaciones ilícitas de Rexall se convirtiera en el instrumento crucial con el que desenmascarar al asesino, o documentar uno de sus crímenes en granuloso blanco y negro, al menos.

«Aunque eso le corresponde a Letha», se recuerda con la mirada puesta en la otra orilla del lago mientras Hardy endereza el calendario de su escritorio y diserta sobre temas como la destrucción de la propiedad del condado, confianzas traicionadas, se acabaron las segundas oportunidades, responsabilidad cívica, uso indebido del material de limpieza registrado a su nombre, abuso de privilegios fundamentales, el espíritu o falta del mismo de Henderson Hawk, y en algún momento de la charla Jade desenfoca los ojos todo lo humanamente posible, lo suficiente como para pasarse el resto del domingo flotando en un estado mental embotado y acabar varada en la playa del lunes introduciendo un slasher tras otro en el reproductor, desesperada por encontrar la manera de regresar a su ser. Sin embargo, no aguanta más de diez minutos con ninguna película. Intenta convencerse de que se trata de encontrar la indicada, eso es todo, la que mejor encaje con su estado de ánimo, pero ¿cómo es posible que no le guste ninguna cuando siempre le han gustado todas?

Hasta que:

—¿Martes? —dice en voz alta, mirando a su alrededor. Sin escuela y sin curro, los días en realidad ya no importan, ¿verdad? Esconde la cabeza debajo de la almohada, duerme hasta mediodía y después duerme un poco más. Bueno, o se queda en la cama, al menos, con la mirada fija en el techo, deseando un vaso de agua que le desempaste la boca pero no lo suficiente como para levantarse para ir a por él. Porque, le sisea a Hardy, no es ambiciosa, ¿no es cierto? Todo el mundo lo sabe. Es una floja, una vaga, ¿y dónde acaba la gente que se deja llevar por la corriente? En el desagüe, correcto. Ese en blanco y negro, para ser más exactos, el de la ducha de Janet Leigh.

La réplica la anima tanto que Jade se consigue sentar por fin e intenta hacerse una composición de lugar.

Su padre debería estar echando el día en Terra Nova, y su madre..., ¿por qué piensa en ella siquiera? Por la debacle del sábado, ¿no? Sí. Porque ha tenido que ver a su madre a través de los ojos de Letha, por así decirlo: como la Jade del futuro. Ni de coña. Ni loca piensa terminar ella así, enrollada con una versión de su padre, aguantando la misma pregunta que su madre debe de escuchar cincuenta veces al día: «Pero ¿esta no es la tienda de todo a un dólar? Entonces, ¿por qué pone aquí que esto cuesta dos dólares?».

Algo que el señor Holmes le dijo a la clase durante una melancólica séptima hora fue que nadie supera la veintena con los mismos sueños, esperanzas y certezas que atesoraba, que consideraba inquebrantables y fundamentales a los diecisiete. «Nadie excepto yo», se había tranquilizado Jade para sus adentros, aunque también tuvo que preguntarse si ese pensamiento entrañaría un ápice de originalidad, si todos los alumnos presentes en la clase de Historia aquel día se estarían diciendo exactamente lo mismo.

Da igual. El último día de julio habrá cumplido los dieciocho y se largará de esa casa. Con suerte, Boise la espera en alguna parte, pero para llegar a Boise, lo sabe, hay que ir en autobús, y los billetes de autobús cuestan dinero, y ella se ha quedado sin paga, joder.

Dicho lo cual, Jade ni siquiera es capaz de reunir las fuerzas necesarias para desenredarse de las sábanas. Está claro que ya ha empezado a dar vueltas alrededor de ese desagüe de *Psicosis*, allí sentada, enumerando todos los calificativos que ya no se puede arrogar: conserje, graduada, chica final, bienvenida a la gran fiesta del Día de la Independencia, ayuda para absolutamente nadie, ni siquiera ella misma.

Tiene sentido, supone. ¿Alguna vez, en algún slasher, ha salido una india? En *Viernes 13*, Ned se pone un tocado de guerra, grita dándose palmaditas en la boca y baila levantando las rodillas, pero sigue siendo el mismo cretino de siempre. En la quinta de *Halloween* sale otro tocado de guerra, pero solo en segundo plano y de pasada. Hay un indio en *Sweet Sixteen*, le parece. O dos, contando al abuelo. Aunque, ya puestos: aparte de en la sexta de *La noche del duende*, ¿alguna vez ha habido una chica final que sea negra? En los slashers, por lo general, las negras son las amigas: *Scream 2*, *Aún sé lo que hicisteis el último verano*. Y el hecho de que salgan en las continuaciones significa que son un parche, una reacción.

Inspecciona sus cintas en busca de otra cosa que pueda valer, que Letha pueda usar de modelo, de guía, pero no encuentra nada.

«Por eso me necesita», se recuerda Jade. Aunque eso no haya motivado a Letha a escucharla.

Esta es la parte de la película en la que Jade debería armarse de valor, lo sabe. Nada de ponerse mustia, lo que tendría que hacer es pertrecharse, rellenar las bombillas de pólvora, erizar de clavos el extremo de un bate, cosas por el estilo. Pero también sabe que no hay ninguna cámara pendiente de ella. Nunca la ha habido. Eso no significa que se equivoque sobre lo que está por llegar, sobre lo que ya está ocurriendo, tan solo que ahora puede repantigarse sin el menor remordimiento y ser testigo desde el palco del mira-que-os-lo-avisé, ¿no? A lo mejor por eso ninguna película ha conseguido engancharla antes. Todas palidecen en comparación con la película en la que se ha convertido su vida.

Pese a todo, si Hardy se cree que puede impedir que el sábado ella se acerque a la orilla, lo lleva claro. Piensa estar en primera fila, poniéndose morada de palomitas, puede que con un poncho y gafas para cuando le salpique la sangre.

El caso es, ¿qué hacer hasta entonces, verdad? Cuando pensaba que Letha y ella iban a trabajar juntas, tenían tantos slashers por analizar que no iba a bastarles con una semana. Ahora que ese plan se ha desbaratado y ni siquiera tiene basura que apuñalar, horas que fichar, la espera se le va a hacer eterna.

«Malditos muchachos entrometidos», ya. Maldita exconserje metomentodo con delirios de grandeza, más bien.

Jade supone que siempre le queda la posibilidad de ir e intentar completar sus servicios comunitarios, pero si Meg ya la tenía vigilada antes, ahora la iba a poner bajo el microscopio. Mejor que las cámaras ocultas de Rexall, cierto, pero aun así, esa no es la clase de atención que necesita realmente.

En un intento por incorporarse a la normalidad de la jornada, Jade se prepara un sándwich de chóped con mostaza (esa tan cara que se compra su padre, la que se supone que solo es para él) y se lo come en la cocina, en ropa interior, evitando captar su reflejo en la puerta del horno, el servilletero robado, el grifo de cromo. No todas podemos ser como Julie James o Sarah Darling, al menos no sin un entrenador personal, un nutricionista y grandes dosis de aerógrafo. Cierto, todas las doncellas indias que salen en las mantas que venden en las gasolineras tienen siempre unas caderas de infarto y el busto de las princesas de Disney, pero Jade sospecha que ella debe de pertenecer a otra tribu.

Sentada a la mesa combada de la cocina, con el sándwich encima del muslo derecho, inclina la cabeza hacia atrás, deja de masticar y se pregunta cómo sería atragantarse allí sola, en una casa como esa (¿qué arrepentimientos desfilarían por tu cabeza?), pero el traqueteo de la mosquitera hace que se reincorpore de golpe. Para cuando la puerta de la entrada ha terminado de abrirse, Jade ya se ha alejado de la silla rodando y está agazapada junto al frigorífico, con el sándwich en mano y los ojos como platos.

Rexall entra en la sala de estar eructando. Jade reconocería ese sonido en cualquier parte.

—Tío —lo reconviene su padre, que se guarda las llaves en el bolsillo con un tintineo.

—Eso no es nada —dice una tercera voz pastosa que a Jade no le suena de nada.

De puta madre. Su padre no está en Terra Nova, ganando quince la hora, y Rexall, que ya no tiene nadie a quien supervisar, también ha pasado de ir al trabajo. Hoy toca empinar el codo. Hacer un día más como si el instituto nunca hubiese acabado. Estupendo. Maravilloso. Y la puerta de la cocina comunica con el pasillo, que es una de las dos direcciones que pueden tomar estos tres, dado que el cuarto de baño está por ese lado. El otro destino posible sería este mismo, la cocina.

Jade nota los latidos desbocados de su corazón en el pecho. No es ya que solo lleve encima el sujetador y las bragas, no es ya que este conjunto ni siquiera sea de los buenos, sino que, además, es de los más raídos que tiene.

Y, para colmo de males, las voces se acercan. Lo que significa que no se han dejado caer para pasarse un par de horas tirados en el sofá viendo una de las viejas pelis de vaqueros de su padre. No, esto es una parada en boxes, para repostar. No se van a quedar en la sala, qué va, vienen para acá.

Pero ¿por dónde?

O, mejor dicho, ¿cuál de ellos será el que la encuentre en ropa interior junto al frigorífico, con medio sándwich de chóped con mostaza en la mano, la mirada desorbitada y el pelo convertido en una plasta enmarañada?

Mierda. Mierda mierda mierda.

Jade reconoce el terreno de nuevo, observa ambas puertas y… No, no puede hacer eso.

¿La puerta trasera?

Cuando los pasos empiezan a crujir por el pasillo y a resonar en el hueco de la sala de estar que conduce hasta ella, sabe que no tiene otra elección: agazapada todavía, gatea hacia la puerta trasera, gira el endeble pestillo y se escabulle con toda la discreción que le permiten las circunstancias antes de cerrar sin hacer ruido a su espalda.

Las voces ya están en la cocina. Se abren dos cervezas, tres. Y… No, no, no: el pomo al que Jade está asida aún comienza a girar en su mano.

Se mueve con la puerta cuando esta se abre y se queda en suspensión sobre el espacio abierto que hay detrás del bloque de hormigón que se extiende bajo la entrada, intentando aplastarse contra el lateral de la casa, postura que se ve obligada a mantener pese al temblor de sus extremidades mientras uno de ellos riega con un chorro pálido la hierba ya quemada por una miríada de orines.

Jade se arriesga a asomarse a la ventanita de la puerta y ve a ¿Clate Rodgers? ¿Le devolvería Hardy la fregona si lo llamaba, si le susurraba que el asesino de su hija pulula de nuevo por la ciudad? ¿O se le habría puesto ya el vello de punta al sheriff, programado para reaccionar cada vez que Clate cruzara la demarcación del condado?

Cuando Clate se sacude las últimas gotas con un gruñidito y tira de la puerta de nuevo, Jade se suelta, aterriza entre la maleza espinosa que crece junto a la casa y se encoge con la esperanza de que nadie esté mirando por la ventana.

Dos segundos después, con el crujir de los pasos resonando aún en la cocina y la ventana que hay encima del fregadero abierta para permitir la salida del humo de los cigarrillos, Jade divisa su salvación ondeando en el tendedero: el mono que a Hardy se le olvidó requisarle. A diferencia de Michael Myers, ella ni siquiera tendrá que cargarse a ningún mecánico para ponérselo.

Está vistiéndose a la sombra del edificio cuando un pajarito marrón sale disparado de la pernera y la impele a desplomarse como un fardo en el suelo. Pasa volando tan cerca del rostro de Jade que esta puede notar el aire de sus aleteos; tarda tanto en levantar las manos que es una suerte que no le hiciera falta protegerse los ojos. Tantea las mangas, por si acaso hubiese una bandada allí dentro, se termina de introducir en el mono y camina de puntillas hasta la entrada antes de agenciarse las botas de trabajo de repuesto que su padre guarda en la caja de la camioneta, hurto del que sin duda a Hardy le haría muchísima ilusión enterarse.

Una calle más abajo, ya casi en la orilla del lago, se da cuenta de que todavía tiene el sándwich de chóped en la mano. Le pega un bocado, pero la mostaza de su padre pica en exceso y está calentorra. Tira el emparedado delante de ella, le pega un pisotón para despachurrarlo contra el asfalto y se cuela por la puerta del gimnasio del instituto, el mismo al que Hardy le había ordenado explícitamente que no volviera a acercarse. Jamás en la vida. Como si no supiera que ella se lo iba a tomar como una invitación.

Jade inspecciona la caja de objetos perdidos y encuentra un par de calcetines desparejados, una camiseta confiscada (de color verde, con un melodramático Corvette de los 70 en el pecho) y se arregla el maquillaje como puede en el espejo de costumbre, pero solo después de girar sobre sí misma y dedicarle una peineta contundente a Rexall.

—Denúnciame, valiente —lo desafía, pronunciando con claridad para que no le cueste leerle los labios—. Denúnciame y le preguntaré a Hardy cómo cree él que te enteraste de mi paradero.

Se pinta la raya del ojo más gruesa que es capaz de trazar.

Dedica las tres horas siguientes a recorrer los pasillos mientras ve *El día de los inocentes*. En su cabeza, al menos. Aunque se termina convirtiendo en John Bender, fugado de la biblioteca en la que estaba castigado para ir al gimnasio y lanzar unos cuantos tiros a canasta cuya ejecución deja bastante que desear. Y luego, la antigua aula de Historia del señor Holmes. Que ahora está vacía. Despojada de él. Sus pósteres sentimentaloides, la parte de la pizarra reservada para la cita cutre del día. Los cajones de su mesa, reducidos a un montón de clips sueltos y grapas abandonadas.

A Jade le dan ganas de llorar, pero lo que dice es:

—Que te jodan —antes de salir, no por la puerta de costumbre, sino agachándose para pasar por el boquete que acaba de hacer en la entrada principal tras arrojar una papelera contra los cristales.

Esta es su auténtica graduación, se asegura mientras pisotea los trozos de vidrio como las cuatro rebeldes de la carátula de su cinta de *Jóvenes y brujas*. No necesita otra ceremonia.

Ya ha anochecido. Las calles de Proofrock no tardarán en enrrollarse y apagar todas las luces. Jade adopta una pose desafiante con la mirada fija en el asfalto desierto. Morir la trae sin cuidado, igual que ir al infierno por sus pecados. La trae sin cuidado porque ya lleva diecisiete años viviendo un infierno. Hunde las manos en los bolsillos del mono y se interna en la oscuridad.

Ha merecido la pena, decide de súbito. Que la despidieran. Que la despidieran por inmortalizar este ciclo de asesinatos en las paredes del baño. Alguien tenía que hacerlo, ¿verdad?

Fuera como fuese, «Los crímenes de la Bruja del Lago» es una pasada de nombre para lo que está sucediendo, para lo que va a suceder. Eso le dibuja una sonrisa en los labios, lo que le da ganas de..., sí: encuentra una cajetilla en el bolsillo de la pechera del mono. Salvada por la puta campana. Gracias, pajaritos marrones a los que os gusta anidar en las mangas.

Jade se enciende un cigarrillo en el callejón que hay detrás de la tienda. A través del humo puede entrever el Umiak que se mece en el embarcadero como un coloso comparado con la diminuta lancha de Hardy; dos Fundadores han decidido visitar la ciudad, por lo visto. Parece que acaben de desembarcar, al menos. Letha y Tiara están en la cabina de la embarcación, o como se llame; Tiara se ha puesto incluso un gorrito de capitana, como si estuviera protagonizando un desplegable de la *Playboy*. Pero Jade solo tiene ojos para esos dos Fundadores. ¿Es esto lo más cerca que ha estado nunca de ellos? Cuesta apartar la mirada. Por el modo en que se mueven resulta evidente que para las personas de su nivel adquisitivo y para los habitantes de Proofrock cumplir los cincuenta no significa lo mismo. Caminan con ligereza y tienen la figura de un yogui, cabría calificarlos de esbeltos, incluso, como si no acabaran de bajarse de un yate, sino que se hubieran escapado de las páginas de una revista.

Jade se reclina contra la pared de la tienda, entorna los párpados para pegar una calada de novela negra y los ve acercarse al Porsche, al Range Rover.

Ninguno de ellos es Theo Mondragon, lo delatarían sus hombros de jugador de fútbol y sus caderas de bailarín. Así que Mars Baker, ¿no? Y el otro será Ross Pangborne o Lewellyn Singleton, no sabría distinguirlos a esa distancia. Deberían estar lamentando la muerte de Deacon Samuels, eso explicaría que hayan convergido en Terra Nova, pero no se los ve encorvados de pena ni arrastrando los pies, no parecen tristes y apesadumbrados. Antes bien, por la elasticidad de sus pasos se diría que están celebrando que le haya tocado a él y no a cualquiera de ellos.

—Pero ya os tocará —les promete Jade entre volutas de humo antes de dar media vuelta y escaparse de allí para que no la atrape su lustre, su resplandor, su absoluta ajenidad a los sinsabores de la vida real.

Caminar con aplomo alejándose de la carretera que sale de la ciudad para visitar el Campamento Sangriento vuelve a llevarla hasta los aledaños de la zona de obras de Terra Nova. Mira a ambos lados y luego, por impulso, porque por qué no, cruza el panel tendido en el suelo y aprieta el paso entre la maquinaria pesada, entre los buldóceres y las palas excavadoras. En otro momento se habría subido a esos neumáticos gigantescos para instalarse en un asiento de vinilo agrietado e imaginarse que es Godzilla desatado por la calle principal, arrasándolo todo a su paso.

Pero ahora tiene responsabilidades de adulta, ¿a que sí, sheriff? Orgullo cívico y chorradas de esas. Suelta el cigarrillo para demostrarlo, le pega un pisotón como buena ciudadana de pro y deja que sus pasos la lleven hasta la puerta de un cobertizo para herramientas (cerrada con candado) antes de atajar por una pila de hierros en busca de otro almacén más propicio, por si quisiera la suerte poner en su camino la motosierra o cualquier otro tipo de instrumento cortante que seguramente vaya a entrar en acción ese sábado. Sin embargo, aún no ha terminado de sortear el obstáculo cuando unos focos cegadores se encienden justo a su lado. Se queda petrificada, diciéndose que, si consigue quedarse lo bastante quieta, quizá pueda pasar por un palé roto, por un amasijo de plástico desgarrado cualquiera.

Pero entonces se abre la puerta del conductor, y Jade se da cuenta de dos cosas al mismo tiempo. La primera, que eso no es el Bronco de Hardy ni un poli de alquiler que los Fundadores hayan contratado para patrullar sus terrenos. De lo contrario, lo que la mantendría paralizada en el sitio en esos momentos sería una baliza de señalización o una bengala de magnesio, cuando menos. Lo segundo de lo que se da cuenta es de que ella ya ha estado antes en ese coche en concreto.

—Ejem, ¿necesitas ayuda? —pregunta Gafas de Tiro, a quien pertenece la tímida silueta que se yergue tras el deslumbrante fulgor.

—¿Es aquí donde guardáis los explosivos? —Jade se cubre los ojos como puede—. O no, espera. Los candelabros, las tuberías de plomo, las dagas…

—¿A quién quieres cargarte esta vez?

«Esta vez». Porque la anterior, era a ella.

—¿A todo el mundo? —pregunta Jade bajando a trompicones lo mejor que puede sin perforarse un tobillo ni caerse en un montón de pinchos.

—¿Crees que lo notarían si lo consiguieras? —Gafas de Tiro estira el brazo para alcanzar los mandos y atenuar las luces.

—*Muertos y enterrados*, de 1981 —dice Jade por toda respuesta—. Una ciudad entera llena de gente que no sabe que ya la ha diñado. Cosas que pasan.

Gafas de Tiro levanta el dedo de forma ostensible, lo baja y oprime el botón que abre la puerta.

Jade rodea el vehículo en dirección al lado del copiloto.

—Luego hay otra peli que lleva por título *Los niños no deben jugar con cosas muertas*. Si alguna vez rodaran una secuela, debería llamarse *Los niños no deben montarse en coches robados*.

Gafas de Tiro se repliega detrás del volante.

—¿Otro de tus slashers?

—Ojalá —replica Jade mientras se instala en su asiento—. Aunque el director acabó rodando *Black Christmas*, así que, con algo de imaginación, podría verse cierta genealogía.

—Lo tuyo son los ochenta, ¿verdad?

—Esas dos son de los sucios setenta. —Jade fija la mirada en la tenue luz de los faros que se desliza por la valla que rodea la obra—. Pero es que los ochenta fueron una pasada. Se…

Gafas de Tiro la interrumpe arrancando el vehículo que ya estaba en marcha, lo que resulta en un chirrido metálico, el bloqueo de algún que otro componente y, lo más importante de todo, la activación de las luces de freno de ese otro coche que justo pasaba por allí en esos momentos.

—Precioso —le dice Jade sin mirar en su dirección, esperando tan solo a que el coche termine de pasar por delante de ellos.

—Es tan silencioso que ni siquiera sé si está circulando o parado —comenta Gafas de Tiro.

—Total, que los ochenta —continúa Jade, puesto que alguien por fin ha mostrado curiosidad— fueron cuando el slasher se manifestó en su forma más pura. Lo que equivale a decir más inmunda y barata. Producciones de bajo presupuesto, diálogos para olvidar, actores desconocidos, premisas recicladas, lo que fuese con tal de obtener beneficios. Pero eso es lo que los convierte en la Edad de Oro, cuando nacieron Jason, Freddy, Chucky. Bueno, a Chucky lo compraron, pero tú ya me entiendes. El caso es que todos los viernes sacaban un par de slashers nuevos, o los mismos de hacía unos meses con el título cambiado. Tuvo que ser increíble. Y yo me lo perdí por haber nacido demasiado tarde.

—Cody siempre está lamentándose de lo mismo —replica Gafas de Tiro mientras asiente con la cabeza en dirección a las luces traseras que por fin se alejan camino de Proofrock.

—¿Cody? Ah, ya. ¿El indio de cualquier tribu?

—También él dice que nació demasiado tarde. Que, un siglo antes, las cosas le habrían ido de otra manera.

—Pues me alegro por él. Aunque yo no creo que notase la diferencia.

Gafas de Tiro la observa de reojo.

—Los críos de la ciudad me gastarían una mala pasada —le explica Jade, como si fuera la cosa más obvia del mundo—, me tirarían al agua y me convertiría en leyenda.

—No te lo tomes a mal —dice Gafas de Tiro—, pero creo que no he hablado nunca con alguien como tú.

—Bueno, ¿y qué, ya habéis terminado de levantar Camelot? —pregunta Jade, apuntando con la barbilla al otro lado del agua.

Gafas de Tiro da marcha atrás y reorienta el vehículo hacia el lado del lago de la valla de tela metálica de la zona de obras. Hacia las luces de Terra Nova.

—Ahora resulta que hay problemas con los cimientos —replica.

—Es que el suelo es rocoso. Por eso el cementerio está en esta parte, ya sabes. Lo único que hay allí son antiguos pozos mineros. Bueno, y un montón de cuevas, según mi profesor de Historia. Además —Jade cierra los ojos para hacer memoria—, dice que, antes del lago, cuando Ciudad Sumergida no se había sumergido todavía, por la noche se veían los chispazos que levantaban los picos. Todos intentaban dar con la veta que los hiciera ricos.

—¿Y lo lograron?

—¿A ti qué te parece?

Gafas de Tiro saca una lata de Dr Pepper, escupe dentro de ella y se asegura de romper el hilo de saliva antes de volver a dejarla en el portavasos.

—Me gusta cómo entrecierras los ojos para escupir —dice Jade—. Es como si supieras lo asqueroso que es.

Gafas de Tiro apaga las luces de posición, sumiéndolos en la oscuridad. Pero eso hace que la valla desaparezca, lo cual mola bastante.

—Bueno, ¿y por qué quieres matar a todo el mundo?

—A algunos más que a otros.

—Sin nombres, nada de nombres.

—Dijo el ladrón de coches.

Gafas de Tiro esboza una sonrisita culpable.

—¿Sabes lo de ese chico que sacaron del lago la semana pasada? —Jade le da unas palmadas cariñosas al salpicadero—. Seguro que sus huellas están por aquí, en alguna parte. Y las de ella también.

—¿Las de quién?

—Su novia. También ella está muerta. Con las algas, lo más probable, en el fondo de Ciudad Sumergida.

—Esa es la antigua ciudad que la reserva…

—El lago —lo interrumpe Jade—. Sí.

—Antes he oído que uno de ellos estaba hablando de eso —dice Gafas de Tiro—. El astronauta, no sé.

—¿Mars Baker? Me parece que ese es el abogado.

—Decía que va a mandar un submarino operado por control remoto allí abajo, a grabar unos vídeos.

Jade baja la mirada al regazo, divertida y decepcionada a la vez.

—Creo que hay cosas que deberían permanecer enterradas —dice.

—¿Insinúas que tú no verías esa película?

—La vería hasta que la cara en descomposición de la chica apareciera flotando delante de la cámara, sí.

—Eso sale en *Tiburón* —dice Gafas de Tiro, mirándola a los ojos para comprobar si ha acertado.

—Si a Spielberg le vale, a mí también —replica Jade.

Gafas de Tiro se queda sentado. Lo que equivale a decir que no se marcha, no se va a cuchichear con sus colegas sobre esa cría tan rara con todas sus referencias apolilladas, sus historias de miedo, su gore. A Jade se le encienden las mejillas y, rezando para que no se le trunque la voz, abriendo la boca tan solo después de haberle dado vueltas y más vueltas a la cabeza, dice:

—Creo que podrías gustarme. —Cuando Gafas de Tiro la mira como si esperase que añadiera algo más, con la lata de Dr Pepper pegada al labio inferior, Jade se apresura a matizar—: Como alguien con quien se puede hablar, me refiero.

—¿Dónde he estado tus últimos cuatro años? —cita él, más o menos.

—¿Por qué has venido? —le pregunta Jade—. ¿Por qué me has alumbrado así con los focos? ¿Sabías que era yo?

—Se supone que un oso anda suelto por los alrededores. Y a los osos les gusta la basura.

—A este le van más las tripas humanas, supuestamente.

—¿Supuestamente?

—Es una pantomima, una maniobra de distracción, una pista falsa, un señuelo.

—Y yo que pensaba que aquí arriba solo había truchas y poco más.

Jade tolera el intento de broma con una sonrisa.

—Se supone que no debo ni estar allí el sábado, por lo visto —dice compungida, cambiando de tema.

—¿El Día de la Independencia? ¿Eso que hacen de proyectar una peli en el lago?

—Eso que hacemos.

—Eso que hacéis.

Jade nota la mirada de Gafas de Tiro fija en ella de nuevo.

—Un montón de gente va a, en fin, ya sabes. —Lo observa con curiosidad por ver cómo encaja esta noticia—. A morir.

—Dijo la chica que buscaba armas homicidas en la pila de escombros.

—No, si tienes razón —reconoce Jade—. Está claro que soy sospechosa, la pista más falsa de todas.

—Mejor eso que ser una trucha.

Jade le pega en el brazo con el dorso de la mano y él se deja llevar hasta chocar con la puerta, haciendo como si se tuviese que esforzar para que no se le caiga la escupidera.

—¿Ya le has hablado al viejo sheriff de esta gran matanza en las montañas sobre la cual únicamente tú estás enterada?

—No me cree.

—Por tu pelo, por tu historial.

—Entre otros motivos de pacotilla.

—¿Por tus gustos cinematográficos? —aventura Gafas de Tiro.

—Por mis excelentes gustos cinematográficos —dice Jade, mirándolo de reojo y también, durante una fracción de segundo, viéndolos a los dos a través del parabrisas: dos jóvenes peleándose de mentirijillas, haciéndose ojitos entre una pulla endeble y la otra.

Y ella que ni siquiera sabe cuál es su nombre real.

Gafas de Tiro levanta las manos para indicar que se rinde.

—Bueno, pero si no eres tú —dice, siguiéndole la corriente tan solo para invitarla a continuar hablando, o eso parece—, ¿entonces quién? ¿Será ese, cómo se llamaba? ¿El encargado de no sé qué campamento? ¿Cropsy?

—Cropsy no sale de Staten Island, que está en Nueva York.

—¿Jason, Freddy, el otro?

—Michael —lo ayuda Jade mientras niega con la cabeza—. Ya te he…

—No, el que se come a la gente.

—Leatherface. Meec, esa no es un slasher, lo siento. Lo suyo no va de venganza porque, en fin, ¿de quién podría vengarse? ¿Qué iba a hacer, emprenderla con la economía del estado de Texas que obligó a su familia a recurrir al canibalismo?

—Me refería al otro que come personas —dice Gafas de Tiro.

—Hannibal Lecter —acude Jade al rescate—. Meec, nada, esa tampoco es un slasher, pero medio punto porque por lo menos se pone máscaras hechas con piel humana. Lo que pasa es que le gusta el sabor de la gente, eso es todo. ¿No se te ocurren más sugerencias? *¿Terminator, Alien, Atracción fatal?*

—Te podrías tirar así la noche entera, ¿a que sí?

—Lo que iba diciendo —intenta continuar Jade— es que todas estas cosas de los slashers ya se las he explicado a quien más necesita saberlas.

—¿Y qué opina el elegido?

—La elegida. —Jade menea la cabeza apesadumbrada al recordar lo que parece opinar Letha de esto—. Bueno, espera. Me parece que va a salir alguien disfrazado de nuestra leyenda local, Stacey Graves.

—Buen nombre —dice Gafas de Tiro mientras inclina la lata de Dr Pepper para recoger un hilo de saliva que se resiste a romperse.

—Hablando de buenos nombres… —Jade se esfuerza por ignorar lo que está ocurriendo con la lata y lo mira a los ojos teñidos de amarillo.

Él la entiende, sonríe y, cuando puede hablar, dice:

—¿Greyson?

—Greyson Brust —completa Jade para demostrarle que todavía se acuerda de eso—. Me quedé sin escuchar el final de esa historia.

—¿Te había contado el principio?

—Me quedé sin escuchar ni el principio ni el final de esa historia.

—¿Porque te tiraste del coche?

—No me quedó más remedio. Estabas a punto de desembuchar y yo aún no podía conocer esta historia de fondo en concreto.

—¿Porque es importante?

—En estos momentos ignoramos qué es importante y qué no.

—Pero ¿crees que lo que ocurrió a Greyson lo es?

—Lo que creo es que te estás haciendo de rogar —replica Jade—. ¿Qué le pasó? ¿Algún motivo por el que no quieras contármelo?

Gafas de Tiro baja la mirada a la boca roñosa de la lata de Dr Pepper, se encoge de hombros y dice:

—Algo así.

—¿Lo que significa?

—Lo que significa que una forma de verlo es que lo vendimos, supongo.

—¿Por cuánto?

—Ochocientos por barba. El tío de la iglesia lo repartió en efectivo. Tuvimos que firmar el parte de accidente que él había redactado.

—¿El tío de la iglesia? —no puede por menos de preguntar Jade—. ¿Un predicador como los de antaño, con el pelo blanco, ojos de loco, unas manos enormes y un nombre que rima con Bezekiel?

—¿Qué? No, no, el… Su nombre. El que el oso se ha…

—Deacon Samuels —dice Jade—. De la iglesia de la compraventa de casas.

—Nos sobornó. Y ahora, si abrimos la boca, estaremos cometiendo perjurio.

—No sé yo si eso funciona así.

—Así hará él que funcione.

—¿Es lo que os dijo?

—No le hizo falta.

—Pero ahora está muerto.

—Y mi firma sigue estando en el parte. —Gafas de Tiro se inclina hacia delante para apoyar la barbilla en lo alto del volante acolchado.

—Deduzco que el parte es una farsa.

—Se suponía que iba a dar igual —dice Gafas de Tiro—. A ver, todos creíamos que iba a palmarla en la ambulancia. Pero Greyson…

—De verdad que me gusta ese nombre.

—Te lo puedes quedar. —Gafas de Tiro endereza la espalda y gira la cabeza. Jade puede ver el reflejo de sus facciones en la ventanilla—. A él ya no le sirve de nada.

—Esta es la parte en la que me lo cuentas todo.

—¿Qué? ¿Estoy hipnotizado?

—Haremos un intercambio —se oye replicar Jade.

Gafas de Tiro la observa y, transcurrido un latido, pregunta:

—¿Qué es lo que quieres intercambiar?

—No lo que estás pensando —dice ella, asegurándose de sostenerle la mirada mientras pronuncia esas palabras—. Desde que nos conocimos. Aquella noche. Llevas preguntándote desde entonces por qué lo hice.

—No hace falta que me lo cuentes. Es… Lo que intento decir es que sé que nunca hay una sola razón.

—Prueba.

Gafas de Tiro se queda pensativo, reflexiona un poco más, asiente en silencio, escupe de nuevo, tomándose su tiempo esta vez, y comienza:

—Podría haberle pasado a cualquiera de nosotros, ¿vale? Me refiero a lo de Greyson. Fue… Estábamos allanando la explanada en la que va a ir esa casa tan grande. La del dragón.

—Mondragon.

—La de Mondragon, sí. Esa en la que…, o sea…

—Esa en la que va a vivir esa chica que está tan buena y en la que se va a pegar sus buenas duchas desnuda —aventura Jade.

Los hoyuelos que se forman en las mejillas de Gafas de Tiro le indican que ha dado en el clavo.

—Se puede verter hormigón para que la superficie quede nivelada —continúa él, moviendo la mano de izquierda a derecha por si acaso a Jade le resultara ajeno el concepto de «plano»—. El cimiento, no tanto. Que no hace falta que esté a nivel, me refiero. Pero sí que hay que perforar antes del volcado. La roca va bien, y cómo tú misma has dicho, es superficial de cojones allí.

—El lecho de roca —matiza Jade.

—Sí, ¿qué...?

—Porque ese es el punto más profundo del lago, ya que la pendiente del valle es mayor allí que a este lado. Perdona, no me hagas caso.

Imita el gesto de Theo Mondragon para indicarle que continúe, y Gafas de Tiro lo hace:

—La retroexcavadora no la llevaba yo, sino Telly. Raspando adelante y atrás con la cuchara, solo eso. Aflojaba un buen pedrusco y lo apartaba de en medio. Siempre había alguno que llegaba a la ladera y bajaba rodando hasta el lago. Era como un juego. Total, que teníamos un soplador de hojas, supongo. Lo usábamos para despejar la zona cuando Telly había terminado de rascar. Así sabíamos cuánto trabajo teníamos aún por delante.

—¿Y dónde enchufabais el soplahojas?

—Era de gasolina.

Jade asiente y se regaña por haberlo interrumpido otra vez.

—Total, que Greyson, con las gafas de seguridad puestas, se acercaba cuando Telly levantaba la cuchara y... —En los confines de la cabina del vehículo, Gafas de Tiro hace como si estuviera moviendo un tubo de un lado a otro a la altura de los pies, como quien intenta pastorear un rebaño de ratones a base de chorros de aire. La imagen es tan explícita que Jade sonríe sin poder evitarlo—. Y yo estaba pegado a su culo, ¿vale? Pero había cerrado los ojos porque Grey me estaba apuntando a las piernas. Se mondaba, supongo. Siempre estaba haciendo el tonto, estaba escrito que sufriera algún accidente. Pero el caso es que yo tuve que cerrar los ojos, no paraba de levantar mierda. Y entonces noté que mis perneras dejaban de agitarse. Eso fue lo primero que me indicó que había sucedido algo. Al principio pensé que se le habría agotado el combustible, no sé.

—¿Y esto es a plena luz del día? —pregunta Jade. Le cuesta creer que un asesino pudiera ser tan descarado como para cargarse a alguien con el sol brillando en lo alto, rodeado de gente.

Gafas de Tiro asiente como si esa no fuese la parte más interesante.

—Se había caído —dice—. Supongo que estábamos encima de una cueva. No sé cómo se las había apañado hasta entonces la retroexcavadora de Telly para no desplomarse. Pero Greyson, joder, allí estaba el soplador todavía, encajado en la grieta como si él hubiera intentado agarrarse. El chisme aún estaba encendido. Pero él había desaparecido, joder. Como si se lo hubiera tragado la puta tierra, literalmente.

—¿Bajasteis alguno a buscarlo?

Gafas de Tiro hace una mueca al recordar lo ocurrido.

—Le lanzamos una linterna. ¿Cinco metros o así? Tal vez ni eso. Tampoco es que fuera una caverna inmensa ni nada por el estilo. Tan solo un socavón de cuatro metros y medio de lado. Tu profesor de Historia tiene razón con lo de las cuevas que hay en ese sitio. Es como un puto queso gruyer.

El motivo de que haya bolsas de aire en los quesos suizos, sabe Jade aunque se abstiene de decirlo en voz alta, es por la corrupción de dentro que lo devora todo a su alrededor.

—Pero lo sacasteis —lo anima a seguir. Gafas de Tiro asiente—. ¿Cómo?

Gafas de Tiro resopla por la nariz al contener una carcajada enfermiza.

—Tuvimos que lacearlo como si fuese un puñetero cochino. —Usa la manga para limpiarse los labios—. No paraba de escabullirse de la luz con la que lo apuntábamos. Correteaba a cuatro patas, como si se le hubiese olvidado que era una persona.

—¿Golpe en la cabeza?

—Al final acabamos alumbrando una especie de rincón al que no paraba de acercarse. Para que tuviera que pasar bajo el agujero para escapar de la luz, ¿vale? Le echamos encima una de esas redes para asegurar el equipo y se enredó en ella con sus forcejeos. Forcejeaba sin cesar mientras hacía unos ruidos, no sé.

—¿Le había mordido algo?

—¿Qué? No. Joder, no lo sé. ¿Como qué? El caso es que le costaba respirar. Estaba hipo…, no. ¿Cómo se dice?

—Hiperventilando.

—Sí, eso. Respiraba como una liebre asustada, como si le fuese a estallar el corazón. Se había hecho un ovillo, además, entre convulsiones, con los dedos deformados pero sin que se los hubiera partido. Creo que no se los había partido, al menos. ¿No te acuerdas del día que vino la ambulancia?

Jade niega con la cabeza, no, no se acuerda.

—¿Cuándo fue exactamente?

Gafas de Tiro se encoge de hombros y dice, como si le costara pronunciar las palabras:

—Fue antes de aquella noche, ya sabes.

—¿Antes de que me abriese las venas en el agua?

—El fin de semana anterior.

—¿Y encontraste este coche al día siguiente? —La mira como si su perspicacia lo sorprendiera—. Termina —lo anima ella.

—¿Qué?

—Greyson Brust. ¿Dónde lo escondió Deacon Samuels?

—¿Esconderlo?

—Ocultarlo, refugiarlo, alojarlo —clarifica Jade, sin saber cómo expresarlo de otra manera.

—En ese hogar para ancianos de…

—La Residencia Asistida del valle Pleasant.

—Cuando fuimos a verlo esa noche, se… dios. Seguía caminando a cuatro patas, ¿vale? Como si se creyera un insecto o algo.

—¿Esa noche?

—Cuando nos pillaste quemando basura. Y nos soltaste un sermón sobre lo que fuera.

—Slashers.

—Se detenía cuando te dirigías a él, más o menos, pero no te escuchaba. No quiero ni pensar qué era lo que resonaba en sus oídos.

—Greyson Brust —dice Jade, deleitándose una vez más con todo el esplendor de ese nombre.

¿Le habría mordido algo o alguien en aquella cueva, infectándolo, y ahora estaba escapándose por su ventana de la residencia todas las noches para matar ciervos y personas por igual? ¿Será esto un slasher sobrenatural, aunque llegue tanto tiempo después de la Edad de Oro que lo mismo podría ser la de Bronce? El corazón de Jade martillea henchido de posibilidades.

—¿Crees que es él? —pregunta Gafas de Tiro.

—Tengo que verle los pies. ¿Recuerdas si tuvisteis que firmar en algún registro cuando fuisteis a visitarlo?

—Ya no.

Jade deja que sus pensamientos continúen expandiéndose en todas direcciones (Greyson Brust aullándole a la luna con las fauces empapadas de sangre y las zarpas afiladas, violentas), pero luego:

—Bip, bip —dice, volviendo sobre sus pasos—. ¿Qué? ¿Has dicho que estaba caminando a cuatro patas cuando lo fuisteis a ver esa noche?

—Esa noche, sí —dice Gafas de Tiro—. En marzo. Falleció en abril.

—¿A causa de qué?

Gafas de Tiro se encoge de hombros como si quisiera decir, «¿Qué importancia tiene?».

Ninguna, supone Jade.

—Ochocientos dólares —repite Gafas de Tiro—. A cambio de eso lo traicionamos. Ochocientos putos dólares por cabeza.

—¿Qué dijo Deacon Samuels?

—¿De Greyson?

—De todo.

Las facciones de Gafas de Tiro se arrugan.

—Nos dijo que no se lo contáramos al otro tío.

—Theo Mondragon.

—Eran los cimientos de su casa —dice Gafas de Tiro, cuyo tono de voz sugiere que esta información es evidente para él, por lo menos—. El señor Samuels dijo que toda casa tiene una historia, ¿no? Que no siempre es imprescindible que todo el mundo conozca hasta el último detalle. Que lo que uno ignora tampoco supone una gran diferencia.

—¿Qué pasó con la cueva? —pregunta Jade.

Gafas de Tiro enciende de nuevo las luces de posición, cuya suave luz amarilla baña la galvanizada retícula romboidal de la valla de tela metálica.

—Ya habíamos colocado el encofrado de cimentación y estábamos listos para verter el hormigón esa misma semana. Coser y cantar. Solo tuvimos que…

Hace el gesto de dirigir un tubo gris encostrado hacia una grieta en el suelo, un tubo por el que corre el cemento. El mismo movimiento que debía de estar haciendo Greyson Brust con el soplahojas. Solo que ahora estaban soplando contra la roca.

—¿La rellenasteis?

—No se pueden sentar unos cimientos sobre esa clase de hueco —dice Gafas de Tiro.

—En tal caso, sí que podría ser él.

—¿Greyson? Ya te he dicho que está…

—Muerto, sí —lo interrumpe Jade. Lo que se abstiene de decir, en voz alta al menos, es «Theo». Porque no quiere gafarla. Pero el agraviado en este caso no es otro que él, suya es la casa que ahora se yergue sobre esos cimientos endebles. Él es el que tenía cuentas que ajustar con Deacon Samuels. Greyson Brust es un nombre cojonudo para un asesino, sí, pero Theo Mondragon tampoco se queda corto, ¿a que no? Además, si fuera él, cuando se demuestre que es él, eso añadiría el retorcido girito de que el hombre del saco sea el propio padre de la chica final, lo que encajaría a la perfección en la trama de un slasher de misterio, sin necesidad de todas esas chorradas sobrenaturales tan propias de la Edad de Oro.

No es tan espectacular, resulta incluso un poco rastrero, de hecho, pero también es perfecto. Sobre todo porque Jade estaba con la mosca detrás de la oreja desde el principio. No eran simples paranoias suyas. No sería el primer asesino de slasher negro (Candyman, Jimmy Bones, Machete Joe), pero sí uno de los pocos, al menos.

—¿Vas a respirar? —pregunta Gafas de Tiro desde su lado del coche, que en esos momentos podría estar a veinte kilómetros. Y el caso es que Jade no las tiene todas consigo, no sabe si puede respirar en esos momentos. Se ha pasado el último par de días compadeciéndose de sí misma, sin saber qué hacer ahora que Letha se niega a aceptar que es la chica final. Pero esto lo soluciona todo, ¿verdad?

Faltan tres días para el sábado, lo que le deja uno para reconocer el terreno, otro para colarse en Terra Nova y echarle un ojo a Theo Mondragon, ver si está afilando los cuchillos o no, y otro para enseñarle esos cuchillos a Letha.

Es agradable haber recuperado la motivación.

Fue una mierda que le prohibieran acercarse a los festejos del sábado, claro, y se sentía como una traidora, incapaz de ver hasta el final ni uno solo de sus slashers, pero eso es porque se encuentra inmersa en uno real, en uno de verdad de la buena. No en primera fila, pero tampoco en el gallinero. En la zona intermedia, que es justo donde quería estar. Después de todos sus visionados, después de todos sus deberes autoimpuestos, lo único que sabe de los slashers es la parte principal de la historia, ¿no es cierto? La parte que todo el mundo conoce, la versión definitiva. Pero ahora se mueve entre las secciones ocultas, en el tejido conjuntivo. En las entrañas, en la auténtica *terra nova*.

—Vimos unas pocas películas, tomamos algunas notas —murmura, clavando su imitación de la emblemática frase de Stu.

—¿Estás bien? —pregunta Gafas de Tiro.

Es lo mismo que dijo la última vez, justo antes de que ella se largara. Y ahora vuelve a tener el dedo en el tirador de la puerta.

—No lo hice porque quisiera morirme. —La cresta de tejido cicatricial que Jade tiene en la muñeca izquierda prácticamente refulge en la manga del mono. Ahora los dos tienen la mirada fija en sus respectivas versiones espectrales en el parabrisas. Versiones espectrales que se podrían desvanecer a poco que cualquiera de los dos exhalara el suspiro equivocado—. Lo hice porque quería formar parte de la película. Parte de todas ellas. ¿Qué día pasó, te acuerdas?

—Fue un viernes, acabábamos de terminar de currar.
—Me refiero a la fecha.
—¿Marzo?
—El número.
Gafas de Tiro entorna los párpados, se esfuerza por desenterrar la cifra exacta.
—Viernes trece, sí —dice cuando por fin cae en la cuenta—. En la radio no paraban de comentarlo.
Jade asiente una vez.
—Esperaba que Jason se alzara de repente a mi espalda, que me llevase a rastras hasta el lago Crystal. Allí las cosas tienen más lógica.
—¿Te refieres al antiguo campamento?
Gafas de Tiro apunta con la barbilla al otro lado del agua.
—Más o menos.
—Pero si en esas películas muere todo el mundo. —Enciende los faros, bañando las aguas de blanco.
—Pero antes pueden vivir. —Jade abre la puerta para perderse en la noche—. Bueno, recuerda lo que te he dicho. Vete a cualquier otro sitio este sábado, ¿vale?
—¿Y tú?
Jade aprieta los labios y se apea del coche, está a punto de cerrar la puerta para zanjar la cuestión, lo que presiente que sería cien por cien el gesto adecuado, algo que parecería sacado de una película, pero, en vez de eso, lo que hace es pegar un respingo.
No es Hardy lo que tiene a su espalda (se ha vuelto asustadiza desde lo de la biblioteca), sino un alarido sostenido, muy prolongado. No suena cerca, pero tampoco está lejos.
Gafas de Tiro se pone de pie junto a su lado del coche.
—Han puesto mi canción —dice Jade, y deja la puerta abierta, ya ha empezado a correr en dirección a los muelles mientras las botas de trabajo de Gafas de Tiro aporrean el suelo tras ella. Al doblar la esquina de la tienda se tropieza con su padre y Rexall, que zigzaguean en dirección contraria. Rexall todavía lleva una botella de cerveza en la mano y su padre tiene los vaqueros mojados, o más bien, ¿está empapado de la cabeza a los pies?

El impacto la derriba pero su padre no se detiene, ya se ha perdido de vista.

—¿Quién…? —pregunta Gafas de Tiro. Jade se zafa de las manos con las que intenta levantarla, se sacude la hedionda humedad de la que la ha impregnado su padre y se incorpora sin ayuda de nadie.

—Los borrachos de la ciudad —dice, con la mirada desdeñosa apuntando en la dirección por la que se han ido.

Gafas de Tiro se gira para mirar a su vez, como si hubiese algo que ver (es cierto que los indios pueden esfumarse sin más), y Jade ya está corriendo otra vez, es la primera vecina de Proofrock en llegar al embarcadero, aunque las luces de los porches y las ventanas comienzan a relucir por toda la orilla.

Sin resuello, Jade apoya las manos en las rodillas mientras se esfuerza por fijarse en todo a la vez.

El Umiak aún está allí, demasiado grande como para mecerse siquiera, y los gritos, sí. Sí sí sí.

Son de Letha, que ya no está al timón, sino en la popa del enorme bote blanco. Tiara intenta apartarla de lo que sea que hay debajo de ellas, en el agua, pero Letha la aparta de un empujón, no soporta que nadie la toque en esos momentos. Es como si estuviera intentando replegarse en lo más hondo de su ser, aislarse por completo del mundo.

Jade asiente con la cabeza, lo entiende. En uno de los trabajos que escribió para el señor Holmes explicaba que la chica final debe trascender su inocencia y desconocimiento a través de una serie de confrontaciones escalonadas con la mortalidad, la amenaza, el peligro, todo un carrusel de horrores cada vez más cruentos, hasta ovillarse, ocultarse dentro de sí misma por fin. Eso solo es una crisálida, no obstante. Una crisálida de la que resurgirá transformada en un ángel de la muerte.

Para Letha, hasta ahora, han sido el chico holandés, cuyos jirones de piel se quedaron colgando en sus manos, y después Deacon Samuels, vuelto del revés en el Campamento Sangriento. Letha seguramente lo pisó antes de darse cuenta de lo que había ocurrido.

—Sin olvidar los ciervos —murmura.

—¿Qué ocurre? —pregunta Gafas de Tiro a su lado, adelantándose para poder ver mejor.

Jade lo retiene, le pone una mano en el antebrazo.

—Esto no es para nosotros —dice inclinando la cabeza en dirección a Letha—, sino para ella.

Letha retrocede, la barandilla baja la oculta, y los habitantes de Proofrock ya han empezado a llegar en bata y con rulos, con escopetas, con atizadores, con los vasos de *whisky* que se les ha olvidado soltar.

—¿Te creerá ahora? —le pregunta Gafas de Tiro, refiriéndose a la gruesa capa de sangre que se arremolina en el agua, iluminada por los potentes focos del Umiak—. ¿El sheriff?

Pero Jade solo niega muy despacio con la cabeza, no.

En alguna parte de la cubierta, a Tiara, con su ridículo gorrito de capitana, se le ocurre detener las hélices por fin. El Umiak regresa al embarcadero con un suspiro, el único cabo tirante que está unido a él se afloja y es entonces cuando, para Jade, todas las piezas encajan: su padre y los idiotas de sus amigos, que parece que siguen en el instituto, los tres flotando debajo de las tablas del muelle, esperando a que las cuerdas de esquí acuático que habían amarrado al barco se tensaran y los propulsaran por la superficie del lago.

En teoría, ha valido la pena todas las noches en la cárcel.

Hasta ahora. Hasta que intentaron engancharse a una embarcación mucho más grande, una embarcación equipada con toda una batería de hélices allí atrás, listas para hacerlos picadillo. Pese a todo, de no ser por el cabo ese, podría haber funcionado, ¿verdad?

¿Cómo podría olvidarse Letha de soltar amarras, no obstante? ¿O Tiara? ¿Cómo era posible que se les hubiera pasado por alto ese cabo cuando era lo único que las retenía? Además, ¿qué hacían atracando allí, para empezar, si solo habían ido para dejar a un par de Fundadores en tierra?

—¿Quién es? —pregunta Gafas de Tiro.

—Era —lo corrige Jade mientras lo aleja de la multitud que se está empezando a formar—. Estoy casi segura de que el tío se llamaba Clate Rodge…

Se interrumpe al reparar en la sombra corpulenta que se les acerca justo por la espalda, donde no debería haber nadie, donde no hay nada, salvo ¿el banco conmemorativo?

—No. —Una oleada de frío recorre todo su cuerpo. No porque no deba ser ella la que desenmascare a esa Stacey Graves como en un episodio de Scooby, sino porque allí no hay ninguna lacia peluca negra, ningún camisón podrido. Tan solo una muralla de color caqui.

Vuelve a agarrarse a Gafas de Tiro, para no desplomarse esta vez.

El sheriff Hardy debía de haber estado allí sentado todo este tiempo, fumándose el último cigarrillo de la jornada en el banco conmemorativo de su hija, como todas las noches.

—¿Quién dirías tú que es ese de ahí? —pregunta como si fuera la cosa más inocente del mundo. Sus ojos se posan en los de Jade durante un instante demasiado efímero como para detectar nada en ellos.

—N-nadie —tartamudea.

Hardy aplasta el cigarrillo entre los dedos, se guarda la colilla en el bolsillo de la pechera y le da una palmadita como si estuviera pidiéndole que no se mueva del sitio.

—¿Y eso qué cojones ha sido? —pregunta Gafas de Tiro después de que el sheriff se haya ido al embarcadero.

—*Bahía de sangre* —dice Jade con la respiración agitada, la mente sumida en el caos y las facciones dormidas, y como ahora se han apartado algo hacia un lado, sabe que Gafas de Tiro tiene que ser capaz de ver a qué se refiere: la sangre borboteante de Clate Rodgers chapaleando contra el casco de la barca de Hardy, adheridos a la fibra de vidrio algunos fragmentos. Aun sin llegar a la altura del nombre que el pequeño fueraborda luce en el costado, Melanie, cuando Hardy hace una pasada el agua se eleva unos cuantos centímetros, bautizando esas ocho letras con los restos de la persona que estaba con ella el día que se ahogó.

INICIACIÓN AL SLASHER

Vale, antes de abordar el concepto de Pistas Falsas dentro del género porque, aunque es temporada de pavos y no de truchas y la de los slashers dura todo el año, me gustaría aprovechar que se acerca el Día de Acción de Gracias para recordar la que se lía en la mesa de Pesadilla en Sherman Woods, situación que nos remite a Dulce hogar, si bien la palma se la lleva Thankskilling porque, pero bueno nada que ¡HOLA, SEÑOR HOLMES! Nunca pensé que echaría de menos la 7ª hora. Y como ya he cumplido mi sentencia, esta vez puedo andarme sin rodeos y decir que por eso de amputar los dedos de un guante EVIDENTEMENTE FALSO o, bueno, real pero lo que había dentro no eran mis dedos tan solo baba de color verde alias el material del que están hechas las pesadillas alias la sangre de Freddy, por eso decía me deberían haber concedido un premio de ciencias en vez de expulsarme. ¿No ha oído hablar nunca de las novatadas de los veteranos? Pues yo soy veterana. Y esa era mi novatada. Qué culpa tengo yo de que Tiff hiciera como si se desmayara como de costumbre y se le rompiera el teléfono. Seguro que ya estaba roto de antes y solo quería cargar con las culpas a alguien. Ahí entro yo en juego, señor Holmes. Como siempre. Además, de todas formas, su madre ya le ha comprado otro modelo más nuevo y mejor.

Pero bueno, que todo eso da igual. Algo huele a chamusquina por aquí, ¿verdad? Huele a Pista Falsa de slasher. El origen de esto es como cuando huyes de unos perros que te siguen el rastro y dejas un pescado podrido por el camino y eso les hace cisco el olfato a los chuchos. Para Agatha Christie la Pista Falsa era la persona a la que todos los indicios y todas las pruebas señalaban como CULPABLE de los asesinatos,

pero en realidad eso no es más que la señora Christie haciendo de prestidigitadora y moviendo mucho una mano para que nadie se fije en la otra.
Wes Craven ejecuta el mismo truco de magia en Pesadilla en Elm Street, donde para la poli y los padres es evidente que el asesino no es otro que Rod. Por lo menos hasta que Freddy se lo carga, destino que es el que suele aguardar a todos los pescados podridos abandonados por el camino. Y lo más curioso de todo es que por 1ª vez en toda la historia de los slashers, probablemente, en Viernes 13: Un nuevo comienzo, que es la parte V, que significa "5", la mitad de X, el propio Jason Voorhees viene a ser algo así como la Pista Falsa de la película. Todos sospechan de él cuando, sorpresa, el final es mucho menos emocionante. Pero si hasta Randy en Scream DICE que él y no otro es el sospechoso más evidente de los asesinatos de Casey Becker y Steve, ya que el pasillo de las cintas de miedo del videoclub da fe de sus gustos, pero eso es DESPUÉS de que Billy y Stu ya hayan encumbrado a Billy a las más altas cotas de la Pista Falsedad.
En lo que conviene fijarse aquí, señor Holmes, es en el truco de magia que está teniendo lugar delante de nuestras narices. Agatha o Wes se limitan a hacer aspavientos con una mano para distraer nuestro olfato, si fuéramos perros, pero todo es para que el auténtico culpable empapado de sangre pueda pasar a hurtadillas por nuestro lado sin despertar ni una sospecha. Y aunque a veces jueguen limpio y nos digan "MIRAD, está haciendo todo esto, ¿no lo veis?", ya estamos tan escaldados por otros ardides idénticos que sabemos sin ninguna sombra de duda que no puede ser cierto, así que nos empeñamos en prestar atención donde no deberíamos.
A lo que voy es que lo que hace el slasher es convertirnos A TODOS en la poli y en los padres que tienen 100 x 100 la seguridad de que fue Rod el que mató a

su novia Tina, que SABEN que en *V* es Jason, y ahí es donde caemos en sus redes como querían, porque en los slashers la poli y los padres no sirven para nada.
Como nosotros, quiero decir, que solo valemos para que nos trinchen, y no precisamente como a los pavos, salvo por el resultado final, supongo.
Que le aproveche a usted, señor Holmes.

Pánico en la escena

Son las cuatro de la madrugada y Jade, que tiene medio cuerpo dentro medio cuerpo fuera de la entrada de la casa de su padre, se debate entre si dar o no el próximo paso. En el sofá y en la silla están su padre y Rexall, en las mismas posiciones que estaban en lo que supone que debería empezar a llamar La Noche de la Zanahoria, por el chiste que hizo su padre a cuenta de su pelo naranja. En esta ocasión, sin embargo, ya están durmiendo la mona. Durmiendo y babeando, roncando, pegando respingos y, en el caso de Rexall, abrazando una almohada.

Jade carga un poco de peso sobre el pie, reza para que el suelo no cruja y, por una vez, sus plegarias son escuchadas. Aunque, si no se han despertado cuando tiró de la puerta para abrirla, eso significa que están realmente fuera de combate, ¿verdad?

Seguro que sí.

Viene de la zona de obras. Se quedó allí, en compañía de Gafas de Tiro, hasta que empezaron a llegar los trabajadores del siguiente turno de Terra Nova. Gafas de Tiro había abierto una lata para un trago mañanero, abrió también su puerta y se despidió de Jade con la cabeza.

—¿No estás cansado?

—Ya dormiré cuando me muera —dijo antes de escupir el primer salivazo de la jornada y girar sobre los talones para dispararle con sus imaginarios revólveres de seis balas—. Sam Elliot, *De profesión: duro*, 1988.

«1989», se abstuvo de corregirlo Jade, que se limitó a llevarse los dedos a la frente a modo de adiós y comenzó a arrastrar los pies en dirección a casa con las manos hundidas en los bolsillos del mono, los hombros a la altura de las orejas y algo parecido a una sonrisa en el rostro. Gafas de Tiro y ella se habían pasado toda la noche hablando de nada en particular, ni una sola cosa importante. Tonterías, una velada que, de llevarse a la gran pantalla, sería la típica peli independiente aburrida en la que dos críos se dedican a disertar sobre insulseces en las postrimerías de un asesinato porque su timidez les impide hacer manitas, pero también había sido perfecto.

En las antípodas, por así decirlo, están los gruñidos de su padre, que ahora se rasca y hace eso de cambiar de posición y dejarse caer a plomo, lo que significa que está a punto de entreabrir un ojo. Jade contiene la respiración, no sabe si tirarse al suelo para evitar su ángulo de visión o si alejarse limpiamente, de un salto, del umbral que acaba de trasponer. Fuera como fuese, lo único que tiene claro es que no piensa seguir mirándolo cuando se ha llevado las manos en la bragueta.

Su padre resopla, hunde la cara en el cojín del sofá y vuelve a sumirse en lo que Jade espera que sea un sueño de esos en los que parece que te estás cayendo, así podrá ver cómo se aplasta cuando llegue al fondo. Pero cuando eso no ocurre, y sigue sin ocurrir, por fin se atreve a respirar de nuevo e imaginarse ¿y si fuese ella la asesina en esta ocasión? ¿Y si se hubiera criado con Ezekiel, y si hubiera asistido a todas sus misas negras, y si hubiera aprendido todo cuanto él tenía que enseñarle antes de que la cambiaran por un bebé cualquiera de Proofrock? Si fuese la asesina, sabría cómo estirar una percha, acercarse furtiva a esos dos despojos humanos y perforarles los oídos con su pincho afilado, sabría esperar para ver si brota alguna gota de sangre y, de ser así, enjugarla. Seguramente Hardy ni siquiera solicitaría una autopsia, dado que esto no sería más que un adiós muy buenas a una montaña de escoria.

Qué fácil sería.

Jade abre y cierra la mano derecha mientras se pasa la lengua por los labios, expectante, ensayando los gestos. Solo que casi vomita después de apuñalar a aquel pajarito muerto con el bastón para la basura, ¿verdad? ¿Hundir una percha en el oído de una persona no requerirá atravesar alguna membrana, algún cartílago o algo, antes de llegar al cerebro? Es una flipada del gore, una fanática del terror, cuanto más brutal, mejor, sin piedad, hay que matarlos a todos, pero esas cosas siempre se quedan en la pantalla. Y, en el fondo, tampoco se le olvida nunca que toda esa sangre no es más que sirope con colorante.

Aun así, se dice, podría hacerlo. Pero esta noche no, eso es todo.

Mejor en otra ocasión, cuando su coartada sea a prueba de balas. Y quizá no se los cargue a los dos a la vez, puede que salve incluso a Rexall, dado que su nivel de existencia está a la altura de una medusa o un hongo. Además, eliminar a uno solo no despertaría tantas sospechas, ¿verdad? Sobre todo si la víctima lleva viviendo de prestado desde que se estrelló con el coche estando en el instituto. Esto no es más que *Destino final*, la muerte, que reclama lo que le pertenece. Esa percha en la oreja sería lo más parecido a una ocurrencia natural, ¿a que sí?

Jade no para de asentir para sus adentros, plenamente consciente en parte de que, con esta, son ya veinte las veces que ha trazado el mismo plan. O cincuenta. Desde el primer año de instituto, en realidad, con todo tipo de objetos domésticos, con todos los destornilladores del maletín de herramientas, con todas las palas, rastrillos y azadas del cobertizo.

Esta vez va en serio, no obstante.

—Bang —dice apuntando a su padre con el dedo, pero también se ve a sí misma allí plantada, adoptando esa pose. Se ve tal y como la vería Hardy, como la vería el señor Holmes: otra adolescente que odia al progenitor que le ha tocado en desgracia. Y esa es la única forma que tienen de verla, lo que es la puñetera pescadilla que se muerde la cola de todo este asunto.

Pese a todo, Jade cambia el ángulo del cañón que es su dedo y le descerraja un tiro también a Rexall, por si las moscas. Se queda petrificada cuando Rexall levanta la pierna en una pose obscena, casi en respuesta.

Jade vuelve el rostro hacia arriba para perforar el techo con la mirada, para escapar de ese momento, y es entonces cuando se percata del ruido que se oye de fondo. Ladea la cabeza para captar mejor el sonido: en alguna parte, muy por encima de Proofrock, los diminutos rotores del señor Holmes muelen el aire. O, si no se trata de él, entonces debe de ser otro helicóptero de salvamento y, en tal caso, ¿para quién esta vez? ¿Para quién y cómo de tarde va a llegar el rescate?

Que se encargue Letha, en cualquier caso. Lo que equivale a decir: que Letha sea testigo. Que sea en su cabeza donde se amontone toda la información, porque es ella la que lo va a necesitar como combustible para su epifanía.

Lo que a Jade le hace falta es ¿dormir?

Solo que, por mucha rabia que le dé, aquí en su sala de estar hay dos supervivientes, dos testigos de lo que le ha pasado a Clate Rodgers. Dos cretinos que podrían decirle si el Umiak estaba amarrado al embarcadero. Que su padre estuviera empapado en el callejón significa que tuvo que ser él el que se metió entre los pilones roñosos para buscar un punto de sujeción en ese casco blanco tan estilizado, con Rexall en tierra firme haciendo de vigía y Clate flotando bajo las tablas, expectante. O trasegando otra cerveza. Tanto da.

El problema es que suplicar a Chapi Daniels que le proporcione su versión de esa historia lo pondrá en un pedestal mientras Jade necesite una respuesta, ¿verdad? Cuando ella había prometido, jurado y perjurado que, pasara lo que pasase, jamás iba a volver a pedirle nada más en la vida.

Jade observa de nuevo el rostro de su padre dormido. Tiene una cerveza en la doblez del codo, con el gollete apoyado en la axila. Cuando se mueve, el líquido empieza a extenderse por su camisa de botones a presión de color nacarado, una flor oscura cuyos pétalos se abren con parsimonia, a juego con el estampado de la prenda descolorida. Jade la ve eclosionar hasta que ya no puede seguir mirando, momento en el que, tan sigilosa como un espectro, se acerca de puntillas para enderezar la botella y llevársela. Lo que se dice es que es como Ripley, acechando a un alien dormido. Es como Sidney, cerniéndose sobre un Ghostface inconsciente. Aunque lo cierto es que sencillamente no le apetece que su padre note la humedad y abra los ojos.

Mucho mejor dejar que siga durmiendo.

En vez de pegar un trago de la botella caliente, la deja junto con el resto de envases vacíos que hay encima de la mesita de centro sujeta con cinta. Otra cosa que se ha jurado mil veces, otro voto hecho para sus adentros: no beber nunca cerveza como él. Los cigarrillos, vale, fumar no te vuelve gilipollas, tan solo te mata. Pero si alguna vez le diese por probar una, eso abriría la puerta a un futuro en el que, algún día, podría compartir otra con su padre, y esos no son unos cardos por los que esté dispuesta a dejar que la arrastre la vida.

Supone que podría despertar a Rexall. Convencerlo para que le cuente qué le ha pasado a Clate sería pan comido, coser y cantar. Solo que hablar con él conllevaría tener que hablar con él, y Jade no está tan desesperada. Aunque sean las cuatro de las madrugada.

Por otra parte, ¿qué podrían decirle Rexall o su padre sobre Clate Rodgers que fuese siquiera remotamente útil, verdad? Que ella no sepa ya.

Esta siempre ha sido su parte favorita de los slashers. Ya se ha establecido, merced a los cadáveres que no paran de amontonarse, que alguien cree tener buenos motivos para hacer lo que está haciendo, como sea que lo esté haciendo. Lo que queda por determinar ahora es qué podrían tener en común esos muertos, dónde se podrían cruzar sus caminos. Después de eso ya solo es cuestión de hacer memoria y pensar quién estaba dónde cuando tuvo lugar cierta broma, cierto accidente. Quién se había ausentado para empolvarse la nariz, para pedir una copa, para llamar por teléfono.

O, antes de *Scream*, por lo menos, así era como se solía desenmascarar al asesino. Hasta que fueron Billy o Stu los que tuvieron que ausentarse de la habitación durante el tiempo necesario para ponerse la careta.

Sin embargo, el único que se había levantado del banco de Melanie era Hardy, ¿a que sí? Guardándose la última colilla antes de acercarse a ver qué quedaba del idiota que había dejado morir a su hija. Así que, en fin, seguro que es él, ¿no?

Es tan buen candidato como el que más para haber recuperado la figura de Stacey Graves. Que Jade sepa, a excepción hecha de Christine Gillette, tía del sheriff a la sazón, Hardy es el único que ha visto realmente a Stacey. Además, qué subidón tan a lo *El asesino de Rosemary* si el asesino resulta ser un agente de la ley, ¿no? Sería como en *Pesadilla en Elm Street*, cuando el padre de Nancy se siente tan culpable por haberse cargado a Freddy, por haber delinquido, que se cala el cochambroso sombrero de fieltro, droga a los niños con algo para que piensen que todo es un sueño y sale a castigar a todos los vecinos del barrio por el crimen que han cometido.

En cuanto a cómo podría haber matado Hardy a Clate Rodgers: con la lancha fondeando en el muelle, tenía todas las excusas del mundo para pasar por delante del Umiak para recoger cualquier cosa que se le hubiera olvidado. El encendedor, por ejemplo, para ese importantísimo último cigarrillo de la jornada. Y si Letha o Tiara le preguntaban desde el bote qué hacía amarrándolas, siempre podría alegar que ignoraba que hubiese alguien a bordo, que no quería que un barco tan bonito como ese se alejara lago adentro a la deriva. Lo que se abstendría de decir sería que, cuando a uno se le presenta la oportunidad de eliminar a la versión adulta del chico al que culpas por la muerte de tu hija, la aprovechas, aunque ya estés metido en algo más gordo.

Cuando los cadáveres empiezan a amontonarse, siempre hay hueco para uno más, ¿no es así? Jade asiente con la cabeza.

—Así es —dice en voz alta en la sala de estar, a modo de prueba.

Ninguno de los dos bellos durmientes se inmuta. Lo que ella interpreta como luz verde para seguir con su razonamiento. Con puede que un último cigarro para hacerle compañía.

Coge la mitad de los cigarrillos de una cajetilla de debajo de la lámpara y sale al porche trasero, donde se sienta en la puerta abierta y se fuma dos seguidos antes de encenderse otro, por si las moscas.

El plan, está casi segura, sería acercarse a Terra Nova mañana, hoy, en realidad. Ya han pasado las doce de la noche, ¿no? En cualquier caso, antes de que Clate Rodgers saliera a flote en el lago Indian reducido a un amasijo de pulpa y jirones, era evidente que el responsable de todo esto tenía que ser Theo Mondragon. Y aún podría serlo. Cabe la posibilidad de que se equivoque con Hardy. Theo Mondragon podría haberse colado de polizón en el Umiak para tenderle una trampa mortal a cualquiera, a uno de esos dos Fundadores a los que habría que recoger más tarde, por ejemplo, y Clate se vio enredado literalmente en su trama. Que Hardy no hiciera nada por evitarlo no lo convierte en culpable.

De todos modos, es Theo el que tiene el motivo más sólido (su casa, su verdadero castillo), y aunque no sea el milenio, como dicen Billy y Randy en *Scream*, los motivos importan. No hay nada más importante. Hardy tiene a su hija como excusa para dejar que Clate Rodgers acabe hecho picadillo por esas hélices, pero qué podría haberlo animado a acabar con Deacon Samuels continúa siendo un misterio.

A no ser que se le hubiera antojado cierto palo de golf del que Jade aún se acuerda. Por otra parte, ¿de verdad habría alguien dispuesto a matar por un chisme de esos? Le gustaría decir que no, pero Jason se cargó a un tío por tirar cosas al suelo, ¿no es cierto?

Sin embargo, si el motivo es la codicia, la envidia o el ánimo de lucro, Proofrock estaría metida en un giallo, no en un slasher con la venganza como telón de fondo, y dado que la Italia de los sesenta le pilla muy lejos, a Jade no le queda más remedio que sospechar que el motivo sea otro, a poder ser bastante más recto.

¿Y? Tampoco era de esperar que ya lo hubiese resuelto, ¿a que no? Aunque eso no significa que no pueda intentarlo. Como si lo pudiera evitar.

Así que ahora el plan consiste en dormir unas horas antes de rodear el lago camino de Terra Nova, hacer un alto tal vez para admirar las manchas de Deacon Samuels tras la ondeante cinta policial amarilla que delimita el Campamento Sangriento y después comprobar si ha acertado, si se trata de Theo, y si no descartarlo, así de sencillo, visto para sentencia.

Jade expele una columna de humo a la noche, encaja la colilla en el dibujo de la suela de la bota y piensa en otra de las redacciones que escribió para el señor Holmes, redacción en la que le explicaba que la razón de que las chicas finales se caigan y tropiecen tanto cuando huyen es porque son como esas aves que se alejan del nido aleteando con dificultad, como si estuvieran heridas, para distraer al depredador y alejarlo de sus polluelos.

Esa no llegó a entregarla, sin embargo. La dejó a medio escribir, le prendió fuego y tiró las cenizas al váter porque, en la vida real, ninguna madre es así.

¿Qué hay de Letha, no obstante? ¿Se pasará el sábado cayéndose y levantándose para alejar al asesino de las masas flotantes? Habrá un montón de críos en el agua esa noche, Jade lo sabe. Un montón de inocentes.

Se dispone a volver adentro, girándose en el último momento para sujetar la mosquitera, para evitar que se despierte toda la sala de estar, pero se detiene: el petardo más pequeño y triste del mundo (o lo que es lo mismo: un cigarrillo encendido) está trazando una parábola descendente en el cielo.

—Me pienso chivar a su mujer —le dice al señor Holmes con una sonrisa, con el rostro vuelto hacia arriba. Cuando la colilla deja un rastro de humo entre la hierba alta y seca en la que ha caído, Jade se acerca y la aplasta, salvando a toda la ciudad, seguramente—. Así se hacen las cosas —murmura, pensando en Letha, antes de dejar al señor Holmes allí arriba, coqueteando con el cáncer de pulmón y esquivando murciélagos.

La cocina está desierta, la sala de estar duerme todavía. Jade se dirige de puntillas a su dormitorio para ponerse una cinta y tirarse en la cama, cuando… Mierda. ¿En serio? Encima de la colcha, dentro de dos bolsas para la basura de color negro, están todas sus cintas, toda su ropa, todos sus pósteres. Jade se queda mirándolas, las mira un poco más, y por fin deduce la única posibilidad: su padre se ha enterado de su épica marcha por la calle principal en compañía de Hardy, cuando parecía que se dirigían al O. K. Corral.

—Pero si no lo he traído aquí —refunfuña Jade mientras escarba entre las cintas revueltas hasta que la suerte le sonríe y encuentra la de *Pánico antes del amanecer*. No puede llevarse toda la bolsa a la orilla opuesta del lago para impartirle una última clase particular a Letha, pero al menos se puede ir con esa. Técnicamente (cronológicamente), la siguiente para el currículo debería ser *Halloween*, y eso solo si se saltan *Black Christmas*, pero esto ya no es un curso completo, ¿verdad? Esto ya se ha convertido en un curso intensivo, en un atracón la noche anterior al examen. Y si Letha tiene que elegir una chica final para seguir sus pasos, que no sea la que se esconde en el armario, la que se deja atrás el cuchillo del asesino, la que no sobreviviría de no ser por el tío armado con una pistola que aparece para salvarla en la última escena. Que sea la que se deja llevar por la rabia, la que trepa por la pechera de ese paleto que es una máquina de matar y le mete el brazo por la garganta hasta el puto codo sin dejar de mirarlo a los ojos en todo momento.

Pánico antes del amanecer, por lo tanto. Esa y…

Jade mete la mano debajo de la cama para coger el machete escondido en el armazón. Es del rastro de Idaho Falls y todavía conserva el filo de fábrica. Mira a su alrededor, pensando qué más le podría hacer falta, y al final decide cambiarse todo lo que lleva puesto debajo del mono. Porque quién sabe.

Guarda las prendas en la mochila en vez de tirarlas al rincón de la ropa sucia. Después de eso, ya solo resta buscar el colorante alimentario de la cocina y teñirse el pelo una última vez en el fregadero, no sin antes cerciorarse de haber cerrado la puerta.

El colorante es de color verde oscuro; el resultado, aguamarina tirando a turquesa y temporal de cojones. Pero bueno, algo es algo, ¿verdad?

Camino de la puerta principal, con un sándwich recién hecho en cada bolsillo y dos bolsas de basura relucientes cargadas al hombro, les hace una doble peineta rotunda a los ocupantes de la sala de estar y sale al porche caminando de espaldas, con los corazones todavía extendidos.

Ahora sí que sí, se terminó el instituto.

En lugar de internarse entre los árboles, en el fango, totalmente a oscuras (se supone que hay un oso merodeando quién sabe dónde), lo que hace Jade es pedirle a Terra Nova que tenga paciencia, por favor, y la espere hasta que amanezca. ¿A lo mejor puede pasar la noche en el almacén de herramientas de la zona de obras? Solo que, camino de allí, por supuesto, la pantalla hinchable para la gran celebración del 4 de julio ya está instalada, lista para que todo el mundo pueda verla desde el lago. Ahora siempre la ponen con tiempo, desde aquella vez, cuando ella estaba en sexto, que lo hicieron la misma tarde en cuestión y tuvieron que dejar el compresor funcionando durante toda la proyección porque el vinilo presentaba varios agujeros, lo cual le restó un poco de encanto a todo eso del cine al aire libre. La velada acabó convirtiéndose en un «a ver quién consigue enterarse de la peli con los traqueteos de ese cacharro».

Sin embargo, Jade no se fija en la pantalla por el simple hecho de que ya esté en su sitio, sino porque está iluminada también.

Lo que se ve es la versión gigante de la pantalla del portátil de alguien, parece. Mac, no PC. Jade se refugia en las sombras para mirar y ve que los dos Fundadores a los que habían dejado antes en tierra ya han vuelto a la cubierta del Umiak, seguramente con el cable o el adaptador que les hacía falta para el proyector, teniendo como tiene este unos cuantos añitos, siendo como son los puertos de sus ordenadores de última generación.

Se trata de Mars Baker y, decide Jade por fin, Lewellyn Singleton. La pantalla del portátil de reducidas dimensiones les ilumina la cara; a todos los efectos, pasarían por dos preadolescentes encorvados sobre un videoclip entre clase y clase. A su espalda, algo apartada de ellos, con las manos en la barandilla, está Letha Mondragon, con los ojos enmarcados por sus gafas de Jackie O y una pañoleta blanca cuya presencia es de lo más comprensible en alguien que ya se ha tropezado con tres cadáveres desde que llegó a la ciudad.

Cuando una está de luto, conmocionada, apenada, ponerse gafas de sol por la noche tiene un pase. Y ¿ve Letha a Jade? Esta retrocede un poco más, suelta las bolsas entre los arbustos y se queda con el machete, aunque lo esconde junto a su pierna derecha, como mandan los cánones.

Las lentes oscuras de Letha apuntan a la calle principal de repente, y los ojos de Jade deciden acompañarlas tanto si a ella le apetece como si no. Solo es un gato que está pasando bajo una farola, pero ¿podría haber algo más idóneo para darle un punto tétrico a la ambientación?

Jade asiente con la cabeza, dándole las gracias a Letha por llamarle la atención sobre este de Jonesy, y a continuación, cualquiera que fuese la magia que Mars Baker y Lewellyn Singleton estaban intentando obrar se manifiesta sobre la pantalla en esos momentos.

—Ajá —dice Jade. Aunque también: «por supuesto».

Es un pase de diapositivas sobre la vida de Deacon Samuels. Ahí está él, con un sombrero de copa plateado, cortando la cinta en alguna ceremonia de inauguración. Ahí, en la cubierta de la *Golf Digest*. Ahí, en una foto robada con Ladybird, su mujer. Ahí, divirtiéndose en la lancha, con el lago Indian extendiéndose a su alrededor como si ese fuera el lugar que llevaba buscando toda la vida.

La razón de que estén probando esto ahora, deduce Jade, es que lo piensan poner antes de la peli del sábado, ¿no? Mucho más sencillo que invitar a toda la ciudad a admirar Terra Nova, a respirar todo ese aire limpio.

Tiene gracia, además: el Umiak bajo los pies de esos Fundadores y parte del embarcadero están acordonados con la cinta amarilla de Hardy. Porque los peces no habrán tenido tiempo de zamparse a Clate Rodgers, ¿verdad? Habrán sacado los trozos más grandes en cuestión de minutos: tirar una red oficial un par de veces y listo, al cubo, al congelador, con una buena pegatina en la que ponga «no beber/¡no son margaritas!».

Y ahora el pase de diapositivas se ha terminado y otra sorpresa previsible: es un vídeo de los Fundadores que quedan. Están en alguna parte interior del yate, parece, con la decoración de caoba. Lewellyn Singleton, Mars Baker, Ross Pangborne y el presidente de la junta, el más alejado de la cámara (o lo que es lo mismo, en el centro de la imagen), Theo Mondragon.

Jade intenta mirar más allá de la pantalla, más allá del Umiak, al yate de verdad, pero vuelve a fijarse en la grabación cuando quienquiera que esté manejando la cámara hace zum sobre los Fundadores.

En vez de los trajes o el atuendo caro pero informal de costumbre, los cuatro dan la impresión de disponerse a nadar. Toallas al cuello, el pelo sincera o estudiadamente alborotado, y por toda vestimenta, no bañadores, exactamente. ¿Más bien tangas de ciclista, como las mallas pero solo para los cataplines? Aunque no puedan calificarse de taparrabos, porque tienen perneras, el caso es que tampoco encajan en la categoría de pantalón corto.

Bueno, ¿y qué? Pueden permitirse el lujo de usar esas prendas tan ceñidas, tan comprometedoras. Mars Baker, incluso, cuando tose tapándose la boca con la mano, luce una tableta incipiente, y Theo Mondragon está directamente cuadrado, a Jade no le queda más remedio que reconocer antes de apartar la mirada.

Por supuesto que iban a convertir el acto conmemorativo en honor de su amigo en otra forma de recordarle al pueblo llano cuál es su lugar.

Ya está tardando en desencadenarse este slasher.

Jade empieza a darse la vuelta, resistiéndose a dejarse absorber por el espectáculo (gracias por el aviso, señor Holmes), pero los altavoces crepitan en ese momento. Jade se detiene, aprieta los puños, pero tiene los oídos abiertos.

Perdón, señor Holmes.

Jade mira atrás por encima del hombro y el pase de diapositivas conmemorativo continúa reproduciéndose, pero lo que Mars Baker y Lewellyn Singleton están proyectando sobre la pantalla hinchable es una grabación de Deacon Samuels. Una sesión de Skype en la que alguien, al parecer, le dio al botón de grabar. Deacon Samuels lleva su gorra de golf calada sobre las cejas como el macarra de fraternidad que debía de estar hecho mientras posa un vaso de plástico, saboreando su contenido, lo que significa que esto debe de ser el final de la jornada, solo que ¿son unos cutres paneles de madera lo que tiene a la espalda? ¿Le suena de algo a Jade esa luz mortecina suspendida de una cadena de bronce de imitación?

Se gira del todo, se acerca para cerciorarse y asiente.

Deacon Samuels está en una habitación del motel El final del camino, sito en una salida de la autopista a trescientos metros de la posición que Jade ocupa en esos precisos instantes. A fin de salir de dudas da media vuelta, se apoya en un árbol para ponerse de puntillas y, sip, ahí está ese cartel con un indio moribundo cuya supuesta función es la de atraer a los viajeros y, al mismo tiempo, igual que se repele a los coyotes colgando los cadáveres de sus congéneres en la valla, disuadir a cualquier indio que pensara alojarse en esas instalaciones.

Pero ¿y él qué hace ahí?

«Acabo de tener una conversación fabulosa con el caballero que regenta la estación de servicio. Lonnie, creo que se llamaba, sí. Según él, su familia llegó a estos parajes antes que la electricidad, por lo visto».

Jade desliza la mirada por el agua en la que la multitud estará flotando cuando llegue el sábado y no puede por menos de apretar los labios, alegrándose por Lonnie en su cámara de neumático inflada cuando su nombre brote de los altavoces. De lo que Deacon Samuels no dice nada es del tartamudeo de Lonnie, que debió de convertir su conversación en los surtidores de la gasolinera en algo de lo que una persona acostumbrada a salir en la portada de las revistas de golf se burlaría. Pero no es así. Ni siquiera lo ha mencionado. Y todos los que vean esto el sábado por la noche levantarán sus cervezas a la salud de Lonnie, que puede que reciba hasta una ronda de aplausos, seguramente la primera de toda su vida.

«¿Y sabéis lo que hizo luego? —continúa Deacon Samuels—. Se me había olvidado que el mundo pudiera funcionar así, que alguna vez hubiera sido tan pequeño. Salió a la calle y llamó por señas a una mujer que se estaba tomando su café en un restaurante de carretera pequeñito, perfecto, el Dot's. —Otra ovación, sin duda—. Y ella, la señora Christy, se acerca y resulta que es agente inmobiliaria».

Misty Christy hace una reverencia desde el chisme que haya elegido como flotador.

«Y el caso es que, a ver, claro que hay terrenos disponibles aquí, pero no estoy hablando de eso. A lo que me refiero es la claridad del agua, Theo. Esto no es Boston Harbor. Y, Lew, el aire, creo que a Lemmy le vendría muy bien. Mars, sé que a Macy le gusta observar a los pájaros, ¿verdad? ¿Y las niñas no están en el equipo de natación? Y Galatea, Ross, podría fotografiar tantas cosas aquí. Pero no se trata únicamente de las cosas que se pueden hacer, podrían hacerse en cualquier otro sitio, es como, ¿os acordáis de esa película antigua, *La tierra olvidada por el tiempo*? Theo, sé que tú la recuerdas, me parece que habías comprado los derechos. Pues esto es como un rinconcito idílico que se hubiera mantenido seguro y prístino, intacto. Y, no es por presumir, pero creo que si aunáramos recursos y contactos… Mars, esto ya es más tu especialidad, pero podríamos…».

Jade se ha quedado boquiabierta.

Ahí está Deacon Samuels, cruzándose los Estados Unidos en coche y tropezando con Proofrock, enamorándose de ella, intentando, no vendérsela a sus amigos, sino que la vean de la misma manera que él. Es agente inmobiliario, un vendedor consumado, se recuerda. Aun así.

«¿Cómo habríamos podido negarnos?», resuena ahora otra voz.

La de Lewellyn Singleton, el banquero. Se ha apartado de la taquilla de caoba en la que estaba apoyado, más o menos, y la cámara lo enfoca a él ahora. Está retorciendo los extremos de la toalla que cuelga de su cuello.

«Este sitio era y es todo lo que Deacon dijo que era —continúa Lewellyn—, y más. Sí, el aire de la montaña ha aliviado muchísimo los problemas de pulmón de mi hijo. ¿Quién iba a imaginarse que un remedio del siglo XIX seguiría dando resultado en el XXI? —Sonríe, se encoge de hombros—. Pero es que a mí también me ha venido bien. Me siento como si por fin hubiera encontrado mi hogar, lo que ya sé que debe de sonar un poco… La mayoría de vosotros lleváis aquí toda la vida, este es vuestro hogar, somos conscientes de ello. —Frunce los labios y aparta la mirada como si no supiera qué hacer con los ojos—. El caso es que no sé cómo definís vosotros el concepto de "hogar", es… Lo mío son los tipos de interés y las operaciones a largo plazo, cosas así. Sin embargo, mi perra desde hacía catorce años, la Princesa Leia, la trajimos con nosotros la última vez que vinimos y…, y ahora está enterrada aquí, en Terra Nova. Así lo defino yo, esa es mi definición del concepto de hogar».

Se encoge de hombros, da un paso atrás, y Jade ahora tiene los brazos cruzados. Porque está intentando resistirse a esto.

«Hola. —El que habla ahora es Ross Pangborne, que levanta la mano y da un paso al frente, a todas luces siguiendo las indicaciones de quienquiera que sea el que está manejando la cámara. Se acerca un poco más hacia el centro del encuadre, y saluda de nuevo—. Antes de nada, permitid que os diga que no estoy leyendo ninguno de vuestros mensajes directos —confiesa con una sonrisita culpable, refiriéndose al reciente escándalo relacionado con la privacidad de los usuarios que ha salpicado a su imperio de redes sociales. Jade sonríe con él sin poder evitarlo. Se ve tan incómodo, tan vulnerable, tan alejado del arquetipo de magnate insaciable y desquiciado que se podría esperar—. En segundo lugar, y mucho más importante, quiero agradeceros que nos hayáis acogido, no solo en vuestra preciosa ciudad, sino en vuestras vidas. Y me gustaría disculparme personalmente por el…, por el proceso de construcción que está teniendo lugar aquí, en la orilla opuesta del lago, proceso que está dejando cicatrices industriales, lo sé. Pero queremos informaros, y esto es una promesa, de que el próximo verano habrá un parque allí, y será completamente accesible, y no…, y no lo tendrá que mantener el condado. Nosotros nos ocupamos de eso. Podréis vernos a uno de nosotros todos los fines de semana, recogiendo envoltorios de chicle y latas de refresco del suelo. Os damos nuestra palabra. Gracias».

Jade sacude la cabeza, no, esto no está ocurriendo, no puede ser cierto.

El señor Holmes tenía razón. Debe tenerla. Los Fundadores son el mal, el capitalismo encarnado, solo han venido a Proofrock porque este año las poblaciones remotas se estilan entre los multimillonarios.

«Y no os preocupéis, yo me encargo de que todo se haga por la vía legal, sin saltarse las normas —dice Mars Baker con una sonrisa que no consigue disimular. Este es el punto de su espectáculo previo a la peli en el que todos los que están en el agua se ríen, Jade lo sabe: el abogado de postín recordándoles que a él no hay contrato que se le resista—. No, en serio —continúa, disponiéndose a pronunciar su alegato final—, sé que aún no podéis verlo, pero ya les hemos pedido a los equipos que están levantando nuestros hogares que no talen ni un solo árbol. Y tampoco permitiremos que se levante ninguna valla. Para nosotros, esto continúa siendo una reserva natural, y ante todo, el hogar ancestral de los shoshone, algo que todos deberíamos tener muy presente. El concepto de propiedad en estas montañas es algo reciente. Nosotros preferimos denominarlo administración de bienes. Cuando los ciervos se cuelen en el huerto de Macy y no dejen títere con cabeza, en fin, habrá que bajar al Dot's y pedirse una ensalada, ¿a que sí, señorita Dorothy? —Mars Baker se acerca a la cámara y concluye, bajando la voz—: Pero que no se entere Macy, que ya solo habla de todos los calabacines y todas las judías que va a cultivar».

Jade mira al cielo y se recuerda que Macy Todd asesinó a su novio en un hotel, tiempo ha, y luego alquiló películas suficientes para pasarse dos días enteros viendo la tele.

Theo ocupa el escenario mientras ella tiene el rostro vuelto hacia arriba. Se da cuenta por el silencio. El titán de los medios de comunicación sabe desenvolverse ante la cámara.

«Como muchos de vosotros sabéis, mi hija será para siempre una graduada del Instituto Henderson. ¡Promoción de 2015! —Agita el puño y lo deja levantado, como si estuviera felicitando a Letha. Como si estuviera felicitándolos a todos. Después abre esa mano, masajea el hombro de Lewellyn Singleton y clava la mirada en el alma de la multitud—. No sé qué podría añadir a lo que ya han dicho estos caballeros —Ross Pangborne le da un empujón, como si "caballeros" fuera un insulto, una broma, pero el efecto es el de una pandilla de chicos en el vestuario. El de que son como todos los demás que están flotando en el agua, empapándose de sus palabras—, y mejor de lo que podría decirlo yo, además. Es verdad, nos encanta este sitio. Esto no es un refugio del mundo moderno, no usaríamos así vuestra ciudad, vuestro lago, vuestro valle. Este es un lugar en el que queremos echar raíces, un lugar en el que queremos ver crecer a nuestros hijos, y a los hijos de sus hijos. Pero chist, chist, tampoco queremos que nadie más sepa que existe. —Risas aquí, Jade lo sabe. Lo sabe porque a ella casi se le escapa—. ¡Qué otro lugar hay en todos los Estados Unidos donde una ciudad entera se reúna para flotar en el agua y ver una película sobre gente flotando en el agua! —dice Theo, en voz más alta ahora, y Lewellyn mueve un tiburón de goma a su espalda, sin que él se dé cuenta—. Y sí, cien veces sí, echamos de menos a nuestro amigo Deacon. —El tiburón desciende. Theo baja la mirada—. Era el mejor. Fue el que encontró este lugar. Debería ser él el que se estuviera dirigiendo a vosotros».

La habitación de caoba de los Fundadores se disuelve en ese momento, reemplazada por… Joder.

Son las instantáneas del lago Indian y Proofrock que sacó Deacon Samuels la primera vez que pasó por allí. En algunas sale corriendo, intentando aparecer en la foto, pero nunca lo consigue del todo, y eso lo vuelve como un millón de veces más encantador todavía.

Al final se queda con un selfi, Lonnie y él junto a los surtidores de la estación de servicio, con el primero apretando los labios como hace siempre para no tartamudear y Deacon Samuels dedicándole una sonrisa deslumbrante a la cámara, con las gafas de sol en la mano derecha y arrugas en la comisura de los ojos, fruto de todas las horas dedicadas a ir de un hoyo a otro.

Cuando esa imagen se disuelve por fin, cuando termina el fundido, Theo Mondragon ha regresado a ese vestuario de caoba, con Lewellyn Singleton, Ross Pangborne y Mars Baker arracimados a su alrededor como si fuesen los padrinos del novio. Theo Mondragon bebe un sorbo de agua de su botella de plástico, mira directamente a la cámara, se acerca y dice:

«Pero debemos formar parte de la comunidad, queremos formar parte de esta comunidad. ¿No lo has dicho tú, Ross? No podemos invadir este sitio, tenemos que… Deberíamos demostrar que somos dignos, ¿no crees? Que estamos implicados, comprometidos».

Es un guion, no cabe la menor duda al respecto, y Jade sospecha que Theo Mondragon está haciéndose pasar por mucho peor actor de lo que en realidad es, para lo que hacen falta no pocas tablas, pero aun así, da resultado.

«Además, para que lo sepáis —continúa Theo—, esto no fue idea nuestra, sino de Deke, Deacon, quiero decir. Lejos de perjudicar a la comunidad, su objetivo no era otro que el de beneficiarla».

«Quería invertir en este lugar», añade Lewellyn Singleton, el banquero.

«Su testimonio sobre Proofrock fue decisivo para cerrar el acuerdo», sentencia el abogado, Mars Baker.

«Le dio un "me gusta" a todos los presentes aquí», añade Ross Pangborne con una sonrisa.

Los cuatro alzan sus botellas de agua a modo de brindis y, cuando llegue la noche del sábado, todas las latas de cerveza del lago se levantarán en respuesta, Jade lo sabe.

«Hablando de lo cual —dice Theo—, tenemos una propuesta para todos los graduados de Henderson a partir del próximo curso. —Mira a los otros tres Fundadores con gesto solemne, como si les solicitara su respaldo para esta idea descabellada. Una vez seguro de la falta de oposición, vuelve a mirar a la cámara para concluir—: Queremos fundar una beca que cubrirá todos los gastos de universidad en cualquier institución del estado».

«¡Para todos los graduados!», añade Mars Baker.

«Pero ¿de qué estado, solo de este?», les pregunta Ross Pangborne a sus compañeros. Es la frase menos natural de todo el guion y él la pronuncia con una afectación hiperbólica, pero todo forma parte del ambiente de buen rollo y camaradería que caracteriza el programa.

«¡Del que ellos elijan!», replica Lewellyn Singleton, en plan, qué recórcholis.

«La beca conmemorativa Deacon y Ladybird Samuels», anuncia Theo a modo de despedida, y como ya no pueden superar eso, es entonces cuando los Fundadores se quedan congelados en el encuadre rodeándose los hombros con el brazo, sonriendo con bonachonería, crepitando en blanco y negro, y la leyenda BECA CONMEMORATIVA DEACON Y LADYBIRD SAMUELS se materializa sobre la imagen en caracteres elegantes y refinados.

Así se compra una ciudad en las montañas.

Va a correr el alcohol esa noche, Jade lo tiene clarísimo. Más que de costumbre. Todas esas becas se convertirán en botes, en camionetas, en vacaciones. A Jade le da mucha rabia, pero el caso es que allí sola, en la linde de la arboleada, incluso ella tiene que parpadear para secarse las lágrimas. No de júbilo, sino por haber nacido demasiado tarde: esto empieza con la promoción de 2016, no con la de Letha y la de ella.

Se ríe con amargura y menea la cabeza, asqueada, intentando por todos los medios cabrearse con todos esos Halcones de un curso inferior que ahora van a tener acceso al ancho mundo, a diferencia de ella. Pero una parte de ese rechazo se dirige contra sí misma: esto era mucho más fácil cuando tenía motivos para odiar a los Fundadores, como el señor Holmes. Ahora, en cambio, es complicado. Ahora es una mierda.

Y para colmo de males, lo que debe tener en cuenta, por utilizar uno de los términos financieros de Lewellyn Singleton, es que uno de esos millonarios tan campechanos es el asesino. La teoría es sólida, a prueba de bombas. Por supuesto que se trata de uno de ellos. En la práctica, sin embargo, después de haberlos visto, escuchado… Ross no, imposible, y tampoco Lewellyn. Serían tan incapaces como Bill Gates de hacer que rodaran cabezas. Si ejercen alguna violencia, será a golpe de tecla. Aun podría ser Mars, supone, pero solo porque es abogado, debe de tener el corazón corrompido, intenciones ocultas, más la capacidad de pensar catorce pasos por delante. Y la única razón por la que Theo Mondragon todavía está en la rifa es que, con él, el ciclo resulta más limpio, contenido, elegante. Todo queda en la familia.

Tendrá que acercarse a echar un vistazo. ¿Y si no es Theo Mondragon? Entonces, ¿Rexall? Solo que ese siempre va catorce pasos por detrás. Siempre podrían ser Hardy y Holmes, haciendo tándem a lo Billy y Stu, supone. O incluso su padre, asesinando entre cerveza y cerveza, abriéndose otra para celebrar cada muerte y pegando algún que otro trago entremedias. Tampoco hay que olvidarse de Deacon Samuels, por supuesto. Lo recogieron en bolsas, ¿no? Lo que significa que si lo identificaron fue únicamente gracias a sus palos de golf, así que, si se las apañó para orquestar un doblete de cadáveres para el oso ese, quizá con la intención de burlar a la Comisión de Bolsa y Valores, aún podría andar suelto por ahí, podría ser el responsable de todo.

Lo malo de esto, claro, es que si Jade se equivoca con los Fundadores, ¿con quién más se equivoca? Es como en las series de polis: cuando el malo resulta ser el abogado de la acusación, toda la gente que había metido en chirona vuelve a la calle. ¿Será Jade esa fiscal ahora? ¿Se merece su madre una segunda oportunidad? ¿Y su padre? ¿Será ella la que lleva las gafas de la niñera de Michael, solo que, para ella, «niñera» equivale a todos los adultos, y puesto que no tiene ningún machete en las manos, qué hace, usar la lengua, acusar, sospechar?

—El caso es que sí que tengo un machete —sisea antes de clavarlo con fuerza en el árbol que tiene a su lado, lo que hace que un blanco halógeno tiña la zona que la rodea. Se aparta el flequillo de los ojos para inspeccionar la copa, para ver si hay alguna farola allí arriba. Al no ver ninguna, continúa haciendo visera con la mano y se gira hacia la baliza que la retiene clavada en el sitio.

Hardy. Por supuesto. En su bronco.

Empieza a correr antes incluso de que sus piernas reciban la orden, empuñando todavía el machete. La hoja clavada en el tronco está a punto de dislocarle el hombro y sus botas se elevan por los aires durante un instante, como en unos dibujos animados de los que preferiría no ser la protagonista.

—¡Jade, espera! —la llama Hardy por el altavoz, pero Jade no puede parar.

Se cae de bruces, el machete se separa del árbol con ese sonido tan característico de las pelis de miedo, y a partir de ahí todo es cuesta abajo. La pendiente que desemboca en el lago Indian la vuelve más veloz de lo que en realidad es, más veloz que sus pensamientos. ¿Qué pretende hacer, tirarse al agua de cabeza desde lo alto del embarcadero, nadar hasta el Campamento Sangriento? ¿Pedirle a Letha que le confiera asilo en el Umiak? ¿Esperar que Hardy se rinda, que es justo lo que hacen todos los agentes de la ley y el orden cuando sus villanos armados con armas letales ponen pies en polvorosa? Y lo más importante de todo: ¿por qué corre? Se trata de Hardy, ¿verdad?

Joder. Joder joder joder.

Le gustaría que esto fuera *Scream*, por eso intentaba emparejarlo con el señor Holmes, pero no consigue olvidar la otra noche, cuando su voz surgió de la oscuridad delante de la biblioteca. Su silueta, procedente del banco de Melanie, chispas en su mano, Clate Rodgers una mancha roja en la superficie del lago. Y sí que tiene un trasfondo, con eso de que su hija falleció seguramente a menos de cincuenta metros de donde se encuentran ahora, y en compañía de alguien con el que el padre de Jade solía beber, sin olvidar su encuentro con Stacey Graves, se crio con su tía cantándole esa rima, encontró a Deacon Samuels, provocó un incendio que acabó con la vida de su tío o lo que fuese, y esa lancha con la que puede ir de una orilla a otra cuando le plazca, desaparecer en un abrir y cerrar de ojos. O, si estás en el agua, puede plantarse a tu lado sin que te des cuenta, sin dejar apenas estela, apagado el gigantesco ventilador cien metros antes para que la inercia haga el resto, sin más sonido que el fum-fum-fum de las aspas perdiendo revoluciones.

Por otra parte, es verdad que la salvó cuando se estaba desangrando, y que le consiguió ese curro de conserje después del primer año, e intenta arrestar a su padre siempre que puede. ¿En qué cabeza cabe que el enemigo del mayor enemigo de Jade sea un asesino?

Jade ignora la respuesta, lo único que sabe es que no puede parar de correr. La cuesta ya se ha apoderado de ella. Lo único que puede hacer es arrojar el machete al agua, lo más lejos posible, deshacerse de esa evidencia, negarle ese motivo para arrestarla. Da igual que no haya ningún sitio al que ir después de eso, nada que hacer, ninguna escapatoria.

Ha recorrido la mitad del muelle cuando se percata de que Letha está apoyada en la barandilla, contemplando sus vanos esfuerzos.

El agarre de Jade cambia ligeramente sobre la empuñadura del arma, pero supone toda la diferencia del mundo.

—¡Letha! —le grita, y Letha se levanta las gafas de insecto sobre la frente, que es toda la invitación que Jade necesitaba. Frena en seco, sus botas militares hacen tracción por una vez, y transforma todo ese impulso en un lanzamiento a la desesperada.

El machete se eleva girando en la noche. Mars Baker se gira para seguir su trayectoria con la mirada. Los neumáticos de Hardy chirrían. Todas las esperanzas y plegarias de Jade están ahora en esa hoja volante.

Asciende, continúa ascendiendo, y justo cuando debería estar incrustándose en el torso de Letha, lo que sucede en vez de eso es que esta proyecta una mano hacia delante como solo una chica final sería capaz de hacer e intercepta el machete al vuelo, por la empuñadura, la acción más perfecta del mundo, tanto que Jade casi no nota siquiera cuando Hardy le hace un placaje.

INICIACIÓN AL SLASHER

Bueno, señor Holmes, a modo de regalo de Navidad, aunque sea con un ligero retraso, espero que acepte este último ingrediente de los slashers, cuya temporada volverá pronto a nosotros, en tan solo 10 meses, momento para cuando usted tendrá que recabar su información sobre los slashers de otra fan del género, porque esta ya se habrá graduado y DESAPARECIDO.
No lo adivinaría ni en 100 años a menos que fuese usted Clear Rivers la de Destino final, pero el caso es que este ingrediente está ligado al incidente que tuvo lugar en la cafetería poco antes de las vacaciones de invierno. Sin embargo en mi defensa aunque Manx no lo crea, de verdad que si estaba vomitando a chorro era porque me había puesto mala de repente. Eso no fue ningún intento por regar a todo el mundo con crema de guisantes como Regan en El exorcista. No fue ninguna broma pesada, señor Holmes. Creo que si hubiera sido otra persona la afectada la monitora de la cafetería habría hecho todo lo posible por llevar a esa alumna a la enfermería en vez de al despacho del director sin más excusa que cierto historial de intentos por hacer del instituto algo divertido o por lo menos una experiencia menos terrible. Pero eso fue el año pasado como suele decirse. Bueno, a no ser que uno sea Billy Loomis, o en 1958, Pamela Voorhees.
También tendrá que empezar a buscar estos chistes tan excelentes en otro lugar, señor Holmes, créame que lo compadezco.
Pero bueno, ya que estamos hablando de vómitos, eso es lo que a todas las chicas finales se les da mejor que a mí no hacer durante la Masacre del Tercer Rollo de Película. Aunque no hay autopsias que lo demuestren, sospecho que deben de tener una válvula extra en el esófago, algo que les impide potar como Dios manda,

señor Holmes. Si no, ¿cómo se explica que consigan retener el almuerzo aproximadamente a los 2/tercios o incluso 3/cuartos de la película en la que se encuentran, momento en el que lo más normal es tropezarse con los cadáveres necroliofilizados de sus amistades y familiares? Piense en Laurie Strode en Halloween, por ejemplo, tropezándose con tantos de sus amigos sorprendentemente muertos y sospechosamente colocados como si estuvieran posando en ese dormitorio de la casa de enfrente, algo que se convertiría en el modelo básico a repetir no solo durante la Edad de Oro, sino hasta nuestros días, señor Holmes, aunque no voy a enumerar todos los ejemplos porque usted siempre me los marca como innecesarios como esa piscina llena de cadáveres de Siete mujeres atrapadas, película que ni siquiera voy a mencionar esta vez. Total, que la Masacre del Tercer Rollo de Película es una de las etapas más importantes del desarrollo de la chica final. O más bien, el enfrentamiento con todas estas PRUEBAS irrefutables de que el terror al que se enfrenta está haciendo picadillo las reglas de su mundo, tan cabal hasta entonces. Eso la empuja por el borde del precipicio, y cuando vuelve a subir, lo hace cambiada y más peligrosa que antes. La pregunta que nunca obtiene respuesta, no obstante, es por qué HACE esto el asesino, pregunta que sin duda usted mismo estará pronunciando en voz alta ahora, sentado a su mesa. Bueno, POR QUÉ lo hace y CÓMO ha aprendido todos esos trucos para los que se requieren tantos nudos y tantas poleas para colgar cadáveres del techo, pero si se empieza a pensar así entonces Michael Myers nunca habría aprendido a conducir el coche que roba para volver a Haddonfield, y a nadie le apetece tener que pensar así, señor Holmes. A una servidora no, por lo menos.

El caso es que hay un motivo para que el asesino cometa este acto de bondad, señor Holmes, pero como ya casi he llegado a mi límite de 2 páginas me lo guardaré para un *San Valentín sangriento* para usted, creo. Tampoco quiero que se sienta estafado. De verdad, he volcado toda mi alma en cada uno de estos trabajos.

La casa del terror

En *Pesadilla en Elm Street*, después de que a Rod le hayan cargado el mochuelo de la muerte de Tina, este todavía no sabe que no debería quedarse dormido. Así que, cuando lo hace, Freddy retuerce una sábana, la convierte en una soga y lo ahorca haciendo que parezca un suicidio, lo cual, por lo que a la poli y a los padres respecta, es una admisión de culpa como la copa de un pino.

Pero Nancy no es tonta.

Y Jade tampoco.

Durante toda la noche que pasa en la celda, cada vez que su cabeza empezaba a vencerse hacia delante a causa del sueño, se despertaba de golpe, inspeccionaba los barrotes y los bloques de hormigón en busca de rostros ocultos y vigilaba el desagüe del suelo, por si acaso aparecía alguna cuchilla. Además, en un sitio así, Freddy no es la única de sus preocupaciones. El genio del mal de *Wishmaster* podría materializarse en el pasillo que separa ambas celdas y usar su voz de camello para preguntarle si no le gustaría escapar, escurrirse entre esos barrotes, y si Jade estuviera lo bastante cansada, podría olvidarse de formular su deseo con el debido cuidado y acabaría deslizándose entre ellos como un pegote de caramelo caliente.

No, gracias.

Cuesta mantenerse despierta sin el móvil, no obstante. Sin una lanza con la que apuñalar la basura. Sin Holmes perorando apesadumbrado sobre Terra Nova. Sin una cinta en el reproductor. Sin Fugazi atronando en los oídos. Sin los gritos de Letha desgarrando la noche.

Pero bueno, había sido glorioso, ¿a que sí? El modo en que alargó la mano para capturar el machete al vuelo. ¡Y por el mango! Si no es una chica final, entonces es que las chicas finales no existen y Jade se equivoca de medio a medio. Pero no, no está equivocada.

Jade se levanta, recorre la escasa distancia que le permite la celda e intenta entrecerrar los ojos, adoptar la expresión de una verdadera convicta, aunque cuesta conseguir el efecto deseado cuando una se está haciendo pipí. Allí no hay ningún inodoro, ni en su celda ni en la otra, tan solo un orinal de 1899, lo menos. Seguramente los mismos Henderson y Golding tuvieron que turnarse para mear en él.

Por ahora, a Jade le han dejado usar el baño de señoras de la entrada. Pero eso fue solo un viaje, y ya hace una bandeja de comida de aquello, bandeja que incluía dos cajitas de zumo de manzana.

Lo más acuciante, si ya ha pasado la media tarde del jueves (y Jade está bastante segura de que sí), es que la masacre se cierne sobre el horizonte.

—¡Sheriff! —exclama, y es como gritar con un megáfono al tiempo que se está dentro de dicho megáfono. Antes de que los ecos de su primera voz hayan terminado de apagarse ya está gritando de nuevo, y de nuevo, cada vez más alto, hasta que una llave tintinea en la cerradura, concediéndole la oportunidad de callarse antes de que la puerta se abra.

Hardy entra con la sombra de un 4 invertido tatuada en la mejilla: se había quedado dormido encima del calendario que tiene en la mesa.

—Me parece que va a tener que acusarme de algo o soltarme —lo informa Jade, recurriendo a todos sus conocimientos aprendidos después de haber visto tantos episodios de *Ley y orden*.

Hardy se llena los pulmones de aire y lo suelta, despacio.

—¿Cómo estaba la mortadela? —pregunta, y antes de que Jade pueda meditar su respuesta, se apresura a añadir—: Hay una antigua canción de Tom T. Hall que va de cómo le daban mortadela caliente todos los días durante su estancia aquí, en el Hotel Entrerrejas. —Hardy le da una palmadita a la pared de bloques de hormigón, como si estuviera comprobando su robustez—. Se terminó aficionando.

—¿De qué se me acusa? —pregunta Jade, intentando inmovilizarlo con su mirada iracunda.

Hardy se ríe, descuelga las llaves del cinturón, abre la puerta de par en par y la invita a salir al ancho mundo con un gesto grandilocuente.

Jade sale al pasillo sin fiarse ni un pelo de esto.

Hardy se frota los labios para disimular una sonrisa.

—Es por tu bien.

—¿Lo de encarcelarme?

—Tu padre me ha dejado ver tu habitación.

—¿Qué? ¿Le ha dejado entrar en la casa?

—¿Por qué no? Pero ahora ya es oficial, Jade, lo siento. Te habías fugado.

—Ya casi he cumplido los dieciocho.

—Lo que significa, déjame que eche cuentas, a ver si… ¿Lo que significa que todavía tienes diecisiete años y, por consiguiente, te riges por un conjunto de leyes completamente distinto?

—No me estaba fugando de casa —replica Jade.

—Por no hablar de tu intento de acabar con la vida de Letha Mondragon —prosigue Hardy mientras la conduce a la entrada.

—No intentaba hacerle daño, solo estaba dándole algo —refunfuña Jade.

—¿Y si no llega a interceptar ese algo?

—Sabía que lo atraparía.

—Tienes suerte de que lo atrapara, más bien. —Hardy le enseña el pasillo.

—¿Baño? —se ve obligada a preguntar Jade mientras pasa por su lado.

—Enseguida.

—Inusitado y cruel.

—Joder, no me tires de la lengua —dice Hardy con una risita antes de ofrecerle la silla para delincuentes que hay delante de su mesa, sin sentarse a su vez hasta que ella ya se ha instalado. Jade ve su teléfono enchufado en el borde de la mesa, aunque a esas alturas le cuesta enfocar la mirada.

—De verdad que tengo que hacer pis.

—Si hubieras usado el orinal de ahí dentro, ahora nos ahorraríamos esta discusión tan estéril. —Hardy coge un elegante bolígrafo plateado del bote para los lápices y lo hace girar sobre los nudillos—. Pero bueno, los niños de hoy en día, ¿verdad? Y me gustaría recalcar lo de «niños». Todavía tienes diecisiete años, señorita. E ibas a escaparte de casa. He encontrado tus bolsas entre los arbustos. Por mucho que esto parezca algo personal, lo cierto es que tengo un deber que cumplir.

—Entonces, ¿esto no tiene nada que ver con algo que podría haber visto la otra noche? —pregunta Jade, midiendo sus palabras con sumo cuidado.

Hardy se reclina en la silla e inspecciona el techo, aunque ya debe de haberlo inspeccionado mil veces.

—¿Y qué crees tú que podría ser eso? —replica—. Si quieres, puedo pedirle la grabadora a Meg para tomarte declaración. O no, mejor la traes tú. Ya sabes dónde está, ¿me equivoco?

Baja el rostro para mirarla de nuevo y se chupa los labios como si acabara de untárselos de bálsamo y estuviera intentando esparcirlo bien, que cubra toda la superficie.

—Nada —dice Jade por fin—. No he visto nada, sheriff.

No sabe si esperar que esas sean las palabras exactas que usó Clate Rodgers cuando tenía trece años, érase una vez, o temerse que lo sean y que ella acabe de cometer un error garrafal.

—En el último par de semanas he visto más muertes que en los cuarenta años previos. —Hardy se inclina hacia delante ahora, con los codos apoyados encima de la mesa—. ¿Y luego me encuentro con la fanática del terror de la ciudad correteando en la oscuridad con un machete que tiene un nombre grabado en la hoja?

—Jamie Lee Curtis.

—*Acero azul*, ya. Me parece que en esa no sale Bogart.

Jade se siente impresionada, pero procura que no se le note.

—En esa también hace más o menos de chica final, ¿sabe? —dice ahora, adoptando un tono informal. Como si solo estuvieran hablando de pelis, nada más que eso, en vez de intercambiando indirectas cargadas de subtexto, porque muy pronto una de ellas tendrá algo que ver con lo que le dijo el otro día, aquello de Melanie. Hardy se limita a observarla, esperando seguramente a ver si continúa disertando sobre cómo JLC representará siempre el arquetipo definitivo de chica final. Eso sería demasiado fácil, no obstante. Y ella se sigue meando—. Bueno, ¿por eso estoy encerrada? ¿Por el arma? ¿No era porque me estaba escapando de casa?

—Si no se debe correr con tijeras, creo que con un machete menos todavía, ¿no te parece?

—Se alegrará de que se lo haya dado.

—Por eso de... ¿Qué fue lo que dijiste? —Hardy se encoge de hombros con condescendencia—. El Oso me lo ha contado un poco por encima. ¿Algo relacionado con Scooby-Doo?

—Se parece a las tramas de Scooby —replica Jade, decepcionada—, en el sentido de que se trata de alguien que usa una máscara. Su padre, lo más probable, ¿de acuerdo?

—¿El padre de...?

—Letha.

—El sábado —dice Hardy, mirando a Jade a los ojos.

Jade se gira y contempla la orilla opuesta del lago, donde el ultraligero del señor Holmes está cabalgando las corrientes de aire en esos momentos.

—Supongo que aquí es donde debería pedirle que cierre las playas.

—Eso es de *Tiburón*.

—Va a haber muchos niños en el agua.

—Sus videojuegos les enseñan cosas peores.

—Usted ya sabe a qué me refiero.

—A que corren «peligro».

El retintín obliga a Jade a observarlo de nuevo, pero los ojos de Hardy ya se están asomando a su alma.

—El Oso también me ha explicado lo que, según él, seguramente es tu razonamiento para lo del sábado. —El Oso. Es como si

Jade oyera por primera vez ese nombre. Se supone que fue un oso lo que mató a Deacon Samuels—. Sé que todo esto es muy real para ti. —Hardy se levanta y se acerca a la ventana, a lo que Jade supone que debe de ser su mirador habitual, la atalaya que le permite montar guardia sobre todo el condado de Fremont.

—Esto va más allá de mí. Hay… Mire, los dos jóvenes de marzo…

—Son dos según tú.

—Y Deacon Samuels.

—El ataque de un animal.

—Clate Rodgers.

—Accidente de navegación.

—Accidente de navegación —repite Jade sin poder evitarlo. Sin embargo, Hardy endereza el espinazo un poquito, ¿verdad? ¿Es posible que también esté aguantando la respiración?—. Pero se lo merecía —se apresura a añadir Jade, que se incorpora a su vez—. En realidad, seguro que ni siquiera forma parte del ciclo. Tan solo es un añadido.

—¿Y eso es normal? —pregunta Hardy sin girarse—. Lo de los añadidos, digo.

—El asesino carga con todas las culpas, sí. Los libros de historia los escriben los vencedores, y el asesino no gana nunca.

—Tampoco es que escribir sea lo suyo.

—Firma todas sus muertes con sangre.

A lo lejos, sobre el lago, el ultraligero del señor Holmes planea rozando casi las aguas ahora.

—Así se escapa del viento. —Hardy apunta con la barbilla en su dirección—. Me pregunto si los peces pensarán que su sombra es la madre de todas las águilas cuando se deja caer en picado de esa manera, como si se fuese a acabar el mundo. —Se vuelve hacia ella después de eso, con las facciones serenas—. Alguien ha roto las puertas del instituto con una papelera, ¿te habías enterado?

—Vacaciones de verano —canturrea Jade.

—El caso —añade Hardy— es que todos los cristales están en la acera. No dentro, junto a la vitrina de los trofeos.

—A mí que me registren. Ya no soy conserje.

—Te lo decía a título informativo, eso es todo.

—Pues me doy por informada. Aunque todavía no entiendo por qué.

Hardy sacude la cabeza, se diría que impresionado.

—Así empezó tu padre, tiempo ha, una mala tarde. Se sentó en esa misma silla cuando tenía dieciocho años. Le dije que tenía dos opciones…

—Yo no soy como mi padre —lo interrumpe Jade.

—No tienes por qué serlo, no —dice Hardy—. Deberías haberlo visto cuando solo era un mico. Se aprovechaban de él. Todo el mundo iba a buscarlo para jugar a indios y vaqueros, ¿sabes?

Jade se limita a seguir mirando por la ventana, esforzándose por no mover ni un solo músculo de la cara. Del cuerpo.

—Porque venía con la piel roja de serie —replica al final, resaltando lo obvio.

—Porque siempre tenía un ojo morado o el labio partido. —A eso iba Hardy desde el principio—. La cuestión es que daba el pego, parecía que los vaqueros lo hubiesen vapuleado.

—¿Se supone que debería enternecerme este paseíto por el bulevar de los recuerdos?

—Se lo dije. Se lo advertí antes de que tú nacieras, le dije que, como te pusiera la mano encima, como le diera por hacer contigo lo mismo que habían hecho con él, tendría que vérselas conmigo.

Jade traga saliva, parpadea, dice:

—Veo que Letha lo ha convencido a usted también. Es bueno saberlo.

—Me…

—No me ha pegado nunca. Me ha salvado usted, sheriff, gracias. De corazón. —Hardy permanece en el sitio, inmóvil, dejando que Jade se las arregle sola—. Bueno, ¿y aquí cuando sirven la cena? —no le queda más remedio que preguntar a Jade para salir de ese atolladero, de ese hoyo que se ha cavado ella sola—. ¿Y qué toca, por cierto? ¿Otra ración de mortadela caliente?

Hardy no contesta, está siguiendo con la mirada al señor Holmes, parece. El ultraligero zumba en los oídos de Terra Nova como una mosca rabiosa, elevándose al tropezar con una ráfaga de viento que nadie más puede sentir.

—Les da mucha rabia cuando hace eso —dice Hardy, apuntando con la barbilla a la orilla opuesta del lago—. Espera y verás, seguro que empieza a sonar el teléfono.

—Y a él le dan rabia ellos. Todo está en equilibrio, ¿verdad?

Hardy se deja caer en la silla, se reclina de nuevo y junta la punta de los dedos para mirar a Jade por encima de ellos.

—¿Esperas estar en lo cierto y que muera un montón de gente? —pregunta—. ¿O preferirías equivocarte?

—La gente ya ha empezado a morir. Lo que yo espere o deje de esperar no tiene la menor importancia. No formo parte de ello, me limito, no sé, a anunciarlo.

—Buena respuesta, me gusta. Aquí está la mía. Me preocupa que, si no estás encerrada ahí atrás, encontrarás la manera de amargarnos el sábado a todos. A mis ayudantes y a mí, por lo menos.

—Sheriff, no puede...

—Ya lo sé, ya, o te acuso de algo o te suelto. O te dejo en manos de los servicios de protección infantil o..., o no. Pero también tengo cuarenta y ocho horas para decidirme, ¿verdad? No hace falta que respondas a eso. Dispongo de cuarenta y ocho horas en las que sabré dónde te encuentras en todo momento. Según mis cálculos, la cuenta atrás empezó anoche, en el embarcadero. Así que tus cuarenta y ocho horas vencerán en torno a las diez de la noche del viernes, pasado holgadamente el horario de trabajo. Lo que significa que te vas a tirar aquí todo el fin de semana, Jade. Te vas a perder los festejos. Lo siento.

—Y una mierda.

—Señor.

—Y una mierda, señor. No puede...

—No, si tienes razón —dice Hardy—. Si tu madre o tu padre vienen aquí, se sientan donde estás tú ahora mismo y defienden tu caso, seguramente tendré que escucharlos, ¿verdad?

Jade se limita a mirar al otro lado del lago.

Ahora el señor Holmes está regresando a Proofrock como una exhalación, es como un trineo de *bobsled* en el aire, deslizándose por un canal sin fricción, meciéndose de un lado a otro, con los ojos tras las gafas de protección fijos en la línea de meta.

—Si ya hubiera cumplido los dieciocho... —dice, sin saber muy bien adónde quiere ir a parar con eso.

—Es por tu bien. Y por el de la ciudad.

—Yo no soy la asesina, sheriff. Este no es mi slasher.

—Pero sí que te gustaría aguarnos la fiesta, ¿verdad?

Jade hace todo lo posible por adoptar una expresión de apatía, de indiferencia. Es la única armadura que tiene.

—¿Puedo hacer una llamada, por lo menos? —pregunta mientras estira el brazo en dirección al teléfono, pero algo retiene su atención sobre el ¿lago?

Cuando era pequeña y miraba hacia el agua, lo que siempre se había imaginado era un pez monstruoso rompiendo la superficie rutilante para capturar un ave al vuelo, o tres, antes de volver a hundirse con un chapoteo. Lo que sea con tal de romper el hastío.

Esto no, sin embargo.

—¡Sheriff! —no solo dice Jade, sino que lo chilla con voz estridente, como la animadora más entusiasta y alelada del mundo.

Hardy se levanta de un salto, la silla choca con la pared a su espalda, y llega a ver el final de la escena: el ultraligero del señor Holmes, que ya no está volando a ras del lago, sino rebotando en él. Una vez, dos, y a la tercera se frena, la figura menuda del señor Holmes atraviesa un ala morada y flota en el aire, sigue flotando, hasta estrellarse contra el agua dura, durísima, sin parar de dar vueltas.

Hardy sale del despacho mucho más deprisa de lo que cabría esperar en un sesentón, los papeles llegan incluso a elevarse por los aires tras él. Porque, Jade lo sabe, ese que se está hundido ahí, en el lago, es el último miembro de su banda pirata.

—Vamos, señor Holmes —murmura mientras se guarda discretamente en el bolsillo el móvil y el cargador. Toca la ventana con las yemas de los dedos, gesto que es su versión de una plegaria por el profesor: cuanto más tiempo deje los dedos ahí, sin moverlos ni un solo milímetro, mayores serán las probabilidades de que salga con vida.

Muy poco a poco, a continuación, se da cuenta de que está ¿sola? ¿Sin supervisión? Se da la vuelta, extrañada, y ve a Meg en la puerta, esperando a que alguien repare en su presencia.

—Tengo que llevarte a la 1A —informa a Jade.

—Pero el señor Holmes...

—El sheriff se encarga, cariño.

—No puedo...

—No te queda otro remedio, lo siento.

Jade sacude la cabeza decepcionada, apesadumbrada, y echa un último vistazo por la ventana antes de salir del despacho buscando la lancha de Hardy, el acelerador puesto al 11.

Todavía no.

—¿No podemos esperar a ver si...?

—Tengo que llamar a los servicios de emergencia, tengo que llamar...

—Vale, vale —dice Jade, y pasa junto a Meg para enfilar el pasillo.

—Todos le habíamos dicho que tuviera cuidado con esa trampa mortal —murmura Meg a su espalda, como si estuviera hablando sola, como si, por una vez, estuviera realmente afectada. En la entrada, al menos dos teléfonos han empezado a sonar, lo que significa que Jade no ha sido la única testigo del accidente.

—Oh, oh. El sheriff... Tengo que orinar y no puedo en ese. El sheriff me dijo que podía volver a usar este.

—No tengo tiempo para esto, Jennifer.

—Por favor.

—Aguántate.

—Ya llevo mucho aguantando.

—Te...

—¿Podrías tú, en el chisme ese?

—Bueno —dice Meg, y abre la puerta del aseo.

Jade entra, Meg no deja que se cierre la puerta, por supuesto, y Jade convierte el complicado mecanismo del mono en un espectáculo, segura de que Meg recuerda perfectamente lo que le dijo la semana pasada, eso de que la ventana de este cuarto de baño siempre está abierta de puro oxidada.

Pero entonces la campanilla que hay encima de la puerta principal tintinea y Lonnie intenta encontrar las palabras, intenta avisar a alguien, a quien sea, de lo que acaba de ver en el agua, pero no deja de trabarse, no consigue hilar ni una frase, y…

Jade cierra la puerta del cubículo, corre el pestillo y concentra hasta el último ápice de su atención en la línea de sombra que puede ver por la rendija que separa la puerta del marco. Esa línea es el canto de la puerta que Meg está sujetando. Y lo que se oye, su pie, tamborileando en el suelo.

Las dos cosas se desvanecen, primero los golpecitos, sustituidos por unos pasos a la carrera, y después la sombra, que se desdibuja conforme la puerta suspira al cerrarse porque Meg se está dirigiendo a la entrada para tranquilizar a Lonnie.

Jade se sube todas las cremalleras mucho más deprisa de lo que se las había bajado, sale, salta y se escabulle por la ventana antes incluso de que Meg haya terminado de decirle a Lonnie que el sheriff ya está sobre aviso, que todo está controlado, que gracias.

Detrás de la comisaría solo hay árboles y más árboles. Jade se interna en ellos con los brazos por delante para protegerse el rostro y se pregunta si no será este otro motivo por el que a los asesinos de los slashers les gustan tanto las máscaras: para evitarse arañazos. Transcurridos cinco minutos, cuando ya de verdad que no puede aguantarse más, se esconde detrás de un árbol y se pone en cuclillas. Porque lo de que se estaba meando viva no era mentira.

Otros cinco minutos y ya ha llegado a la orilla, a la altura de la casa de Banner Tompkins. No deja de abrir y cerrar la mano derecha. Todas las embarcaciones que se han podido reunir surcan el lago alrededor de la zona donde el señor Holmes se ha hundido, lo que significa… ¿Qué significa? ¿Qué hacen allí todavía? El corazón le da un vuelco en el pecho, se le sube a la garganta y sus cejas adoptan esa estúpida forma de V que ella tanto detesta.

—No —dice mientras por su cabeza desfilan un centenar de séptimas horas—. Él también no, por favor, él no forma parte de esto.

Se tapa la boca con la mano cuando, para rematar la pesadilla, oye una especie de gañido animal a su derecha, en la orilla. Gira la cabeza muy despacio, con la mano aún en la boca. Es..., es...

Jade ya no puede respirar, tal vez no vuelva a respirar en toda su vida.

Es una sombra a cuatro patas, bamboleándose detrás de una bolsa de plástico, una sombra pequeña, un... No es un perro, ni un gato. Una sonrisa ilumina gradualmente las facciones de Jade: es una cría de oso. Solo está jugando.

Jade menea la cabeza, impresionada con el mundo, que parece saber a la perfección qué hacer para provocarle un infarto.

Cuando la bolsa se engancha en algo que sobresale entre las piedras, el cachorro se pasa de frenada, resbala, se gira para lanzarle un bocado, y sus maniobras son la cosa más adorable del mundo, sin duda. Incluso para una fanática del terror.

—Vete —le dice Jade al osito—. Busca a tu madre y no te separes de ella. Hay un oso malo suelto por aquí, en alguna parte, de los que se comen a los pequeñines como tú.

El cachorro se queda inmóvil al haber oído su voz, deduce Jade, quien empieza a salir de entre los árboles, quizá pueda inmortalizar el momento, pero se detiene. Ahora es una fugitiva, ¿no es cierto? Regresa al amparo de las sombras y tantea con el pie en busca de posibles ramas secas antes de cargar ningún peso sobre él.

Todavía disfruta de una buena vista del lago, no obstante. De la parte del lago que le interesa observar. Uno de los botes acaba de encender las luces en previsión de la puesta de sol inminente y Jade niega con la cabeza, no, empieza a repasar mentalmente todas las fechas históricas de Idaho con la idea de que quizá eso le sirva de ayuda al señor Holmes: los nez percés al norte, al sur los shoshone; Lewis y Clark, 1805; la Ruta de Oregón, de 1846 a 1969..., no, 1869, joder; oro en las montañas, la década de 1860; Henderson-Golding, 1869; el jefe Joseph, 1877; se convierte en estado en 1890.

—Me las sé todas, señor Holmes —susurra.

Las luces continúan encendiéndose ahí fuera, sin embargo, y ninguna embarcación da la impresión de querer regresar a Proofrock, lo que no puede indicar nada bueno, ¿verdad? Ateniéndose a los árboles y atenta a cualquier posible osezno perdido (a lo que sea, a quien sea), Jade sortea la ciudad con los labios apretados en un intento por no llorar por el señor Holmes.

«Estúpido, idiota», dice para sus adentros. ¿Profesor de instituto de avanzada edad pilota un kart volador tan solo para fumar sin que su esposa se entere? ¿Qué coño esperaba? Solo que Jade ya conoce la respuesta a esa pregunta: escapar. Bueno, vale, puede que ella haga un poquito lo mismo con los slashers, qué pasa. Y la vía de escape de Hardy es su hidrodeslizador, ¿verdad? Sin poder evitarlo, se contesta a sí misma pensando también en su padre: la cerveza y revivir el instituto. Pero ¿para su madre? ¿Qué hace su madre para evadirse?

—Tirarse a los clientes del bazar —murmura con un intento de sonrisa socarrona en los labios, gesto que seguramente encajaría mejor en la categoría de «muecas de estreñimiento».

Se odia mucho por haber expresado ese pensamiento en voz alta mientras cruza la valla de la zona de obras por tercera vez ya. Hay gente yendo de acá para allá, impartiendo órdenes a voces y apilando cosas, concluyendo la jornada, pero se encuentran en la otra parte de la explanada, en el lado activo. Aquí, en el lado muerto, Jade está sola.

Elige la caseta para las herramientas menos frecuentada, la que tiene un montón de palés en la puerta que la obligan a ponerse de lado para entrar, e inspecciona su nuevo hogar con la linterna del móvil. Cachivaches cubiertos de telarañas, nada más. Aunque algunos de esos cachivaches tienen una lona tiesa echada por encima, quién sabe por qué. Jade la levanta, la dobla para formar algo parecido a una esterilla y se acurruca encima negándose a sollozar, negándose a pensar en cómo el señor Holmes levantaba la cabeza cada vez que ella llegaba tarde y fingía tomar nota de su enésima falta leve. Solo que todas esas faltas leves no se sumaban nunca, ¿verdad?, nunca se traducían en una expulsión. El muy...

Pero al menos no hay ventanas aquí. Y, ¿la verdad? Es un cobertizo, de acuerdo, pero se parece mucho a cualquier cabaña en el bosque. Lo único que le haría falta ahora es la cabeza de Pamela Voorhees rodeada de velas llameantes en lo alto de un taburete vuelto del revés. O, en fin: la de su padre. Puestos a soñar, ¿eh?

En cualquier caso, ahora sabe que el señor Holmes no se había aliado con Hardy para ahuyentar a los terranovos. Aunque odio tenía para dar y tomar, ¿no es así? Necesitaba la venganza, estaba implicado con la comunidad, y seguramente haya alguna historia personal que Jade no se imagina siquiera.

—A menos que yo tuviera razón desde el principio —se dice, sentada en la oscuridad. Quizás el accidente de aviación del señor Holmes no sea más que una pantomima diseñada para librarlo de cualquier posible sospecha. Quizás esto no sea más que un engranaje más de su plan, parte de los preparativos para el gran guiñol del sábado, la versión de Proofrock de *Demons*—. Ojalá —murmura Jade contra la lona.

Solo que eso explicaría por qué Hardy ha dejado que se quede con los bolsillos llenos de sándwiches, bastante aplastados dentro de sus bolsitas a estas alturas: porque sabía que se iba a fugar y necesitaría calorías para subsistir hasta los festejos acuáticos del sábado. Porque... ¿porque quiere que esté presente? ¿Los dos quieren que esté presente? ¿Para qué, inculparla?

Menuda chorrada, ¿verdad?

Aunque, por otra parte, ¿fue de verdad un accidente que encontrara aquel teléfono rosa justo cuando así se convencería de que todo esto es real? Además, aparte de ella, ¿qué otro vecino de Proofrock sabe más sobre slashers que el señor Holmes, que lleva cuatro años haciendo el curso intensivo sobre chicas finales de Letha?

Jade ignora en qué versión del señor Holmes prefiere creer, si en la que ha muerto en el agua o en la que tiene cuentas que saldar y un cuchillo con el que saldarlas. Y ni siquiera sabe de qué color es esta lona, ¿verdad? No puede ser de color polvo, aunque eso es lo que no para de metérsele en los pulmones, de embadurnarla de pies a cabeza.

Total.

Se abstrae, no enumerando giallos para sus adentros, como de costumbre, sino imaginándose que puede oír a los niños jugando en el parque que alguna vez se inaugurará en esta zona. Imaginándose cómo habría sido disponer de un parque de esos cuando era lo bastante pequeña como para que algo así le importara. Pero seguiría habiendo acabado sola en los columpios a las tres de la mañana, ¿verdad?, encadenando un cigarrillo tras otro.

—Corre, osito —dice de nuevo contra la polvorienta rigidez de la lona.

Se despierta con el cambio de turno, a las cuatro de la madrugada, pero nadie abre la puerta para tirarle encima ningunas tenazas, ninguna palanca, y tampoco nadie parece necesitar la lona para cubrir ninguna máquina, y el radar de Gafas de Tiro no lo conduce por segunda vez hasta ella. Aunque no sabe qué le diría si abriera la puerta. Mentiría, lo más probable, ocultaría el hecho de que ahora es una sintecho. Sin techo, sin trabajo y fugitiva de la justicia, más o menos.

Antes del amanecer («pánico antes del amanecer», piensa mientras se palpa los bolsillos en busca de la cinta, que también sigue estando ahí todavía), Jade ya está mordisqueando el segundo sándwich (o bien el primero fue un aperitivo o bien este es el postre) y sorteando los árboles en la penumbra camino del dique para hacer funambulismo por su espinazo una vez más. Si hubiera sido más previsora, se habría traído unos prismáticos y más cigarrillos. Y si hubiera sido aún más previsora todavía, habría hecho ese mismo trayecto al amparo de la noche, habría dormido con el resto de los fantasmas en el Campamento Sangriento y habría recuperado su hacha robada. Ya casi habría llegado a Terra Nova. Aunque en el campamento abandonado no habría encontrado ningún enchufe para cargar el móvil. Pero bueno, que tampoco había ninguno en la caseta de las herramientas.

Así pues, esa será su prioridad cuando se plante en Terra Nova. Colarse, buscar un enchufe sin vigilancia con el que resucitar la batería y reconocer el terreno, hacerse una idea de cómo es Theo Mondragon. ¿Se está dedicando a acumular cosas que hacer en vez de ir a su encuentro?

Su temor principal es que, una vez se apueste para pasar el día montando guardia, solo verá lo de siempre: gente en yates haciendo cosas de yates, currantes de la construcción currando en la construcción, la naturaleza radiante, prístina y serena a su alrededor, Theo Mondragon paseando por su cubierta o su embarcadero, hablando al teléfono de cosas superimportantes.

Y entonces ¿qué? ¿Quién queda con la más remota posibilidad de ser el culpable?

Jade camina y piensa, piensa y camina, y aunque hay señales de aviso y cabe la posibilidad de que alguien la vea, pese a todo, se encarama al espinazo de hormigón del dique para cruzarlo haciendo equilibrios. Pero no antes de encenderse un cigarrillo para imprimirles seguridad a sus pasos. Allí no hay ninguna valla, ninguna barandilla, tan solo sesenta metros de caída libre como se resbale. Y aproximadamente hacia la mitad, la garita de control que tendrá que sortear.

Por lo menos, tener que pisar con tanta seguridad, tener que estar pendiente de cada cordón de sus botas, le impide obsesionarse con el señor Holmes. Se concentra con todas sus fuerzas en cada paso, se relaja e intenta pensar en lo que no está pensando, puesto que, en los slashers, suele ser la clave de todo.

Lo que se conjura en su mente es *Cry Wolf* y *Seducción mortal*, lo que equivale a admitir la peor de todas las posibilidades: Letha. ¿Y si la chica final está descubriendo todos estos cadáveres precisamente porque sabe dónde los dejó la última vez que los vio? ¿No sería la cortina de humo perfecta? ¿Y si Letha hubiera luchado con uñas y dientes por no mudarse al quinto pino de Idaho y culpara a todos los habitantes de Terra Nova por haberse quedado sin amigos, sin vida social, sin su novio favorito?

Jade estaría dispuesta a aceptarlo, de no ser por la propia Letha. Letha, que se armó de valor para llamar a Hardy en un intento por salvar a la flipada de las pelis de miedo, la chica triste, la Ragman del lago Indian, sí. *Muerte a 33 revoluciones por minuto*, de 1986, Alex. Los colegas de Ragman lo odian, siempre le están haciendo putadas, pero y qué, lleva el metal en las venas, atronador y vibrante, y sus deseos se ven cumplidos cuando aparece el asesino en serie que él creía que necesitaba. Y se lo intenta cargar a él también.

Sorpresa.

Pero no, Letha no, no la chica final. Hubo una época en la que los slashers dieron un volantazo en esa dirección, pero eso ya es agua pasada. Además, Letha es pura, demasiado pura. No va a ser la supuesta chica final con la que sueña Leslie Vernon, haciendo girar las bragas sobre la cabeza. No, Letha es un ratoncito de biblioteca, virginal (o lo más parecido) y poseedora de las largas piernas propias de quien está destinada a correr envuelta en los colores viscosos de una secuencia de Dario Argento. Solo que su carrerilla la lleva a atravesar limpiamente la Edad de Oro, a saltar por encima del *boom* de *Scream* de finales de los noventa, a aterrizar clavando los pies aquí mismo, en Proofrock. Mataría, sí, pero solo si la obligan. Solo cuando se haya desgastado meticulosamente la pátina de niña buena que aún la recubre.

Jade se acerca a la ventana de la garita, no ve nada al otro lado de los cristales oscuros, la rodea de todas formas y entonces oye que la puerta se cierra a su espalda y tiene que correr, correr, nada de hacer equilibrios, hacia delante y ya, con el cielo a su alrededor. Se deja caer de rodillas al otro lado, jadeante pero con una sonrisa triunfal.

Por eso le gusta tanto rodear el lago por aquí en vez de caminar un par de kilómetros para cruzar el puente: siempre lo consigue por los pelos y el subidón es incomparable.

Y donde ha aterrizado, está segura, es en el último acto, la masacre del tercer rollo de película. Ahí fuera, en alguna parte, Letha debe de estar chillando porque hay un cadáver colgando del techo y otro encajonado en el armario.

Jade reanuda la marcha más animada. Quizá llegue a tiempo de ver algo de eso, aunque sea de lejos.

Se atiene a lo alto del acantilado calcáreo que se yergue sobre el Campamento Sangriento. Tampoco es que tenga elección. No se puede acceder allí sin dar un rodeo casi hasta Terra Nova. Un par de minutos después ve que el yate está amarrado en el lugar de costumbre, con el Umiak a su sombra, levantado ya el veto de navegación. Puesto que es la primera embarcación que coge todo el mundo, Jade da por sentado que las demás se encuentran en sus respectivos garajes, aunque todos los Fundadores estén allí, por una vez, después de que uno de los suyos haya caído.

La barcaza plana y alargada en la que los obreros se toman el café todas las mañanas, antes de que salga el sol, ya ha vuelto a Proofrock, se imagina Jade, ocupando diez o doce amarres. A Terra Nova no le importa alquilar quinientos metros de orilla.

Y esas casas, Dios santo. Alguien ha debido de mezclar un poco de Agro-Milagro en los armazones, en los tejados, en los caminos de acceso, en todos esos jardines. A Jade le recuerda a unos dibujos animados más que a una comunidad cerrada: los contornos de las casas estaban allí desde el principio, lo único que necesitaban era una mano gigantesca que vertiera un bote de tinta por la chimenea para dejar que el color rellenara todas las líneas, todas las esquinas, todas las ventanas.

Las diez estarán listas para el uno de agosto, se imagina, y después se da cuenta de que se ha quedado plantada como una mema, admirando el paisaje, prácticamente pidiendo a gritos que alguien la vea y le pregunte qué está haciendo allí.

Jade se agacha despacio, intenta forzar la vista hasta la orilla opuesta del lago, comprobar si Hardy está buscándola con los prismáticos, pero Proofrock no es más que un amasijo de formas y sombras. ¿Se habrán congregado ya los estudiantes junto al asta de la bandera que hay delante del instituto para rezar por el señor Holmes?

Jade cierra los ojos, se niega a pensar en eso.

—No puede sobrevivir todo el mundo —se dice, esperando que, a cincuenta metros, su susurro se disipará antes de que la cabeza de alguien se gire en su dirección.

Pero allí no hay nadie. ¿Significa eso que los obreros ya se han trasladado al interior de las casas? Tendría sentido que eso ocupara el último lugar en la lista de cosas que hacer. Uno no enyesa las paredes hasta que ese yeso esté resguardado de los elementos. Aun así: ¿nadie?

Jade se palpa el bolsillo en busca del segundo sándwich que sabe que ya se ha comido, igual que el primero. No es tanto buscarlo como informar al mundo de que tiene hambre, de que puede mandarle unos *nuggets*, un burrito o unas varitas de merluza, si quiere. Ella no va a chivarse.

En vez de comer, lo que hace es encender otro cigarro, el cuarto antes de que se le acaben, y lo consume tumbada de espaldas, agitando la mano para esparcir el humo con la esperanza de que el olor no se cuele en las casas. Aunque seguro que entre los obreros hay alguien que fuma siempre que puede.

Un ¡clac! seco la hace girarse de golpe, la hace volver a fijarse en el pie de la pendiente. Podría haber venido de cualquier parte.

Mierda.

¿Se supone que siempre son así las labores de vigilancia? Y en tal caso, ¿no debería haber pistachos y café de por medio? Aunque tampoco es que Jade pueda volver a la comisaría y empezar a hacer preguntas para saciar su curiosidad.

Apoya la barbilla en las manos entrelazadas, apoya el pecho en la tierra y la hierba y se cuenta historias sobre las casas, que no son mansiones sino cabañas, que esto es el Packanack Lodge de la segunda de *Viernes 13*, a tiro de piedra del Campamento Sangriento original, ja.

Y ella es Jason, mirando a través del único agujero para los ojos de su funda de almohada. Contemplando a los bañistas desnudos, entreviendo figuras seductoras tras las cortinas semitransparentes. La mitad de los monitores se apilan en un coche y una camioneta para emigrar al garito del pueblo, en tanto la otra mitad ya están muertos o a punto de estarlo.

Aquí es donde yacen enterrados todos los cadáveres, ¿no? El señor Holmes se lo ha repetido mil veces. Antes de que el lago dividiera el valle en dos mitades, las personas que recibían un tiro en las tripas o un hachazo en la cabeza solían acabar aquí, encajonadas en alguna sima, en alguna grieta, en alguna fisura. Método que habría dado mejor resultado de no ser por los buitres. Según el señor Holmes, cuando Henderson-Golding estaba en pleno apogeo, ese era el principal cometido del sheriff: estar atento a los buitres.

Jade se gira, observa el firmamento, la posición del sol, y decide que debe de haberse quedado dormida, si es que no se ha convertido en la protagonista de *Fuego en el cielo*.

Ya deben de ser las doce del mediodía, o la una, joder.

Es como cualquier agente de policía encargado de vigilar la casa de la chica final: echando la siesta en horas de servicio. De súbito: ¡clac!

—*Pistola de clavos*, Alex —murmura.

De esa película le suena este clac.

Jade se sienta, se inclina hacia delante e inspecciona Terra Nova de nuevo, esta vez atenta de antemano a cualquier posible pistola de clavos. Lo que ve en vez de eso hace que se le pare el corazón y se cumplan todos sus deseos de golpe.

Una figura alta, masculina, moviéndose como el Merodeador de una casa casi terminada a la siguiente, sin importarle que sea de día o que no estemos en 1981. Al principio Jade piensa que lleva puesto un casco militar como el Merodeador de verdad, o un casco de motorista cubierto de cinta aislante, como Bubba en *Pistola de clavos*, pero solo es ¿una visera de golf del revés? Sujeta a esa gorra hay una máscara de gas de esas que te cubren toda la cara, con dos filtros achaparrados que sobresalen de ella, inclinados, lo que le confiere a la cabeza una forma oblonga, como si se tratara de un ratón gigantesco.

—No —dice Jade, sacudiendo incluso la cabeza para subrayarlo. Porque esto no puede ser real, no puede estar pasando de verdad, ¿a que no? ¿O sí?

Por si fuera poco, el desconocido empuña una pistola de clavos como si fuese un arma de fuego.

Sí que está pasando de verdad. Todo ha estado pasando de verdad.

—Tiene sentido, tiene sentido —se dice Jade con voz temblorosa, pensando en la pistola de clavos. En *Alta tensión*, la persecución tiene lugar en una carretera en obras, así que se encuentran con una radial amenazadora e inmensa que gira mucho más deprisa que cualquier motosierra. Tiene sentido que ese Merodeador de ahí abajo haya cogido lo primero que ha visto. Que, por casualidad, también es letal. Pero solo en las manos equivocadas, si la intención acompaña.

Jade debería alegrarse, lo sabe. Esta es la prueba, esto es lo que siempre había querido. Saca el teléfono para sacar una foto para Hardy, pero para cuando termina de extraerlo de los complicados bolsillos del mono, Terra Nova vuelve a ser un remanso de paz, ni más ni menos como si el Merodeador hubiera sido fruto de su imaginación, sobrexcitada y supurante de sangre.

Sin embargo, si se lo hubiera inventado, en fin, para empezar, habría llevado puestas unas botas de motorista, sin duda (esas hebillas lo molan todo, son *rock and roll* puro), y segundo, existiría alguna razón que justificara la presencia de la máscara de gas, más allá de su naturaleza intimidatoria esencial. En *San Valentín sangriento*, la máscara de gas es porque se trata de una operación minera, y en *El asesino de Rosemary*, el merodeador de verdad, el sheriff con la cara tapada, se supone que es un soldado que probablemente tuvo que vérselas con gas mostaza en el frente o algo por el estilo.

Jade aspira con cautela, no identifica ningún olor extraño (ni gas mostaza ni de rábano picante siquiera) y se descubre deseando tanto que el asesino salga de nuevo a la luz, que le demuestre que es real, como, al mismo tiempo, que solo lo ha soñado.

Se debate entre esos dos deseos durante, según sus cálculos ¿por lo menos dos horas? ¿Conoce algún asesino en serie más lento que este? Vale que en las películas se condensen acontecimientos que normalmente ocuparían más tiempo, pero dos horas es más que de sobra para que su cabeza empiece a hilvanar todo tipo de excusas para que quienquiera que fuese el desconocido de ahí abajo ocultara su rostro bajo una máscara de gas, para que acarreara una pistola de clavos, para que hubiera decidido ponerse una sudadera negra en pleno julio.

Y entonces, por fin: ¡clac!

Un torrente de adrenalina surca sus venas de nuevo, aguzándole los sentidos. Antes de que su sistema haya terminado de asimilarla, Jade vuelve a razonarlo todo desde el principio. Si este asesino estuviese intentando clavetear a alguien que huyera de él, se oiría toda una salva de ¡clacs! Pero este tío es más concienzudo, ¿verdad? ¿Ese juego en el que dos personas se esconden en los lados opuestos de la misma pared, cada uno de ellos esperando a que el otro sea el primero en salir?

Él es el que tiene más paciencia, está claro.

Solo que es demasiado pronto, ¿no? Esto debería ocurrir mañana por la noche. A Jade le gustaría levantarse, agitar los brazos para indicarles a todos que frenen, que están quemando los cartuchos demasiado deprisa, que cuando llegue la hora de la verdad se van a encontrar con que ya no les queda ninguno.

Sin embargo, ignora cuál es la distancia que es capaz de recorrer un clavo disparado por una de esas pistolas. Mira en dirección a los movimientos que se están produciendo a su derecha, a lo lejos. El yate.

Es Tiara Mondragon. Lleva puesto su bikini negro, su pamela y sus gafas de sol, y tiene un libro debajo del brazo. Ajena a todo.

Se contonea hasta como se llame esa parte de los yates que parece una torre, a unos dos tercios de la parte de atrás. Se pierde de vista allí dentro. Instantes después reaparece en una cubierta superior, más cerca del sol, con una bebida en la mano.

«¡Avisa a Hardy! ¡Llama al 911!», intenta comunicarle telepáticamente Jade, esforzándose tanto que teme que a su cabeza le vaya a pasar lo mismo que a las de *Scanners*. Pero ¿avisarlo de qué, exactamente? ¿De que hay alguien con una máscara de gas y una pinta de lo más sospechosa? ¿De que camina como los asesinos de los slashers? ¿De que, gritito de asombro, va armado con una pistola de clavos superpeligrosa?

En cualquier caso, Jade ya tiene el móvil a mano, solo que anoche sí que debería haberlo dejado cargando. Toda la batería que le sacó a Hardy ya se ha agotado, joder. Lo sacude como si pudiera convencer al dispositivo de que funcione aunque no sea nada más que para hacer una sola llamada, pero el resultado es el que cabría esperar.

Su salvación ahora depende de Tiara. La misma Tiara que acaba de instalarse en una toalla que debe de haber estirado mientras Jade se dejaba llevar por el pánico por culpa de la batería. En la cubierta en la que estaba antes, sin embargo, uno de los Fundadores (Lewellyn Singleton) está ahora caminando y leyendo el periódico, con la bata desabrochada. Al fondo del yate las dos niñas, Cinnamon y Ginger, el vivo reflejo la una de la otra, están lanzando trocitos de algo al agua, por la borda, entre risitas traviesas, y la otra tan bajita cuya cabeza apenas si rebasa la barandilla debe de ser Galatea Pangborne.

Ninguno de ellos se ha dado cuenta de nada. Todavía. Ni siquiera Letha.

—¿Dónde te has metido? —susurra Jade. Y lo más importante de todo, ¿por dónde merodea el asesino? ¿O no estará merodeando por ninguna parte? ¿Se habrá quedado dormido él también?—. A la mierda.

Jade se pone de pie.

No ocurre nada. Ningún clavo surca el aire y se clava en su estómago.

—Bueno, que empiece la fiesta —anuncia antes de bajar por la pendiente con zancadas largas y decididas, cerradas todas las cremalleras de sus bolsillos, apretados con firmeza los labios. Para cuando llega a veinte metros de la casa más próxima, más allá de los árboles que los Fundadores no van a consentir que nadie derribe, nota los labios un poquito más temblorosos, más como los de Charlie Brown. Nota incluso como si unos paréntesis de cómic le enmarcasen los ojos.

El caso es que ahora está tan cerca que no puede ver todas las salidas, todas las entradas, y está segura al ochenta por ciento (de acuerdo, al setenta) de que esta es la misma casa de la que el asesino estaba alejándose antes. Lo que significa que también podría ser la misma a la que ya ha regresado.

Jade asiente con la cabeza para infundirse valor de todas maneras y se recuerda que este género no tiene secretos para ella. Aprieta el móvil que lleva en la mano y cubre el último tramo de espacio abierto, segura de que, si se gira, esa máscara de gas estará pisándole los talones. Y cada vez más cerca.

Llega a la puerta, sin cerrar con llave, por suerte (ni siquiera se le había ocurrido que pudiera estarlo), y la abre con toda la celeridad y el sigilo que puede, dejando que se cierre por sí sola a su espalda. El pasillo en el que se encuentra está a oscuras, pero hay una luz que brilla en la cocina, al parecer. Se palpa los bolsillos en busca del cargador que de repente no consigue encontrar, aunque sabe que, como esto es un slasher, ningún enchufe que haya por aquí va a resucitar su teléfono ni a conectarla con nadie que la pueda ayudar.

Por consiguiente, en vez de usarlo como instrumento de comunicación, lo que hace Jade es empuñar el móvil como si fuera su machete (el mismo del que se ha desprendido por propia voluntad), sosteniéndolo directamente delante de ella. Presta atención por si se oyera algún paso, alguna respiración, algún roce, pero todo indica que está sola por completo, como ya sugería el hecho de que el asesino en serie estuviera alejándose de la casa. Sin embargo, sabe que los peores sustos se producen en este tipo de situaciones.

Cubre la planta baja yendo de una habitación a otra y se debate entre subir las escaleras, como dice Sidney que hacen siempre las chicas más tontas en las pelis de miedo, o bajar al sótano, que ahora intenta convencerse de que va a ser solo eso: un sótano. No una mazmorra, y menos aún como la de *Posesión infernal*, porque su mente también tiene un límite.

—Joder joder joder —musita mientras mira arriba y abajo, abajo y arriba. Y entonces lo ve: un clavo dorado que sobresale en el marco de la puerta del sótano.

Se le corta la respiración y las mejillas se le quedan heladas.

Traga saliva, que silba atronadora en sus oídos, y, adelantando el pie derecho como si eso importara, se desliza a lo largo de las escaleras y abre muy despacio la puerta del sótano, todo ello sin dejar de imaginarse un entramado de túneles que conecta todas las bodegas de Terra Nova para que sus habitantes puedan ir de una casa a otra sin necesidad de desafiar a los elementos durante los meses de invierno.

Solo que, se recuerda, este suelo es rocoso. Demasiado rocoso.

Lo que significa, evidentemente, que si los sótanos terminan estando conectados será por una colección de cadáveres, víctimas del siglo diecinueve abandonadas y retorcidas entre los peñascos, amontonadas en cuevas, con el rostro vuelto hacia los abominables ruiditos que resuenan sobre sus cabezas.

—Que te calles, cállate ya —le sisea Jade a su cerebro antes de dar el primer paso tímido, no sin antes haber decidido en el último momento no encender la luz de la escalera, puesto que así solo conseguiría anunciar su presencia, lo cual podría desembocar en su subsiguiente y truculenta ausencia. Hecho que todos los habitantes de la orilla opuesta del lago recibirían con un ya era hora, hasta nunca.

En el recodo que hay hacia la mitad y le impide ver qué hay más allá, Jade está segura al noventa y nueve por ciento de que los latidos de su corazón deben de llegar hasta los oídos de quienquiera que haya ahí abajo. Cuando termina el descenso por fin, no le queda más remedio que tantear la pared en busca de un interruptor. Es eso o sacar las infalibles gafas de visión nocturna de Jame Gumb.

Las bombillas se encienden, deslumbrándola de inmediato, y Jade se tambalea, esgrime el teléfono sin batería ante ella como si pudiera servirle de algo. Por fin, después de tantos años, entiende a Laurie Strode: te asustas, te caes, chillas y lloras. No porque quieras hacerlo, no a propósito, sino porque la situación es espeluznante de cojones. El cuerpo va a hacer lo que tenga que hacer, y no todos los gritos son voluntarios.

Cuando recupera la vista no encuentra muebles, tan solo un suelo de baldosas interminable, paredes ya con gotelé. El sótano entero está terminado. Las ventanas rectangulares que hay cerca del techo significan que esto no está por completo bajo tierra, tan solo lo suficiente como para que reinen el frío y la humedad, lo suficiente como para que esté prácticamente insonorizado. Si se ha disparado algún clavo aquí abajo, no son los que ella oyó antes. La prueba de eso resulta estar en la pared que tiene a su espalda. Extendiéndose desde la altura de la cintura hasta el techo, puede que tres metros y medio en total, hay una línea zigzagueante de clavos, tan pegados entre sí que le podría servir de escalera a un ratón con dotes acrobáticas. Lo que significa, dado que empiezan en la esquina, que el objetivo estaba corriendo en la otra dirección.

Jade presta atención a cualquier posible crujido sobre su cabeza, escudriña las ventanas elevadas en busca de cualquier posible máscara de gas que la esté espiando y, aunque sigue sin estar segura de que sea lo más acertado, camina en la dirección que le indican los clavos.

Continúa adelantando el pie derecho, por motivos que ni siquiera ella misma se puede explicar. Todo lo que parece tan lógico cuando se están viendo slashers deja de tener el menor sentido al pasearse por uno, ¿a que sí? Y lo peor de todo:

—Es el puto tres de julio —masculla, como quien le reclama al árbitro que ha sido falta.

Nada de esto debería estar sucediendo todavía.

Por otra parte, ¿cuántos últimos asaltos tiene *Scream 4*, verdad? Es posible, ya que el slasher tiene casi cuatro décadas a sus espaldas, que la única forma de seguir sorprendiendo pase por saltarse todas las reglas.

Pues funciona. Jade no tiene ni idea de qué esperar a continuación.

La siguiente miguita para sus ojos es dorada otra vez, y tiene forma de clavo otra vez, y está en el marco de una puerta otra vez. La de un armario o un aseo. O, siendo como es esto un sótano ¿algún almacén? ¿Alguna caldera, algún horno?

—¿H-hola?

No obtiene respuesta.

Usa el teléfono para llamar a la puerta y repasa para sus adentros la lista de quiénes no deberían estar escondidos tras ella. Todas las personas que conoce se encuentran en Proofrock, y todas las que acaba de ver a bordo del yate están, en fin, a bordo del yate.

—¡Voy a entrar! —anuncia Jade alto y claro. Apoya la mano izquierda en el pomo, tira de la puerta y da un paso atrás para adoptar lo más parecido a una posición defensiva, girando acto seguido sobre los talones porque lo que suele pasar es que el asesino siempre aparece a tu espalda cuando menos te lo esperas.

Aún está sola.

Sin fiarse ni del espacio que tiene delante ni del que tiene detrás, se vuelve hacia la puerta que acaba de abrir.

Es un cuarto de baño, lo que aquí, en Camelot, Jade supone que deben de llamar «excusado». No la extrañaría que su padre hubiera tenido que cargar con esa bañera hasta aquí abajo para que alguien más experto terminase de instalarla más tarde. Bañera en la que, además, hay un cuerpo.

Con las piernas dobladas por encima del borde, los brazos estirados a los costados y los ojos abiertos, aunque ya no puedan ver nada.

—Cody —murmura Jade con un hilo de voz.

Botas Camperas.

Las lleva puestas aún, solo que ahora también tiene un clavo entre las cejas. Un reguero de sangre brota de la herida y serpentea por sus facciones hasta introducirse en la boca en vez de encharcarse en el hoyo del cuello.

Jade se gira en redondo de nuevo, pero en el sótano no hay nadie más. Y es entonces cuando se apagan las luces. Está a punto de caerse de la impresión. Lo único que oye ahora es su respiración. Bocanadas entrecortadas que se interrumpen porque quiere aguzar el oído.

—Cody —dice—, CodyCodyCody —pero Cody no contesta. Mejor así, sin embargo, gracias gracias. Los indios deben hacer piña, pero todo tiene un límite.

Comprende que no ha sido nunca Jame Gumb. Es Clarice, tanteando a su alrededor con los dedos desplegados al máximo.

Las luces vuelven a encenderse con un parpadeo.

Jade se encoge, segura de que está a un suspiro de que alguien la embista. Pero, por fin lo ve: el interruptor que había pulsado antes. Está equipado con un sensor de movimiento para ahorrar energía. La luz se apaga cuando le parece que la habitación está vacía.

Jade se vuelve hacia Cody. Todavía allí. Todavía sin vida. Retrocede hasta apoyar la espalda en la pared opuesta a la entrada del cuarto de baño y se deja resbalar hasta el suelo.

—Lo siento —le dice al aseo—. No, no entiendo por qué, tío. Tú ni siquiera formas parte de esto, ¿verdad? O sea, no formabas parte de esto. Hasta ahora.

¿Habrá sido únicamente porque estaba allí? ¿Un ensayo para lo de mañana por la noche? ¿El equivalente a adecentar la casa antes del guateque? Sin embargo, ¿qué podría haber hecho para merecer un clavo en la frente?

—Nada —le dice Jade.

Ay. ¿A menos que sea que él habló con ella en marzo? Lo que al asesino le parecería importante ¿por qué? ¿Será que sus conocimientos sobre el género, haber predicho el día e intentado meter a Letha en el ajo, de alguna manera, le complican las cosas al asesino? ¿Y cómo es posible tener siquiera un pensamiento coherente con un cadáver tan cerca? Igual de importante: encontrar a Cody es el cometido de Letha, no de Jade. Esto podría estar fastidiando el proceso.

—Pero si yo no he estado aquí nunca —dice en voz alta Jade, que se incorpora y hace todo lo posible por dejar la habitación como estaba: cierra la puerta del cuarto de baño, inspecciona las baldosas por si hubiera dejado cualquier rastro de barro y, una vez al pie de las escaleras, oprime el interruptor.

Al instante siguiente es cuando se da cuenta de que el hecho de que las luces hayan dejado de resplandecer en las ventanas rectangulares del sótano podría ser como una señal de advertencia para el asesino. Pero aún brilla el sol, no deben de ser ni las cuatro de la tarde. Quienquiera que esté jugando a los slashers ahí fuera tendría que estar vigilando específicamente esas ventanas para pillarlas oscureciéndose. Y, de todas formas: ¿para qué vigilar una habitación en la que ya has matado, verdad? Así no hay quien suba la cifra de víctimas.

—Lo siento —dice Jade por última vez para Cody antes de encorvarse y subir por las escaleras.

Tras pasarse por lo menos veinte minutos mirando por la ventana de la puerta trasera (nadie, nada), Jade sale y sigue la misma ruta que el asesino para ir de una casa a la otra.

Esta vez la planta baja y el sótano están vacíos, aunque la puerta lateral del garaje se encuentra abierta de par en par, y el espacio tras ella está despejado. Nada de clavos en los marcos, nada de paredes salpicadas de sangre. En el piso de arriba, lo mismo.

Jade entra en lo que tiene toda la pinta de que será un estudio dentro de uno o dos meses y se apuesta junto al ventanal, lo bastante pegada como para ver el exterior, pero no tanto como para formar una figura distinguible en el cristal. Tan solo una prolongación irregular de la pared, o eso espera. Una cortina colocada de cualquier manera, una lona o algo por el estilo.

Desde esa posición puede ver el yate mucho más de cerca. Tiara se contonea junto a la barandilla y desaparece por una puerta. Ya no hay nadie leyendo el periódico, ni lanzando pétalos al lago.

¿Significa eso que todos han acabado con un clavo en la frente?

De súbito, por fin, unos movimientos apresurados.

Se trata de Gafas de Tiro, que baja de un tejado un par de casas más allá, aterriza como Jesse Pinkman en lo que va a ser un patio y ya está rodando con el impacto porque esa es la menor de sus preocupaciones. Jade observa la ventana por la que debe de haber salido, pero lo que se abre de golpe es la puerta principal de la casa.

El asesino en serie, el Merodeador, el carnicero. Su pecho sube y baja mientras que su rostro se mantiene imperturbable, con la máscara de gas puesta todavía, y la pistola de clavos colgando junto a su muslo pesada y letal.

Gafas de Tiro mira hacia atrás negando con la cabeza, no, con las manos en alto como si pudieran repeler un enjambre de clavos, y también está repitiendo algo una y otra vez, pero nadie lo escucha.

Su asesino baja del porche, ya está levantando la pistola de clavos.

—¡No, no! —se oye gritar Jade mientras aporrea la ventana con la palma de la mano.

El hombre se detiene, se gira, apunta los ojos tintados en su dirección, pero con suerte Jade estará oculta por algún resplandor, con suerte esas lentes oscuras no serán unos prismáticos.

Jade da un paso atrás y el asesino en serie debe volver a concentrarse en Gafas de Tiro cuando este continúa corriendo. Se cae dos veces camino del embarcadero, pero consigue llegar bastante deprisa. El carnicero continúa acortando la distancia, inexorable, hasta que a su objetivo no le queda otra salida que el lago, en el que, más que zambullirse, se hunde a la desesperada cuando el agua no consigue sostener su peso al intentar cruzarlo corriendo. No ha hecho nada más que sumergirse cuando una lluvia de clavos perfora la superficie a su alrededor.

El Merodeador se mete hasta las rodillas y acribilla la zona hasta quedarse sin munición. Mira la pistola, la tira a un lado y deja que se hunda a plomo. Ahora está mirando hacia arriba, al yate.

Letha está apoyada en la barandilla, diciéndole algo. Sin chillar, sin gritar, sin llorar, sin preguntar cómo o por qué.

—¡Que T está echando la siesta! —susurra proyectando la voz, lo bastante alto como para que Jade llegue a escucharlo. Debajo de ella, sumergido hasta las rodillas en el lago Indian, Theo Mondragon se quita la máscara de gas y la capucha—. ¿Has solucionado el problema? —pregunta Letha, que parece haber olvidado que no quería despertar a Tiara. Theo Mondragon niega con la cabeza, no, como si estuviera decepcionado consigo mismo, y levanta el antebrazo para inspeccionarlo—. ¿Las avispas pican o muerden? —Letha tiene medio cuerpo fuera de la barandilla, ajena por completo a la fuerza de la gravedad. Theo Mondragon se mira el antebrazo, seguramente una hinchazón que Jade no puede ver a esa distancia, y se encoge de hombros con gesto exagerado—. ¡Deberías tener más cuidado! —lo regaña Letha, pero también está emocionada, Jade se lo nota en la voz.

Su padre estaba exterminando un avispero. De ahí la máscara, la capucha. Solo que, en algún momento, debió de redefinir el concepto de avispa para incluir a Botas Camperas y a Gafas de Tiro. ¿Y Guantes Desparejados?

Jade mira detrás de ella, medio esperándose verlo sentado en la esquina con el vientre erizado de clavos, deslizando los dedos sobre ellos como si fueran teclas de acordeón.

¿Por qué? ¿Por qué querría cargarse a sus trabajadores Theo Mondragon? No tiene sentido. No pueden formar parte del ciclo de la justicia, no deberían ser víctimas de este slasher en absoluto. Pero tampoco Clate Rodgers debería haberlo sido. Y el señor Holmes tendría que haber estado para poner esta triste crónica por escrito. Además, la verdad, si empezamos a contar personas que no se lo merecen, supone Jade, los chicos holandeses también fueron algo así como un extra. Puede que Deacon Samuels fuese la única víctima seleccionada a propósito. Esto es, a menos que Theo Mondragon haya visto a Jade en la ventana. A menos que Jade esté a punto de convertirse en la próxima mancha que limpiar en el pasillo número nueve de esta adaptación campestre de *Intruso en la noche*.

Le falta el aire. Se le encogen las tripas.

Por lo menos no será con clavos, llegado el momento. La pistola está hundida y enterrada. Y, como Nancy Thompson en *Pesadilla en Elm Street*, sus probabilidades de sobrevivir se dispararán si consigue no quedarse dormida. Solo que todavía tiene por delante una noche. Y mañana. Si llega.

—¡Toma! —le dice Letha a su padre. Lo que agita en la mano, lo que le ofrece, es un tubo de algo. Crema para las picaduras, loción, Jade no está segura.

Letha amaga el lanzamiento una vez, dos, para que Theo Mondragon se sincronice con sus movimientos, y lo deja caer dando vueltas diminutas. Theo Mondragon lo atrapa al vuelo como el atleta que alguna vez ha tenido que ser. Asiente con la cabeza para darle las gracias, aplicándose ya la pomada, y Mars Baker se asoma a la barandilla de la cubierta inferior. Cerrando los cañones de una escopeta. Letha se asoma todavía más para verlo, pero él no está mirando arriba, hacia ella, sino abajo, hacia Theo Mondragon.

—Tendrías que haber usado esto —dice mientras apunta con el arma a un pato que vuela bajo sobre las aguas. Hace como si apretase el gatillo, acusando el impacto del retroceso y todo.

—¿Qué hay de cena? —les pregunta Theo, como si no acabara de salir de un frenesí asesino.

—¡Pato seguro que no! —contesta Tiara.

—Agáchate, agáchate ya —se aconseja Jade, que se esconde por debajo del nivel de la ventana para que Theo Mondragon no la descubra por casualidad mientras cruza el embarcadero.

Este deja la máscara de gas colgada en un gancho, se echa la sudadera con capucha al hombro después de esta dura jornada de trabajo y entra en el yate como la persona más despreocupada del mundo. Como si allí no hubiera pasado absolutamente nada. Instantes después se pierde de vista, ya no hay nadie en las barandillas y el cuerpo de Gafas de Tiro no sale flotando a la superficie, perforado cincuenta veces o más, tiñendo el agua de sangre.

Seguramente porque está crucificado en el fondo del lago.

INICIACIÓN AL SLASHER

Vale, por mi San Valentín sangriento o aunque solo sea por San Valentín pero también para compensar mi broma perfecta para el anuario, que no sé si lo ha visto pero se echa en falta mi presencia, porque quería salir con 6 agujas hipodérmicas FALSAS pegadas con Superglue en el antebrazo como en Los guerreros del sueño, etiquetadas Álgebra, Inglés, Educación Física y demás, incluida HISTORIA por supuesto, pero para compensar el follón de ese día, y con creces, le voy a explicar por qué no hay suficiente cámara lenta en el mundo para cuando la chica final por fin deja de correr y se gira para enfrentarse a este asesino imparable, y también POR QUÉ él es tan bueno barra malo con ella. Nótese cómo la barra parece un navajazo.
Primero tiene que imaginarse qué le pasa a ella por la cabeza. Ha estado viendo cómo morían sus amigos, sus familiares, sus mascotas, y LUEGO ha tenido que correr por el pasillo de turno en el que los hayan colocado a todos en muchas y diversas posturas.
En algún momento esta chica final se tendrá que dar cuenta de que todo es por ella, ¿no cree? De que todos sus amigos, familiares y mascotas seguirían con vida si el asesino hubiera EMPEZADO por ella en vez de ir acercándose puñalada a puñalada. Así que se siente culpable en plan a lo mejor es que la asesina es ella, como si esta carnicería fuese obra SUYA.
Lo que intento decirle, señor Holmes, es que ha sido educada para transformarse en su yo secreto, en la mejor versión de sí misma. El asesino PODRÍA haber empezado por ella, nada más fácil. El asesino no TIENE que empezar por los bordes sino que PUEDE ir directamente al centro, sacar la cuchilla, dicho y hecho, todo el mundo a casa, se acabó lo que se daba. Pero no bastaría con eso. Ni de lejos.

El ciclo de asesinatos es una danza, ¿se da cuenta? Imagínese una pista de baile en el gimnasio de un instituto, luces suaves, confeti por todas partes, ponche con algo más, elegantes chaquetas y vestidos de segunda mano, zapatos con los que es imposible caminar, sé que usted ha supervisado unas cuantas ocasiones de estas. Ahora bien, con quien el asesino QUIERE bailar es con esa chica tan calladita de la otra punta del gimnasio, pero aún no puede cruzar hasta ella, en vez de eso tiene que ir avanzando casilla a casilla, danzando con una persona y con otra, rozando a veces la manga de la chica final con el dorso de la mano durante una balada, cruzando la mirada con ella como si estuvieran señalados por el destino, pero está esperando a la última canción, señor Holmes. La (CÁMARA) lenta. Esa es la que importa. Una no se va a casa con su tercera pareja de baile. Se va a casa con quien tenía las manos entrelazadas cuando paró la música.
Pero no se trata de amor, no quiero que piense usted eso. Ni de odio. Es algo mucho más profundo.
La teoría o tesis que he elaborado después de ver tantas películas, con todo lo que sé, es que el asesino posee la clase de ojos que son capaces de reconocer quién lleva una chica final oculta dentro, por eso son su ÚLTIMO objetivo. Pero ¿realmente quiere matarlas? Lo dudo mucho, señor Holmes. Creo que la existencia marcada por la venganza del asesino se caracteriza por el dolor y la angustia, y él sabe que ninguna persona corriente y moliente puede poner fin a algo así. Tan solo un tipo de chica muy especial. Tan solo una chica final. Solo que no es su estado actual. No, antes el asesino tiene que TRANSFORMARLA, lo que conlleva matar a todos sus amigos, familiares y mascotas, a todo el mundo menos a Dewey, pero porque Dewey es prácticamente inmortal.
Así que ese momento a cámara superlenta del final, cuando la chica tan calladita y amante de los libros

se detiene en medio de la vorágine de lágrimas, sangre y locura que la rodea y se da la vuelta con un machete o una motosierra o quizás incluso con las manos desnudas como Constance en *Pánico antes del amanecer*, gritando de rabia, ese es el motivo de que todos estos asesinos usen una máscara, señor Holmes.

Para que no los veamos sonreír.

Examen final

Tras una búsqueda exhaustiva por los bolsillos del mono que se salda con la aparición del cargador para el móvil, Jade lo enchufa, aunque en la pantalla no aparece ningún rayo, lo que tampoco la sorprende. Al fin y al cabo, esto no es una comedia romántica. Pero luego, llevada por un arrebato de inspiración, desenrosca la bombilla del aplique que hay encima de la toma y pulsa el interruptor.

Magia. El teléfono se empieza a cargar. Mientras tanto, Jade se dedica a recorrer los pasillos de quienquiera que sea la casa en la que se encuentra. En Terra Nova, por todo el valle Pleasant, se cierne el ocaso, la claridad se amortigua, el lago se convierte en una mancha de tinta. Cada pocos minutos le entra la paranoia y se convence de que no ha dejado el móvil en vibración, de que va a ponerse a sonar con un montón de notificaciones, delatando su posición. Y si no es eso, entonces es que está segura de que la puerta va a abrirse de un momento a otro, de que Theo Mondragon va a aparecer esgrimiendo unas tijeras de podar, un martillo pilón o incluso una tabla cualquiera. Con una de 40 x 60 le bastaría. O puede que llegue con una funda de la tintorería para echársela por la cabeza, a lo *Black Christmas*.

Hablando de lo cual: ¿existe algún slasher con el Día de la Independencia como telón de fondo?

Sí: *Aún sé lo que hicisteis el último verano*. Y también *Sé lo que hicisteis el último verano*. Más importante, ¿qué significado tiene el día cuatro para Theo Mondragon? Jade se golpetea la frente con el nudillo del pulgar y se aconseja esperar hasta mañana por la noche, cuando se produzca la Revelación, tonta, no te corresponde a ti encajar todas las piezas. Por ahora, su cometido es que nadie la vea, tan sencillo como eso. Lo cual debería ser coser y cantar, con eso de que ya se está haciendo de noche. Solo que la tentación de usar la linterna del móvil es irresistible.

—*Solos en la oscuridad*, de 1982 —murmura para la casa vacía, a ver si alguien lo pilla.

Silencio. Bien.

Jade se había prometido esperar hasta que la carga llegase al diez por ciento, puesto que por debajo de eso es cuando tiende a apagarse sin avisar, pero lo agarra cuando va por el ocho y marca antes incluso de comprobar si hay señal.

El teléfono la informa de que la red de datos está inhabilitada temporalmente.

—¿Qué cojones? —masculla mientras se pasea con el móvil por todos los rincones de la habitación. Nada, ni una rayita, ni un puntito diminuto que pudiera crecer hasta transformarse en barra—. Porque esto es una historia de miedo —se recuerda. Aunque no le sirva de nada.

Dobla limpiamente la esquina al final del pasillo y se permite echar una somera ojeada por la ventana del segundo piso antes de apartarse, por si las moscas.

El caso es que ¿no había visto a Theo Mondragon hablando por el móvil en el Campamento Sangriento? ¿No la había llamado Letha desde el móvil la otra noche? ¿Cómo avisan los Fundadores que están en el lado de Proofrock del lago para que alguien los lleve de vuelta?

Jade inspecciona la configuración por si ahí estuviese el problema, pero no. Menea el teléfono, porque eso siempre funciona, y después la cabeza, por lo tonta que es. Total, que no puede llamar a la caballería. De todos modos, se dice, sería como una traición. Los indios deberían huir de la caballería, no correr a su encuentro. Por otra parte, ¿Custer no empleaba exploradores pies negros? No está segura y, por supuesto, ahora tampoco puede mirarlo. Sin embargo, hace ciento cincuenta años de aquello. Esto es el presente. Y Jade no puede pasar aquí toda la noche. Permanecer inmóvil en un slasher equivale a tener todas las papeletas para que un cuchillo atraviese la puerta en la que estabas apoyada y te salga por la boca.

Muy despacio, y sabiendo que es fútil desde el principio, Jade baja los escalones con sumo cuidado, de uno en uno, hasta desembocar en las sombras alargadas de la cocina, donde registra todos los armarios en busca de algún almuerzo olvidado o un alijo de tiras de cecina, media bolsa de patatas fritas escondida en el último momento. Bebe del grifo, después de lo cual se da cuenta de que este es de los extensibles o comoquiera que se llamen esos que se desencajan, sujetos por una manguerita superpráctica para apuntar donde sea. Jade lo libera de la base magnética, hace como si regara a su alrededor y reconoce que es mejor no haberse criado con uno de esos en casa. Las personas que instalan algo así en sus fregaderos deben de ser ingenuas y confiadas a más no poder. Lo deja en su sitio y le da unas palmaditas como si fuese un perro bueno, momento exacto en el que una silueta se pasea con aplomo por delante de la ventana de la cocina, sin molestarse en mirar en su dirección.

Si Jade hubiera tenido una taza de café pegada a los labios, ahora estaría hecha añicos sobre las carísimas baldosas que la rodean. Así las cosas, se limita a quedarse petrificada, y un segundo después comprende qué la ha salvado: no ha hecho ningún movimiento brusco en la visión periférica de Theo Mondragon. Ahora sí que se agacha, no obstante, con las puntas de los dedos apoyadas en el suelo y las piernas flexionadas, listas para impulsarla en cualquier dirección. Cuando no rechina ningún gozne diez segundos más tarde, ni veinte; cuando la presión atmosférica del interior de la casa da la impresión de mantenerse inalterada, lo que indicaría que se ha abierto alguna puerta; cuando sus orejas de murciélago no detectan las protestas de ninguna tabla bajo un peso nuevo o la tracción de unas suelas de goma, Jade se mete en un cuarto siguiendo la dirección en la que caminaba Theo Mondragon, tan solo para comprobar que se estaba alejando en vez de acercando.

A través de la ventana lo ve entrar en la única casa en la que ella ya ha estado. Dos minutos después reaparece arrastrando a Botas Camperas (Cody, CodyCodyCody), tirando de su talón derecho, con el resto del cuerpo envuelto en plástico traslúcido, como Tina en *Pesadilla en Elm Street*.

Theo Mondragon se queda allí plantado, con la mirada perdida en la oscuridad, durante aproximadamente treinta segundos más, al cabo de los cuales saca el teléfono, lo desbloquea, lo mira y termina pegándole un par de meneos, igual que Jade antes. El suyo tampoco tiene cobertura. Sonríe, no obstante, asiente con la cabeza, se guarda el teléfono en el bolsillo y sale de Terra Nova caminando en línea recta, encendiendo una linterna de mano o frontal cuando llega a los árboles. La luz se atenúa unos cuantos pasos más tarde, hasta desaparecer por completo.

A Jade le gustaría seguirlo, le gustaría averiguar qué se propone, pero sus piernas disienten. Lo que hace en vez de eso es contar en voz baja hasta que él regresa al claro que ella sí llega a ver: seiscientos cuarenta y uno. Algo así como diez minutos, ¿verdad? ¿Tendrá una cueva por ahí en la que esconder los cadáveres? ¿Es que no ha cambiado nada desde 1872? Jade se acerca a la ventana de la cocina de nuevo, con cuidado para no proyectar ninguna sombra con forma humana contra el telón de fondo que es el rectángulo plateado del frigorífico.

Pero Theo Mondragon no se dirige a esa casa. Ni se acerca a ella, siquiera. Su objetivo es la tercera o cuarta del fondo, y su linterna frontal (Jade acierta a distinguirla ahora) dibuja un disco de luz mortecina sobre las ventanas, saltando de una a otra, hasta que el hombre vuelve al salir al porche y apaga la luz resollando, exhalando penachos de vaho. Con la mirada fija en el yate.

Cuando se convence de que está solo, saca a Guantes Desparejados por la puerta principal. A diferencia de Cody, este cadáver está bocabajo. El motivo: que tiene la espalda erizada de clavos dorados. Su cara se arrastra por la escalera, y cuando se produce un tirón que obstaculiza su avance y provoca que Theo Mondragon deba apoyar la espinilla en el suelo es porque la hilera de dientes superiores de Guantes Desparejados se ha enganchado en uno de los escalones.

Jade parpadea para evitar que se derramen las lágrimas que le anegan los ojos. Se odia por ellas. Lo que sabe pero no quiere tener que pensar es que Guantes Desparejados, Cody y Gafas de Tiro no deberían haber vendido a su amigo a cambio de ochocientos dólares por barba. Eso es lo que ha llevado a Theo Mondragon a hacer esto, ¿a que sí? Se enteró de lo del accidente, del intento por encubrirlo. Así que lo primero que hace es ocuparse de Deacon Samuels, que debería haber sido más listo, la verdad. Y ahora está encargándose de los únicos testigos que quedan. Si nadie conoce la historia de tu casa, tan grande y estupenda, seguirá siendo igual de grande y estupenda, ¿no es cierto? Muertos los narradores, se acabó la historia.

Con la salvedad de que Jade también la conoce. De oídas, pero aun así.

—Lo siento, Letha —murmura, y se encoge cuando suena una voz a su espalda, una voz que recorre hasta el último centímetro de su piel como una columna de hormigas:

—¿Por qué?

Letha está en la puerta, junto a la nevera, sosteniendo una vela aromática a la altura del esternón, con las sombras de su rostro vueltas del revés. Jade debe esforzarse por disimular el escalofrío que le recorre el espinazo ante lo espeluznante y grotesco que resulta ese efecto. También es posible que se le hayan escapado unas gotitas de pis. O un chorro entero.

—Por colarme sin permiso —se saca de la chistera.

Letha se acerca.

—¿Qué miras? —pregunta de un modo que podría denotar sinceridad e inocencia, como a Jade tan desesperadamente le gustaría creer, o una hipocresía más propia de los juegos del gato y el ratón, lo que significaría que Letha sabía de sobra que no eran avispas lo que su padre estaba intentando exterminar antes. Que su objetivo era eliminar otro tipo de plaga. Y sí, Mars Baker, para eso una escopeta habría sido más eficaz. Bien observado, señor.

Joder.

—Estoy buscando al oso.

—¿Todavía anda por aquí? —se sorprende Letha, de verdad o de mentirijillas, moviendo la vela para poder inclinarse sobre el fregadero y escudriñar Terra Nova en la oscuridad. El disco de luz de su padre se acaba de perder de vista en el bosque. O, si no se ha perdido de vista, por lo menos ella no dice nada al respecto.

—No lo sé. Por eso estaba, ya sabes, mirando.

Cada nueva palabra que escapa de sus labios es más estúpida que la anterior.

—Te has ido de casa, ¿verdad? —Letha se gira para inmovilizar a Jade con la mirada, con esos ojos de mil vatios, rebosantes de preocupación—. El sheriff ha llamado preguntando por ti.

La vela ha empezado a chisporrotear. Letha la deja junto al fregadero, entre ambas.

—¿Q-que ha llamado? —tartamudea Jade.

—Mmm, ¿sí?

—Pero… —Jade saca el teléfono, como si eso demostrase la ausencia de cobertura.

—Ah, ¿no lo había desactivado? —Letha saca el móvil a su vez y sacude la cabeza, contrariada por lo absurdo de todo esto—. Nosotros… —empieza, pero se interrumpe para medir con cuidado sus palabras—: Es que algunos de los obreros pasaban demasiado tiempo con el teléfono, subiendo fotos a Instagram y cosas de esas. El señor Baker dijo que los planos de nuestras casas podrían aparecer en segundo plano en sus selfis, así que…

Deja la frase inacabada flotando en el aire.

—¿Así que…?

—El señor Pangborne instaló un inhibidor de frecuencia. El yate está fuera de su radio de acción, pero todas las casas caen dentro de él, o de ellos, no sé muy bien cómo funciona.

—Un inhibidor de frecuencia —repite Jade.

—Es como un paraguas, solo que lo que bloquea es…

—No, si ya. ¿Y eso es legal?

—Aquí no hay garantía de servicio. —Letha se encoge de hombros—. Estamos en las montañas, ¿no?

Sí, pero ¿cómo llaman en la calle a esos inhibidores? Lo ha visto en alguna página de internet. ¿Carpas de violación o algo por el estilo? Por lo menos cuando se usan para impedir que una víctima avise a la poli. O una víctima en potencia.

—¿Hardy te ha prevenido contra mí?

—No, no. —Letha acorta la distancia que las separa y le toca el antebrazo tan solo un momento, una palmadita para espantar esa absurda posibilidad—. Lo que le preocupaba era que pudieras estar en peligro.

—Me lo imaginaba más ocupado.

—Bueno, han llamado de la comisaría.

—Meg.

—¿La madre de Tiff?

—Anoche atrapaste el machete.

—Tenía a T justo detrás. Podría..., se podría haber hecho daño.

—Es para mañana por la noche. ¿Hardy no lo ha requisado?

—Le dije que mi padre iba a guardarlo en la caja fuerte. Tenía que, ya sabes.

—Llevarme a la cárcel, encerrarme de por vida, eliminar una amenaza a la sociedad.

—Le importas de verdad, Jade.

—Y esto. —Jade desenfunda *Pánico antes del amanecer*—. No pude lanzártelo. Por eso he venido.

Le tiende la película.

—Una cinta de vídeo —dice Letha, como quien identifica un insecto.

—Sí, es la única manera...

—No tenemos reproductor en el yate —dice Letha, disculpándose casi.

Jade hace una mueca.

—Bueno, espera, ¿significa eso que no has podido ver *Bahía de sangre*?

—¿*Bahía de...*? Ah, sí, ya. Pues no, lo siento. Pero todavía la tengo. —Ha empezado a caminar mientras habla, con la muñeca de Jade en la mano ahora, de alguna manera, como si estuviera arrestándola de la forma más delicada posible.

—No, no podemos, tu padre… —empieza Jade, sin saber muy bien qué es lo que debería decir.

—A él le da igual —replica Letha sin dejar de tirar, sin detenerse—. Seguro que ni siquiera se entera de que ha venido una amiga a pasar la noche. ¡El yate está lleno, ha venido todo el mundo por lo del Cuatro de Julio! Y por, ya sabes, el señor Samuels. Total, el camarote de mi padre está delante, en la proa, ya verás…

—No puedo, tengo que…

—¿Deambular por el lago a oscuras, con un oso suelto en la zona? —pregunta Letha, que ya está cruzando la sala de estar con Jade a remolque—. Pero vamos, que si quieres puedo llamar al sheriff y pedirle que mande una lancha.

—O podrías…

—Mi madrastra no me deja pilotar el bote de noche —dice Letha con mal disimulado fastidio. Ahora están cruzando la puerta principal, ya están en el porche.

Jade se fija de inmediato en los árboles negros como el carbón de los que Theo Mondragon está a punto de surgir de un momento a otro, con esos andares tan suyos, entre corpulentos y esbeltos, apagada la linterna frontal pero todavía caliente.

—Vale, vale —dice, renunciando a su resistencia fútil y situándose a la par de Letha para llegar al embarcadero y embarcar, por favor, lo antes posible. ¿Y si Theo Mondragon realmente no se enterase de que su hija ha tenido una invitada esta noche? Eso casi funcionaría a lo mejor. Preferible mil veces a que la pille al descubierto cuando él aún tiene las manos teñidas de rojo.

—Bueno, ¿y dónde has pasado el día? —pregunta Letha por entablar conversación.

—En el Campamento Sangriento —replica Jade sin inflexión en la voz, mirando a su espalda, a la luz de la vela que oscila como una baliza de señalización en la ventana de la cocina.

—¿El antiguo…?

—Sí.

—¿No te da miedo ese sitio?

—¿Y a ti?

—No pienso volver a poner un pie ahí en mi vida. —Letha se estremece de la cabeza a los pies. Al parecer, el recuerdo de Deacon Samuels todavía le provoca escalofríos.

—Lo de mañana por la noche va en serio.

—¿Lo del slasher? —Letha aprieta los labios de un modo que destila condescendencia—. Entonces, desde el Campamento Sangriento —dice, cambiando de dirección ahora que han llegado al embarcadero—, ¿podías ver bien el lago?

Por el modo en que está escogiendo las palabras, Jade se da cuenta de lo que intenta no decir. Y no quiere decirlo por si acaso ella todavía no lo supiera:

—El señor Holmes.

Letha la mira con un parpadeo melodramático.

—Tiene gracia —dice antes de coger el antebrazo de Jade con las dos manos, acercarla a ella como la mejor amiga que es y susurrar—: Bueno, no tiene gracia, ya sabes, pero es irónico, supongo.

—¿Qué es irónico? —pregunta Jade, que no sabe muy bien si le apetece escuchar la respuesta.

—Mi padre siempre estaba diciendo que ojalá tuviera una escopeta de aire comprimido para él —dice Letha, dejando que Jade encaje el resto de las piezas en su cabeza. Pero Jade tiene unas cuantas de las que Letha no sabe nada: Mars Baker apuntando a ese pato en el lago, diciéndole a Theo Mondragon que debería haber usado una escopeta. Mars Baker, diciéndole eso a un tío que acababa de soltar una pistola de clavos. Jade vuelve la mirada hacia el bosque—. ¿El oso? —Letha se pega aún más a ella.

Jade niega con la cabeza. Bueno. El «oso» que mató a Deacon Samuels, sí. El que, digamos, estaba activando su practiquísimo inhibidor de frecuencia justo cuando cierto profesor de Historia sobrevolaba Terra Nova por enésima vez. No, Theo Mondragon no tenía a mano ninguna escopeta, ni de aire comprimido ni de las otras, pero sí que llevaba un arma encima: de las que escupen clavos. ¿Por qué no disparar una de esas puntas doradas al cielo, contra el incordio que sin duda representaba el señor Holmes? Solo es un gesto. Los clavos no son como las flechas, no es que estén hechos para volar ni nada por el estilo. Para perforar un ala revestida de terileno, por ejemplo.

Pero ¿y si era precisamente eso lo que había pasado? El clásico tiro entre un millón. ¿No son esos los golpes de suerte que caracterizan la existencia de alguien como Theo Mondragon? ¿Y si, durante sesenta segundos después de aquello, Theo Mondragon y otros tres obreros de la construcción se hubieran quedado mirando cómo el pequeño aeroplano que el Fundador acababa de interceptar se precipitaba en picado sobre el lago, arrojando a su anciano piloto a las aguas? ¿Y si Theo Mondragon acabara de matar a alguien a plena luz del día, sin querer pero con tres testigos delante? Lo más probable sería que tuviera que hacer lo mismo que Deacon Samuels había hecho ya: sobornar a esos curritos, asegurarles que había sido un accidente, una broma que se le había ido de las manos, que alguien de su posición no necesitaba la clase de atención mediática que eso conllevaría, seguro que lo entendían, ¿a que sí? Y luego, probablemente, le habría costado dormir. No habría conseguido pegar ojo. ¿Quién podría?

Lo que sí podía hacer, sin embargo, lo que tendría todo el sentido del mundo a las dos de la mañana, era implicarse en las labores de construcción a la mañana siguiente, enviar a todo el mundo a la orilla opuesta del lago, tal vez. A todos menos a esos tres. Así él, hombre de negocios ejemplar, teniendo muy en cuenta todos los análisis de riesgo, todos los costes y márgenes de beneficio, podría tomar cartas en el asunto. Nadie a bordo del yate pestañearía siquiera porque alguien hubiera disparado una pistola de clavos en Terra Nova. Era algo que ocurría a todas horas, en todas las casas.

Y desde su punto de vista, tendría que hacerlo, ¿verdad? De lo contrario, Gafas de Tiro, Guantes Desparejados y Cody acabarían con todo este tinglado. Le arruinarían la vida.

—¿Qué pasa? —pregunta Letha, mirando a Jade a los ojos.

—Nada... Estaba pensando en esa escopeta de aire comprimido.

—No se la compraría. Aborrece las armas de fuego.

«Pues claro que sí», replica Jade para sus adentros. Como buen carnicero.

Yergue la espalda cuando vislumbra un destello que se mece entre los árboles. Cuando Letha se gira para ver qué es lo que le ha llamado la atención, Jade tira de ella.

—Me muero de hambre —dice—. Llevo sin probar bocado desde…

Como si le cupiera algo en el estómago.

Pero sí le cabe, dos platos de salmón ahumado, galletas saladas y patatas con piel calentadas en el microondas que se llevan al camarote de Letha porque Jade dice que no quiere que nadie se lleve ningún susto en esos pasillos tan estrechos, lo que significa: que a bordo del yate no hay más chicas vestidas con mono de faena, con el pelo como si todas las ceras de colores se hubieran derretido y mezclado en el fondo del estuche.

El salmón está buenísimo, además, y a las patatas, sobras como son, se les ha quedado esa piel tan tierna que da gloria triturar con los dientes. Cada vez que se roza contra las encías de Jade, esta tiene que cerrar los ojos de puro deleite, hasta el punto de sentirse culpable por lo mucho que está disfrutando.

—Si quieres, hay más —dice Letha sin juzgarla, con una sonrisa.

Lo que están tomando es zumo de uva con gas. Las chicas finales solo consumen bebidas sin alcohol.

—Bueno, ¿y qué hacías tú allí? —pregunta Jade entre mordiscos y tragos.

Letha está mordisqueando la única patata que se ha echado en el plato, para que ella, a Jade no le cabe la menor duda, no tenga que comer sola.

—¿En las casas? —pregunta Letha a su vez, como si quisiera ganar tiempo. Jade mastica, asiente con la cabeza. Letha se encoge de hombros, inspecciona la pared de su lujoso dormitorio y el modo en que tarda en responder hace que Jade esté segura de que formaba parte de la cacería, de que estaba levantando obreros para su padre, encargada de sacarlos de sus madrigueras—. ¿Buscarte? —dice por fin con un hilo de voz y los hombros a la altura de las orejas.

—¿A mí?

—El sheriff está preocupado por ti, Jade.

—Así que sí que ha llamado.

—La primera vez fue la madre de Tiff. Eso no era mentira.

—Pensará que represento una amenaza o algo, eso es todo.

—Tú nunca…

—¿Y cogiste una vela para ir a buscarme?

—Las casas todavía no están cerradas con llave —dice Letha con otro encogimiento de hombros—. Y tú ya me habías dejado unos pantalones aquella vez.

—Entonces, ¿sabías que podía rodear el lago? —replica Jade, intentando seguir su razonamiento.

—No podía dormir. Te imaginaba aquí sola, asustada, sin mantas…

—¿Gracias? —dice Jade. La palabra suena novedosa en sus labios—. Tampoco estoy tan cansada, la verdad…

—Y si mi padre te viera… —añade Letha, en esta ocasión sin mirarla a los ojos.

—¿No le gustan los intrusos?

—Es muy celoso de su intimidad, supongo.

—Es verdad, Hardy dijo que había alguien que siempre se estaba quejando de la avioneta del señor Holmes.

Letha intenta reprimir una sonrisa y acaba levantándose para quitarse los pendientes en el tocador, ladeando la cabeza a un lado y a otro.

—Parecía un pervertido —dice.

—¿Pervertido?

—Mi madrastra… —Letha cierra los ojos para pasar el mal trago y añade—: En la cubierta superior, le gusta cerrar la puerta que da acceso allí para broncearse. Entera.

—Sin la parte de arriba —deduce Jade, y refiriéndose al señor Holmes—: Menudo elemento.

Letha se está aplicando alguna fórmula o solución en las pestañas ahora, parpadeando muy deprisa para evitar que se le meta en los ojos.

—No le gustan las marcas.

—Mujer blanca casada con hombre negro. Lo hará para compensar.

—Ah, pero ¿es blanca? —dice Letha, modulando la voz para dar la impresión de que no se había percatado hasta ese momento.

Jade espera un momento antes de girar la cabeza, impresionada.

—No quiere quitarse la camiseta en el dormitorio y que se le enciendan los faros —dice, usando las manos para dar las largas a la altura del pecho. Letha la observa en el espejo.

—¡Para ya! —dice con una risita traviesa, y Jade se pregunta si esto es lo que significa tener una amiga del alma. Una amiga que ahora se está echando crema hidratante en la cara con tanta despreocupación como si Jade y ella hubieran sido inseparables desde el jardín de infancia.

Pero entonces:

—¿A qué huele?

Letha vuelve el rostro hacia arriba, aspira y dice:

—Ah, ya... No serás alérgica, ¿verdad?

—¿A qué?

—Lavanda y melatonina. —Letha se sienta en la cama con una pierna interminable doblada bajo la otra—. Un difusor. Me ayuda a dormir. Está programado.

—Flores. —Jade se palpa los bolsillos en busca del cargador que sigue estando en la segunda planta de la última casa en la que se había colado.

—La lavanda —dice Letha encogiéndose de hombros— es como si te tiñera de morado los pensamientos.

—¿No tendrás un cargador, por casualidad?

Sí que lo tiene, pero, como cabía esperar, el modelo de su teléfono es varias generaciones más nuevo que el armatoste de Jade.

—¿Quieres que le pregunte al señor Pangborne? —Se levanta dispuesta a ir a buscarlo—. Su colección de cables incluye todos los habidos y por haber. Algunos seguramente ni siquiera saldrán hasta el año que viene.

—No tiene importancia —dice Jade, parpadeando por culpa de los somníferos que flotan en el aire.

—Dormiré en el futón. —Letha coge una manta y una almohada de la cama.

Jade intenta protestar, mas todo es en vano.

—¿Qué hora es ya? —pregunta, sabiendo perfectamente que no deben de ser ni las siete.

—¡Podríamos ver una peli! —replica Letha, que acto seguido apunta con el control remoto al televisor de pantalla plana de la pared.

—¿Cuáles tienes?

—¿Todas? —responde Letha. Por supuesto: su padre es un titán de los medios. Le lanza el mando a Jade—. Dile un título.

—¿Al mando?

Al mando, sí. Jade lo mira, busca algún agujero que pudiese ser el micrófono, no ve ninguno y al final dice tímidamente, para poner a prueba el «todas» de Letha:

—*La mansión ensangrentada*.

La película aparece con su título alternativo, *Dormitorio sangriento*, y el cursor parpadea sobre el botón de reproducción.

—¿De qué va? —pregunta Letha.

—De gatitos y arcoíris, evidentemente. —Jade repasa todas las estanterías repletas de cintas de vídeo que almacena en la cabeza, consciente de que esta es su única oportunidad, de que tiene que elegir la película definitiva para enseñarle a Letha cómo luchar, cómo sobrevivir, cómo salir airosa mañana por la noche. Y los cabezales de *Pánico antes del amanecer* poco menos que empiezan a girar por sí solos en su bolsillo. Pero no. Aunque sea de 1981, sigue siendo demasiado setentera para una profana. No, Letha necesita algo en lo que pueda reconocerse, algo donde el asesino no sea una caricatura, algo…

—*Kristy* —le dice con autoridad al mando a distancia.

Lo que conjura una lista de actrices con ese nombre.

—*Kristy*, 2014 —se corrige Jade.

Mismo resultado, distinta selección de rostros.

—¿A quién buscas? —pregunta Letha, que ya se ha acurrucado en el futón con su manta.

—Es otro tipo de dormitorio sangriento —dice Jade mientras continúa examinando las opciones—. La película es de Lifetime, en realidad.

—¿Eso qué es, como Hallmark?

—Pero con más acosadores y abuelitas psicópatas.

Sin embargo, *Kristy* no aparece. Seguramente porque, para verla, Jade tuvo que pasarse cinco noches descargándosela en el móvil cachito a cachito, y cuando acabó tenía dos juegos de subtítulos de colores distintos encima, ambos ininteligibles, ambos más un estorbo que cualquier otra cosa.

Habría sido perfecta, no obstante. Justine, la chica de *Kristy*, pelea con uñas y dientes. Quizá pertenezca al subgénero de las invasiones domésticas antes que al del slasher, pero, llegado este punto, a Letha no le hace falta ninguna lección sobre motivaciones o tramas, ni sobre lo que encaja en la categoría de «hogar». Lo único que necesita es ver a una chica luchando por su vida, superando la noche y llegando a ese momento a cámara lenta en el que deja de correr y se gira para encararse con su agresor.

—Espera. —Letha se baja del futón, saca el teléfono y marca un número antes de que Jade pueda frenarla—. ¿Papá? —Le repite el título y el año, añadiendo un «porfiiii» al final y aleteando las pestañas aunque la llamada solo sea de audio—. Es que teníamos muchas ganas de verla…

Endereza la espalda durante la réplica de su padre. Se sienta y mira a Jade con cara de «ups».

—Es que… No, claro que no. A Ginn no le hacen falta más sustos. Estoy hablando con alguien por el móvil, papá. Nos gustaría verla a la vez… Con alguien de la escuela… No, no es… ¿Es una peli de Lifetime? Mira a ver, sí, muchas gracias.

Cuelga, se abraza a una almohada y adopta un gesto que Jade supone que quiere decir «padres», y a continuación, antes incluso de que Jade pueda preguntarle qué ha sido eso, la pantalla plana del dormitorio de Letha chisporrotea y comienza a reproducir lo que Theo Mondragon está enviándole desde arriba, o abajo, ahora mismo Jade no ubica la proa.

—¿Dónde está?

—En la cubierta, me imagino. —Letha se encoge de hombros—. A veces duerme allí arriba.

Por supuesto que sí, piensa Jade. Porque salir de puntillas del camarote y cruzar el pasillo intentando no hacer ruido llamaría la atención. Saltar por encima de la barandilla cuando ya estás en la cubierta, sin embargo, no es nada. Y seguro que tiene una zódiac con motor fueraborda esperándolo. Aunque tampoco es que no se pueda cruzar el lago nadando, o rodearlo caminando por la orilla.

—¿Cómo lo ha…? —pregunta Jade cuando los temblorosos créditos iniciales de *Kristy* comienzan a deslizarse por la pantalla.

—Es el dueño de la cadena. O de la empresa matriz, no sé. Qué más da.

—Ahhh —murmura Jade, un poquito impresionada. Se acomoda con la almohada de doscientos dólares abrazada contra su pecho.

—¿Irás mañana? —pregunta Letha—. ¿A lo de la peli?

Se está sentado a desgana, pero aún le queda una tarea pendiente antes de dar por finalizados sus rituales nocturnos: ¿envolverse el pelo con un pañuelo para dormir? Jade la observa, desconcertada, pero decide contestar a la pregunta en vez de interrogarla al respecto.

—No me lo perdería por nada del mundo.

Letha se ha quedado sopa treinta minutos más tarde, roncando adorablemente contra el respaldo del futón, con una rodilla doblada y la pierna recogida contra el cuerpo. Jade sopesa la posibilidad de despertarla para que no se pierda las magistrales lecciones de *Kristy* frente al riesgo de que la chica final esté demasiado cansada para el gran duelo que la aguarda mañana por la noche, pero al final decide que dormir es lo más importante, puesto que en una masacre cada minuto consume el doble de adrenalina que el anterior y la situación se complica si no basta con huir del asesino, sino que además hay que batirse con él.

Lo que no significa que ella tenga ni pizca de sueño, no obstante. Aunque tampoco es que pueda salir y exhalar nubes de humo a las estrellas. Fuera como fuese, a estas alturas de la película, quedarse a solas en cualquier sitio oscuro equivaldría a pedir a gritos que la decapiten a una. Los cigarrillos están muy bien, pero que su cabeza permanezca conectada a su cuerpo estaría aún mejor.

Como sus manos inquietas necesitan algo que hacer, Jade fisgonea por la estantería adosada a la cama: las lecturas para conciliar el sueño de Letha. Lecturas que se componen de todas las redacciones para sumar créditos en Historia que Jade le entregó en mano. El fajo todavía está doblado por el centro. Jade las abre, emocionada por descubrir todas las frases que Letha debe de haber subrayado, porque las chicas finales siempre hacen los deberes. Pero aquí no parece que nadie se haya leído nada. Están incluso... Jade pasa las páginas de tres en tres: sip. A excepción hecha de la carta en la que Letha evidentemente se había volcado, incluso están en el mismo orden, desde la venganza y las bromas pesadas hasta las chicas finales, pasando por la gran debacle que supuso la entrevista del primer año, hasta concluir con *Tiburón*: todo un curso acelerado sobre el slasher condensado en treinta hojas. Un curso que Letha parece que no se ha tomado la molestia de mirar todavía, puesto que la carta de Jade, evidentemente, era mucho más fascinante, mucho más reveladora.

Se le escapa la risa. Una de esas que están desprovistas de humor.

Sopesa los pros y los contras de despertar a Letha para, tal vez, hacer estos deberes tan importantes, pero al final se decanta por sacar el teléfono. Letha tampoco mentía: ahora sí que hay cobertura. Tres barras, como en Proofrock. Como si estar conectada sirviese para algo más que recordarle que su bandeja de entrada contiene un total de cero mensajes nuevos.

Jade abre el álbum, sube y continúa subiendo hasta encontrar lo que busca: la instantánea de una foto que ilustraba aquella revista que tenían en el centro de tratamiento de Idaho Falls: *Correo Certificado*, sí. La historia del señor Holmes. En la foto sale él con su ultraligero, el cielo despejado a su espalda.

Jade le pone un corazoncito para que la próxima vez no le cueste tanto encontrarla y parpadea en un intento por combatir el nudo que se le ha formado en la garganta. Este no es el momento. Lo que hace es catalogar los sucesos de la jornada, comparándolos con un slasher y otro para ver qué encaja y qué no, y no tarda en descubrirse pensando de nuevo en *Scream*. No en el asesinato de Casey Becker, sino en el susto de Sid, donde esta da muestras por primera vez de la madera de superviviente que tiene: cuando no puede llamar a la policía, usa el ordenador para conseguir que vayan a su casa.

Sin embargo, el móvil de Jade tiene batería y cobertura. Lo que significa que podría marcar el número de Hardy ahora mismo, ¿verdad? Hay cadáveres aquí. Y ella es testigo, por lo menos en el caso de Gafas de Tiro. Le haría un favor delatando a Theo Mondragon, ¿no es cierto? Pero, si lo hace, la noche de mañana no transcurrirá como debería.

Jade inspecciona el tablón de corcho de Letha, todas las fotos de impresora en las que sale con sus amigas. Hay bailes, escaladas, paseos por calles que a Jade no le dicen nada, aunque seguramente para Letha tengan todo el significado del mundo. Y también está con su padre, por supuesto, con Theo Mondragon, los dos con gafas de buceo levantadas sobre la cabeza, sin nada más que aguas vacías y azules tras ellos.

Si llama a Hardy, Letha tendrá que quitar esa foto, por lo menos. ¿Y culpará a Jade por ello? A lo mejor, sí. Es muy probable.

Media hora después, *Kristy* alcanza su apogeo con un preciosa y necesaria bola de fuego (qué sensación tan deliciosa, acabar con el asesino) antes de dar paso a los créditos, y Jade felicita a Justine, la superviviente de nervios de acero, aunque lo único en lo que puede pensar es, «¿No le habrán dado ganas de mear con tantas carreras?». Porque ella está orinándose viva y sus piernas no pueden estarse quietas, con lo que únicamente consigue enredarse más aún en la sábana, lo que empeora todavía más esta emergencia.

En vez de sobresaltar a Letha pausando los créditos (seguro que se despierta si el sonido se interrumpe de golpe), Jade usa el mando a distancia para retroceder a la escena de la piscina, lo que le concede alrededor de cuarenta minutos para aliviar la vejiga. No sabe si serán suficientes, en vista de que el blanco de sus ojos ya debe de estar de color amarillo. El cuarto de baño, como Letha se había encargado de informarla antes, se encuentra justo al fondo a la derecha.

Jade tira de la puerta de Letha y se arriesga a asomarse al pasillo, tan claustrofóbico como cualquiera de los que salen en *Calma total* o *Juegos mortales*. Está tan desierto como esperaba, y Jade supone que, bien mirado, estar en *Calma total* o *Juegos mortales* por lo menos significa que te encuentras en la superficie y no en el fondo, con toda esa presión a lo *Profundidad seis* o *Leviathan*. Aunque aquí arriba siempre se corre el riesgo de acabar protagonizando *Triangle*, *Barco fantasma* o *Virus*. El caso es que en algún momento hay que buscar un sitio donde mear, a poder ser un cuarto de baño. Jade se siente demasiado vulnerable para su gusto en cuanto sale al pasillo. Regresa a la habitación y vuelve a intentarlo instantes más tarde, envuelta en la bata de seda italiana de Letha y con una toalla en el pelo. Letha es lo bastante alta como para que la bata cubra las botas militares de Jade. Punto para las chicas buenas.

Jade camina a toda prisa hasta la primera puerta de la derecha, entra, no enciende la luz hasta haber cerrado a su espalda. Y se encuentra de bruces con una máscara de gas. Retrocede y se encoge, no está lista para morir todavía, pero la máscara no extiende los brazos en su dirección. Está allí colgada, sin más, junto con un traje de buceo completo, con gafas y todo, un impermeable y un sombrero de los que le gustarían a Creighton Duke, y ninguna máscara de hockey. Ningún gorro de fieltro. Tan solo una hilera de bombonas de oxígeno, material que es una estupidez guardar aquí abajo en vez de en cualquiera de las cubiertas, ¿no? A menos… ¿A menos que no esté guardado, sino escondido? Pero ¿por qué?

Ah, se da cuenta Jade: por Scooby-Doo. En la gran revelación siempre se relata con pelos y señales cuáles eran los trucos del falso fantasma o lo que sea, ¿verdad? Estas bombonas seguramente formarán parte de eso. Alguien, puede que ella misma, tirará de la correa que sujeta las bombonas en su sitio y dejará que se dispersen rodando en todas direcciones en medio de la confesión. Sin embargo, está claro que Jade no debería estar con ellas ahora. Es demasiado pronto. Aun así, y debido principalmente a que ha visto *Scream 3*, Jade empuja con la mano contra el vientre de cada prenda colgada para asegurarse de que ninguna vaya a intentar echarle el guante en cuanto se dé media vuelta. Apaga la luz del techo, aguza el oído atenta a cualquier posible paso o respiración en el pasillo, sale de nuevo y se mete corriendo en el cuarto de baño, que, por mucho que esté a la derecha del camarote de Letha, en realidad queda a la izquierda.

Ha terminado ya, está bregando con las innumerables complicaciones que le plantean el buzo y esa bata tan vaporosa, cuando se fija en la bandeja del lavabo y los productos de belleza desperdigados por ella. No, esto no es una mesa de trabajo, decide, sino el taller de una artista. Toca una esponja con manchas, desliza la yema del dedo por el envés de un cepillo y… ¿Qué es esto? Cilíndrico, eléctrico, no será… Jade lo coge con toda la delicadeza del mundo. Ah, una maquinilla para el pelo. Fiú. Lo que significa… Clava la mirada en la puerta pensando en todos los pasillos que se extienden tras ella, en todos los camarotes con los que conecta y en Letha diciendo que el yate estaba lleno esta noche porque todo el mundo ha acudido a la ciudad por Deacon Samuels y el Cuatro de Julio.

Esto es una maquinilla de tío. Se nota en el tamaño y en la ausencia de adornos. Y el único Fundador cuya perilla rebelde seguramente requiera una atención constante es Mars Baker. O sea que: Mars Baker está lo bastante cerca como para compartir el uso de este cuarto de baño.

Jade traga saliva con dificultad, se mira en el espejo y tiene que tocarse el cabello para comprobar que es real. Ofrece todo el aspecto de quien ha decidido celebrar la Nochevieja untándose la cabeza con pegamento antes de sumergirla en un contenedor de basura. Ahora se le han quedado pringosos los dedos. Seguro que también ha ensuciado la carísima almohada de Letha.

—A tomar por culo —dice, y antes de que le dé tiempo a cambiar de opinión, agarra la maquinilla de Mars Baker, le quita la guía y se sostiene la mirada en el espejo mientras se rapa un manojo de mechones tras otro.

La idea era transformarse en la Ripley de *Alien³*, cuando los piojos espaciales representaban un problema, pero lo único que consigue es dejarse la cabeza como una lija irregular, a lo Tommy Jarvis aunque un poquito más alta, con el cuero cabelludo todavía sucio en algunas zonas por culpa del betún para los zapatos. Más que una cabeza, se diría que lo que tiene sobre los hombros es el proyecto de alfarería del parvulito menos mañoso de su promoción.

—En fin, era lo que querías —murmura mientras abre el grifo para intentar que todos los pelos se vayan por el desagüe. Cuando este se atasca, no le queda más remedio que meter la mano en el agua turbia, grumosa con los sedimentos de la pasta de dientes que han debido de escupir allí por lo menos diez personas distintas, agarrar la plasta viscosa y tirarla a la papelera como la rata ahogada por la que pasaría.

El agua estancada borbotea por fin y desaparece de golpe, dejando una colección de puntas abiertas adheridas a las escarpadas paredes del lavabo. Jade abre el grifo de nuevo, hace todo lo posible por eliminar esos pelillos sueltos y ya casi ha terminado (nada de pruebas) cuando el pomo se estremece y un hombro golpea la puerta metálica.

—¿Hum? —dice.

—Date prisa —susurra una voz femenina, gracias, en vez de varonil, belicosa y adulta.

Fuera como fuese, el caso es que hay alguien ahí fuera en esos momentos, esperando.

—Ya voy, ya voy —murmura Jade haciéndose pasar por una Letha adormilada, aunque sabe que el resultado no debe de ser muy convincente, porque las chicas finales no dejan que la frustración y el cansancio las vuelvan tan irascibles.

Jade se lava las manos, se las seca en las caderas sedosas como nubecitas, se enrosca la toalla en la cabeza rapada (una sensación totalmente nueva) y apaga la luz. Coge aliento una vez, dos, y a la de tres sale girando sobre los talones, dándole la espalda a quienquiera que sea quien está en el pasillo, rodeándola al mismo tiempo que la empuja hacia el interior de ese aseo en el que es evidente que necesita entrar lo antes posible.

Por el rabillo del ojo ve que se trata de una de las gemelas, Cinnamon o Ginger, que es el mejor de todos los resultados posibles: menores. Ni Mars Baker, ni Ladybird Samuels o Macy Todd, ni Ross Pangborne o Lewellyn Singleton, ni Lana Singleton, ni comoquiera que se llame la esposa de Ross Pangborne. ¿Donna? Lemmy, por otra parte, Lemmy Singleton habría estado bien. O si no, Galatea. Se ve capaz de lidiar con los niños. Con ellos se puede ir de farol.

—Gracias —dice Cinnamon o Ginger a la espalda de Jade mientras se mete en el cuarto de baño, y Jade asiente con la cabeza, sigue caminando, seguro que la costa ya está despeja...

Se encuentra de bruces con la otra gemela, Ginger o Cinnamon. Que la observa fijamente. Sin reconocerla.

—¿Y tú quién eres? —pregunta esta otra gemela.

—Una amiga de Letha —murmura Jade.

—¡Esto está lleno de pelos! —anuncia la primera desde el aseo.

—¿Sabe su padre que estás aquí? —pregunta la segunda.

—Nos ha pedido una peli. —Jade se coloca de costado para pasar junto a ella.

—El espejo ni siquiera se ha quedado empañado —dice esta otra gemela, lo que equivale a preguntar qué hace Jade con la cabeza envuelta en una toalla.

Jade no se molesta en dar explicaciones, sino que prosigue su marcha inexorable hasta el camarote de Letha, al que llega casi sin resuello, sintiéndose exactamente como Justine en *Kristy*, siempre escondiéndose detrás de una puerta, en alguna taquilla, convencida de que la muerte la acecha a la vuelta de la esquina. Tantea en busca del pestillo de la puerta de Letha, lo gira y se deja caer en la cama.

Los latidos de su corazón aminoran, el torrente de adrenalina se calma y, tras su estela, llega una nueva vaharada de lavanda y melatonina. Jade se resiste con todas sus fuerzas, aunque los suaves ronquidos de Letha no ayudan.

—*Viernes 13* —le susurra al mando a distancia, y elige ese *Capítulo final* tan infiel a su nombre con la esperanza de que el aliciente de contar los machetazos que Jason recibe en la cabeza al final consiga mantenerla despierta. Es la escena que siempre se ha imaginado viendo en un garaje, rodeada de compañeros de clase, coreando todos ellos la cifra cada vez más elevada, algunos haciendo los gestos incluso, cargándose juntos a Jason, porque para eso les va a hacer falta un pueblo entero.

Jade aguanta hasta el final, lleva la cuenta sola en su cabeza y después retrocede una entrega, se pone la tercera y consigue llegar dando cabezadas hasta la escena del fulano que está haciendo el pino, lo cual ella sospecha que en realidad tiene bien poco que ver con el sexo, pero cuando Jason lo abre en canal desde la entrepierna hasta la cabeza, una parte de ella se viene abajo con él y (porque el 3D dicta todos los ángulos y composiciones de cámara) Jade la sigue con la mirada. Hasta su móvil, activo de alguna manera en su mano.

Bueno, de alguna manera no. Muy a propósito. Esta es la decisión que ha estado postergando, ¿verdad? Raparse la cabeza no ha hecho que se le olvide. No del todo. Ni siquiera Jason ha conseguido distraerla lo suficiente.

Podría salvar un montón de vidas con una simple llamada. Marcando un número de nada. Lo que significaría que sus sueños de slasher no se harán realidad, pero ¿de lo contrario? ¿Puede considerarse una victoria que muera hasta el apuntador? Es más: si hubiera cortado este ciclo de raíz, si hubiera entregado aquel teléfono rosa, ¿habría terminado el señor Holmes falleciendo en el lago Indian?

Eso lo decide por ella.

Llama a la oficina de Hardy. No al 911, donde contestaría una operadora y le daría tiempo a perder los nervios, sino directamente a la comisaría.

Suena tres veces, cuatro, y al quinto tono:

—Oficina del sheriff del condado de Fremont —dice Meg, tan alegre como un vestido de lentejuelas.

—¿Señorita Koenig? —pregunta Jade, procurando hablar en voz baja.

—Mmm, ¿con quién hablo?

—Solo quiero denunciar una cosa.

—¿Cómo se llama usted, por favor?

—He visto… He visto morir a alguien. Asesinado, quiero decir.

Nada durante unos instantes, y luego, más risueña que nunca:

—¿Y dónde está usted, cielo?

—En la otra orilla del lago —dice Jade, evidentemente—. En Terra Nova.

—¿Y con quién hablo?

—Eso no importa. El… —Más bajo, mucho más bajo—. El asesino es Theo Mondragon.

—¿Cómo dice?

—Ha sido él. Theo Mondragon.

—Eres Jade Daniels, ¿verdad? —replica Meg, se diría que mientras se cambia el auricular de una oreja a la otra.

—Prefiero permanecer en el anonimato.

—Que tenemos identificador de llamadas, primor. —Jade cierra los ojos, hace una mueca—. Lo siento —continúa Meg—, pero el sheriff ha dejado instrucciones muy específicas por si acaso llamabas. Dijo que sería tu siguiente, ¿cómo era la palabra? Ah, sí. «Gambito». Tu siguiente gambito. Es como apuesta pero en ruso, significa…

—Ya sé lo que significa.

—Sí, sí, por supuesto. Grady decía que posees un vocabulario muy amplio.

Grady, el Oso, Sherlock, Holmes, pirata del lago Indian, Aviador Nocturno. Algunos profesores de Historia tienen más nombres que *Bahía de sangre*, ¿verdad? Corrección: tenían. Algunos profesores de Historia tenían más nombres que *Bahía de sangre*.

Pero, lo más importante:

—¿Hablaba de mí? —pregunta Jade, plenamente consciente de que esto despeja cualquier posible duda sobre su identidad.

—Estaba orgulloso de ti —dice Meg con los labios pegados al teléfono, aunque lo único que resuena en los oídos de Jade es ese pretérito.

—Esto no es un gambito. Es… Lo he visto, tienes que creerme.

—¿Ha sido como en uno de esos slashers?

—Que sea eso no significa que no haya pasado. Si no… Mañana por la noche morirá mucha gente.

—El sheriff me advirtió que dirías eso. ¿Algo sobre «cerrar las playas», creo?

Jade deja el teléfono encima de la sábana, usa el pulgar para poner fin a esa llamada absurda, sin sentido, abocada al fracaso, y decide contar los segundos hasta que la pantalla se atenúa antes de apagarse por completo: quince, después treinta. Repite la operación, para cerciorarse, en esta ocasión la cuenta es de quince y treinta y dos, por lo que tiene que hacer lo mismo otra vez, pero ahora (¿o luego, tal vez?), cuando la pantalla se apaga, su vista se oscurece con ella. Mientras se deja vencer por el sueño se dice que no pasa nada, que está segura. La puerta está cerrada, el yate sigue siendo una tumba, la manta es cálida y suave, las gemelas no han dado la voz de alarma y, lo más importante de todo, uno no mata en su casa. Theo Mondragon debe de saberlo, es algo básico. Lo único que Jade tiene que hacer es despertarse antes de que amanezca, sortear esos pasillos laberínticos y largarse antes de que Letha insista en desayunar con todo el mundo en cubierta.

Lo primero que piensa Jade cuando se despierta otra vez, sin embargo, cuando no ha pasado ni un segundo, se diría, es en la tesis de otra redacción que escribió para el señor Holmes: «El extraño álgebra del terror». Su ejemplo de partida, y la inspiración para el título, era que lastimar a un asesino en la pierna, en vez de ralentizarlo, hace que vaya aún más deprisa, renqueante pero aterrador. Aunque su alegato principal, ilustrado con numerosos ejemplos, era que la proximidad a la chica final reduce enormemente tus probabilidades de sobrevivir. Lo que significa que una mosca posada en la pared escaparía con vida sin problemas. Como, hablando de *Viernes 13*, Ted, el bromista de la segunda parte que, casi por defecto, tiene que morir de la forma más truculenta posible. Solo que, como ha salido de juerga por la ciudad, se salva de la carnicería precisamente por haber aumentado la distancia que lo separa de la chica final.

Todo lo contrario de, pongamos por caso, estar durmiendo justo a su lado. Jade bosteza largo y tendido, está a punto de desencajarse la mandíbula y se disculpa mentalmente con el señor Holmes, dado que esa redacción debía de estar equivocada, porque, en estos momentos, Jade no se podría sentir más a salvo. Aunque ¿qué es eso que la ha despertado, un sonido? Un sonido, sí, algo estridente. Fuera de lugar. Su memoria lo cataloga como repentino, solo que no ha vuelto a oírlo.

Sintoniza sus sentidos con el resto del yate, esforzándose por localizar de nuevo cualquiera que haya sido esa señal. Como está tan concentrada escuchando, los pasos que desfilan de súbito al otro lado de la puerta resuenan como un estampido ensordecedor. Se repliega contra la esquina de la cama con los ojos abiertos de par en par, la boca seca al instante, los músculos cada vez más en tensión.

Instantes después, el pomo se estremece violentamente y alguien empieza a dar fuertes palmadas contra la puerta, como un policía. El escándalo despierta a Letha, que se rebulle en el futón.

—¿Q-qué? —dice, con los párpados entrecerrados aún, pegados seguramente con toda la melatonina que flota en el aire. Levanta el brazo para restregárselos con el dorso de la muñeca, momento exacto en el que la pared, unos quince centímetros por encima de su cabeza, se desintegra con una explosión que solo puede ser fruto de la escopeta de Mars Baker. De uno de los cañones, al menos.

Letha se aleja de la pared como si hubiera recibido un impacto. Cae al suelo justo cuando el segundo cañón abre fuego sobre el punto en el que se encontraba hace tan solo un instante, dejando hilos de espuma flotando en el aire. En el silencio subsiguiente a la detonación, una llamita solitaria parpadea en el borde del cráter que se ha formado en el futón y a través del boquete de la pared se oye un grito, un gorgoteo truncado de raíz.

—¿¡Macy!? —dice Letha, refiriéndose a ese gorgoteo.

Jade ya está en el suelo, atrayéndola hacia sí, con la respiración entrecortada, pero al verla Letha la empuja e intenta escapar.

—¡Soy yo, soy yo! —chilla Jade, pasándose la mano por el cuero cabelludo como si eso pudiera atestiguar que es la misma de antes, solo que con menos pelo.

—¿Jade? —Letha empieza a reconocerla, despacio.

—Tenemos que largarnos de aquí —sisea Jade, consciente de que cualquiera podría oír su voz a través del agujero de la pared.

—Pero…

Letha se ve interrumpida por unos golpes en la puerta. Ya no es ninguna palmada, sino el canto de un puño, aporreando.

—¿Dónde está el machete que te di? —pregunta Jade mirando a su alrededor—. Tu padre no lo ha guardado en la caja fuerte, ¿verdad? —Letha la mira como si fuese una zarigüeya parlante, atenta a sus labios, preguntándose cómo es posible que un animal emita sonidos humanos. Jade la zarandea—. Sé que no estás preparada, pero tienes que actuar. Está pasando.

—Pero, esto es…

—Lo sé, lo sé. Dije que ocurriría mañana por la noche, durante la celebración, pero me equivoqué, ni idea, lo siento, ¿vale?

—¿La masacre?

—Está teniendo lugar en estos momentos.

—Pero ¿quién…?

—No preguntes. —Jade se levanta y tira de Letha—. Bueno, ¿dónde está ese machete?

Letha pasea la mirada por el camarote, con los ojos tan grandes y desconcertados como los de una res («debería haberla preparado mejor», se recrimina Jade), extiende el brazo detrás del tocador y saca el machete de su inmejorable escondite. Se lo ofrece a Jade, que da un paso atrás con las manos en alto.

—Tienes que ser tú. Como toque eso, seré la siguiente. Es el látigo de Indiana, el martillo de Thor, el albornoz del Nota. Solo puede usarlo una persona.

Lo empuja hacia Letha.

—No sé cómo —dice esta, intentando dilucidar dónde colocar los dedos, cómo sujetarlo, cuál es el filo. Después de haberlo cazado al vuelo como un ninja usando los palillos para atrapar una mosca, ja.

—Te las apañarás —replica Jade mientras se aparta de ella, detesta lo que tiene que hacer pero lo hace de todas maneras: pega la cara a la puerta y abre bien los oídos. Lo que se merece, lo sabe, y aplaudiría incluso si sucediera, es que el cuchillo de Ghostface le traspase la sien, pero la alternativa sería salir al pasillo sin saber si está vacío—. Despejado —dice tras aproximadamente tres latidos de silencio. Chasquea los dedos para que Letha se aproxime, para que se prepare.

—¿Adónde vamos?

—Lejos de este barco —sisea Jade antes de abrir la puerta de golpe.

Allí está tendida Ladybird Samuels, con los ojos muy abiertos y la boca más todavía: sin barbilla, sin mandíbula, puede que también sin garganta, como si la piel que le falta se hubiera tensado hasta arrastrar consigo todo aquello a lo que estaba sujeta. En la puerta, junto al rostro de Jade, están las huellas ensangrentadas que han dejado sus manos.

Letha grita hasta que Jade se gira, le tapa la boca y la mira a los ojos para advertirle que pare. Tras asentir con la cabeza y obtener la misma respuesta, Jade por fin retira la mano, despacio. Letha coge aire como si se dispusiera a soltar otro alarido, a delatar su posición para todos los ocupantes del yate, pero lo que hace en vez de eso es vomitar un trozo de patata con piel.

Jade no le sujeta el pelo ni le da palmaditas en la espalda, sino que sale al pasillo.

—¿Por dónde? —pregunta. Al ver que Letha se limita a llorar, presumiblemente reproduciendo los últimos momentos de Ladybird Samuels en su cabeza, Jade pregunta de nuevo, con más insistencia esta vez—: ¿Por dónde, Letha?

Letha apunta sin fuerza en la dirección por la que vinieron, más allá del cuarto de baño. Jade le agarra la muñeca, la mano, y tira de ella. Las dos pasan con cuidado por encima de Ladybird Samuels.

—¿Quién está haciendo esto? —pregunta Letha, tan incapaz de apartar la mirada como de ayudar lo más mínimo.

—Ya lo verás —replica Jade. Consiguen llegar a las escaleras antes de tropezarse con el siguiente cadáver: Ross Pangborne. Lo han descuartizado, de alguna manera, tiene el torso en el rellano y las piernas intentando alcanzarlo, aunque nunca lo conseguirán.

—¿Q-qué podría hacer eso? —tartamudea Letha intentando caer de rodillas, rendirse.

—Una escopeta, una motosierra... —Jade no está dispuesta a permitir que Letha tire la toalla, necesita involucrarla hasta el fondo.

—Pero ¿qué ha hecho para..., para merecerse algo así? —pregunta Letha, y Jade deja que una sonrisa torva se forme en sus labios:

si Letha ya está viendo estas muertes así, como la consecuencia de alguna tropelía pasada, entonces hay esperanza.

Jade sortea a Ross Pangborne procurando no pisar la sangre para no dejar ningún rastro de huellas rojas.

—No podemos… —empieza a decir Letha.

—Tenemos —completa Jade la frase por ella, y enseguida están en lo alto de las escaleras, en la parte de la torre del yate, está casi segura, deben pasar por encima de una escopeta destrozada para ver… Letha retrocede negando con la cabeza, no, no, y Jade no quiere mirar, pero no le queda otro remedio: han lanzado a Mars Baker de cabeza a través de la ventana y también tiene la mandíbula desgarrada, lo que le deja la boca petrificada en un grito perpetuo.

Letha retrocede negando con la cabeza, no, no, y ahora es Jade la que vomita. Con la boca cerrada, al principio, pero cuando no consigue tragárselo, todo el salmón, las patatas con piel, la lavanda y la melatonina brotan en un chorro que salpica sus botas y los pies descalzos de Letha, un chorro que no tiene nada de morado, y nota los ojos húmedos e irritados, de lo que deduce que está llorando porque el vómito le abrasa las vías nasales, un vómito que no deja de salir, y tiene la mano de Letha en la espalda, como ocurriera con Tiffany K, érase una vez otra vomitona. Jade estira el brazo, se estabiliza contra la fina rodilla azul del pijama de Letha, que pregunta:

—¿Quién está haciendo esto? —Su voz carece de la menor inflexión ahora, en sus ojos parpadea prácticamente una luz de eyección, como si hubiera accionado algún tipo de palanca interna para salir disparada de lo que está sucediendo. Como si hubiera llegado al límite de lo que es capaz de aguantar y el resto ya no fuese capaz de afectarla.

—¿Dónde está el machete? —pregunta Jade.

Letha se mira la mano vacía y las dos lo oyen a continuación: un ruido en el techo, sobre sus cabezas. Lo que significa que hay alguien en el piso superior de la torre.

—¿Papá? —dice Letha, que tira de Jade para salir a la cubierta y mirar arriba.

Las dos tienen el cuello estirado cuando Tiara sale volando por encima de la barandilla, agitando los brazos y las piernas como si hubiera algo a lo que agarrarse.

—¡T! —chilla Letha antes de acudir corriendo a la barandilla, con la que choca como si, de haber llegado un segundo antes, pudiera haber alargado la mano y cerrado los dedos sobre el dobladillo de la camiseta de su madrastra.

Jade sigue con la mirada el cuerpo desmadejado de Tiara hasta uno de los postes integrados en ese embarcadero modular. El poste no tiene punta, es romo, achatado, pero eso no le impide perforar y traspasar el pecho de Tiara hasta salir por la espalda, y cuando el rostro de Tiara se estrella contra la madera o el plástico o la madera de plástico, lo que sea, Jade nota un hormigueo en la mejilla a su vez.

—Esto no puede estar pasando —dice Letha.

—Tenemos que salir de este barco —replica Jade mientras tira de ella y mira a su alrededor en busca de lo que sea que vaya a ocurrir a continuación. Tienen que largarse de allí, ¿no? Sí. Jade se acerca a la barandilla, se arriesga a mirar abajo, al lado de la cubierta que da al lago. Le produce vértigo. Este yate es monstruoso—. ¿Qué profundidad hay aquí?

—¿En el agua? —pregunta Letha.

—En el agua —le confirma Jade, obligada a llevar a remolque a esta chica final.

—El valle es muy escarpado en esta parte —dice Letha, citando las peroratas del señor Holmes—. Eso significa…, significa…

—Que hay bastante profundidad.

Jade apoya un pie en la barandilla, apretando la mano de Letha para estabilizarse.

—No, si…

—Aquí no estamos a salvo. —Jade está a punto de perder el equilibrio cuando tira hacia arriba de Letha.

Esta se encarama a su atlética y ágil manera.

—Mi padre —murmura mientras mira en rededor desde esa nueva atalaya, escudriñando la cubierta desde la que Tiara había salido volando.

—Seguro que está bien —dice Jade. Por no mencionar que seguro que se ha cruzado con él en el armario de los disfraces—. Él querría que te pusieras a salvo. Esa sería la primera de sus preocupaciones, ¿verdad? ¿No te arrojaría él mismo por encima de esta barandilla con tal de ponerte fuera de peligro? —Letha mira abajo, y abajo, al agua—. Si estuviera aquí, te diría que tu principal cometido es sobrevivir, ¿no? —Antes de que Letha pueda responder, Jade le pega un tirón del brazo para obligarla a saltar o caer, un tirón tan fuerte que la desestabiliza a ella también, ya está volando, agitando los brazos, pedaleando con las piernas igual que Tiara hace unos instantes, llenándose los pulmones con todo el aire que es capaz de reunir mientras nota cómo se le escapa el aliento. Una vez en el vacío, sin asidero, pierde de inmediato la muñeca de Letha, lo cual, se dice, seguramente sea lo mejor, porque tampoco les serviría de nada desplomarse la una encima de la otra.

Segundos después golpea la superficie del lago con un impacto que borra todos los pensamientos de su cabeza, se hunden en la nevera de Ezekiel, el aire que creía haber reunido se esfuma en un abrir y cerrar de ojos, el agua que la rodea parece menos sólida de lo normal, hecha de burbujas, remolinos y velocidad, pero también a cámara lenta, como si no se hubiera sumergido en una masa de agua, sino en un estanque de pesadilla, uno de esos de los que nunca se puede salir.

Choca con el fondo inclinado, se magulla el rostro contra las rocas y se impulsa hacia arriba, hacia el oxígeno, convencida sin lugar a dudas de que los dedos muertos y helados de una mano inmensa están a punto de cerrarse sobre su tobillo. Cuando llega a la superficie, la mitad de su cuerpo surge del agua y ya no es humana siquiera, sino una máquina de tomar bocanadas. Cinco, seis segundos más tarde está moviendo las piernas, sosteniéndose a flote, y a lo lejos, arriba, acierta a divisar a Letha, encaramada aún a la barandilla con su camisola ceñida y su pantalón de pijama.

Por supuesto que ha logrado recuperar el equilibrio. Por supuesto que una boba como Jade no sería capaz de arrojar por la borda a una criatura tan majestuosa como Letha Mondragon. Ahora que

Jade es libre, sin embargo, Letha se limita a observarla con la cabeza ladeada como Michael, como Jason, como si Jade fuese un cadáver, consumado o en ciernes.

Eso la lleva a girarse en el agua, preparada para afrontar lo que sea que se debe de cernir sobre ella.

Nada. Y a continuación… No.

—¡Detrás de ti! —grita Jade con todas sus fuerzas, apuntando con ambas manos, lo que está a punto de llevarla al fondo de nuevo.

Una cabeza con el pelo largo, ondeante, se recorta siluetada en la barandilla de la cubierta que está por encima de Letha. Pelo sintético, le gustaría decirle, pero en esos momentos carece de toda importancia.

Ross Pangborne está muerto, Mars Baker está muerto, Deacon Samuels ya estaba muerto antes incluso de que empezara esta noche y Lewellyn Singleton no puede tener el trasfondo necesario para ser algún tipo de asesino en serie, ¿verdad? Lo que deja a una sola persona allí arriba con su vestido de Norman Bates, su peluca de Samara: Theo Mondragon. ¿Quién si no habría podido acercarse tanto a Tiara como para lanzarla de esa manera? ¿Quién si no poseería tanta fuerza en el tren superior?

—¡Salta! —le grita Jade a Letha, pero, en vez de eso, lo que hace Letha es mirar a su espalda, ve ese rostro enmascarado mucho más de cerca que Jade, y eso la derriba de su atalaya.

Es una caída que debería romperle las costillas contra el antepecho de cualquiera de las tres cubiertas inferiores, una caída que debería partirla en dos, dejarla paralítica de por vida, con suerte, pero Letha es Letha: uno de sus pies descalzos hace contacto con firmeza en la barandilla de la que acaba de resbalarse y empuja contra ella con contundencia, por lo que Letha ya no está cayéndose en línea recta sino trazando un arco, una parábola, al tiempo que su figura se estiliza y se estira en una posición tan perfecta que a Jade se le escapa un resuello de asombro.

Tres segundos después Letha se sumerge con la gracia de un estilete, sin levantar salpicaduras apenas, y resurge a unos seis metros de distancia, lo que significa que combó la espalda en busca de la superficie nada más romperla para asegurarse de que el fondo rocoso no tuviera la menor oportunidad de lacerarle la cara.

«Di que sí», celebra Jade para sus adentros. Donde hay, que se vea, y lo de esta chica final es espectáculo puro.

Jade palmotea el agua como la cola de un castor para llamar la atención de Letha, que se aparta el pelo de los ojos y mira a su alrededor, ya despierta por completo de nuevo. Da una brazada larga en dirección a Jade, otra, y justo antes de que llegue a su posición, Jade se aleja pataleando, rodeando la proa del yate en busca de una orilla que no sea la del embarcadero.

—El Campamento Sangriento —consigue jadear para Letha—. Tenemos que… —Letha se queda inmóvil, deja de nadar junto a Jade—. Tenemos que hacerlo —dice Jade, moviendo las manos en círculos para mantenerse a flote.

—No —dice Letha, y Jade se da cuenta por la firmeza con la que ha apretado los labios de que está viendo a Deacon Samuels otra vez. En el Campamento Sangriento.

—Pero…

—No puedo. —Es la realidad, no una excusa.

—¡Mierda! —exclama Jade, abofeteando el agua de frustración ahora, pero luego se gira en la dirección opuesta, hacia la popa del yate, donde imperan las sombras. ¿Dónde se podrían esconder si consiguen llegar a los árboles? ¿Atravesar el bosque, quizá, tomar el camino más largo hasta Proofrock, cruzando el parque nacional? ¿Y llegar sobre la primera semana de agosto o así?

—¿Adónde vamos? —pregunta Letha, obligándose a nadar más despacio para no adelantarla.

—A tierra firme —replica Jade, que avanza cada vez con más dificultad en el agua.

Ya casi han llegado cuando Jade nota el cabello adherido a los ojos por primera vez desde la zambullida, momento en el que recuerda que no tiene pelo. No se trata de eso, de todas formas, sino de una gruesa capa que recubre todo su rostro, grumosa, como si alguien hubiera vertido una lata de comida para perros en el lago y la mancha se hubiera expandido. Mira en dirección a Letha; los trozos que tachonan los pálidos hombros de su camisola se ven rojos a la luz de la luna. La siguiente brazada de Jade da con su mano en una cavidad cálida, como un tazón de gachas flotante, un tazón que es ¿la cara hundida de Lewellyn Singleton? Pero ¿qué es esto, una peli de Fulci?

Se da la vuelta, bucea por debajo del cadáver, sin respirar esta vez, toca el fondo casi de inmediato con la punta de los dedos. Avanza de roca en roca, hace pie por fin en los bajíos, lejos de cualquier otro muerto flotante.

Letha, que ha llegado antes que ella, está jadeando y tiene la mirada fija en la pálida figura de Lewellyn Singleton.

—¿Se ha acabado ya? —pregunta.

—Ni de coña —replica Jade, y juntas avanzan a trompicones por el fango y la hierba, corren hacia los árboles cogidas de la mano, tanteando en la oscuridad cuando la luna desaparece sobre las copas y ¿sería esto lo que experimentó Stacey Graves hace cien años y pico cuando cruzó el nuevo lago? ¿Estaría así de asustada?

Solo que Stacey era más joven, se recuerda Jade. Y lo que le daba miedo era ella misma.

Lo más importante es que esto es ahora, no entonces. Y no, Letha, esto todavía no se ha acabado.

—Tenemos que… —dice Jade tirando de ella, lejos del yate, es lo único en lo que puede pensar ahora mismo.

—Hum —replica Letha, consiguiendo que Jade siga la dirección de su mirada: un hueco entre dos árboles que parece confirmar lo que acaba de ver. Aunque, ¿si hace un momento había algo allí, por qué tendría que seguir estando allí? Jade mira un par de árboles a la derecha, que es la mano opuesta del lago, y otro par al frente, concentrándose en un rayo sesgado de luz plateada, y…

Una sombra encorvada salta de un árbol en sombra al siguiente, mil veces más sigiloso y furtivo que Ghostface en sus mejores tiempos.

—Ya viene —dice Jade, con la mano de Letha de nuevo en la suya.

—¿Quién? —pregunta Letha, con la voz truncada por el pánico.

—Corre.

Así lo hacen ambas, con Letha tomando la delantera sin esfuerzo, ahora es ella la que tira de Jade y esto es lo que se siente cuando una chica final te salva, ¿verdad? Jade estaba en la periferia, viendo cómo se desarrollaba este slasher sobre una pantalla de cine al aire libre que solo alcanzaba a vislumbrar merced al telescopio de todas sus esperanzas y deberes autoimpuestos, pero ahora se encuentra en el centro de todo. Es horrible porque eso significa que podría morir en cualquier momento, pero esto, este ojo del huracán, con los cadáveres esparcidos por los pasillos, atravesando ventanas, precipitándose al vacío, también es una puñetera maravilla, ¿verdad?

Hasta que la puntera de su bota se engancha con una raíz y su pierna izquierda se queda anclada en el sitio mientras el resto del cuerpo intenta seguir avanzando. Letha la suelta, trastabilla un poco más adelante, se ve obligada a apoyar las yemas de los dedos en la tierra para no desplomarse. Pero ya está mirando a su alrededor, pensando seguramente que toda una batería de anzuelos se ha precipitado sobre Jade para desgarrarle la cara y el alma.

Bueno, no, se corrige Jade. Eso es lo que pensaría una fanática del terror como ella. La chica final no sabría distinguir *Hellraiser* de *Hannibal*, y por qué debería.

—¿Mi pie? —sisea Jade mientras se palpa la pantorrilla.

No es una raíz.

—Joder —dice Letha.

Es una trampa para osos. Por supuesto.

—¿Qué cojones? —Jade intenta introducir los dedos entre esos dientes metálicos.

—Nos temíamos que el oso volviera. —Letha se arrodilla a su lado.

—¿A este árbol en particular?

—Todos aquellos ciervos…

Jade mira al frente y asiente con la cabeza. Se acuerda.

—Mi padre encargó a algunos de los obreros que formasen una pila con ellos.

—Interesante —dice Jade, cuyo tono desmiente el calificativo, mientras continúa forcejeando con esas fauces inexorables.

—Veamos —Letha extiende los brazos y respira hondo, preparándose para el esfuerzo que se dispone a realizar—. Cinn y Ginn saben que no pueden aventurarse tan lejos.

—Ojalá yo lo hubiera sabido también —masculla Jade, cuyos labios se repliegan y dejan sus dientes al descubierto cuando Letha desliza los dedos a lo largo de su pantorrilla. El mero hecho de que lo haya conseguido le dice a Jade que hay sangre. Pero el cepo se ha cerrado sobre el costado en vez de sobre la espinilla, lo que significa que no ha sufrido daño ningún hueso, tan solo los músculos—. Hazlo —sisea con la mirada fija tras ellas.

Entre los árboles parpadea un punto de luz a la altura de una cabeza, avanzando hacia su posición en zigzag.

—Uno, dos... —A la de tres, Letha vuelca toda su fuerza, todo su peso y todo su empeño sobre la trampa para osos, que, por imposible que parezca, se abre con un chirrido. Jade tira de su pie hacia arriba, hacia arriba, y... La bota.

—Tienes... que... —masculla Letha, cuyos hombros ya han comenzado a temblar.

—Estoy en ello —dice Jade antes de estirar el brazo para deshacer el nudo de los cordones y continuar deslizando el pie hacia arriba y afuera. Acaba de rebasar la doble hilera de dientes cuando el cepo vuelve a cerrarse con un clac estruendoso.

—¿Adónde vamos? —pregunta Letha mientras le devuelve la bota.

—A Proofrock, dando un rodeo. —Jade se calza y se incorpora con ayuda de Letha, apoyando todo el peso que puede sobre la pierna derecha.

No se ha roto nada, está casi segura, pero tampoco va a seguir corriendo. Ni caminando todo alrededor del lago.

—Joder —murmura al intentar dar otro paso.

—Ven —dice Letha, agachándose para servirle de muleta, aunque sea demasiado alta, y Jade la deja hacer durante un par de pasos renqueantes, después de lo cual la detiene—. ¿Qué pasa?

—¿Sabrías volver a armarlo? —pregunta Jade, refiriéndose al cepo.

Letha mira a su espalda. Aún no ha visto el resplandor de la linterna frontal, pero presiente el peligro. Es palpable. Puede ocurrir cualquier cosa, y de forma inminente.

—¿Por qué?

—¿A ti qué te parece?

Letha se lo piensa, se lo piensa un poco más y al final, con delicadeza, deja que Jade se sostenga en pie por sí sola. Juntas (aunque Letha hace casi todo el trabajo), abren de nuevo las fauces de acero, en esta ocasión lo suficiente para que el dispositivo permanezca anclado en su sitio.

—La peor ratonera del mundo —dice Letha mientras da un paso atrás. La trampa parece que esté vibrando con la tensión.

—La mejor. —Jade se agacha con esfuerzo para agarrar la cadena de la trampa y tira de ella, con cuidado para que no salte y le aprese el muslo esta vez.

—¿Por qué la mueves?

—Porque a lo mejor sabe dónde estaba antes, ¿no?

Letha mira al árbol al pie del que se encontraba, al árbol al pie del que se encuentra ahora, como si intentase encontrar las siete diferencias, y se encoge de hombros, total. Vuelve a colocarse bajo el brazo de Jade. Cuando esta mira atrás de soslayo, la linterna frontal ya está más cerca. Aunque ahora la ve como si fuese el casco de minero que usaba Harry Warden en *San Valentín sangriento*.

—Vamos, vamos —le dice a Letha, y avanzan a trompicones, mucho más despacio que antes. Jade sabe que, si tuviese un ápice de la integridad de la chica final, empujaría a Letha hacia delante y le pediría que se salvara ella, que su supervivencia es lo más importante, que no debería ponerse en peligro por alguien cuya fecha de caducidad ya ha expirado.

El caso, no obstante, es que Jade está descubriendo que no le apetece morir. En realidad no. No aquí fuera, a oscuras, bajo cualquiera que sea la nueva y espantosa herramienta que Theo Mondragon haya decidido empuñar esta vez.

Hablando de…

Jade mira de reojo tras Letha, a la orilla opuesta del lago. No a la barcaza que lo cruza a diario, sino al concepto de ella. ¿No? Solo que mañana es festivo y el lago estará cerrado para todas las embarcaciones a motor. Solo palas y remos. Porque, mañana por la noche, todo el que no esté ingresado en la residencia del valle Pleasant querrá ver la película desde sus cámaras de neumático infladas, sus canoas, sus botes de remos engalanados. A menos, claro está, que la noticia de esta matanza de Terra Nova surque las aguas. En cuyo caso, los estatales invadirán la jurisdicción de Hardy, con la prensa pisándoles los talones.

Jade cojea con Letha, vuelve a mirar a su espalda (no se ve ninguna luz, lo cual es infinitamente peor) y mete la mano en el bolsillo, saca el móvil. Mojado. Con la carcasa todavía chorreando agua del lago.

Jade extiende el brazo, lo suelta y le dice a Letha:

—Miguitas de pan.

Letha asiente ante la solidez de la idea, se palpa los bolsillos del pijama en busca del teléfono que no lleva encima.

—Oh —dice entonces Jade, cuando se topan con el claro de luna que ilumina la pradera que les enseñó el señor Holmes. ¿Sheep's Head o algo por el estilo?

—Demasiado expuesto —dice Letha, mirando a su alrededor como un perro de las praderas con complejo de halcón, y Jade le da la razón, deja que Letha las guíe ciñéndose a la línea de árboles, pero entonces… Allí está esa luz otra vez. Más cerca que antes.

Al nuevo ritmo que llevan, tardará dos minutos en alcanzarlas, quizá menos.

—No, no —dice Jade, girándose hacia el otro lado como si quisiera cruzar la pradera. Cosa que de ninguna manera podrían hacer.

—¿Ese no es mi padre? —Letha se pone de puntillas y empieza a agitar el brazo—. ¡Aquí, papá!

Jade se encoge y Letha lo nota, se vuelve hacia ella con un brillo interrogante en los ojos.

—Es él —dice Jade.

Letha estudia sus facciones antes de mirar en dirección a la luz que continúa acercándose, más en línea recta ahora que puede guiarse por el sonido. Quién sabe, quizá Theo Mondragon ahora pueda verlas incluso. Un pato herido con la cabeza rapada, una hija improbablemente aún con vida.

—¿No insinuarás…? Él nunca…, no…

—Sí. Ha sido él, lo siento. Lo he visto.

—Pero, Tiara.

—Todavía no entiendo por qué.

—El señor Pangborne, el señor Baker —enumera Letha—. Ladybird, la señora Todd, el señor Singleton…

—Deacon Samuels —añade Jade—. Aquella pareja de holandeses.

—¿Pareja?

—La chica todavía está ahí fuera, en alguna parte. —Jade inclina la cabeza hacia el lago.

—¿Y lo de las hélices?

Clate Rodgers.

Jade parpadea y mira a su espalda de nuevo, a la luz oscilante.

—Llámalo otra vez con la mano. Ya verás.

Letha vuelve a inspeccionar sus facciones, con más intensidad todavía que antes, y se gira para llamar a su padre. Con vacilación esta vez, sin embargo, con menos entusiasmo que antes.

—¡Papá! ¡Aquí!

La luz avanza, continúa avanzando, y entonces…

¡Clac!

Sí.

La trampa para osos.

Letha se da la vuelta y tira a Jade a la hierba alta de un empujón.

—¡Me has utilizado! —grita, comprendiendo lo que acaba de suceder—. ¡Me has utilizado para lastimar a mi padre!

—Para evitar que él nos lastime a nosotras.

Los alaridos del padre de Letha resuenan entre los árboles. Letha da un paso al frente, pero Jade la agarra de la rodilla.

—Si se trata de él, y así es —añade Jade—, si nos acercamos, estamos muertas. Si no ha sido él y nos quedamos aquí, entonces…

Mi pierna es mucho más endeble que la suya, ¿no? Tampoco se habrá hecho tanto daño.

—No, me…

—Cinco minutos —dice Jade sin soltarla.

Theo Mondragon tarda dos en liberarse y levantarse de nuevo.

La motosierra que tiene en las manos cobra vida con un rugido y Letha retrocede sin poder evitarlo.

—¿Cómo se llamaba el tío de las escaleras? —pregunta Jade, aunque lo sabe perfectamente. El caso es que, en estos momentos, Letha necesita visualizar las dos mitades de Ross Pangborne repartidas por los escalones y deducir qué lo dejó en ese estado.

—Imposible —murmura Letha, aunque ahora está hablando sola.

—¿Quieres quedarte y averiguarlo? —pregunta Jade mientras Theo Mondragon esgrime la motosierra de un lado a otro como si quisiera emular el último baile de Leatherface. Está cortando la maleza y las ramas que le salen al paso, tambaleándose ahora tras el mordisco del cepo.

—Mierda —dice Letha mirando a su alrededor, sin saber qué hacer, adónde ir, cómo vivir.

—Esto sí que va a ser una mierda, y de las gordas. —Jade se incorpora con ayuda de Letha y apunta con la barbilla para indicarle a qué se refiere.

Letha mira en esa dirección, tarda un instante en pillarlo.

—No.

—Es la única salida.

—Podemos…

—No hay tiempo —replica Jade, sin dejarla terminar porque, diga lo que diga, no va a tener en cuenta su pierna dañada.

—¿Seguro que no será ahí donde mire primero?

—¿Mirarías tú?

Letha no contesta y las dos emprenden la carrera hacia la pila de ciervos medio podridos. Ya no se puede calificar de otra cosa. Ya no son piezas de caza, sino un montón de cadáveres, lo que Jade intuye que debe de formar parte del proceso de limpieza: así reunidos, una pala podrá recogerlos y llevárselos en el menor número de viajes posible, puesto que la maquinaria pesada deja el parque nacional surcado de huellas profundas.

—¿Cómo vamos a…? —pregunta Letha, momentos antes de que las dos vean la respuesta a la vez: hay una especie de túnel de entrada, con la boca abierta por postes de pino recién talados. Lo que explica que hubiera una motosierra a mano. Pero ¿para qué querría Theo Mondragon horadar un túnel temporal por el interior de esa montaña de carne y huesos podridos, de todas esas pezuñas y astas?

No tienen tiempo de averiguarlo. Ya casi ha llegado a los árboles, descuartizando la noche con la motosierra, cuyos gases malolientes forman una nube ante él.

Jade empuja a Letha para que pase primero, no porque le haya entrado un arrebato de valor ni nada por el estilo, sino para asegurarse de que Letha no se acobarde y salga corriendo. Aunque, por otra parte, ¿qué tendría eso de malo? Con esos renqueos siniestros, sería incapaz de alcanzarla.

Así están las cosas ahora, no obstante. Para bien o para mal.

Jade todavía tiene la mano abierta apoyada entre los riñones de Letha cuando los músculos de esta se contraen del mismo modo que ya han empezado a hacer los de Jade: el hedor de ese túnel, de ese agujero infernal. Casi dulzón, pero también viscoso contra el paladar. Denso, pegajoso, sin el menor rastro de una bocanada de aire fresco por ninguna parte. Y lo peor de todo es que no pueden ver lo que tocan, tan solo oír los chasquidos, notarlo entre los dedos, en los labios, contra los párpados.

Y el calor. Porque… Jade se esfuerza por hacer memoria, no sabe si va a ser capaz: ¿la carne en descomposición suelta una especie de gas, metano o algo por el estilo? Se vuelve muy consciente de súbito del encendedor que ya tenía en la mano, el encendedor con el que se disponía a alumbrar el camino.

Joder. Joder joder joder.

Tan solo se han internado un par de metros, tres a lo sumo. Están encorvadas y lo único que sostiene en pie esa montaña son dos aspas de troncos cortados.

¿Será esta su guarida del mal? Por lo menos Jason tenía la decencia de adornar su refugio con velas. Por lo menos Freddy se guiaba por un tema en concreto. Jade ya no tiene tiempo para más preguntas, pues la linterna frontal de Theo Mondragon está bañando a los ciervos, con la motosierra ronroneando al ralentí. Jade se impulsa de un salto, usa la mano derecha para cubrir la boca de Letha y apoya la espalda en la pared de despojos.

Las lágrimas de Letha se escurren por su piel, pero, en vez de forcejar y liberarse como sin duda podría hacer sin esfuerzo, Letha se tapa la boca a su vez, sus dos manos sobre la de Jade.

La luz se asoma al interior, pero el túnel achatado no forma una línea recta, sino más bien una coma curvada hacia la derecha. Theo Mondragon emite un sonido, una arcada, y ahora Jade comprende el porqué de esa máscara de gas. Incluso a él le repugna esto.

—Aguanta, aguanta —le susurra Jade a Letha, y esta asiente con la cabeza. Cuando la luz se desliza sobre sus facciones perfectas durante una fracción de segundo, lo que Jade ve que la flanquea es la razón de que Theo Mondragon haya encargado la retirada de estos ciervos: Cody está empotrado en la carne y hueso a la izquierda de Letha, con Guantes Desparejados empalado en una cornamenta enorme a su derecha. Una de las puntas sobresale de su boca, cubierta de sangre ahora el asta aterciopelada.

Y Theo Mondragon continúa llamando a su hija, pero ya ha empezado a alejarse.

Jade retira la mano de los labios de Letha, que aspira una bocanada de aire.

—Ahora podemos... —dice Letha, empujando contra Guantes Desparejados o Cody para escapar de esa fosa pestilente, pero Jade le corta el paso, susurra:

—Los asesinos quieren que pienses que se han marchado.

Letha se queda rígida, es posible que intente salir de todas maneras, pero termina echándose atrás, sollozando. Es la respuesta adecuada, en realidad. ¿Y por qué Jade no tiene madera de mejor amiga? Porque en esos momentos no está pensando en reconfortarla.

Lo que le pasa por la cabeza es una redacción que escribió para el señor Holmes, esa en la que hablaba de cómo las chicas finales se repliegan en una crisálida antes de emerger transformadas en ángeles de la muerte. ¿Y qué es esta montaña de ciervos sino una cámara de mutación a medida, verdad?

Todo está saliendo a pedir de boca. No huele bien, es peligroso de cojones y todavía más asfixiante, pero también es justo lo que Letha necesitaba para encontrar su auténtico yo.

—Nos hace falta un anuario del instituto —dice Jade—. Halcones de Henderson, 198… ¿Cuándo se graduó tu padre?

—Estás intentando distraerme.

—No.

—Sigue, por favor.

—Debió estudiar aquí un curso, un semestre —dice Jade—. Y, no sé. Le pasó algo. Puede que se matriculara en la clase de Historia, puede que alguno de los cuatro críos que la palmaron en el Campamento Sangriento estuviera relacionado con él, quizás estaba presente cuando la hija de Hardy…

—No te estaba buscando.

—¿Perdona? —Jade se esfuerza por ver en la oscuridad.

—Te dije que te estaba buscando en la casa de los Pangborne. —Letha está sollozando, pero en voz baja, gracias—. El sheriff sí que había llamado, pero, pero…

—Shhh, Shhh. —Jade estira el brazo buscando la boca de Letha, pero solo encuentra un hombro tembloroso. Las manos de Letha se cierran de inmediato sobre la suya.

—Perdóname, de verdad que lo siento.

—¿Estabas buscando a tu padre? —pregunta Jade en un intento por proporcionarle una salida, por ser algo parecido a una amiga, en cualquier caso.

—Pensaba incendiarlo todo.

Jade se esfuerza por procesar esta información.

—¿Con la vela?

Nota que Letha asiente con la cabeza.

—¿Por qué?

—No deberíamos estar aquí —replica Letha, estremeciéndose ahora, apretando el dorso de los dedos de Jade contra su boca, bañándolos de cálido aliento con cada palabra.

—¿En Proofrock?

—En esta orilla del lago —susurra Letha, cuya angustia recorre el brazo de Jade hasta la base de su mentón, hasta el centro de su pecho.

—Pero...

—La gente, quiero decir —continúa Letha—. Esta orilla del lago no está hecha para la gente.

—¿Por qué...? ¿Por qué?

—La he visto —dice Letha, que apenas si ha terminado de pronunciar esa frase cuando ya está abrazándose a Jade.

—No, no —replica esta, dejándose estrechar por sus brazos—. Esto no es la Edad de Oro, es... Era tu padre con una peluca. Yo también lo he visto, desde el agua. Estas cosas...

—Sobre el agua —la interrumpe Letha.

A Jade se le pone el vello de punta.

—Una tabla de paddle surf.

—Él no sabe usar una.

—¿Dónde está tu madre? —pregunta Jade con la boca contra la piel del cuello de Letha, o eso espera.

Letha se queda inmóvil, aparta la mano de Jade de sus labios.

—¿Crees que ella sí sabe hacer paddle surf? —pregunta, y así de fácil, la posibilidad cristaliza en la mente de Jade: la madre biológica de Letha, la abandonada primera señora Mondragon, la señora Mondragon que se daba por muerta, sigue al casanova de su marido y a su hija secuestrada hasta este retiro en las montañas y empieza a vengarse garganta a garganta, puede que tal vez incluso cargándose algún que otro conejo en el proceso, como Jason en la tercera de *Viernes 13*.

Encajaría. No le haría falta ninguna peluca.

—¿Podría ser ella? —pregunta Jade en voz alta.

—Está... Fui a su entierro —consigue pronunciar Letha a duras penas.

Como si los asesinos de los slashers no se pudieran levantar de sus tumbas.

—Ya solo te falta pensar que soy yo —dice Letha, pero Jade aún puede verla en su camarote, sin saber cómo se empuña un machete. Machete que ¿se dejó atrás? O que soltó a propósito. Jade se obliga a cerrar los ojos, a rechazar esa posibilidad—. Y no es él —insiste Letha, más firme ahora su voz.

—Lo único que te digo es que… —empieza Jade. El motivo de que no acabe la frase es que Theo Mondragon anda cerca.

—¡Lee! ¡Lee! —está llamándola con voz ronca.

—Es él —murmura Letha, tan maravillada como una niña pequeña.

—Ese no es tu padre. Ya no.

El silencio subsiguiente, Jade lo sabe, se debe a que Letha está intentando procesar esto: ¿insinúa Jade que el asesino se está haciendo pasar por su padre o que su padre ya no es el mismo de antes?

—Pero ese es su nombre cariñoso para mí —dice Letha irguiendo la espalda, zafándose de Jade.

—¡Lee! —repite Theo Mondragon, más cerca que antes.

—Tengo que… —dice Letha mientras comienza a moverse, y Jade no necesita ver nada para saber qué sucede medio segundo después: en vez de deslizarse con facilidad por el resbaladizo túnel de casquería, lo que hace Letha es chocar casi de inmediato con los dos troncos de pinos cruzados junto a ellas, los sostenes de esa montaña de ciervos. Montaña cuyo equilibrio se ha perturbado.

—¡No! —exclama Jade intentando ponerse en pie a su vez, pero ya es demasiado tarde. El techo de carne se está desplomando sobre ellas. Un ciervo adulto puede llegar a pesar de doscientos setenta a trescientos sesenta kilos y ¿cuántos había contado el señor Holmes? ¿Diecinueve? Los que están directamente encima de Jade y Letha caen como un mazazo, sin hacer ruido apenas, y en el escaso espacio para respirar que Jade ha encontrado bajo su rostro, con el aire cargado de putrefacción, por lo menos encuentra los dedos de Letha con la mejilla. Solo que esos dedos no se mueven. Y son demasiado gruesos, de todas formas, serán los de Cody o Guantes Desparejados. Los de Cody, entonces, porque Guantes Desparejados llevaría guantes puestos, ¿verdad?

Jade se llena los pulmones de aire en descomposición y se obliga a expulsarlo en forma de grito, el grito más estentóreo que consigue proferir su laringe.

No es suficiente.

INICIACIÓN AL SLASHER

Qué le parece si nos tomamos esto como el punto final de mi carrera por conseguir créditos extra, si a usted le parece bien, señor Holmes. Y antes de empezar, permítame decirle que sé que su honor le impide creerme, que prefiere creer a Manx, Tiffany K y Gretta, aunque esta no llegó hasta el final, pero el caso es que si me había subido a la taza del váter del cubículo del fondo no era para buscar el punto del techo más adecuado para colgarme. ¿Qué me dice de la túnica negra y la máscara de Ghostface? Si tuviera que confesar un secreto diría que me había puesto de pie encima de ese retrete en el cubículo de *Scream* en honor anticipado de la festividad inminente, señor Holmes. No me refiero a las Vacaciones de Primavera ni al día de la declaración de la renta dos semanas después de eso, aunque ahí sí que tendríamos un buen slasher, "El recaudador de Hacienda" -- tachán, idea mía, gracias -- sino al SLASHER que toca esta semana: *Viernes 13*. Y sí, vale, estaba buscando algo en el techo, pero solo era mi alijo de cigarrillos, por culpa del estrés de la jornada y la semana y el año, vicio que creo que usted seguro que entiende mejor que nadie .
En cualquier caso dado que la va a ver con nosotros este verano 1 vez más, permítame añadirle un crédito extra a este trabajito por mi trágica ausencia ayer en la enfermería, que es como echarle un tiburón al gato, sí, cuando en realidad sería al revés.
Aquí me refiero al *Tiburón* de 1975, señor Holmes.
Es una peli de monstruos, pero con el corazón de un slasher. Sabe de memoria después de haberla visto todos los años probablemente desde 1975 y probablemente incluso por haber estado a bordo del *Indianápolis* con Quint que posee todas estas características de los

slashers, las cuales paso a enumerar a continuación. Como en el caso de Michael Myers o Jason Voorhees, hay un TEMA emblemático, esas 2 teclas de piano que se alternan. Igual que ellos 2 pero también Freddy Krueger, *Tiburón* tiene un ARMA CARACTERÍSTICA. *Tiburón* tiene también jóvenes de fiesta bebiendo cerveza y una hoguera para el SACRIFICIO DE SANGRE, y también tiene a los POLIS que son unos inútiles por lo menos hasta el final y también tiene una GRAN FIESTA como *Scream*, que es el 4 de julio, y una REVELACIÓN que da pie a esa frase sobre un barco más grande, y tiene incluso una PISTA FALSA, en forma de tiburón tigre que se traga una matrícula.
Lo más importante es que *Tiburón* tiene también unos ejemplos de SLASHERCAM excelentes, solo que bajo el agua. *Tiburón* tiene también VÍSCERAS y MUERTES PARA EL RECUERDO y un asesino que no habla y una MASACRE DEL TERCER ROLLO DE PELÍCULA. Vale que solo es una cabeza que sale más o menos hacia la mitad supongo, pero cuenta. Y si la DESNUDEZ es lo suyo por lo que a slashers respecta, pues *Tiburón* comienza con algo de eso. ¿Y alguien ha dicho SECUELAS, en las que el "asesino" vuelve a la carga una y otra vez aunque siempre lo maten? Las tenemos. ¿ACECHO a las víctimas? Sí. ¿DESMEMBRAMIENTOS y DESCUARTIZAMIENTOS? Sí y sí. ¿Hay alguno de los mejores SUSTOS de todo el cine de terror sin contar *El exorcista III*? Definitivamente sí. ¿Hay un Ralph el Loco que sabe de qué va todo? Sí, encarnado en Quint, que entiende de tiburones por haberse enfrentado a ellos, pero también está Hooper, con unas cuantas cicatrices propias.
Pero ¿dónde está la VENGANZA prometida, Jade? se estará preguntando.
Déjeme que le diga que para esto debo acudir a los libros de Historia y empezar una 3ª hoja, señor Holmes, se siente, póngame algún crédito de más si hace falta, que lo entenderé. Pero a lo que me refiero es

a esa historia que cuenta Quint en la bodega sobre su experiencia cuando el _Indianápolis_ se hundió en el océano y acabó rodeado de tiburones que devoraron a un montón de marineros y soldados, lo que no cuenta es que su barco transportaba una bomba atómica llamada Little Boy. Así que en opinión de algunos esto es de por sí un barco culpable, una ofensa punible. Pero ¿qué les importan a los tiburones las ciudades arrasadas o los siglos arruinados? Nada, señor Holmes. Lo que les importa es su reputación, sin embargo, y su reputación se fue al garete cuando tantos de ellos aparecieron para zamparse la mitad inferior de todos esos marineros y soldados flotantes, lo que desencadenó una guerra distinta, en este caso contra los tiburones, guerra declarada POR la humanidad. Así que eso es por lo que los tiburones pueden estar cabreados y necesitar justicia, por su mala reputación.
Pero, aparte, por qué ESTE tiburón en concreto. Mi idea que tiene sentido puesto que en el mundo de _Tiburón_ no sabemos cuántos años viven los tiburones o si mueren de viejos siquiera, es que el gran blanco que ataca la isla de Amity podría haber estado CUANDO lo del _Indianápolis_, y como entonces no sabíamos tantas cosas sobre la radiación, es posible que lo bañaran unos rayos atómicos verdes, volviéndolo así de grande Y listo. Lo bastante listo como para cruzar medio mundo e ir a vengarse de un marinero soldado que escapó de sus dientes en 1945 y ahora se dedica a propagar bulos sobre los ojos de muñeca sin vida de los tiburones, haciendo que todo el mundo les dispare nada más verlos, cuando lo único que quieren en realidad es nadar, comerse sus peces y cosas de esas.
Razón por la cual _Tiburón_ es un slasher, señor Holmes. Además de todas las características externas propias del género, también posee la característica interna y más importante: la VENGANZA, además de otra, la CHICA

FINAL, que esta vez es un hombre, el jefe Brody, que empieza melindroso, acobardado y asustadizo pero se vuelve todo valiente y peleón en el sobrecogedor mar abierto al final.
Así funcionan los slashers, señor Holmes.
En el agua nos vemos.

Noche infernal

Algo se revuelve en la nuca de Jade, algo húmedo y numeroso, pero tiene los brazos demasiado atrapados como para quitárselo de encima. Gusanos, lo sabe. Aunque no puede culparlos. Son como los chiquillos muertos de hambre que se abren paso a empujones por la cola de la cafetería, ¿verdad? Quieren ser los primeros en estar allí cuando se abran las puertas, cuando saben que la carne todavía va a estar caliente.

Jade intenta reírse y descubre que su pecho ya no es capaz de expandirse como antes. Por el peso. Por su debilidad. Porque esto es el fin.

Ignora cuánto tiempo ha estado inconsciente, ni siquiera está segura de haber perdido el sentido. Ya la envolvía una oscuridad turbia, sangrienta, ya esa misma oscuridad turbia y sangrienta presionaba contra ella empujándola cada vez más abajo, el abrazo de oso más férreo que haya tenido que soportar nunca rechinando los dientes. Por suerte se le ladeó la cabeza hacia la derecha en el último instante, seguramente por instinto, para evitar que se le aplastaran los dientes, de lo contrario se habría asfixiado.

Así las cosas, el aire que está respirando es aire que ya ha respirado antes, compuesto en un ochenta por ciento de casquería y putrefacción, de afiladas agujas de pelo de ciervo, afiladas para sus párpados, por lo menos. La sensación de estar ahogándose es completamente real, pero sucumbir al pánico no solucionará nada. No puede moverse ni un poco. Para evitar volverse aún más loca de lo que ya está, se dedica a contar los cadáveres de su dantesco, suyo y de Letha, paso por el SS Lazarus de la octava de *Viernes 13: Jason toma Manhattan*, que no ha sido tan divertido como Jade se lo imaginaba.

Veamos, primero estaba Ladybird Samuels en el pasillo, luego Ross Pangborne en la escalera, Mars Baker en la ventana de la cubierta superior, Tiara precipitándose al vacío y Lewellyn Singleton en los bajíos. Ah, y seguramente también Macy Todd en el camarote adyacente al de Letha. Ella fue la primera. Sin contar a Guantes Desparejados, Cody y Gafas de Tiro. Y ahora, en el amargo final (para ellas, al menos), Jade y Letha. La verdad, si ha tenido suerte, Letha habrá fallecido aplastada de inmediato, o con la punta clemente de un asta de ciervo partida incrustada en la cuenca ocular, pulsando el gran botón de apagado de su cerebro. Cuanto más fulminante, mejor.

Por lo que respecta a Jade, se imagina que su calavera saldrá a la luz dentro de unos años, cuando un puñado de críos que todavía ni siquiera han nacido se entretengan fabricando esqueletos con esta divertida montaña de huesos, sin sospechar que han encontrado a la última víctima de Los crímenes de la Bruja del Lago.

Por lo menos entonces sí que formará parte de todo, ¿no?

«No te rías», se advierte. Si sus costillas ceden espacio, no lo recuperará.

Ya no debe de faltar mucho. Seguro.

A menos... ¿Estará la policía estatal rastreando ya Terra Nova con perros y cámaras? ¿Estará el país entero pendiente del lago Indian de nuevo, ahora que ha muerto no solo un Fundador, sino todo un puñado de ellos?

En tal caso, genial, estupendo.

Aunque los perros y las cámaras aún no habrán llegado tan lejos. Todavía deben de estar intentando convencer a Lemmy y Galatea para que salgan de los armarios en los que se habrán escondido en el yate, armarios de los que nunca saldrán por completo, por muchos años que vivan. Deben de estar intentando localizar a Cinnamon y

Ginger con sus móviles de niña grande, solo que las gemelas tienen las piernas muy largas y seguro que ya han bajado de la montaña, sin la menor intención de parar hasta Texas. Deben de pensar que Letha todavía está en el agua, que necesita que la rescaten. ¿Y qué hay de Donna Pangborne, Lana Singleton y, por lo que a la ley y los medios respecta, Theo Mondragon?

Donna y Lana debieron de morir asesinadas al fondo de ese pasillo, antes de que Jade y Letha se despertaran, antes de que Theo entrase en el camarote adyacente y recibiera tal vez un par de perdigonazos de la escopeta de Mars Baker. Y las niñas podrían estar apiladas en el mismo pasillo, aunque… Jade piensa que no. Hasta los holandeses sacrificados para dar comienzo a este ciclo, ¿qué tendrían, diecinueve años o así? ¿Cómo habrían alquilado un coche si no? Y desde ellos han ido cayendo Deacon, Clate, los obreros de la construcción y todos los ocupantes del yate, ninguno de los cuales era menor de edad.

¿A lo mejor Theo es como Jason?

La razón de que Jason nunca mate niños, ha creído ella siempre, es que siente una honda afinidad con ellos. No solo en el plano intelectual, sino… Sus últimos recuerdos agradables tienen que ser del campamento, ¿verdad? ¿Los perritos calientes del comedor, los malvaviscos tostados sobre la fogata, las risitas disimuladas en las literas después de que se hayan apagado las luces?

Pero, por otra parte, si los niños fueran intocables para Theo Mondragon, el carnicero, y su hija es la chica final, y siempre va a ser una niña para él, entonces ¿qué pasará cuando se proyecte la película en el lago? ¿Se va a contener para no hacerle daño, va a apartarla de un empujón mientras sigue rebanando pescuezos, cercenando hombros, arrojando unos cuantos brazos amputados a la nevera de Ezekiel?

Si a Jade le quedase algún deseo, si no los hubiera consumido todos para conseguir que el lago Indian se convirtiera en el escenario de un slasher, pediría unas pocas horas de vida, por favor. Pediría estar allí, ante la pantalla gigante, con el resto de Proofrock. Para emocionarse con la matanza y narrar toda la acción en su cabeza, pero ahora que se está muriendo puede decirlo, para sus adentros, al menos: el motivo de que necesitara que un asesino en serie visitase la ciudad era para que tarde o temprano, en algún momento de sus correrías, se cargase a su padre. O, en el peor de los casos, Jade podría cargárselo ella solita y dejar que Hardy diera por sentado que había sido el carnicero. Teniendo en cuenta que él mismo ha usado ese truco, que Chapi Daniels y las fuerzas del orden no son precisamente amigos, puede que Hardy lo dejase correr, ¿a que sí?

Sin embargo, ahora Jade va a morir asfixiada. A menos, claro está, que antes se le rompa el esternón y las astillas se le claven en los pulmones. Aprieta el puño en la medida que puede para protestar por lo estúpido que es todo esto, rechina los dientes hasta notar el sabor a sangre en la boca. La suya, tal vez, tal vez la de los ciervos.

Y ahora está llorando, está casi segura. Cuesta saberlo a ciencia cierta, pero cree que sí, a lo mejor. Probablemente. Es porque debería haber hecho algo más. Podría haber hecho algo más. Si hubiera insistido en vez de ser toda diplomática y cortés, habría preparado a Letha mejor para esto. Lo que tendría que haber hecho, ahora lo sabe, es secuestrarla, atarla a una silla en el Campamento Sangriento, conectar, de alguna manera, un televisor y un reproductor de vídeo y bombardear a esta chica final en ciernes con todos los slashers que necesitaba conocer para no acabar en esta cueva de carne podrida. Esta cueva de carne podrida que amenaza con derrumbársele encima. Los slashers son como cuentos de hadas en los que la princesa es una guerrera de armas tomar, pero Jade nunca le ha enseñado eso a Letha, ¿verdad? Nunca le ha enseñado nada, la verdad.

«Habrías sido la mejor de todas», le dice de todas formas. Letha Mondragon podría haberse abierto paso con su machete hasta lo más alto del panteón de la inmortalidad, muy por encima de cualquier otra chica final. Pero, como a Jade no se le ocurrió secuestrarla, ahora se limita a estar aquí abajo con ella, o con su cadáver, en cualquier caso. Lo que es una bendición. Es justo que a Jade le quede un resquicio más de fuerzas, así puede empaparse bien de este miasma pestilente, que es lo que se merece, regodearse en su fracaso.

—Lo siento, lo siento, lo siento —articula como puede, y entonces piensa en lo inimaginable: que habría sido mejor para todos si se hubiera desangrado en la canoa aquel viernes trece. O no, el auténtico sueño habría sido que su padre se hubiera salido de la pista en su Grand Prix de instituto el fin de semana antes de sonreírle a una tal Kimmy Daniels. De ese modo Jade jamás habría llegado al mundo chillando, para empezar, lo que les habría facilitado las cosas a todos. Cierto, eso significaría no haber recibido nunca las salpicaduras heladas de la lancha de Hardy, no haber encontrado nunca *Bahía de sangre* de oferta, no haber abrevado nunca en el Pilón de las Perras, no haber estado en ninguna clase de Historia, no haber sido expulsada nunca, no haberse refugiado una y mil veces en el Campamento Sangriento, para luego volver y descubrir que nadie la había echado de menos, pero también significaría que no habría arruinado la vida de tantas personas deseando que su idílico valle se convirtiera en el escenario de un slasher.

Jade respira con dificultad ahora. Esto debe de ser el final. Su vista empieza a brillar en los bordes. Ya no hay más verdades sobre el slasher con las que aplazarlo. Se acabaron las sentidas disculpas con las que retrasar el momento. Lo que le confirma que está siendo arrastrada a otra realidad, aún más cruel, es que el cadáver pesado contra el que está encajonada comienza a rebullirse con un movimiento sinuoso, porque, evidentemente, debe de estar a punto de incorporarse, de alejarse corriendo en busca del paraíso de los ciervos, todo pasto y sol frío.

Solo que este ciervo, cuando el resplandor converge sobre él, resulta no ser ningún ciervo, sino Cody, porque Jade y él no son más que las dos últimas incorporaciones arrojadas al pie de la montaña de indios masacrados a lo largo de la historia. Dan vueltas juntos alrededor del sumidero de los libros de texto, en tanto Letha, Gafas de Tiro y Guantes Desparejados hacen lo propio en otro desagüe distinto, con más liras y tartas de cabello de ángel. En fin. Por lo menos no está sola. Cody tiene los ojos abiertos ahora, su cabeza se estremece como si algo voraz estuviera azotándola con las zarpas, y Jade, con el pensamiento embotado, decide que debe de tratarse de Alice al final de la primera de *Viernes 13*, Ginny al final de la siguiente, Nancy en la última escena de *Pesadilla en Elm Street*, cuando las leyes de la realidad se diluyen para permitir que los sueños se filtren.

¿Y ahora le brilla la mano? Lo que significa que está buscando la cara de Cody. Lo que significa que puede moverse.

Debe de haber una parca en lo que sea que es este siguiente nivel de la muerte, alguien ni vivo ni muerto que divide a las personas en pilas para procesarlas. No, se dice Jade, una parca no, algo con más carne y más hediondo, como el asesino de *Reeker*.

—De 2005, Alex —le parece que ha conseguido murmurar con un hilo de voz. Su boca se estaba intentando mover, por lo menos.

A menos que se trate del antropófago de 1980, por supuesto. En cuyo caso está bien jodida, porque no se cree capaz de echar a correr ahora mismo. Ni siquiera se cree capaz de levantar la cabeza. Lo único que sabe, o más o menos se espera, es que un guante con cuchillas en los dedos surja de la arena de un momento a otro, se cierre sobre su rostro y se la lleve a una pesadilla interminable, lo que sería su versión hecha a medida del paraíso.

Jade empieza a sonreír ante lo deliciosamente horrible que es todo, pero a continuación Cody se aleja rodando y la baña aún más luz, un resplandor imposible que la deslumbra, por lo que, cuando mira, lo que ve es un ángel envuelto en un halo centelleante, con el pelo empapado de sangre, las facciones rojas y negras, cubiertas de trozos de carne, el pecho resollando como un fuelle y los dedos engarfiados como las garras que son.

La jodida Letha Mondragon, renacida.

—Tú —dice Jade con lo que presiente que es su último aliento.

—Yo —dice Letha antes de desplomarse en la pila, junto a ella, agotada.

Sus manos se encuentran por fin en medio de la podredumbre y la sangre, sus dedos se entrelazan como los de las dos mejores amigas del mundo, y Jade abre la boca hacia el cielo, aspira todo ese aire límpido y puro.

Están vivas, pero no deberían estarlo. Inexplicablemente, han sobrevivido a la noche. Esto es el otro lado, se permite pensar Jade durante un instante colmado de esperanza; esto es el sol saliendo sobre Woodsboro, Gale Weathers narrando los espantosos sucesos de la jornada.

Solo que:

—¿Dónde está? —pregunta mientras intenta levantarse, pero la sangre le ha dejado el mono adherido al suelo, por lo que se tiene que incorporar por partes, extremidad a extremidad.

Letha mira a su alrededor con las facciones imperturbables, como si estuviera siendo educada, y juntas observan esa pradera serena detrás de la cual rutila el lago Indian, extendiéndose hasta el horizonte.

No es el mediodía del cuatro, sino finales del atardecer, las sombras se estiran con la puesta de sol. Jade se ha pasado fuera de combate ¿doce horas? ¿En serio? ¿Esos son los efectos de respirar aire con sabor a gusanos? ¿No tendría que, en fin, haberme meado encima o algo de eso?, piensa, pero no lo comprueba. Da igual, estar empapada de orina rancia sería una mejora.

Letha deja de otear los alrededores, como si hubiera vuelto a oír las palabras de Jade. O como si solo ahora las hubiera escuchado realmente.

—¿Te refieres a mi padre? —pregunta, ofendida a juzgar por su voz. Jade asiente con la cabeza una vez, está a punto de caerse hacia delante con el movimiento—. No es él —repite Letha.

—Si no está aquí, eso significa que no ha podido encontrarnos. —Jade apunta con la barbilla hacia el agua—. Ya está allí, preparándose para esta noche. Tubo de buceo, motosierra sumergible, arpón, lijadora de banda…

—¡Para! —Letha tiene que levantar las rodillas para alejarse del fango—. ¿Sabes cuánto he tardado en desenterrarte?

Jade se pone de pie, nota el cuerpo entero dolorido y magullado, aún no ha terminado de recuperar el equilibrio y la sangre afluye a sus miembros de la forma más desagradable posible, con una especie de apremio lacerante. Las dos están empapadas de casquería. Jade se palpa el bolsillo en busca de su último cigarrillo, intenta encenderlo pero se ha mojado en el lago, se ha mojado de sangre y también ha quedado aplastado. Lo lanza a la pila de ciervos y poco menos que se desintegra al vuelo, se transforma en una ofrenda de tabaco rociada sobre todos estos cadáveres.

—¿Por qué crees tú que el sheriff no ha llegado todavía? —pregunta Letha—. Esperaba que apareciese en algún momento.

—¿Por qué iba a denunciar lo ocurrido? —replica Jade.

Letha sabe perfectamente a qué se refiere, pero lo expresa en voz alta de todos modos:

—Mi padre, quieres decir.

—Tu padre.

—Quien jamás haría algo así.

—¿Entonces, quién?

Letha se queda sentada, muy quieta, y al cabo de unos segundos Jade se percata de que está llorando. Sin sonido, solo las lágrimas.

—Las gemelas —dice, hablando de la masacre del yate—. Y L-Lemmy. Gal.

Porque, por supuesto, la chica final no piensa primero en sí misma.

—Si te sirve de consuelo, creo… Creo que a lo mejor están bien —dice Jade.

—¿Por qué lo crees?

—Los niños saben que el hombre del saco es real. Saben cuándo hay que esconderse.

—Pensaba que ibas a decir que mi padre nunca haría algo así.

—También, claro —dice Jade, aunque ya no sirva de nada.

—Bueno, ¿y ahora qué?

—¿Te apetece ver una peli de miedo conmigo?

Letha la mira como si quisiera comprobar que la pregunta va en serio.

—Hardy estará allí —añade Jade.

—Sé dónde están las llaves —dice Letha, apuntando al yate con la barbilla—. Podemos…

—Volver en ese barco es una sentencia de muerte. Él, quienquiera que sea, seguramente estará a bordo, esperándonos. Sabe que nos hace falta un teléfono. Por lo que todos habrán volado por la borda, probablemente.

Letha baja la mirada a su atuendo: la camisola y el pantalón de pijama, arruinados. Los pies descalzos. Aparte de cubrirla lo mínimo imprescindible, la única función real que cumple su ropa para dormir en esos momentos es mantener la sangre y las tripas pegadas a ella, lo que podría tener sus ventajas si fuese a enfrentarse a Van Damme disfrazado de depredador extraterrestre, pero Theo Mondragon no tiene visión térmica, solo gafas de asesino. Pese a todo, en vez de haberse escaqueado para cambiarse de ropa en el yate, está aquí, ¿no?

—Gracias por desenterrarme —le dice Jade—. No tenías por qué hacerlo, lo sé. No soy digna.

—Por favor, cierra el pico.

—Podrías haberte pirado sin más.

—Jade, tú… Tú no tienes la culpa de que tu padre…, ni de que seas… tú.

—Ya, lo sé. Jolín, es horrible, ¿verdad?

—No era eso lo que quería decir. Tú eres tú, y me parece estupendo.

—Deberíamos ponernos en marcha —dice Jade, optando por escabullirse de este momento. Impulsa la pierna lastimada hacia delante y pasa junto a Letha, rozándola—. Además, todas tenemos nuestros más y nuestros menos con los padres, ¿verdad? —murmura sin poder evitarlo, arrepintiéndose en cuanto las palabras han terminado de brotar de sus labios.

—Mi padre no es…

—¿Por qué no te sacó de ahí? —pregunta Jade, jugando con el encendedor ahora, deseando poder fumarse un cigarrillo más que nada en el mundo.

—No sabía dónde estábamos —replica Letha levantando ligeramente la voz, a la defensiva, poniéndose en marcha a su vez.

—Si notó el derrumbamiento, o lo oyó, o lo olió, lo que sea —dice Jade, que por fin ha conseguido una llama lo bastante fuerte como para tener ocupados los ojos, para poder mirar a otra parte—, entonces, o bien piensa que estamos muertas, angelitos al cielo, o bien se fue en busca de ayuda.

—¿En vez de desenterrarnos?

—¿Cuánto tardaste?

Letha entorna los párpados mientras contempla la orilla opuesta del lago, calculando.

—Habría tenido que dar toda la vuelta —dice, satisfecha.

—Y su pierna está como la mía —añade Jade con un encogimiento de hombros.

—Jugaba el fútbol. Según él, una vez se pasó todo un partido con la rótula del revés.

—Ahí lo tienes. —Jade mueve el mechero de un lado a otro, desafiando a la llama a apagarse—. Pero —y levanta la cabeza para añadir esto—, ¿por qué no ha llegado nadie todavía? —Letha aparta la mirada—. Creas lo que creas o lo que quieras dejar de creer —dice Jade—, el caso es que tenemos que llegar a la otra orilla del lago. No podemos quedarnos aquí. Esto ya está acabado.

—Terra Nova.

—Terra Nova ya está acabada, sí.

Letha deja atrás a Jade, camino de los garajes en los que se encuentran los barcos.

Jade se encoge de hombros y, tras cerciorarse de que Letha se ha alejado lo suficiente, arroja el mechero encendido a la pila de ciervos, confiando en que el metano acumulado baste para que prenda la llama, para que se forme una cúpula de fuego de la que ella pueda alejarse con paso melodramático, a cámara lenta.

Lo que ocurre, en cambio, es que el encendedor se queda enganchado en un antepecho de carne y pelo, con la verticalidad suficiente para que su débil llamita continúe oscilando.

—Gracias —dice Jade antes de girar sobre los talones y seguir a Letha entre los árboles. Las largas piernas de Letha devoran la distancia, mientras que la cojera de Jade aún está allí, por lo que Letha tiene que detenerse, esperar a que Jade la alcance y ofrecerle un hombro—. No hace falta —dice Jade, agarrándose.

—No pienso abandonarte. Sé que crees que estamos dentro de una película de miedo espectacular y que puedes elegir cómo será tu muerte, pero esto es la vida real. Trágica, pero real, y se rige por sus propias normas.

Jade no se lo discute, piensa que el desarrollo de los acontecimientos le darán la razón. Ahora que está en movimiento, no obstante...

—Me meo —dice, parándolas a las dos.

Letha la suelta, se aparta y se da la vuelta diplomáticamente, pero Jade no tiene bastante con eso. Renquea hasta un árbol, se obliga a llegar al siguiente, y al próximo, pone unos difíciles metros más entre Letha y ella antes de tantear entre los trozos de tripas en busca de la cremallera solidificada del mono acartonado por el baño de sangre.

Está volviendo a pasar los brazos por las mangas cuando oye el gemido. Se concentra en él, dejando que el resto del mundo se esfume.

Una figura baja, alargada, a unos cinco metros de ella, en los árboles. Theo Mondragon. Cerrada en torno a su pierna (¿la misma, la otra?) hay una nueva trampa para osos. Una trampa que ya no le quedaban fuerzas para abrir, por lo visto. ¿Se habrá desmayado a causa de la pérdida de sangre, del agotamiento, de dolor, de qué? ¿Dónde está su famosa rótula ahora?

—No importa —dice Jade en voz alta, pero también con un bisbiseo—. Te liberarás justo a tiempo, ¿a que sí?

«A menos que no se trate de él», replica Letha dentro de su cabeza. Pero aún así, ¿no? Jade sabe a ciencia cierta que fue él el que llenó de clavos a Gafas de Tiro, Cody y Guantes Desparejados. De ninguna manera piensa compartir su hallazgo con la chica final, para que esta utilice su determinación para desencajar las fauces del cepo. Si alguna vez ha habido un momento en el que la naturaleza debiera seguir su curso, ninguno más idóneo que este.

—¿Estás bien? —pregunta Letha, reencontrándose con ella a medio camino para servirle de muleta de nuevo. Es evidente que una parte de Theo ha detectado su presencia, por lo que va a quejarse otra vez, más alto, de forma más prolongada.

—¿Y tú? —A Jade no le queda más remedio que detenerse cuando lo hace Letha.

—¿Has oído eso?

—Algún caimán de las montañas —dice Jade, enarcando las cejas para que vea que no está hablando en serio—. Lo habré asustado. —Pero también retando a Letha a acusarla de mentirosa.

Letha se lo piensa, aguza el oído, y cuando el lamento no se repite, reanudan la marcha. Letha va de un garaje a otro, y a otro, por toda la orilla, saliendo de cada uno de ellos negando con la cabeza: todas esas embarcaciones que no han usado nunca están destrozadas. No el motor, sino el casco. Los barcos tienen vías de agua, se están inundando. Lo único que los sostiene a flote son los cabos o las correas cruzadas bajo sus quillas.

—Quiere hacernos andar —dice Jade.

—No puedes.

—Pero tú sí que podrías llegar a nado.

Letha asiente, ya lo sabía.

—El yate —dice, repite, al cabo de unos instantes.

—Nada de motores en el agua por el Cuatro de Julio —recita Jade.

—Creo que la excepción estaría justificada.

—Si yo estuviera dispuesta a subirme a esa barca de nuevo.

—Yate.

—Lo que sea. Por cierto, ¿dónde está el… Umiak, no?

—Mmm —dice Letha, mirando a su alrededor de todas maneras.

—Ya lo ha hundido, ¿a que sí?

—Allí —dice Letha, y tiene razón. El Umiak está a la deriva entre Terra Nova y el Campamento Sangriento. Escorado, además. Ahora es el Orca, después de que el tiburón le haya pegado un bocado.

Letha sacude la cabeza con frustración.

—Tendrán perritos calientes y cosas de esas —dice Jade, refiriéndose a Proofrock.

—No quiero cruzar ese viejo campamento, ¿de acuerdo?

Jade asiente sin explicarle que verán el Campamento Sangriento a sus pies desde lo alto del acantilado.

—Nos vamos a perder la película como no… —es lo que dice, en cambio, pero la interrumpen el silencio y la inmovilidad de Letha.

Jade sigue la dirección de su mirada. ¿Es una cabeza lo que se mece entre los altos tallos de hierba? ¿Una avestruz?

—Tú —le dice Letha a la cabeza de avestruz mientras tira de Jade—. Solo pedales —enuncia—, sin motor.

Jade se esfuerza por ensamblar todas esas palabras en una frase que tenga sentido. Hasta que lo cobra de súbito: la barca con forma de cisne, esa con la que estaba jugando Deacon Samuels en el pase de diapositivas póstumo. Tienen que anadear hasta ella, y después Letha tiene que tirar y empujar para desencallarla, pero está intacta. La única embarcación de los alrededores que puede presumir de ello.

Jade mira a Letha en busca de confirmación, para cerciorarse de que van a hacer esto, pero Letha se ha ido. Jade gira sobre los talones, a punto de sucumbir a un ataque de pánico, momento en el que Letha emerge de golpe del agua, todavía intentando lavarse la cara. Jade la imita, se agacha bajo la superficie en lo que espera que sea una pose más amenazadora, se menea de izquierda a derecha antes de salir a respirar y repite la operación, la repite de nuevo, hasta que se siente medianamente limpia. Lo bastante como para enfrentarse a una matanza.

Letha ya se ha instalado en el asiento de fibra de vidrio del bote. Extiende la mano, tira de la figura empapada de agua de Jade como si no pesara nada y la barquita con forma de cisne se mece, zozobra, aunque en realidad no hay ningún casco que el agua pueda cubrir, ningún fondo del que achicarla. Tan solo un hueco para los pies por el que el agua circula sin acumularse. Jade planta las botas recias en ese lodo acuoso y ve que el lago se tiñe de rojo en torno a sus pies antes de recuperar su nitidez original.

—Deberías… —observa Letha, refiriéndose al calzado de Jade—. Por si acabamos teniendo que nadar, digo.

Jade contempla sus botas militares, las que se ponía todas las mañanas antes de acudir al frente que eran las clases del instituto. Pero Letha tiene razón. Debería haberse desembarazado de ellas anoche, la verdad. Por eso Letha podía nadar mucho más deprisa que ella. Bueno, entre otras razones. Afloja los cordones, se las saca y deja que se hundan con delicadeza en el lago, que las acepta como siempre ha aceptado todas las ofrendas que se le hacen.

—Y el… —dice Letha mientras hace como si tirase de una cremallera inexistente sobre su pecho, ¿lo que quizá sea una forma de sugerirle a Jade que también debería librarse del mono?

Jade niega con la cabeza, no. Puede que Letha mole cada vez más con cada nueva prenda que se quita, pero Jade necesita conservar esto al menos. Cierra la mano sobre el cuello del mono como si estuviera dispuesta a llegar a las manos con tal de quedárselo.

—Presiento que con esto vamos a llamar la atención —dice, refiriéndose a la barca con forma de cisne.

—Bien. —Letha acciona las piernas y el agua se empieza a remover con las palas.

Jade intenta dilucidar cómo colocar los pies en los pedales, cómo ayudar.

Hay una especie de volante, por llamarlo de alguna manera; un *joystick* con un huevo blanco de fibra de vidrio a modo de puño que debe de estar conectado con el timón bajo la enorme cola curvada.

—No me imaginaba así mi retorno —masculla.

—¿Preferirías que el cisne fuese de color negro? —replica Letha, no exactamente con una sonrisa (este no es el momento ni el lugar), pero demuestra que ya está empezando a despertar, por lo menos un poco.

—¿Lo habías hecho antes? —pregunta Jade—. ¿Cruzar el lago pedaleando?

—Lo conseguiremos —dice Letha antes de aplicarse con más empeño todavía, propulsándolas a toda velocidad durante un par de metros—. ¿No fue aquí donde…? Ya sabes —pregunta, más o menos.

Jade gira la muñeca izquierda para enseñarle la cicatriz.

—No me quería. El lago, quiero decir.

—¿Por qué no?

—Hay un predicador ahí abajo, Ezekiel, purificando las aguas. Eso convierte este sitio en un cementerio cristiano y, en fin. Yo soy india.

—Como tu padre.

En un intento por atajar esto de raíz, por frenar las acusaciones de Letha antes de que se desboquen, Jade dice:

—Siento mucho lo de tu madrastra. No se lo merecía. Ninguno de ellos se lo merecía.

—Tendría que haber arrasado ese sitio hace meses. Aquí no pintamos nada.

—Yo me alegro de que vinieras —replica Jade sin poder evitarlo—. Tragedias al margen y eso, quiero decir.

La mano de Letha se separa del huevo, se posa en el dorso de la de Jade para dar un apretón cariñoso. La mirada de Jade vuela sobre las aguas oscuras hacia el Campamento Sangriento, esa mácula en la orilla del lago Indian, como una infección, como un recuerdo desagradable.

Theo Mondragon debe de estar a punto de cruzarlo a pie, ¿no? Quizás arrastrando a todos sus fantasmas con él.

—Junto con mi hacha —añade Jade a la imagen.

—¿Qué has dicho? —pregunta Letha.

Jade sacude la cabeza, nada, da igual. Es solo que piensa que quedaría mucho más guay si la arrastrara un asesino renqueante por el espinazo blanco de la presa de Glen: la larga hacha de dos filos que dejó allí enterrada, érase una noche en la que se había marchado de casa. En cualquier caso, con hacha o sin hacha, Theo Mondragon deberá darse prisa si quiere llegar antes de que la peli se acabe, ¿verdad?

Incluso a bordo de esta ridícula barquita con forma de cisne, se adelantarán treinta minutos a él. Por lo menos. Lo que no significa que estén surcando las aguas veloces como el rayo, precisamente. Para empezar, tienen la brisa de cara. En la ciudad nunca se nota, pero intenta remar (o pedalear) contra ella y te hará sudar la gota gorda. Incluso a Letha.

—Empieza a oscurecer —dice Jade.

—Me estoy esforzando —replica Letha.

Jade intenta ayudar con los pedales, pero parece ralentizar las cosas más que contribuir a su avance.

—Mira —dice Letha.

Es la pantalla de cine hinchable.

Chrissie está corriendo por las dunas, quitándose la ropa sobre la marcha.

—¡Eh! —El cisne se tambalea cuando Letha se pone de pie para agitar los brazos.

—Ponen el sonido a tope —dice Jade, conteniéndose.

Tras la pantalla, por decreto, Proofrock está sumida en una oscuridad absoluta. Y tampoco brilla ninguna pantalla de móvil: nadie quiere que se mojen con el entrechocar de las barcas, o cuando una guerra de salpicaduras los pille en el centro.

—¿Hacéis esto todos los años? —pregunta Letha, sin resuello.

—Es como Halloween, pero para las barcas. Todo el mundo las adorna como si fuesen carrozas en un desfile. Hardy hace la vista gorda con la cerveza, incluso.

—Se preocupa de veras por ti, ¿lo sabías?

—Recuerdo que, cuando estaba en tercero, uno de los chicos del instituto se había disfrazado de Jigsaw y…

—¿Ese es el *Bahía de sangre*?

Jade prefiere hacer como si no hubiera oído nada.

—No podía parar de mirarlo.

—A lo mejor era una chica.

—Jigsaw es varón. Si te pones esa máscara, te conviertes en él.

—Hasta la segunda entrega, ya —dice Letha—. ¿Y qué hay de la cuarta?

Jade la mira, sorprendida, y Letha se encoge de hombros. La barca se mece con suavidad debajo de ellas.

—«¿Cuál es tu puto problema?» —es la réplica de Jade, sacada directamente de la película.

—«Mi problema eres tú» —dice Letha, imitando a la perfección la posición de los labios de Jigsaw.

—Creía que no…

—¿Aquella noche, la fiesta en casa de Banner? —Letha continúa pedaleando, tirando con fuerza del huevo para controlar el rumbo.

—La hoguera —dice Jade, como si estuviese recordando un sueño—. El holandés en el lago.

—Eso es lo que estábamos viendo en el garaje. Pero no nos dio tiempo a llegar al final, y mi terapeuta dice que no es sano dejar una narración incompleta. Que me obsesionaría si no la acababa, sobre todo teniendo en cuenta lo traumática que fue aquella noche.

—¿Estabais viendo la primera, entonces?

—Le dije a mi padre que necesitaba terminar de verla en mi cuarto, y lo que hizo fue bajarme las siete de golpe.

Letha se encoge de hombros como si le avergonzase reconocerlo.

—Qué tía —murmura Jade, impresionada.

—Sin embargo, no se parece en nada a lo de ahí atrás. ¿Quién crees que les hizo eso a los ciervos?

—Se supone que un oso.

Letha observa a Jade como si estuviera esperando a que diga lo que piensa: que fue Theo Mondragon, o bien entregado a un acto masturbatorio en versión asesina (con animales como víctimas en lugar de personas), o bien poniendo a prueba sus armas, poniéndose a prueba para ver si poseía el temple suficiente para aplicar un filo a la piel. Habría tenido que drogarlos primero, un poco de ketamina en la piedra de sal, pero… Jade se encoge de hombros y ninguna de las dos dice nada más durante unos instantes. Una pátina de sudor cubre ahora las facciones de Letha.

—Descansa —le dice Jade, y Letha niega con la cabeza, pero lo hace de todos modos.

El silencio es asombroso. Deben de estar más allá del alcance de los altavoces, incluso en el agua.

—No me puedo creer que conozcas a Jigsaw —dice Jade, que todavía está dándole vueltas a eso—. *Saw* es como *Hatchet*. Es con lo que te gradúas, no por donde empiezas.

—Esa no la he visto nunca, por si te sirve de algo. —Letha inclina la cabeza en dirección a la pantalla inflable.

—Tú eres de Boston, ¿no? Es donde transcurre la acción, creo.

—¿Y tú te has visto todas las películas de hombres de las montañas? —replica Letha.

—*Touché* —dice Jade mientras Letha empieza a pedalear otra vez.

—Me parece increíble que estemos hablando de las pelis que hemos visto y las que no. Me parece increíble que estemos hablando, punto, después de…

Parpadea en dirección al yate.

—No pienso volver a comer venado en mi vida —dice Jade con una risita que consigue escapar de sus labios. Letha sonríe también, se tapa la boca con la mano como si le diese vergüenza y sacude muy deprisa la cabeza, no, no, ella tampoco volverá a comer nunca carne de ciervo—. Ni gusanos —añade Jade sin poder evitarlo.

—¡Para ya!

Ahora es Jade la que tiene que parpadear para ocultar sus emociones.

—Todo el mundo amadrina su barca contra las otras cuando llega esta parte —dice mientras apunta con la barbilla ante ellas, a la película, donde es el turno de que todos esos cazadores de trofeos de pacotilla abarroten los canales del muelle de Brody, listos para abatir al tiburón asesino, para llevarse el dinero de la recompensa. Sin falta, siempre hay algún adolescente que suelta un M-80 en el agua en honor de la dinamita que transporta uno de los pescadores. Incluso los adultos llevan cubos de carnaza: gelatina roja pasada por la picadora.

—Pero ¿por qué esa película? —pregunta Letha, pedaleando más despacio a causa del cansancio o de la falta de atención. En el silencio subsiguiente, un cohete traza una parábola en el firmamento aterciopelado, dejando tras él una estela de chispas efímeras. Jade nota la explosión amortiguada en el pecho.

—Por eso —responde—. *Tiburón* transcurre un cuatro de julio.

—Pero ¿no pegaría más alguna en la que el monstruo fuera un oso asesino?

—*Profecía maldita*, de 1979, sí —dice Jade—. Pero ya tenemos osos. Los osos forman parte de nuestro día a día. Los tiburones, en cambio, no. Los tiburones son una fantasía. Es divertido gritar a causa de ellos.

—¿Divertido?

—Divertido —repite Jade sonriendo en la oscuridad, teniendo incluso el detalle de no lanzarse a pronunciar ningún discurso sobre el lugar que ocupa *Tiburón* en la escala evolutiva de los slashers.

Letha la coge de la mano de nuevo y Jade no la retira, se limita a dejarse llevar mientras ve la película. Ya se empieza a oír algo, aunque continúa siendo un murmullo lejano. Se imagina a Hardy en el embarcadero, intentando identificar al gamberro que ha encendido una bengala en la orilla.

—Creía que iba a morir —dice de súbito, sorprendiéndose—. Supongo que pensaba que ya me había muerto.

—Jamás lo permitiría —replica Letha, tan seria que Jade casi se le escapa la risa, como contrapunto. En vez de eso, lo que hace es preguntar:

—¿Cómo conseguiste salir?

Al ver que Letha tarda en contestar, Jade la mira por el rabillo del ojo y la ve parpadear un poquito más deprisa que antes, como ella hace un momento. Solo que Jade estaba intentando no dejarse abrumar por las emociones, ¿verdad? Y Jade empieza a hacer memoria, hace una semana sí, en el banco de Melanie. Cuando se fijó en ese mismo tic delator.

—¿Qué?

—¿Cómo conseguiste salir de esa montaña de ciervos? —se oye preguntar Jade mientras la embarga una sensación helada que le paraliza el corazón, las facciones y la impulsa a retirar la mano y dejarla sobre el regazo. No consigue recordar cuántos slashers del tipo quién-ha-sido se han resuelto de golpe y porrazo de esta manera: con una pregunta inocente, inconsecuente, que pone de manifiesto un error de lógica garrafal.

—¿No estaba enterrada a tanta profundidad como tú? —responde Letha desde lo que da la impresión de ser años luz de distancia.

—Porque eres más rápida —se oye replicar Jade, tan solo por rematar lo que sabe que va a decir Letha—. Tenías medio cuerpo fuera cuando se cayó.

—Un golpe de suerte.

Jade mira a su espalda, a la oscuridad, como si esperase ver a Theo Mondragon renqueando en la orilla, arrastrando ese hacha reluciente tras él. O, no puede engañarse a sí misma: está oteando la orilla en busca del menor destello de ese hacha, por favor. Porque eso significaría que está mareada a causa del déficit calórico, de la falta de sueño, de los golpes en la cabeza. Que su razonamiento es erróneo. Que no está sentada justo al lado de la, de alguna manera, artífice de todo.

¿Vio Letha también a su padre en esa trampa para osos y decidió alejarse? ¿Es todo esto una estratagema? ¿Realmente tardó el día entero en desenterrar a Jade o necesitaba ese tiempo para agujerear unos cuantos cascos? ¿Realmente estaba allí por casualidad la barca de cisne? ¿Está el machete escondido debajo del asiento?

—¿Qué ocurre?

—Alguien tiró a tu madrastra —suelta Jade de golpe, aferrándose a esa certidumbre con todas sus fuerzas. Porque Letha no pudo hacer eso. ¿Y cómo habría coreografiado el disparo de escopeta que atravesó la pared? ¿Por qué arriesgarse hasta ese punto tan solo para convencer a una fanática del terror a la que podría haber eliminado de la forma más fácil?

A menos que no quiera eliminarla. A menos que la antedicha fan del terror esté a punto de caer en una encerrona. A menos que hayan estado jugando con ella desde el principio. Hablando de lo cual, ¿no debería Letha estar llorando, sobrecogida de miedo, en vez de lo bastante relajada como para matar el tiempo hablando de cine?

—Mi padre no le haría nunca algo así —dice Letha, hablando todavía de la espectacular caída a cámara lenta de Tiara—. Ni a ella ni a nadie.

—¿Te gustaron? —pregunta Letha—. ¿Las pelis de *Saw*?

—Me las vi así. —Letha se tapa los ojos con los dedos entreabiertos, haciéndose aún la miedica.

Jade respira hondo una vez, dos, y a la tercera replica:

—¿Ese no es Michael Myers?

Cuando Letha se inclina hacia delante para mirar adonde está señalando (más allá del regio cuello curvado del cisne, a los fuegos artificiales controlados por Hardy desde el embarcadero), Jade se deja caer discretamente por el borde, se sumerge sin levantar salpicaduras por primera vez en su vida, está bastante segura. Su apuesta es que, para cuando Letha se dé cuenta de que se ha ido, dedicará treinta segundos o un minuto entero a quedarse en la barca, llamándola, antes de zambullirse para buscarla. Pero el lago Indian es muy grande, y silencioso, y oscuro, y lleva tragándose cuerpos sin dejar ni rastro desde sus mismos orígenes.

Jade se impulsa con la pierna buena, extiende la mano derecha y avanza como si se estuviera llenando el bolsillo de agua, y luego repite la misma operación, una y otra vez, con los pulmones a punto de estallar. Cuando sale a la superficie por fin, está sola. Aterida, pero sola, tan solo una foca con la cabeza rapada que flota con los ojos apenas por encima de la línea del agua.

Retira sus disculpas a Letha Mondragon.

Vale, puede que hubiera soñado y rezado para que un asesino o asesina en serie llegara a la ciudad algún día, pero eso no significa que le apetezca presentarse en sociedad pedaleando hombro con hombro con dicha asesina. Solo que... No puede haber sido Letha, ¿verdad?

Estás paranoica, se dice Jade mientras sus manos dibujan ochos lánguidos en el agua. Paranoica y atontada. Por eso nadie quiere codearse contigo. Por eso todos te odian.

Tan solo trescientos metros la separan ahora de Proofrock. De *Tiburón*.

Después de comprobar que ningún cisne del tamaño de una avestruz esté a punto de abalanzarse sobre ella, Jade comienza a avanzar en dirección a esa pantalla resplandeciente procurando no delatar su posición con movimientos bruscos, rezando para llegar antes de que la hipotermia se apodere de ella.

Ya ha recorrido la mitad de la distancia cuando los diálogos cobran nitidez. Quint acaba de adosarle el tercer barril al tiburón y está asegurándoles a Brody y a Hooper que ningún pez podría sumergirse con tres. En esta ocasión, cuando Jade mira a su espalda, debe reconocer que es para ver si está remolcando algún bidón amarillo, por absurdo que parezca. Sin embargo, por lo que la ciudad respecta, ella es un monstruo.

En vez de un barril amarillo, lo que ve es la proa agrisada de un bote inesperado que se cierne sobre ella de súbito. Sin tiempo para coger aire, Jade se sumerge y se lleva las manos a la cabeza para evitar que se le enrede el pelo en la hélice, aunque lo único que toca es su cuero cabelludo rapado.

Lo que pasa de largo, sin embargo, es un pequeño fueraborda. Jade ve los turbios remolinos a escasos centímetros de su rostro, un ciclón de burbujas que envuelven las aspas. Es como si alguien hubiera soltado un triturador de basura salvaje en el lago; también es lo último que ve Jason en *Sangre nueva*. Jade rota en el agua, siguiéndolo con la mirada hasta que lo engulle la oscuridad, y envuelta en las sombras de la fiesta de Banner Tompkins hace una semana y media tenía razón, ¿no es así? Esto (un fueraborda, una lancha ligera) es precisamente lo que Theo Mondragon ha estado usando para cruzar el lago al amparo de la oscuridad. Con una embarcación así, sobre todo si tiene los costados pintados de negro, sería como caminar de puntillas por el agua.

Regresa a la superficie un segundo después de que el casco de aluminio se haya perdido de vista y aspira una bocanada de aire. Tiene la vista nublada a causa de la falta de oxígeno; de la falta de oxígeno y de alivio, tras confirmar sus sospechas.

Se trata de él. Jade se equivocaba con Letha, ha malinterpretado el momento. Pero eso ahora no importa.

—Justo a tiempo —le dice a la estela de Theo Mondragon, y a continuación lo ve hacer lo imposible: se yergue en la proa de la lancha como George Washington cruzando el Delaware. Ese póster lleva toda la vida en la pared del señor Holmes, incluso después de que Jade usara la goma del lápiz para dejarle los ojos como los de la huérfana Annie.

En el póster, lo que George Washington lleva en la pierna, listo para la batalla, es un largo sable curvado. Lo que lleva Theo Mondragon es el machete. Lo que Jade nunca se tomó la molestia de contarle a Letha es que se trata del mismo modelo que usa Quint para salvar el Orca. Y, no solo está Theo Mondragon de pie en la lancha, sus manos ya no gobiernan el control de timón, sino que además la embarcación, a diferencia de la de Washington, ¿se está hundiendo? Porque ha cogido una de las barcas con el casco agujereado, Jade puede verlo ahora. Si cargase todo el peso de su cuerpo en la popa, el morro de la lancha se elevaría del agua y dejaría al aire el boquete. De todos modos, Theo Mondragon debe de haber pensado que la lancha volcaría de esa manera. Y, como todas las apuestas realizadas con sus acciones de bolsa, con sus fusiones, con sus opas, en sus asambleas de socios, la apuesta le ha salido bien. Justo cuando la barca se hunde, él da un paso al frente como si se dispusiera a aprovechar la inercia para caminar por las aguas, para comenzar la cosecha de sangre sin perder ni un segundo, lo que significa… Ni siquiera Jade lo sabe.

Por suerte, en vez de que todo su mundo se desmorone después de haber visto a un ser de carne y hueso de pie sobre la superficie del lago, Theo Mondragon se hunde como haría cualquiera y ya no es más que una simple cabeza, como Jade, que nada en dirección a la orilla. Solo que él se encuentra cuarenta metros más cerca y probablemente todavía no le castañeteen los dientes.

Jade se esfuerza por concentrarse en la forma de su cabeza, por calcular en qué parte de la multitud va a recalar primero, pero tiene que girarse bruscamente de nuevo, segura de que el gran cisne blanco está a punto de pasarle por encima con sus pedales. Cuando se vuelve hacia la multitud, localiza una cabeza que oscila en el agua y ¿dos más junto a ella?

—¡No! —grita Jade, intentando levantarse en el agua.

Lo que ve por un instante, está noventa por ciento segura, es el destello de unas gafas en ese rostro que a duras penas sobresale del lago. Unas gafas amarillas.

Gafas de Tiro.

Se había sumergido lejos del alcance de los clavos dorados de Theo Mondragon, ¿verdad? Porque la orilla es más abrupta allí. Desciende más rápido.

Está vivo.

Y esas dos cabezas más pequeñas que parece estar transportando deben de ser las de Cinnamon y Ginger, las gemelas. Las hijas de Mars Baker. Gafas de Tiro ha estado nadando con ellas, cruzando el lago durante quién sabe cuántas horas, pero él no puede ser la chica final, ¿a que no? No porque las chicas finales masculinas estén prohibidas o vayan a romper la máquina, sino porque si Theo Mondragon es el que empuña el machete, eso significa que Letha puede ser lo que está destinada a ser. Lo que Jade la había destinado a ser.

Solo que las palabras de la propia Letha resuenan ahora dentro de su cabeza: esto es el mundo real, no una película, y el mundo real no tiene por qué regirse por ninguna norma especial. Funciona como funciona. No se puede elegir el género de tu película, no. ¿Es eso lo que ha estado haciendo Jade desde el principio? ¿Intentar moldear una concatenación inflexible de cadáveres en forma de película tan solo para que ella pudiera tener un papel secundario? ¿Para poder disfrutar de un ápice de control?

En tal caso, todos sus estudios sobre el slasher solo le habrían servido para engañarse a sí misma, no para sobrevivir a esta noche. O, si consigue sobrevivir, lo hará sabiendo que nunca ha habido ningún ciclo de asesinatos, que los slashers no son reales, sino pura ficción, ¿y qué clase de vida sería esa?

Jade cierra los ojos, niega con la cabeza, no, aprieta los puños junto al rostro y se hunde, no sabe si está llorando o no. Así, flotando bajo la superficie, el mundo está tan en calma que… ¿Qué es eso que se oye?

¿Un coro? Ezekiel aún sigue ahí abajo, en Ciudad Sumergida, celebrando su última misa. Y si eso puede ser real, si es cierto que Jade está oyendo música, entonces cualquier cosa es posible, ¿verdad?

Estira los brazos, trepa por el agua brazada a brazada, por fin rompe la superficie por tercera vez con los pulmones hambrientos, la vista borrosa, la nariz moqueando, la piel más dormida que nunca. Se mece, se mece, intenta saltar para ver mejor, no sabe si el entrechocar de sus dientes se debe al frío o a la emoción.

Gafas de Tiro ya casi ha llegado a la periferia de la multitud. Y unos veinte metros a su izquierda, ajeno a su fuga, está Theo Mondragon. Letha ya debe de estar entre la gente, su cisne ingobernable una simple embarcación ridícula más en medio de esa noche de embarcaciones ridículas. Quint se desgañita en la pantalla, el gigantesco tiburón cabreado lo despedaza mordisco a mordisco, miembro a miembro, silenciándolo para siempre.

—¡Alguien! —grita Jade mientras palmotea las aguas, pero antes no mentía: el volumen sí que está a tope. Y, de todas formas, esta es la escena favorita de todo el mundo. En su honor, los habitantes de Proofrock están entonando el *Spanish ladies* con los brazos enganchados sobre las bordas, sobre las proas. ¿Sería esto lo que ha oído Jade debajo del agua? Y, para sorpresa de nadie, ¿no es aquí donde ella ha estado siempre? ¿En la periferia, con todo el mundo indiferente a sus gritos? ¿Gritos condenados a caer en oídos sordos?

El grito que profiere ahora es de rabia, tan solo quiere que alguien la escuche, pero cuando ninguna linterna oficial proyecta en su dirección un haz de luz surcado de partículas de polvo, Jade se coloca de costado y continúa avanzando con sus mejores brazadas de estilo libre hasta acercarse lo suficiente como para distinguir las palabras que brotan de los altavoces.

Y… Ay, joder. Esto no puede ser cierto.

Todos los años se convoca una especie de temática en el último momento, una temática que circula por los pasillos de ambas escuelas, que se garabatea en las paredes de los cuartos de baño, que se cuela de incógnito en el tablón de anuncios de la tienda: el disfraz del año. Un juego en el que toda la ciudad se involucra.

El año que vio al chico de instituto vestido como Jigsaw, el motivo de que llamase tanto la atención era que todos los demás iban disfrazados de monjas.

Este año, unos cuantos de aquellos hábitos negros se han reciclado, solo que mezclados en esta ocasión con caretas de bruja, con maquillaje de zombis, con largas pelucas lacias de terror japonés.

El tema de este año es la Bruja del Lago. Stacey Graves. Porque por qué no.

Justo cuando Jade llega a la linde de las embarcaciones, una de esas brujas del lago pasa volando por delante de la pantalla. Otra tradición: disfrazarse, saltar con pértiga desde la orilla y amerizar en una franja de agua despejada exprofeso para que el acróbata de turno se zambulla.

Como los chicos más populares del instituto y las chicas que siempre van con camisetas negras no es que intercambien números de teléfono ni sincronicen sus agendas, precisamente, Jade ignora quién es el saltador con pértiga del Instituto Henderson este año, a lo *El día de la graduación*, pero quienquiera que sea (¿Lee Scanlon, tal vez?) ahora tiene su silueta recortada contra la pantalla radiante; su túnica, ajada y ondeante, vuela como si Stacey Graves hubiese vuelto y la persiguiera el diablo.

Bien por ella.

Solo que, en esta ocasión, en este ciclo, el asesino es menos esotérico, más humano. Más real. Lo siento, Stacey, se disculpa Jade de corazón; ya ha visto al carnicero de este año y parece más sacado de la época de Ghostface que de la Edad de Oro. Lo cual no significa que sus cuchillos vayan a estar menos afilados.

Jade se agarra al primer casco que encuentra y lo utiliza para impulsarse. Es la embarcación de la bibliotecaria: tuneada con papel maché para que parezca un libro abierto gigante, aunque la pasta encolada ya se está deshaciendo. Connie la mira y se lleva el índice a los labios para pedirle que no haga ruido.

Lo que a Jade le gustaría es chillar que despejen las playas, que el teatro está en llamas, que hay un hombre lobo suelto en el metro, pero le falta el aliento y, de todos modos, Connie solo está representando el papel que hace juego con su embarcación. Precisamente esta noche, intentar silenciar a alguien sería tarea imposible. Como todos los cuatros de julio, hay niños de primaria con aletas de tiburón atadas a la espalda y la cara oculta tras sus tubos de buceo, adolescentes que anadean entre los botes para asustar a los amigos de grito fácil, alumnos de último curso metiéndose mano en el agua, adultos yendo aún más allá al amparo de las mantas y las regalas, y luego están los padres con una mano metida en el agua, vigilando la cerveza que sujetan con una cuerda, y las mujeres de esos padres flotando en sus cámaras de neumático infladas, ya por la segunda botella de vino de la velada.

Entre todos ellos, en alguna parte, hay un héroe con gafas amarillas, Jade lo sabe. Está intentando salvar a dos niñas pequeñas cuyo padre ha muerto, cuyas vidas se han convertido en una pesadilla demencial, cuyos dientes seguramente castañetean al filo de la hipotermia en esos momentos, puesto que es imposible que posean la grasa corporal necesaria para evitarlo. Jade no es buena persona, sabe que no lo es y que no podrá serlo nunca, ya es demasiado tarde para ella, pero eso no significa que no pueda intentar encontrarlas, ayudarlas a subirse a una barca, a llegar a la orilla, a envolverse en alguna de las crujientes mantas plateadas de Hardy.

Gafas de Tiro, Gafas de Tiro.

Se sube a una balsa engalanada como una sala de estar, con su sofá y su lámpara de pie; el ocupante del sofá (Lonnie, el de la gasolinera), que lleva puestos unos cómicos calzoncillos exageradamente grandes por encima del bañador, la mira achispado y levanta una cerveza en su dirección como si intentase decirle, «Mira, ya no tengo que conformarme con un simple neumático». Jade lo saluda con la cabeza y se sujeta a la lámpara mientras inspecciona la multitud. A tres o cuatro embarcaciones de distancia hay una lancha reconvertida en capazo, lo que debe de ser la forma que han elegido sus propietarios de anunciar que van a ser padres, y allí está el hidrodeslizador de Hardy, amarrado al embarcadero como un perro guardián, y ¿en serio?

Su padre y Rexall están en una canoa de madera recubierta de lo que tiene toda la pinta de ser unas pieles de ciervo viejas y raídas que se están empapando de agua. Pero a quién le importa su estúpida canoa. Son sus estúpidas personas las que dan auténtica grima: su padre se ha pintado la cara como Johnny Depp en *El llanero solitario* (la mitad de negro, la mitad de blanco, toda india) y ya está lo bastante borracho como para haberse quedado desnudo de cintura para arriba, con la panza al aire, la piel tan tirante como la de un tambor, y las costillas resaltadas en amarillo por alguna razón. A lo mejor es que ha tenido una visión, a lo mejor un águila le ha dicho que, si se pinta las costillas, le cabrá en el cuerpo no solo otro par de cervezas, sino un paquete entero de doce.

Menudo chollo.

El aspecto de Rexall es aún peor, ¿quizá porque es blanco? El sombrero de plumas que luce lo señala como jefe de su tribu de dos, no obstante, y si la barriga cervecera es un símbolo de estatus social, una señal de prosperidad, de tener carne de bisonte suficiente para comer, entonces el pavo que se ha puesto en la cabeza le sobra, la verdad.

Jade desconoce cuál es la función de ese parche para el ojo con el que Rexall ha decidido complementar su atuendo de Halloween, pero tampoco el mono de juguete que lleva en el hombro es específico de ninguna cultura. En fin, ¿qué esperaba?

De él: nada. Pero ¿de su padre, que sí que es indio?

Jade se obliga a apartar la mirada de esas dos afrentas con patas y se fija fugazmente en las animadoras con sus bikinis a juego, todas ellas sentadas a lomos de un tiburón gigante instalado en una canoa. Muy originales, chicas, a nadie se le habría ocurrido nunca hacer algo así para ver esta peli. Y, hablando de canoas: como todos los años, el director Manx acaba de pasar junto a ellas en la suya, de plástico transparente, en solitario, como si estuviera flotando sin ninguna ayuda, como si para flotar bastara con imaginarse que se está en una barca. Y…

—¡Gafas de Tiro! —grita Jade haciendo bocina con las manos. Momento en el cual se da cuenta de que no sabe cómo se llama. De que, para él, seguramente eso no son más que unas gafas de seguridad. Quizá nunca haya disparado un arma de fuego real, tan solo pistolas de clavos. Unas pistolas de clavos con las que ya está más íntimamente familiarizado de lo que le gustaría.

No se gira hacia ella, está intentando izar a Cinnamon o Ginger a lo alto del embarcadero, pero no hay ninguna escalerilla a este lado, Jade lo sabe, y la madera mojada resbala de narices. Al final lo consigue, no obstante, aúpa a una de las niñas y esta encuentra asidero, trepa, y la otra gemela también está empujando y… Joder, no es una de las hermanas la que se ha dado la vuelta en el embarcadero para ayudar a subir a la otra, sino Galatea Pangborne. ¿Lo que significa que la otra gemela…? Jade dirige la mirada hacia la orilla opuesta del lago, como si su mente pudiera penetrar en las entrañas del yate, distinguir el cadáver de una de esas gemelas en medio de toda la carnicería. Una gemela que también podría estar aún con vida, abandonada por Letha y por ella.

Jade se vuelve hacia el embarcadero como si quisiera disculparse, solicitar una segunda oportunidad, cruzará nadando ahora mismo, lo arreglará todo. Pero nunca ha llegado a tiempo a ninguna parte, ¿verdad? ¿Será este el «tiempo indio» detrás del que su padre se ha escudado siempre para justificar su tardanza? De niña, pensaba que «tiempo indio» significaba «solo una cerveza más», o lo que es lo mismo, que Chapi Daniels se retrasaría lo que le costase apurar otra lata, aunque quizás englobe también el haber dejado a una chiquilla aterrada en la orilla equivocada del lago. No es que esta sea mucho mejor.

Jade se levanta todo lo posible del agua para llamar la atención de Gafas de Tiro, pero este ya ha conseguido llamar la atención por su cuenta, ¿verdad? Tres, cuatro linternas lo apuntan ahora, lo ayudan a ayudar a esas niñas, que seguramente se habrán caído de sus barquitas. Debería ser algo positivo, una ocurrencia feliz, salvo que ahora Gafas de Tiro es como Jada Pinkett Smith en la primera fila del cine en *Scream 2*, ¿no? Solo que sin muertes melodramáticas a cámara lenta, con suerte.

En cualquier caso, Cinnamon o Ginger está a punto de llegar a lo alto del embarcadero. Es entonces cuando el sentido arácnido de Jade le hace girar la cabeza y fijar la mirada en Theo Mondragon que está flotando en el agua, apoyándose en el bote anunciabebés para ver mejor, y lo que ve es lo que todo el mundo está alumbrando para él: a Gafas de Tiro. Quien debería estar muerto.

—No —dice Jade, pero sí: en uno de sus vaivenes, suyos o del agua, la punta del machete de Theo Mondragon sobresale, casi parece la broca del póster de *Masacre en la fiesta de pijamas*. Y hoy, precisamente esta noche, nadie va a tomárselo en serio, pensarán que es un arma de pega. Joder, debe de haber un cuchillo parecido en una de cada tres embarcaciones—. ¡Está ahí! —exclama, aporreando la superficie del lago, que es cuando se oye el primer grito.

Mira en esa dirección, como corresponde, y las animadoras están saltando de la espalda del tiburón, cayéndose unas encima de otras como en un número de baile coreografiado. Pero ¿por qué?

Jade vuelve a encaramarse a la sala flotante de Lonnie, se agarra a la lámpara de pie y tira de la cadena sin querer, provocando que se encienda la bombilla. Lo que significa que debe de haber una batería en alguna parte. Por supuesto que Lonnie haría algo así. Iluminada como está ahora, la mirada iracunda de Theo la encuentra enseguida.

—Tú —dice, y Jade lo oye de alguna manera.

—¡Vete a la mierda! —replica mientras empuja la lámpara hacia delante. Esta se sumerge, y Lonnie salta detrás de ella.

Jade también vuelve a dejarse caer en el lago, sin importarle el frío que haga. La sangre corre abrasadora por sus venas ahora, no tiene más elección que entretener a Theo Mondragon el tiempo necesario para que Gafas de Tiro se ponga a salvo, para que la chica final entre en razón, vuelva en sí y… ¿Las animadoras están gritando de nuevo?

Jade se gira de golpe. Es… ¿Jocelyn Cates? Antigua nadadora olímpica y reina de la belleza de Proofrock, la chica final más prometedora de su época, sin duda. Si Proofrock hubiera sido el escenario de un slasher veinte años atrás. Se ha puesto de pie en su embarcación adornada de rosa, y la temperatura de la sangre de Jade, está segurísima, desciende uno o dos grados. Todos los grados.

Jocelyn Cates está chillando porque su marido, junto a ella, como se llame, tiene una mancha negra en el pecho. Expandiéndose desde su cara, su boca. Desde el boquete que antes era su boca. Le han arrancado de cuajo el mentón. Las linternas convergen sobre él el tiempo necesario para que todo el mundo lo vea. El tiempo necesario para iluminar su lento derrumbamiento hacia delante.

Y, así de fácil, se desata el pánico en la discoteca.

El motor fueraborda del capazo flotante ruge en respuesta a lo sucedido, incumpliendo cualesquiera que fuesen las promesas que estos futuros papá y mamá le hubieran hecho a Hardy. Se encabrita en el agua e intenta girar en redondo, pero no hay sitio. En vez de ejecutar limpiamente la vuelta de ciento ochenta grados que pretendía dar, la hélice se engancha en la embarcación que hay a su lado, la que preparan todos los años los profesores del Instituto Henderson (en forma de aula, todos los años la misma), con sus sillas atornilladas al fondo, profesores que ahora se ven obligados a asir los pupitres mientras sus cervezas y copas de vino de contrabando les estallan en la cara y, entre ellos, Jade ve a la última persona que esperaba volver a ver en su vida. El clamor se amortigua a su alrededor.

El señor Holmes.

Está sentado en una silla de ruedas con la pierna derecha estirada, escayolada, envuelta en una bolsa de basura a modo de impermeable, y un cigarrillo en la mano, oculto a la altura de los radios. La embarcación en la que se encuentra está siendo devorada por una hélice clandestina cuyos alaridos resuenan cada vez más estridentes y agudos, cada vez más veloces.

—¡Señor Holmes! —chilla Jade, y corre hacia él sin pensarlo, encaramándose y cruzando la sala de estar de Lonnie, cayéndose casi inmediatamente al agua de nuevo, golpeándose la barbilla con el costado inflexible de alguna barca cuya decoración pastosa se le adhiere a la cara y la obliga a sumergirse, a sortearla buceando. Cuando llega al otro lado y sale a la superficie, la recibe un panorama de absoluta locura.

En la pantalla, el Orca se hunde, y junto a Jade, un Orca mucho más pequeño también. El tiburón de papel maché flota abandonado a su suerte, vapuleado de un lado a otro, y… No. No no no.

La parte inferior del rostro del marido de Jocelyn Cates se ha enganchado en un paquete a medias de seis cervezas y flota con él, rozando el rostro de Jade.

¿Qué podría hacer algo así? ¿Un M-80 en la garganta?

En cualquier caso, no hay tiempo. Jade se aparta de golpe, intentando encontrar al señor Holmes. El fueraborda de la lancha-capazo se ahoga, puede que se le hayan enredado en la hélice demasiados adornos de la embarcación de los profesores. Jade no puede verlo, pero lo oye. Mira a su alrededor en busca de algo a lo que encaramarse, algo a lo que agarrarse… El embarcadero.

Cinnamon o Ginger tiene a Galatea apoyada en la cadera. Están esperando a Gafas de Tiro, que debe trepar por sus propios medios, con la espalda, ahora lo ve Jade, erizada por una hilera de clavos. Theo Mondragon sí que llegó a darle. Solo que no lo suficiente. Todavía no, por lo menos.

Jade niega con la cabeza, es testigo impotente de lo que ocurre: Theo Mondragon está llegando al muelle a bordo de la canoa invisible de Manx. Que está utilizando como si fuese una tabla de paddle surf, Letha. Con su remo y todo. Con una túnica y una peluca podría pasar por Stacey Graves.

Y debe de ser de lo más sigiloso, además, o será que los chapoteos del remo se pierden en medio de las salpicaduras que lo rodean, de *Tiburón* atronando en los altavoces, de los alaridos. El caso es que Gafas de Tiro no lo oye hasta que es demasiado tarde.

Theo Mondragon tira de él con fuerza hacia atrás, sin miramientos, con tanta violencia que las puntas que Gafas de Tiro tiene en la espalda se le clavan en el pecho y el estómago y los dos acaban cayéndose al agua mientras la canoa invisible prosigue su invisible camino, tal vez, quién sabe.

Jade levanta la mirada hacia el embarcadero, donde se encuentra Cinnamon o Ginger, puesto que cualquiera de ellas verá mejor lo que está sucediendo justo a sus pies. Y la que ahora está allí es Tiffany Koenig que está apuntando hacia abajo con el móvil, está grabando lo que sea que está sucediendo, seguramente todo este desastre.

Jade empieza a hacer aspavientos, intenta llamar por señas a Tiff, pero su brazo solo es uno más entre cientos, y cuando se eleva lo suficiente para ver de nuevo la base del embarcadero, la que se cruza ahora en su camino es la barca de la bibliotecaria.

—¡No! —grita Jade, que se hace daño al golpearse la mano contra la barca de aluminio oculta debajo de todo ese papel empapado.

Se la recoge contra el pecho un momento, dolorida, e intenta recordar si Theo Mondragon tenía o no su machete cuando arrastró a Gafas de Tiro bajo la superficie del lago. ¡No lo tenía! Estaba sujetando el remo con las dos manos, ¿verdad?

—Por favor por favor por favor —murmura antes de que una mano pesada se apoye en su hombro, pero su propietario tan solo intenta apartarla, alejarse de lo que sea que es esto. Jade se hunde antes de que le dé tiempo a coger aire y vuelve a salir a flote escupiendo agua.

Justo a su derecha, borrosos y difuminados pero adquiriendo cada vez más nitidez, un número excesivo de vecinos de Proofrock ha invadido la balsa de Lonnie, que amenaza con hundirse mientras la lámpara, inexplicablemente, continúa erguida y proyectando su luz amarilla.

Dios, los gritos. Jade no puede pensar. Todas las bocas están abiertas, uno de cada dos rostros es el de Stacey Graves. Esta noche no es una noche, es una serie de ataques al corazón esperando a producirse en cualquier momento.

Jade localiza por fin a su padre, sentado sin que nadie lo moleste en su barca, con la mano izquierda apoyada en el sable de juguete que lleva colgado del cinturón (a la venta en el pasillo número tres del Family Dollar) y la derecha cerrada en torno al gollete de su cerveza. En el agua, a sus pies, la que flota bocarriba es Alison Chambers, vertiendo el contenido de su pecho en el lago. ¿Por culpa del motor ilegal de esa lancha? Pero ¿cómo explicaría eso el mentón despedazado del marido de Jocelyn Cates? Sobre todo teniendo en cuenta que esa mutilación ya se había producido antes de que el fueraborda se pusiera en marcha siquiera.

Ahí está Judd Tambor, de pie en el agua con un niño en brazos, protegiéndolo de la refriega, imagen que se funde en la mente de Jade con otra de la graduación, cuando también sostuvo a una criatura por encima de su cabeza, un bebé que recibió la ovación de todos los presentes. Nadie aplaude ahora, no obstante, a pesar de que Jade ha demostrado estar en lo cierto desde el principio.

Jade retrocede tanteando primero el agua a su espalda y sus dedos tocan algo cálido. Se gira y la calidez resulta ser la cavidad torácica de Misty Christy, cuya hija, la que Jade salvó de morir atropellada por aquel autobús, patalea mientras intenta sostener la cabeza de su madre por encima del agua, aunque ya dé igual si las vías respiratorias de la agente inmobiliaria están despejadas o no.

Jade tira de Misty Christy hacia ella.

—¡Vete! —le dice a la hija—. ¡Busca al sheriff! ¡Yo cuido de ella!

La niña está a punto de echarse a llorar, esto es demasiado, pero después de un momento de indecisión se gira, nada como un alevín en dirección a la orilla, en dirección al sheriff, en dirección a cualquiera que pueda ayudar a su madre.

Jade deja que Misty Christy se aleje flotando. Tiene que agitar la mano en el agua para limpiarse la sangre. Dan Dan el cartero se eleva debajo de su mano, su cabeza calva es como un periscopio nervioso, la pértiga del saltador se desliza junto a ella como una serpiente paralizada y una embarcación empuja a Jade hacia delante. Se gira para ver quién la ha golpeado. Dorothy, la del Dot's. Está aferrada a la cámara de neumático engalanada como una taza de café, como todos los años. Aferrada y forcejeando. Se agarra a Jade y se incorpora contra su hombro, momento en el que Jade puede verle la cara. Su ojo derecho ha desaparecido, junto con una buena porción de su cráneo.

Jade retrocede dando un respingo, el agua ensangrentada se le mete en la boca y traga antes de que le dé tiempo a obligarse a no hacerlo.

Como la situación es demasiado demencial allí arriba, en la superficie, se sumerge hasta los ojos y avanza impulsándose de embarcación en embarcación, deslizándose a través de una capa de sangre o gelatina de color rojo. Lo que espera ahora es llegar a la periferia sin que nadie la vea y nadar discretamente hasta aguas más profundas y resguardadas. Solo que ¿los pies se le han enredado con algo? Bracea, tira y por fin tiene que hundir la cabeza para ver de qué se trata.

Los radios de una silla de ruedas. El señor Holmes.

Inmersa en esa calma relativa, inspecciona el agua a su alrededor pero no logra ver nada más allá de sus manos. Toda esa sangre, todos esos sedimentos, todas esas burbujas. Cuando sube, la salpica de inmediato no sabe bien qué (¿alguien que se ha lanzado en bomba? ¿Alguien arrojado al agua por otra persona?), y cuando se despeja los ojos allí está el señor Holmes, justo delante de ella, esforzándose por flotar de espaldas, pero el agua entra y sale de su boca y la escayola pesa demasiado, intenta arrastrarlo hasta el fondo.

Tiene la cabeza abierta en el nacimiento del pelo, aproximadamente, tal vez por culpa de la quilla de la lancha-capazo, vertiendo en el agua fechas y datos históricos. Su temblorosa mano izquierda encuentra la diestra de Jade, que tira de él mientras mira a su alrededor, decidida a protegerlo de lo que sea.

El señor Holmes la mira, escupe el agua que se le ha colado en la boca y dice:

—Jenn... Jennifer.

—Jade —lo corrige ella con los ojos enrojecidos ahora, llorando.

—M-me...

La misma mano izquierda se posa en la nuca de Jade. El señor Holmes desliza los dedos por su pelo rapado y ella empuja contra el contacto meneando la cabeza, no, pero sujetándole la mano a la vez. Lo recorre un espasmo: la brecha que tiene en la cabeza. Su cerebro, fallando. Jade lo estrecha contra su cuerpo, intenta levantarlo un poco más.

—Espere, espere —le dice—. Podemos conseguirlo, déjeme...

Sin embargo, era mentira cuando se lo dijo a la hija de Misty Christy y sigue siéndolo ahora.

Las arrugas que rodean los ojos del señor Holmes se acentúan como si quisiera agradecerle el esfuerzo.

—¿Que si sí o que si no qué? —logra articular con dificultad, y la matanza en medio de la que se encuentran se transforma en mero ruido de fondo por el momento, una película que se oye en la sala de al lado.

«¿Que si sí o que si no qué?», se repite Jade para sus adentros, sondeando la pregunta. ¿De dónde sale esto? Lo sabe, sí, es... No. Cierra los ojos.

Es lo que les contó a Hardy, Letha y el señor Holmes, ¿verdad? La pregunta que se estaba haciendo su madre sentada en el coche en aquella estación de servicio de Idaho Falls. Lo que le escribió a Letha en su carta.

Y su trato con el señor Holmes, si quería obtener el diploma. El examen oral. Tiene que responder con franqueza a esta pregunta, como hizo él cuando le confesó que había sido el causante del incendio de 1965.

Los dedos del señor Holmes se crispan sobre la mano de Jade, que abre los ojos sin dejar de sacudir la cabeza.

—Que si… —empieza, respirando hondo ahora que por fin está hablando de ello, después de tantos años—, que si sería abuela antes de cumplir los treinta. Lo del médico era para ver si me había dejado e-embaraz… o no.

Antes, las lágrimas de Jade habían sido imaginarias. Ahora es cuando se escurren torrenciales por su rostro, no obstante, y fluyen desde más adentro de lo que jamás hubiera creído posible.

Por fin está contándoselo a alguien. Por fin lo ha dicho en voz alta. Ya no lo tiene solo guardado en su seno, sino que ha salido al mundo, es real, ha sucedido realmente. No había ido a Idaho Falls para que le lavaran el estómago lleno de aspirina infantil, no; aspirina infantil fue lo primero que su madre vio en la góndola que había junto a su caja registradora, al estilo de Keyser Söze. No, se habían desplazado hasta allí para ver si lo que Jade tenía en la barriga era otra cosa.

El señor Holmes cierra los ojos como si esto le doliera más que la herida de la cabeza, más que la pierna, más que nada en el mundo.

—Lo siento, debería… —dice, y usa la mano izquierda para acercar a su cuello la cara de Jade, que a esa distancia nota el escalofrío que recorre su cuerpo, «el temblor del nervio muerto», sí. Otro de los nombres por los que se conoce *Bahía de sangre.*

Gracias mil, Mario Bava.

Jade abraza al señor Holmes, lo estrecha con fuerza, pero no puede evitarlo. Se está muriendo. Ahora, en este preciso instante, entre sus brazos, se muere.

—Alguien debería, alguien debería… —dice, y Jade murmura contra su cuello, rozándole la piel áspera con los labios:

—Alguien lo hará, señor Holmes.

Cuando vuelve a levantar la cabeza para mirarlo a los ojos, estos están vidriosos y él es… Dilo, se ordena para sus adentros: y él es historia.

Jade deja que se aleje flotando, que regrese a los remolinos de espuma, a los gritos, al caos, el volumen es atronador en sus oídos de nuevo. Mira en dirección a su padre, aún de pie en su barca en medio de toda esta locura, incólume, ni siquiera se le ha corrido la pintura de guerra.

Por ahora.

—¡Te estás equivocando de víctimas! —le grita Jade a Theo Mondragon, dondequiera que esté despedazando a quien sea en esos momentos.

Jade ya no está moviéndose con sigilo. No le hace falta. Todo cuanto la rodea es demencial, sangre que vuela en todas direcciones y gritos que desgarran el aire, ecos que no cesan de multiplicarse. Y Letha tenía razón, el mono de trabajo pesa, pero Jade tiene los dedos demasiado entumecidos como para bajar ahora esa cremallera mojada, así que se limita a bregar y avanzar como puede.

Camino de la embarcación de su padre se hace con el fragmento de un listón de madera, una costilla del tiburón de las animadoras, seguramente. Aunque su padre no sea un vampiro, lo bueno de las estacas clavadas en el corazón es que funcionan igual de bien con cualquiera. Si alguna vez ha habido una sanguijuela que mereciese morir, es esta, y en medio de semejante carnicería nadie se va a escandalizar cuando aparezca un cadáver bocabajo más en la mezcla. He aquí una lección que ha aprendido del sheriff.

—Va por ti —le promete Jade a su yo de once años. Quizá suene raro, pero algo tiene que decir.

Llega a la embarcación de su padre sin que nadie la vea, tan sigilosa como el asesino de cualquier slasher. Todo son sacudidas, por lo que una más (cuando se encarama a bordo) no llama la menor atención. Antes de poder convencerse de lo contrario, da un paso al frente, le rodea el cuello a su padre con el brazo y presiona contra su espalda con el extremo puntiagudo del listón. El dolor provoca que a su padre se le abombe el pecho, pero lo tiene bien agarrado, sin posibilidad de escapar.

Después de todas las frases que Jade tenía preparadas para este momento, lo único que aflora a sus labios ahora es:

—Yo no era para ti, papá.

—¿J-Jennifer? —replica él al darse cuenta de que se trata de ella, pensando que esto no es el fin como se temía, y por un instante atroz (parece tan sorprendido) Jade se permite creer que aquella noche estaba tan borracho que ni siquiera recuerda lo que hizo. ¿Cómo si no habría vivido estos seis últimos años con semejante despreocupación? Sin embargo, eso no significa que no sucediera. «No importa, no importa», está diciéndose Jade. Porque sí que sucedió, tanto si él se acuerda como si no.

Cuando su padre intenta girarse, mirarla a la cara, Jade aprieta el brazo doblado sobre su garganta y empuja con la punta astillada, que penetra tal vez un centímetro, bañándole el dorso de la mano con un chorro de sangre caliente.

Está en la ducha de nuevo, que es donde sucedió. El calentador se ha estropeado, así que están duchándose juntos. Él la lava, con la botella de vodka junto al champú, la lava y... «¿Y si Janet Leigh estuviese esperando a Norman?», dice Jade a través de las lágrimas súbitas, o intenta decirlo, solo que nota la garganta oprimida, está temblando de arriba abajo, repugnada por este contacto de piel contra piel y le gustaría que su cabeza se sacudiera cada vez más deprisa como en *La escalera de Jacob*, liberarse de este recuerdo a lo *Carretera perdida*, le gustaría recordar las cosas a su manera, por favor, le gustaría difuminar aquel año entero, diluirlo en la nada insulsa de sus experiencias de sexto. Sigue sin hundir del todo esa estaca en la espalda de su padre.

—De verdad, voy a hacerlo —se obliga a decir, como si oírlo expresado en voz alta lo pudiera convertir en realidad.

Pero ¿no es capaz?

Se mira la mano como si quisiera localizar el origen de la traición, pero no está ahí, sino en su cabeza. Es su cabeza lo que la está traicionando. Su corazón. No puede hacerlo. Ella no es ninguna asesina.

—¿Jennifer? —dice su padre con una risita, con una confianza en la voz que hace que a Jade le den ganas de gritar.

—No —replica una voz junto a él—. Es Jade.

Y la cabeza de Chapi Daniels se vence al costado de golpe, con fuerza. Todo él se desploma, se hunde en el agua, lejos del brazo de Jade. La sangre que brota de su rostro se diluye en el lago.

Letha. Ha sido Letha.

Está empuñando una tabla de la que sobresale un clavo, pero para ella es un bate. El clavo, y la fuerza tras él, ha separado de su cráneo la sien del padre de Jade. En la punta aún cuelga algún resto: músculo de la mejilla, tejido de la nariz, una ceja entera tal vez.

—No volverá a hacerte daño —dice Letha, jadeante, momento en el que el mundo se vuelve blanco, lacerante y vertiginoso. Letha desaparece en medio de esa vorágine y Jade se cae de rodillas protegiéndose el rostro con las manos, el cuero cabelludo ahora expuesto. Hay un sonido también, un sonido que lo invade todo, un chirrido ronco y amenazador, como un cortacésped del tamaño de un coche, lo que significa... El aerodeslizador de Hardy.

La lancha acelera al máximo con todas las luces encendidas, perforando la bruma y la tormenta de gotas que sus grandes aspas proyectan en todas direcciones. Hasta que se apaga el ventilador, al menos.

Unas sombras monstruosas surcan el resplandor, y lo único que puede ver Jade es a Hardy tambaleándose por culpa de lo que sea que acaba de ocurrir, con una mano aún en su sillón elevado de capitán y el estómago abierto al aire nocturno, una línea de dolor sobre la que ya se crispan sus dedos. Solo que no son lo bastante grandes para contener algo así. Un reguero de sangre brota entre ellos, pequeño al principio, y después el resto, correoso y resbaladizo, una masa de gris reluciente.

A Jade le cuesta respirar. Se gira para mirar a Letha, que no se ha movido del sitio, aún sujeta la tabla con el pincho junto a su pierna. Ella no le ha podido hacer esto a Hardy, estaba aquí, encargándose de lo que Jade era incapaz. Y Theo Mondragon, Jade divisa su figura fornida en el embarcadero, está intentando taparse las heridas supurantes de los clavos con una mano mientras usa la otra para protegerse los ojos de la luz del proyector. Brody se yergue gigantesco en la pantalla tras él, comprobando por última vez esa bombona de oxígeno.

—No, esto no... —le dice Jade a Letha mientras estira el brazo en su dirección, no para atraerla hacia sí, sino para apoyarse en ella, pero una mano menuda se alza detrás de Letha, le sujeta la barbilla y la gira hacia un lado, y las manos de Letha se levantan enseguida a su vez en un intento por preservar la integridad de su rostro, pero ni siquiera todas sus fuerzas de chica final son suficientes.

Se le está desgajando la mandíbula y la cabeza intenta irse con ella, los ojos amenazan con escapar de sus órbitas porque esto no puede estar sucediendo, y por fin sus reflejos y sus músculos consiguen aferrarse a quienquiera que sea el que le está haciendo esto tan espantoso, todo su cuerpo se mueve con la inercia de este movimiento desgarrador. Pese a todo, el mentón se ha separado ya de la cara, dejándole la boca abierta y deformada en un grito antinatural, un negro abismo que Jade ha visto mil veces a través de las marcas de una cinta de VHS, pero así de cerca, así de personal, la intensidad de la experiencia no tiene rival. Las hileras de dientes deberían ser paralelas, o casi, pero la fila inferior de Letha ya forma un sesgo incorregible y se oye el sonido diáfano de la articulación de la mandíbula al partirse, desgarrada la piel. Todavía no hay sangre, este momento es demasiado fugaz para que le haya dado tiempo a manar, pero si la piel se está rompiendo de esa manera, si las astillas de los huesos están clavándose en el músculo, si los ligamentos y los tendones se parten como gomas elásticas...

El tiempo recupera su velocidad habitual y Letha sale volando por los aires, su cuerpo de muñeca rota surca los restos de la sala de estar de Lonnie hasta golpear el costado de la lancha-capazo, que se empeña en seguir a flote aunque sus ocupantes ya la hayan desalojado, y se hunde sin la menor ceremonia.

La chica final está muerta.

Jade contempla el espacio que ocupaba antes Letha y que ahora ocupa la responsable de esta acción imposible.

Se trata de una niña de largos cabellos muy negros, una niña de palidez cadavérica, una niña cuyo vestido está podrido y rebozado en puntiagudas cerdas de ciervo, una niña con los labios eternamente agrietados y las uñas partidas, con una telaraña de venas oscuras que emanan de las cavernas insondables que conforman sus ojos.

Stacey Graves, la Bruja del Lago.

Abre la boca para sisear, pero ahora es su mandíbula la que se desencaja hacia un lado, escorada, atirantando la piel seca a ese lado de sus labios. Grita, levanta una mano para detener el dolor y ladea la cabeza en un ángulo con el que ya debe de estar familiarizada. El mentón regresa a su sitio.

—Tú —murmura Jade mientras retrocede, agarrándose a una regala, y en ese instante todas las piezas encajan: una niña pequeña, temerosa de lo que es, cruza el lago Indian galopando a cuatro patas para alejarse de los chicos que se burlan de ella, de la ciudad que nunca se ha dignado a alimentarla, del padre que no siente el menor cariño por ella. Lo único que busca es a su madre encajonada allí, en el fondo de alguna grieta tan inaccesible que ni siquiera los buitres consiguen llegar hasta ella, porque a Letch Graves no le interesa que las sospechas del sheriff vuelvan a recaer sobre él.

Pero Stacey Graves no es ningún buitre, dispone de semanas enteras para buscar a su madre y la encuentra por fin, junto a ese nivel de agua que no deja de crecer. Stacey Graves se acurruca en la cueva poco profunda con ella, se arropa con los brazos de su madre y duerme hasta que esas aguas detestables llegan acompañadas de una música tenue. Como es el agua la que sube, no ella la que intenta sumergirse, y como está firmemente encajonada en el abrazo materno, Stacey Graves ve sus deseos cumplidos y consigue reunirse con ella por fin.

Hasta que un gancho negro la encuentra y trunca su sueño. Asciende, se libera y, en busca de su madre de nuevo, mata a todo el que encuentra cazando en esa orilla del lago, transformando esos bosques en algo tan sagrado que adquieren el estatus de parque nacional por sí solos, o casi. El caso es que sí que logra reunirse otra vez con su madre, arrastrada junto con Stacey, solo que flotando ahora en la superficie del lago.

Stacey la lleva a una cueva más apropiada, más elevada, lejos de esas aguas que cantan, y bloquea la entrada tras ellas. Esto es suficiente durante décadas, hasta que el bosque se convierte en un horno cuyas chispas y brea siseante bañan la piel de su madre, que cruje y crepita, se quema. Stacey Graves apaga los fuegos más pequeños, espera hasta que se sofoca el más grande y regresa a la superficie, busca a los primeros culpables que le salen al paso. Están en la orilla del lago, en una serie de casitas muy parecidas a las de aquella ciudad detestable, aunque en realidad no formen parte de ella.

Después se retira a su cueva, retoma el sueño de los difuntos junto a su madre, esta vez para siempre, con suerte, pero entonces alguien se cae encima de ella. Stacey sisea, lo araña, y unas aguas grises y densas comienzan a filtrarse en la cueva. Solo que no se trata de agua. Parece roca fundida.

Stacey Graves se abre paso a través de ese engrudo antes de que le dé tiempo a solidificarse, resurge esa noche y se cobra las primeras vidas que encuentra: ciervos, pastando cerca de la orilla al amparo de la oscuridad. Pero aún no ha terminado. Se oyen voces en el agua. Risas alegres.

No si ella puede evitarlo.

Surca el lago hasta esa canoa verde, los silencia a ambos y, en busca de otra cueva en la que esperar el paso de la eternidad, se oculta del sol (que hace que su piel sisee, que le duelan los ojos, que sus labios y sus uñas humeen) en la única que logra encontrar: los ciervos que ella misma ha masacrado, a los que pertenecen los pelos que recubren su camisón putrefacto. Se siente a gusto allí dentro, no obstante, es tan oscuro y opresivo como un abrazo, como si su madre estuviera a su lado, y durante semanas y meses se conforma con eso, hasta que una sierra hecha de metal chirriante penetra en su gruta de carne podrida y la asalta la luz.

Stacey Graves se repliega ante el resplandor, se entierra aún más en el montón de cadáveres, empuja con tanta fuerza que termina saliendo al aire libre de nuevo, después de lo cual corre al encuentro del sonido más estridente y molesto de todos, el responsable de que su descanso se haya visto perturbado, sin duda: el yate. Tras abrirse paso a zarpazos por esos angostos pasillos, tras bañar de sangre esas cubiertas lujosas, tras derribar una puerta tras otra, vuelve a ocultarse del sol durante el día. Y luego esto, una fiesta en el agua que trastorna cualquier posible descanso, que invade el lago. Su lago.

Jade sabe que sus deducciones son correctas, no porque la cronología o la lógica encajen, sino porque esa niña muerta está detrás del espacio que ocupara antes Letha, de pie. En el agua.

No ha sido Theo Mondragon teletransportándose mágicamente de un sitio a otro. Ha sido una difunta niña pequeña que surcaba la superficie de persona en persona, una niña pequeña cuyos movimientos no se veían entorpecidos por tener que vadear o nadar. Tampoco habría podido hacerlo, aunque quisiera, porque este camposanto cristiano se niega a aceptar su alma de india y le impide el acceso.

Justo cuando Stacey Graves hace ademán de abalanzarse sobre Jade, un aullido las deja a ambas petrificadas.

Theo Mondragon. Está erguido en el aerodeslizador de Hardy, con la mirada fija en la lancha-capazo contra la que Letha acaba de morir. En las aguas en las que su única hija acaba de hundirse. Levanta la cabeza y apuñala a Stacey Graves con los ojos. Ha recuperado el machete, debía de llevarlo en la zona lumbar, sujeto con el cinturón.

—¡Tú! —le dice a Stacey, que ladea la cabeza en su dirección, sorprendida tal vez de que alguien la llame en vez de esconderse de ella. Aunque, ¿le resultarán comprensibles aún las palabras? ¿O ya solo entiende la muerte? Fuera como fuese, da la impresión de saber lo que significa que el machete de Theo Mondragon esté apuntándola ahora.

Stacey Graves se abalanza sobre él y Theo Mondragon prepara el machete para partirla por la mitad, pero en el último momento Stacey se gira, se deja caer por debajo del arma y reaparece a su espalda.

Antes de que Theo Mondragon pueda corregir la postura, afianzar los pies en esa lancha que no para de moverse, Stacey ya ha estirado los brazos para atenazarle la mandíbula como hiciera con Letha. Lo arroja con violencia al costado, sin molestarse siquiera en desgarrarle la cara, y Theo Mondragon se estrella contra el embarcadero a unos cinco metros de distancia. Sus piernas y sus hombros intentan perpetuar el movimiento, lo consiguen, se doblan alrededor del lateral inamovible del embarcadero y algo se rompe dentro de él. Su espalda, seguramente, porque no es normal que a una persona se le pliegue el costado, ¿verdad? Se desliza hacia abajo, se cae, y por un momento parece que la canoa verde y vacía vaya a detener su caída, pero lo único que recoge es el machete.

Stacey Graves, tras contemplar esa lánguida inmersión en las aguas expectantes, tras admirarla incluso, se gira e inspecciona la superficie roja del lago hasta que sus ojos se posan en Jade.

—No —susurra esta, como si eso pudiera dar resultado. Aunque tampoco es una reacción completamente consciente, la verdad. Se trata más bien de una plegaria. Una plegaria respondida por unos ¿disparos?, que desgarran la noche. Cuatro, muy seguidos, concentrados en la espalda de Stacey Graves, cuya figura menuda se desploma de bruces y resbala por la superficie del lago Indian, por irracional que parezca.

Ha sido Hardy, ve Jade. Aunque agoniza, todavía intenta salvarla porque no está dispuesto a permitir que Jade se muera en esas aguas como ocurrió con su hija. Es lo que hacen los padres. Lo que se espera de ellos que hagan.

Después de esos cuatro disparos, sin embargo, Hardy se cae al agua y Stacey Graves ya está allí, sobre la posición exacta del lago en la que se acaba de hundir. Igual que cuando Hardy tenía once años y estaba en el Campamento Sangriento, Stacey araña la superficie intentando llegar hasta él, pero, una vez más, no le es posible. Jade aprovecha la distracción para batirse en retirada, para esconderse, para vivir, y una vez bajo el agua mueve las piernas así que, cuando regresa a la superficie en medio de todos esos cadáveres flotantes, su cabeza solo es una más entre tantas. Junto a ella, bocarriba, está el señor Holmes. Y Misty Christy. El que se desliza en una tabla de paddle surf es Lucky, el conductor del autobús escolar, que se impulsa con un largo remo azul sin la menor intención de parar. Cruza la mirada con Jade durante un par de segundos, implorándole que no diga nada, que guarde silencio, que le permita escapar de esto, pero entonces choca con la canoa verde, que ya ha llegado allí no se sabe cómo, y pierde el equilibrio, tiene que dejarse caer al costado, hundirse en el agua. Por el camino, su barbilla hace contacto con la tabla y eso deja su lengua brincando sobre la superficie rugosa. Cuando reaparece casi sin aire, con la barbilla ensangrentada y la mirada despavorida, Stacey Graves está esperándolo erguida. Los orificios de bala que presenta en el pecho y el hombro no están sangrando siquiera, son simples cráteres con los bordes ennegrecidos. Levanta a Lucky a su altura tirando del escaso pelo que tiene y, con movimientos lentos, tan pausados como si estuviera haciendo un experimento, le hunde la otra mano en el pecho, girándola a derecha e izquierda para facilitar la inserción. En vez de arrancarle el corazón se diría que lo sostiene, lo sujeta con sus dedos menudos hasta que Lucky se vence, se convierte en un peso todavía más muerto que antes.

Stacey deja que el cadáver de Lucky y su corazón regresen al fondo del lago y mira a Jade, que está chapoteando en el agua teñida de sangre, rodeada de los cadáveres de todos sus amigos, de todos sus enemigos. Pero no puede ser, ella no es una chica final. Hace seis años que perdió la virginidad, casi siete. Sin embargo, es la única que queda capaz de hacer esto, ¿verdad? La única que puede enfrentarse a la asesina.

¿Será ella la chica final?

Jade niega con la cabeza, no, pero Stacey Graves nació antes que las películas, antes que John Carpenter y Wes Craven, antes que Jason y Ghostface, por lo que ni siquiera sabe a qué le está diciendo Jade que no.

«No estoy preparada —le gustaría gritar—. No puedo, yo nunca...». No importa.

Stacey Graves se abalanza sobre ella para agarrarla del pelo como hiciera con Lucky, solo que Jade no tiene pelo que agarrar. Los dedos resbalan en el rasposo cuero cabelludo de Jade y esta se mete en el agua para alejarse de ellos. Se refugia en un mundo mucho más silencioso. Sobre su cabeza, Stacey Graves lanza zarpazos contra la superficie del lago y parece estar profiriendo alaridos, como hiciera con Hardy. Por lo menos hasta que se le desencaja la mandíbula y tiene que incorporarse para realinearla de nuevo.

Jade aprovecha para alejarse buceando, para esconderse debajo de una barca cubierta de jirones de papel. Asciende con sigilo junto al costado de la embarcación, la de la bibliotecaria. Lo sabe porque Connie tiene medio cuerpo fuera y el rostro sumergido, como si se le hubiera caído algo y lo estuviese buscando. Jade respira hondo, despacio, sin saber cuándo va a tener que hundirse otra vez, todo ello mientras combate un pánico atroz. ¡No puede ser ella! ¡Debería haber sido Letha! Letha podría haber hecho esto. Jade es... Solo es la chica de las pelis de miedo, la fanática.

Una conmoción la hace levantar la cabeza. Lee Scanlon, vadeando los bajíos a la carrera, intentando llegar a la calle principal.

Stacey Graves carga en su dirección, sus pies descalzos suenan como ventosas diminutas en la superficie del lago y una parte de su vestido se rasga tras ella, adhiriéndose a la forma con la que se ha enganchado: el machete. Está clavado en el costado de la canoa verde, tal y como Quint, no, no, tal y como Theo Mondragon lo dejó.

Este no es el momento más indicado para perder de vista dónde acaban las películas y dónde empieza la vida real, se reprocha Jade.

Con el primer grito de Lee, y quizás el último, Jade se levanta de un salto, agarra la empuñadura del machete y, tras desincrustarlo (más fácil decirlo que hacerlo), vuelve a sumergirse en el agua.

«Tú puedes, tú puedes», se está repitiendo. Tú puedes acabar con Stacey Graves. Tienes que hacerlo. Ha matado al señor Holmes. Ha matado a Theo Mondragon. Ha matado a Letha, la auténtica chica final.

Jade nada a lo perro hacia un lado, sin hacer olas, lejos de donde Stacey Graves sabe que debe de estar. Se agarra al primer cuerpo que encuentra para tener un asidero con el que impulsarse y es Jocelyn Cates, que se está haciendo la muerta, suplicándole a Jade con la mirada que siga adelante, que ella no está allí, que no diga nada. Da un respingo sin poder evitarlo, sorprendida por esos ojos implorantes de lo que ella pensaba que era un cadáver, y acto seguido se da cuenta del error que ha cometido: Stacey Graves se fija en la brusquedad de su movimiento y ya está acercándose, parece la arpía de *Cortinas*, su deslizar sobre el agua, inaudible y perfecto.

En la película, no obstante, la escena transcurre a cámara lenta y es hermosa, serena. En la vida real, en el lago Indian, empieza y acaba en menos de dos espantosos segundos.

Jade intenta sumergirse de nuevo, pero esta vez Stacey Graves la agarra del hombro y sus dedos menudos traspasan la piel, se clavan en los tendones y el hueso. Levanta a Jade, cuyo olfato sufre el asalto de un hedor penetrante (a ciervo, a muerte, a putrefacción) que le inunda la boca y los pulmones. Continúa izándola, sin saber tal vez dónde van a estar sus pies, y el hombro de Jade protesta al igual que su cuello, aunque este esté más arriba, y su primer instinto es el mismo que el de cualquier niña pequeña: estirar el brazo, apresar la muñeca de Stacey y apartar aunque solo sea en parte ese peso, igual que intentase hacer Letha. Solo que a ella no le dio muy buen resultado, ¿a que no?

En vez de eso, lo que hace Jade es empuñar el machete con las dos manos, pues sabe que solo dispone de una oportunidad, y corta de derecha a izquierda con todo cuanto acumula en su interior desde hace seis años, con toda la rabia y el rechazo, con toda la injusticia y el resentimiento, y se oye gritar exactamente como lo haría una chica final, ni siquiera es algo voluntario, lo que surge de ella es cólera pura, un yacimiento de ella, tan inmensa que ya no puede seguir conteniéndola, es como Constance en *Pánico antes del amanecer*, por fin está dándose la vuelta para luchar, insistiendo en sobrevivir, negándose a morir, a soportar ni un solo instante más de abusos.

El machete conserva el filo de fábrica, su presa es sólida y Stacey Graves tiene el flanco estirado, continúa levantando a Jade. Es bajita, como corresponde a alguien que solo tiene ocho años.

El grito de Jade se apaga, sus pulmones se han quedado sin aire, la rabia descorre el velo que le cubre los ojos y lo que ve es: la hoja del machete ha penetrado un par de centímetros en las costillas de Stacey, sin causar más estragos que las balas de Hardy. Bastante menos, en realidad.

Stacey Graves observa la herida, suelta a Jade para bajar una mano, para extraer esa molestia, y Jade se sumerge por lo que sabe que va a ser la última vez. Ya no queda nadie para distraer a su perseguidora. Lo que Stacey va a hacer ahora es agazaparse en la superficie, ¿a que sí? Ponerse en cuclillas, como la niña que es, y esperar a que esa chica salga a buscar el aire que necesita para subsistir. Y aunque Jade poseyera todos los machetes del mundo, eso no cambiaría las cosas, ¿verdad?

Pero ¿por qué funcionó con Stacey Graves aquel gancho, hace ya tantos años, y el machete de ahora no? ¿Será porque Jade no es la auténtica chica final? Sin embargo, ¿cómo evitaría eso que un machete cumpliera su función de machete? No tiene sentido, es...

«Acero», se dice Jade. Por supuesto, joder.

De eso está hecho el machete, ¿no es cierto? Porque tiene que estar afilado. Porque estamos en el siglo XXI. Sin embargo, ¿no dijo Christine Gillette que aquel garfio de hierro había costado dos dólares en la ferretería? La palabra clave: de hierro.

El hierro surte efecto sobre lo que sea que es Stacey Graves. Los machetes de acero, no. Lástima que Jade no tenga nada de hierro ahí abajo, un metro y medio bajo la superficie del lago.

Esto es el fin, se dice, y lo sabe porque ya no está repasando ninguna lista de disculpas y pesares, en estos momentos ya no está hablando con nadie. Pero al menos puede negarle a Stacey Graves la satisfacción de descuartizarla, ¿verdad? Por lo menos puede morir con el mentón en su sitio, se dice Jade antes de expulsar todo el aire y aletear con los brazos para descender más aún, para sumergirse en la oscuridad.

Han transcurrido treinta segundos cuando su cuerpo se convulsiona, se le abre la boca, aspira una honda bocanada de agua helada y ya no puede seguir evitándolo, se resiste, bracea en busca de la superficie. Jadea y, casi antes de poder respirar, vomita el agua que ha tragado mientras su cuerpo continúa estremeciéndose, tiene las manos extendidas y sus dedos se estiran en busca de algún asidero, por favor, lo que sea.

Lo que encuentran es el tobillo de Stacey. Jade desliza la mirada por el camisón putrefacto y Stacey Graves tiene los ojos clavados en ella. Se coloca la mandíbula en su sitio y da un paso al frente, zafándose del agarre de Jade, antes de agacharse para mirarla de frente. Su olor es un asalto insoportable, viscoso.

En la versión cinematográfica de todo esto, Jade lo sabe, habría encontrado el viejo gancho del señor Bill enterrado en el fondo del lago y este sería el momento en el que lo levantaría de golpe para perforar la sien de Stacey Graves con su punta afilada.

Sin embargo, Letha tenía razón: esto es la vida real.

Stacey Graves ladea la cabeza y sus ojos ya no inspeccionan el rostro de Jade, sino ¿su cabeza? Nunca había visto a una chica con el pelo rapado, ¿verdad?

Jade cierra los ojos, incapaz de detener el escrutinio: la nariz de Stacey Graves se arruga contra su cuero cabelludo, intentando descifrar el misterio de esta extraña chica-persona. Sin intentar alejarse, porque no serviría de nada, Jade se aparta de todos modos, se hunde justo bajo la superficie del lago, mira a través de ella y se siente como debió de sentirse Hardy cuanto tenía once años, oculto debajo del agua con Stacey Graves de pie sobre él, incapaz de alcanzarlo porque esas aguas, para ella, están malditas, malditas por el coro impío de Ezekiel, que prohíbe el acceso a intrusos tan corruptos como este monstruo con cara de niña.

Jade encuentra un remanso de serenidad dentro de ella. En su cabeza, con los últimos restos de oxígeno, borbotea una idea. No, más bien una imagen: Stacey Graves, arrojada por los chicos, gritando de júbilo, sobrevolando las aguas. Para luego rebotar contra la superficie, sólida para ella. Pero si aquel cazador de ciervos, el señor Bill, la enganchó debajo del agua hace ya tantos años, si la elevación del lago sumergió su escondrijo, eso significa que puede estar debajo, lo que pasa es que no puede llegar ahí por sus propios medios. Las aguas pueden cubrirla, no obstante. Ella no se puede lanzar, no puede caer dentro, pero…

Jade espera hasta notar la nariz de Stacey Graves justo encima de su frente y proyecta hacia arriba la mano derecha, la mano sin marcas suicidas rompe la superficie tan veloz como le es posible y sus dedos se abren paso entre los guijarros ennegrecidos que son los dientes de Stacey Graves porque el único punto débil de esta, garfios de hierro al margen, es posiblemente su mandíbula dislocada. Jade tira de ella con todas sus fuerzas, oye el crujido de los huesos dentro de la pequeña osamenta de Stacey y se deja caer de espaldas obligándose a expulsar el aire de nuevo, sin el menor preparativo, y (sí, sí sí sí) la cara de Stacey Graves traspasa la superficie, seguida del resto de su cuerpo menudo.

Los dientes rotos, afilados, se clavan en los dedos de Jade, perforándolos casi, pero ella no deja de tirar, continúa arrastrando a

Stacey Graves y esta ya no se muestra furiosa sino asustada, chilla debajo del agua y sus zarpas buscan la superficie, donde esta tendría que estar.

Jade tira de ella aún más abajo, hasta que hacen pie y Jade se abraza a Stacey, la sujeta con brazos y piernas, enjaulándola, y el cuerpo menudo corcovea y se retuerce al principio, pero luego, afortunadamente y despacio, se queda inmóvil, lo bastante como para que… ¿Es música eso que Jade percibe en el agua? ¿Los últimos acordes de la película?

La suelta y Stacey Graves se limita a quedarse en el sitio, paralizada sobre los sedimentos del lecho. Por lo menos hasta que una mano grande y pálida se materializa en el agua turbia, se cierra alrededor de su tobillo esquelético y se la lleva en un abrir y cerrar de ojos a la oscuridad permanente, real, de la nevera de Ezekiel.

Jade se asusta, hace tiempo que agotó la última bocanada de aire, y ahora es ella la que se retuerce, ahora es ella la que no puede ascender en el agua, pero ha merecido la pena, ¿verdad? ¿Morir matando a la asesina? ¿Tener y aprovechar la oportunidad de ser la chica final justo aquí, en los compases más últimos y definitivos de toda su vida?

El cuerpo entero de Jade se convulsiona, su boca traidora se abre para llenarse de agua, el lago invade su pecho con esos dedos glaciales que parecen estar en todas partes a la vez. Así es la muerte, comprende una parte de ella, ni suave ni fácil, es un pánico en el que estás atrapada y del que te sientes distanciada al mismo tiempo, y es… Otra mano se materializa delante de Jade, que es, ¿arriba, por encima de ella y no por debajo? Antes de que a Jade le dé tiempo a procesar más información, esa mano la agarra por la pechera del mono y tira de ella hacia la superficie.

Letha Mondragon.

Ya no está caminando a cámara lenta por los pasillos del Instituto Henderson, sin embargo, con su cabello de anuncio de champú ondeando tras ella. No, ahora está jadeando y tiene las facciones bañadas de sangre por culpa del surco que ha sustituido a su ceja, debajo de la cual hay un ojo que ya no se mueve en sincronía con el otro, pero eso no es nada. Su mentón. Se ha desencajado, partido en las articulaciones, por lo que su barbilla cuelga ahora baja y torcida. El único motivo de que aún resista relativamente en su sitio, de que no se haya desgajado por completo y hundido en el lago, es su régimen de hidratación cutánea, ¿a que sí? Tiene la piel tan elástica que ha conseguido aguantar. Y si pudo sobrevivir a semejante violencia, pegarse un cabezazo contra una barca no iba a acabar con ella.

Algunas chicas sencillamente no saben morir.

A Jade le gustaría abrazar a Letha, dejarse abrazar por ella, pero hay una corriente helada extendiéndose por sus pulmones, una corriente abrasadora que sabe que es aire, aire prodigioso, y lo siguiente que hace es vomitar agua del lago encima de Letha. Y esta la deja vomitar, la deja, no la suelta ni nada. Al menos no hasta que ya no le queda más remedio, agotadas sus últimas fuerzas con Jade.

Jade la abraza, ahora de verdad, en un intento por rescatarla a su vez, pero no es necesario: Banner Tompkins la tiene en sus brazos, es él quien está llevando a cabo el rescate, apartando a Jade con la fuerza del agua que levanta a su paso.

—¡Lo ha conseguido! —exclama Banner, girándose para que todos puedan ver a la heroína, Letha Mondragon.

La chica final.

—¡Lo ha conseguido! —repite Banner aún más fuerte que antes, irguiéndose ahora con Letha, sosteniéndola como si fuese un trofeo, como la heroína que es, y Letha es tan buena persona que menea la cabeza, lo niega, intenta darle esos puntos de slasher a quien de verdad los merece, pero el esfuerzo por intentar zafarse de los brazos de Banner para desviar la atención hacia Jade resulta ser demasiado por fin. Letha se desmaya contra el pecho jadeante de Banner y sus largos cabellos tocan el agua, lo cual, de alguna manera, consigue que toda la escena sea más dramática si cabe, aún más perfecta.

Jade sería algo peor que la mala de la película si estropeara este momento. Algo peor de lo que Proofrock ya piensa que es, por lo menos. Se hunde en el agua helada, desaparece y nada como una rana en dirección a la orilla, sorteando todas las embarcaciones semihundidas, todos los brazos fríos e inertes que cuelgan de ellas, toda la sangre que se arremolina en torno a los dedos crispados. Bajo el agua, las lágrimas pierden su significado. Pero ahora hace frío.

Jade regresa a la superficie sin aliento, la brisa nocturna no contribuye a infundirles calor a sus miembros, y extiende una mano en busca de algo que la ayude a mantenerse a flote.

La canoa de la ciudad.

Jade trepa, se encarama a pesar de las protestas de su hombro, del palpitar de sus dedos, de lo mucho que le pesa su pierna dormida. Derrengada entre los asientos, con la mejilla pegada a la fibra de vidrio de color verde, se ríe, solloza y lo odia todo, pero también lo ama todo, no lo cambiaría por nada en el mundo. Se gira por fin y no hay nada salvo estrellas sobre su cabeza. Vaga así a la deriva, rendida, agotada, imaginándose que está en la balsa de los muertos, imaginándose que hay unos créditos que se deslizan tras ella, como telón de fondo, imaginándose…

Su mano encuentra el machete debajo del banco. Lo levanta, lo inspecciona como el objeto fascinante que es y, en un intento por molar tanto como Quint, lo clava contra el costado de la canoa. Pero se cae, de modo que prueba de nuevo, se pone de pie para coger impulso y consigue que el filo penetre lo justo para que el machete se quede allí clavado, como tiene que ser.

Cruzada ahora sobre el suelo de la canoa, Jade descuelga las piernas por un lateral, deja caer la cabeza por el otro y, por enésima vez, vuelve a ser Alice al final de *Viernes 13*. Alice, con su prolongado suspiro después de tanto gritar. Alice, reclinada contra ese sueño que habría de abrirle las puertas a Freddy, a la Edad de Oro al completo. Jason emerge del agua por un momento fugaz, la abraza por la espalda y todo está en orden, ¿verdad? Todo es perfecto. El horror se ha acabado, esta noche interminable también, y ya no quedan más incógnitas acuciantes que resolver.

No ha habido un final más falso en toda la dilatada y documentada historia de los falsos finales.

Jade respira hondo, preparada para afrontar la siguiente fase, y su mano busca la empuñadura del machete por puro instinto.

—El último susto —recita.

Como si esa fuera la señal que estaba esperando, un inmenso chapoteo resuena a su espalda y, como está lista, como se conoce este género al puto dedillo, Jade ya está flexionando las rodillas y girándose, atacando, profiriendo un alarido.

Sin embargo, de nuevo, el machete no corta de un lado a otro. Porque, evidentemente, no están diseñados para eso. Para lo que están diseñados, al parecer, es para penetrar un par de centímetros y detenerse.

¿Solo que no se trata de Stacey Graves? Se trata de Chapi Daniels, su padre, que de alguna manera también ha llegado flotando hasta aquí intentando sobrevivir. Ha perdido un ojo, le falta un trozo de cabeza y el resto de su ser intenta aferrarse a lo que puede, se agarra a Jade como si quisiera arrastrarla al pasado con él. Porque, por supuesto, la tabla con pincho de Letha no podía matarlo, ahora que Jade tiene tiempo para analizar lo ocurrido. Letha era demasiado pura como para eliminar a alguien así, sin que mediase provocación. Su naturaleza no le permitiría asestar un golpe tan indeleble, tan definitivo.

Eso es potestad de las Jades del mundo.

El machete se ha quedado atascado hacia la mitad del cuello de Chapi, pero con eso es suficiente. Su sangre, su vida, se derrama de verdad esta vez, tiñendo el arma de rojo. El único ojo que le queda está fijo en Jade, y por fin esta pronuncia las palabras que siempre había querido decirle, lo único que alguna vez ha querido decirle:

—Confiaba en ti, papá.

Cuando desclava el machete, Chapi Daniels se hunde y el lago Indian lo engulle, Ciudad Sumergida está llamándolo por su nombre, y Jade, la parte culpable ahora, la india con la oreja pegada a las vías del tren, nota que un hormigueo se apodera de sus sentidos mientras inspecciona el embarcadero por el rabillo del ojo.

No está tan lejos del embarcadero como pensaba, ¿verdad? Y la que ha notado que la estaba observando es Tiffany Koenig. Cuyo móvil está grabándolo todo.

—No —dice Jade intentando explicarse, aunque su voz no pueda llegar hasta ella—, no lo entiendes, él, él...

Se da por vencida. ¿Para qué esforzarse siquiera? Lo que hace es taparse la cara con las manos y gritar contra ellas, grita, patalea y cuando vuelve a levantar la cabeza descubre que se ha alejado flotando y hay luces rojas y azules en Proofrock ahora, helicópteros que zarandean las copas de los árboles con sus aspas.

Así empieza.

Jade se queda mirando, su corazón extiende los brazos hacia la orilla opuesta del lago pero sus manos ensangrentadas no se mueven del sitio. Se palpa el bolsillo de la pechera con una de ellas, en busca de un cigarrillo que sabe que no encontrará allí, y después levanta la tapa de la pequeña nevera, la usa a modo de remo, dos paladas con sus respectivos gruñidos a la derecha, dos a la izquierda, y de esa manera tan gradual, silenciosa, navega por las aguas oscuras.

Está llorando de nuevo, porque ahora sí que se ha acabado del todo. Es su última oportunidad de escapar. No puede volver, no con lo que ha grabado el teléfono de Tiff. Con la suerte que tiene Jade, todas las historias sobre la carnicería de esta noche convergerán sobre ella hasta que la versión oficial establezca que ha matado, no solo a su padre, sino a todos los demás. Que toda la sangre vertida en el agua representa su venganza calculada contra una ciudad que nunca la había aceptado, que la trataba como hiciera con Stacey Graves en su día, érase una vez. Escarbarán en los archivos de su antiguo profesor de Historia y encontrarán todas sus redacciones. La prueba que necesitan, y más.

Theo y Letha no intentaban incriminar a Jade, pero tampoco habría hecho falta; de eso se ha estado encargando durante años ella solita.

No, ya no hay vuelta atrás. Esto es el fin. Tiene que serlo. El señor Holmes ha muerto, el sheriff Hardy ha muerto y ella es oficialmente una asesina.

Aunque Proofrock la aceptara, allí ya no le queda nada.

Deja el remo, la tapa de la nevera, en el fondo de la canoa y desprende del mono los pendientes que sujetan el parche con su nombre. La cara de la comedia y la cara de la tragedia, ¿verdad?

Súmense para obtener un slasher, más o menos. Esa habría sido su última redacción para el señor Holmes, cree. Sobre cómo el slasher es una moneda ensangrentada que gira en el aire, mostrando una sonrisa durante una fracción de segundo, una mueca apenada, otra sonrisa.

Jade no dejaría que esa moneda se detuviera nunca.

Aprieta el puño sobre los pendientes, todavía le supuran los dedos por culpa del mordisco de Stacey, estira el brazo sobre el agua y abre la mano, cierra los ojos antes de oír el diminuto chapoteo y así puede verlos en su cabeza, formando remolinos mientras se hunden, el uno riendo, el otro llorando.

Ante ella, en la orilla, una hilera de cabañas oscuras se recorta contra el telón de fondo de un acantilado calcáreo. El Campamento Sangriento. Si tuviera una mejor amiga con ella, o una amiga a secas, apuntaría allí con la barbilla y le contaría cómo la concibieron una noche de hoguera, está bastante segura. Y ahora la encontrarán muerta de frío e inanición en una de esas cabañas, ¿verdad? La fanática del terror reducida a una momia correosa, pasto de las tortugas, los mapaches y los cuervos, con las rodillas recogidas contra el pecho, enterrado por fin su corazón en el único suelo que estaba dispuesto a aceptarlo.

Pero ha tenido sus momentos, ¿a que sí? Ha gritado hasta hacer desaparecer al resto del mundo y ha metido la mano hasta el fondo de la garganta del asesino. ¿Y tal vez, durante ese breve intervalo de tiempo, ha sido algo parecido a una chica final? ¿Siquiera un poquito? Lo suficiente.

Jade tira el parche con su nombre, deja que «JD» se hunda también, y se quita el mono, la camiseta y el pantalón, por qué no, lo arroja todo por la borda y se abraza para resguardarse del frío, al principio, pero después recuerda cuál era su propósito, coge la tapa de la nevera y vuelve a remar con ella, rema y continúa remando. No quiere morir aquí, en esta canoa de color verde, sino allí.

—*Momma, I'm coming home* —dice entre palada y palada con los dientes castañeteando, temblorosos sus hombros, dormidas las manos, y la madre a la que se refiere lleva un cuchillo de caza en el cinturón, la madre a la que se refiere estaría dispuesta a aniquilar un campamento entero como alguien osara ponerle siquiera mala cara a su hija.

Jade rema contra el agua, con brío.

No ve el momento de llegar.

Capítulo final

Lo que saca a Jade de la cabaña que ha elegido no es el sol despuntando tras Terra Nova, aunque sospecha que, a su manera, sí que se trata de un nuevo amanecer.

Ruge un incendio cuya causante, sospecha, no ha sido otra que ella. El mechero que dejó encendido en aquella pila de ciervos. El pelo por fin se chamuscó lo bastante como para avivar una llama, la cual debió de prender en más pelo, llegó a la hierba, se extendió hasta los árboles y ahora, el Parque Nacional de Caribou-Targhee se quema. Por primera vez en cincuenta años. La peor pesadilla de cualquier habitante de Idaho se está apoderando de un árbol tras otro, las copas estallan en tormentas de chispas y ascuas que se propagan por una interminable hilera de cerillas.

Jade sacude la cabeza a modo de disculpa, apesadumbrada, aunque también sonríe un poquito, incluso, por accidente. ¿Esto también, dioses de los slashers?

—*La quema* —dice Jade, evidentemente—, de 1981, Alex.

Es el principal ejemplo de slasher que utiliza el fuego como elemento transformador, aunque para encontrar todo un incendio forestal, no una simple broma pesada que sale mal, Jade supone que hay que remontarse a *The Prey*. Esa película comienza con un incendio que arrasa con una familia inocente de cuyos miembros uno acaba lo bastante desfigurado como para reaparecer como Cropsy años más tarde, en la acampada de unos adolescentes de fiesta. Pero *The Prey* solo se proyectó en los cines durante una semana, a lo sumo, allá por 1983. ¿O sería el 84? Por no mencionar que en realidad se había rodado en 1978, lo que significa que, a diferencia de los demás slashers de la Edad de Oro, *The Prey* no salió a rebufo de *Halloween*, sino que cabalgaba la misma ola cultural que acabó salpicando las pantallas estadounidenses con las andanzas de Michael Myers, siendo esa ola justo el momento en el que el *grindhouse* de los setenta y el giallo de los sesenta coincidieron, alimentada por alguien con signos de dólar acuñados con la efigie de Herschell Gordon Lewis en los ojos: Sean Cunningham a principios de 1979, básicamente, quien publicó un anuncio en *Variety* para recaudar fondos con los que subvencionar una peliculita que se había empeñado en hacer, ambientada en un viernes trece.

Llámalo como quieras, se dice Jade. La cuestión es que, lo mismo que no puedes tratar con crueldad a los animales durante la producción de tu slasher (esa pobre e inocente serpiente de *Viernes 13*), tampoco puedes prenderle fuego a un bosque cualquiera para darle más espectacularidad a tu peli. Otra cosa que se dice es que siempre ha sabido que acabaría así, ¿verdad? Citándose a sí misma datos curiosos sobre los slashers aquí, en el Campamento Sangriento. ¿Quién más estaría dispuesto a escucharla?

Siempre había querido ser como Randy en *Scream* (la Casandra a la que *Scream 2* le hace un guiño, quien se convertiría en una Casandra literal en la cinta de vídeo de *Scream 3*), pero sabe que, a lo sumo, es Ralph el Loco. No la chica que salvó Proofrock, eso está claro. O todo lo que pudo de Proofrock.

Aterida (el frío siempre arrecia justo antes del amanecer), aparta la mirada de las llamas que consumen Terra Nova, el parque nacional y seguramente el resto de Idaho, y piensa en Proofrock, que estará viendo cómo se desarrolla esta misma tragedia desde la orilla opuesta del lago. Por si diez o quince personas flotando hechas pedazos en el agua no fuese bastante, ahora también tienen un incendio del que preocuparse.

—Lo siento —dice Jade, deseando que el señor Holmes estuviera allí para sacudir la cabeza ante esta, la madre de todas las bromas pesadas.

Al intentar darle la espalda, quizá para absorber al menos el concepto de ese calor prodigioso, se descubre contemplando el acantilado calcáreo que se alza detrás del Campamento Sangriento, el mismo al que, según Hardy, solían subirse los chicos para hacerle un calvo a todo el mundo a la vez. Tenía que ser divertido.

Jade esboza una sonrisa culpable (no es el momento más indicado para sonreír) y se mece sobre los talones, se imagina el muro de agua que hay a la izquierda de ese acantilado, el muro que antes soñaba con liberar valle abajo algún día, porque sí y porque le habría gustado ver Ciudad Sumergida, no solo los dioramas para la clase de Plástica.

Ahora, después de que el fuego haya rodeado esta orilla del lago, arrasando el Campamento Sangriento camino de Proofrock, la próxima generación de dioramas tendrán como inspiración el valle Pleasant, antes de que se redujera a cenizas.

Es inevitable: el viento sopla en esa dirección y el cielo está despejado, no hay nubes a la vista con las que la naturaleza pueda abrir las espitas de su sistema antiincendios particular.

Jade podría intentar escalar el acantilado cuando las llamas se aproximen, pero ¿de verdad quiere hacer eso? Es preferible quedarse en la cabaña y mecerse abrazándose las rodillas. Imaginar tal vez que la luz que oscila en las ventanas pertenece a una hoguera encendida en la noche. Quizá los fantasmas de los niños que han muerto aquí, al notar el calor, alcen sus voces a coro para entonar alguna canción de campamento, esa rima sobre la presa que revienta, por ejemplo, y…

Jade deja de mecerse en la orilla. Contempla el acantilado de nuevo.

Lo de los calvos no es lo único que le ha contado Hardy, ¿verdad? También le daba mucha importancia a… ¿cuánto hace de eso? ¿El segundo año, fue entonces cuando Jade tuvo que repetir su proyecto de entrevista? Joder. Pero: sí. Aquella historia sobre el otro sheriff inveterado, el que salvó el valle Pleasant del último incendio reventando a tiros las ventanas de la garita de control del dique para que el nivel del lago subiera, apagando las llamas.

Jade deja que su mirada se deslice por la pared del acantilado. ¿Sería capaz?

Si el viento empuja el fuego hacia el lago y el nivel de este crece, entonces debería dar resultado, ¿a que sí?

Sin embargo, Hardy no está allí para acercarse con el Bronco hasta el dique y disparar contra las ventanas de la garita. Y todos los habitantes deben de estar desconsolados aún, después de haber perdido tantos familiares y amigos, eso el que no esté cargando todos sus enseres en coches y camionetas, porque esta es la buena, esto es el fin del valle Pleasant, el fin de lo que Henderson y Golding empezaron hace ya tanto tiempo.

Aunque, por otra parte, tampoco tendría por qué serlo.

Jade baja las manos, intenta que la sangre vuelva a circular por sus dedos, y por enésima vez echa de menos el mono. Lo de anoche fue un gesto positivo y necesario, pero tener que lidiar con las consecuencias a la mañana siguiente le está dando bastante por saco.

También encaja, ¿verdad? Ha perdido todas las piezas de su armadura, que ya forma parte del lago, pero aún le queda una batalla que librar. Jade odia Proofrock con toda su alma, le faltan dedos y conocimientos de matemáticas para calcular hasta qué punto lo odia, pero eso no significa que le parezca bien verlo arder.

Renquea hasta la cabaña número seis, la que debería haber sido su *Mausoleo* privado, su *Mortuorio* de las montañas, su gran *Cementerio* americano, levanta la tabla suelta y se yergue empuñando el reluciente hacha de dos filos que robó cuando todavía era una cría para repeler a quien osara seguirla hasta su refugio. En vez de caminar arrastrándolo por el suelo, por muy guay que sea, lo que hace es sujetarlo a media altura, frente a las caderas, mientras corre en dirección al acantilado.

Los tres metros inferiores están tachonados de viejos barrotes de hierro oxidados que, incrustados en la roca, forman asideros por los que escalar. Jade comprueba su robustez, se cuelga de uno de ellos y su hombro grita pidiendo clemencia, sus dedos gritan sin más, y se dispone a batir todos los récords de escalada en paños menores, con un viento de treinta kilómetros por hora.

A partir de ahí todo son puntas de dedos, de manos y pies, todo son rocas resquebrajadizas y raíces traicioneras. El mango del hacha que lleva enganchado en el hombro derecho, bajo el tirante, se le clava en la espalda cada vez que se estira para llegar adonde parece imposible llegar.

Esto sería coser y cantar para Letha Mondragon, Jade lo sabe, pero Letha Mondragon está recibiendo atención médica en una tienda de campaña en esos momentos, mientras los periodistas cincelan sus heroicidades en la piedra de la posteridad.

Eso hace que Jade hunda aún más los dedos ensangrentados en los resquicios, que sus rodillas raspen con más empeño la fachada de roca. Cuando corona por fin el acantilado, se queda tendida de espaldas, jadeando, con el hacha aferrada con fuerza contra su pecho.

Todavía no ha terminado.

Se gira, se incorpora sobre una rodilla, apoya tres dedos en el suelo y a continuación, porque no se fía de ser capaz de levantarse de golpe sin trastabillar y precipitarse al vacío que se abre a su espalda, empieza a correr como puede empuñando el hacha con ambas manos.

Diez, doce minutos después, el dique aparece ante ella como un juguete gigante caído de la estratosfera, con su cornisa superior de hormigón de unos seis metros de altura. Lo que significa: que así es como Jade puede hacer que suba el nivel del agua si logra convencer a Jensen Banks, el vigilante de la presa, para que accione los controles hasta ese punto.

¿La recordará de todas las presentaciones que ha hecho en primaria? Presentaciones durante las que Jade nunca paraba de rebullirse en la silla y hacer ruiditos de fastidio sin importarle ni el volumen, ni la frecuencia, ni otras zarandajas por el estilo. Ahora sí que le importa, no obstante.

Aprieta el paso, el humo la engulle cada vez más, dejándola doblada por la mitad y tosiendo hasta casi expulsar los pulmones; es como aspirar una cajetilla entera de golpe, y luego, sin darte tiempo a recuperar el aliento, inhalar la siguiente.

La Chica de los Pulmones Negros sigue adelante. La Chica de la Cabeza Rapada no se detiene.

Cuando Jade llega por fin al espinazo del dique, la inercia y la aparatosa hacha están a punto de arrojarla al vacío por el lado de tierra firme, el lado de la caída interminable. Lo evita proyectando el hacha hacia atrás, sujetando el mango con una sola mano. Aunque sea por los pelos, funciona.

Se obliga a cubrir los últimos cincuenta metros que la separan de la garita de control caminando sin prisa, con pasos rígidos y mecánicos, porque Jensen debe de estar observándola por la mirilla de la puerta. Observando a esa chica en ropa interior que se dirige hacia él arrastrando el pie izquierdo.

Llama a la puerta con la hoja del hacha y, cuando no obtiene respuesta, ningún golpe, nada, repite la operación con más insistencia.

Aún nada.

¿Por qué no ha mirado por el camino a ver si la camioneta de Jensen estaba aparcada en su sitio? Aunque, por supuesto: habrá visto las luces de emergencia que brillan en Proofrock, ¿verdad? Las habrá visto y habrá acudido por si pudiera ayudar de algún modo. Eso o los servicios forestales lo han avisado del incendio que se le estaba echando encima y ha dejado los controles del dique en piloto automático, ha abandonado su puesto.

En cualquier caso, Jade levanta el hacha sobre la cabeza y la proyecta hacia delante con todas sus fuerzas, decidida a dejar esa puerta hecha astillas, como Jack Torrance con la del baño en *El resplandor*.

El hacha apenas si hace mella. Porque la puerta es de metal y muy recia, maciza. Entonces Jade intenta golpear el pomo, falla, pero lo consigue a la segunda.

La manilla de la puerta salta con un tintineo y se cae al lago.

La puerta sigue estando igual de cerrada, igual de infranqueable que antes.

—¡Mierda mierda mierda! —grita Jade al viento, a toda esa naturaleza que está intentando salvar.

Odiando tener que hacer esto, mete la barriga y rodea la garita haciendo equilibrios. Las tres paredes que no tienen puerta sí tienen ventanas, pero la opuesta a la puerta es la única con la que realmente se puede hacer algo, o la única a la que se le puede hacer algo, puesto que también es la única junto a la que se puede estar de pie.

A medio camino, su pie descalzo se eleva de golpe por voluntad propia a causa de un guijarro afilado, una cabeza de clavo oxidada o da igual lo que sea y, cuando Jade extiende los brazos para no perder el equilibrio, sus manos se olvidan por completo del hacha.

Se cae, continúa cayendo, una de las dos partes tropieza con la cornisa de hormigón entre los pies de Jade en vez de clavarse en ella, como debería, y eso la envía hacia atrás dando vueltas en lo que a Jade le parece la cámara más lenta del mundo, tanto que incluso a una fanática del terror tan poco atlética como ella le da tiempo a sentarse de golpe, con las piernas colgando sobre el agua, para que el empeine de su pie derecho pueda enganchar esa cabeza de hacha y guiarla de nuevo a sus manos expectantes.

Una caída desde esa altura no la mataría, pero el hecho de que en cuatrocientos metros a la redonda no haya ninguna orilla en la que recalar, sí.

Muy despacio, con extraordinaria cautela, con el empeine del pie derecho rajado como una cáscara de huevo, se incorpora de nuevo, preocupada ahora por si se le escapase el hacha de nuevo, deseando a cada paso que su espalda se torne adhesiva, prensil, lo que sea.

A duras penas, pero lo consigue.

Dobla la esquina, sale a la parte más relativamente amplia del espinazo del dique y golpea el cristal con el hacha.

Jensen no está en casa.

—Pues lo siento —murmura mientras hace tiempo hasta que esta nueva vaharada de humo de campamento pase de largo, pero ahora la humareda es como un tren en un túnel. Llega y continúa llegando, cada vez más densa.

Lo cual no contribuye a conservar el equilibrio.

Cada vez que el doctor Wilson la sometía a algún examen físico en primaria, antes de que Jade empezara a saltárselos (por motivos que ahora no vienen al caso), la parte de la prueba que no aprobaba nunca era cuando le pedía que se pusiera a la pata coja y cerrase los ojos. Siempre, sin falta, se tambaleaba y estaba a punto de caerse.

Como ahora. Porque, aunque tenga los ojos abiertos, no lo parece.

Vuelve a golpear el cristal con el hacha, aunque sin tomar impulso, como si esperase que la ventana se hiciera añicos sin más, intimidada por el arma, supone.

Qué tontería.

Ahora sí coge impulso, no sabe si está agarrándola de la forma correcta ni nada, pero tiene a su disposición una infancia entera de rabia con la que amartillar el golpe, seis años de padres de otros niños que se burlaban de ella, de maestros que la enviaban al despacho del director por haberse puesto mala, por todo. Y después, tener que volver a casa con Chapi Daniels y sus platos sucios.

Jade abre la boca para proferir un alarido que ignoraba que estuviera alojado en su pecho y carga con todo su peso, golpea y el hacha rebota, rebota con tanta fuerza que se le escapa de las manos y vuela directamente al encuentro de su cara. Jade la esquiva, la ve pasar ante sus ojos dando vueltas y precipitarse al vacío por el lado seco del dique sin tocarlo siquiera, tal es la altura a la que se encuentra ese punto.

—¿Qué? —dice Jade.

Pero, claro: como estas ventanas ya las han reventado a tiros una vez, y como los bosques del lado de Proofrock están llenos de cazadores, es lógico que ahora estén reforzadas, ¿verdad? Por supuesto que sí.

En cualquier caso, sus esfuerzos han dejado una muesca en el centro, al menos. Como cuando un guijarro impacta en el parabrisas.

En medio del humo que se arremolina a su alrededor, Jade guía su mano hasta ese cráter arenoso que se ha formado en el cristal, empuja con el índice y, como si acabara de oprimir el botón de autodestrucción, la ventana entera se desmorona en cachitos.

Jade asiente con la cabeza dando gracias gracias, a los dioses de los slashers, sigue el ejemplo de los añicos y entra, trepa por encima de la mesa que hay allí recogiendo trozos y fragmentos en sus rodillas y en las palmas de las manos, mientras sus ojos registran la estancia en busca de diales y pulsadores, de palancas y manivelas. De todo eso hay, y más.

Lo que no hay es ningún manual.

—Joder —refunfuña Jade.

No hay ningún slasher que pueda ayudarla con esto. A lo mejor alguna peli de faros o de submarinos, aunque seguramente tampoco. Las garitas de control de los diques no destacan por lo trepidantes que son, como atestiguan los bostezos que siempre han acompañado a todas las presentaciones de Jensen Banks delante de los alumnos.

Lo único que puede hacer, supone, porque tiene que hacer algo, porque algo es mejor que nada, es ¿empujar la palanca central más grande desde su posición de tres cuartos hasta arriba del todo?

Cuando ve que las dos ruedas de la pared del fondo están giradas casi hasta el tope hacia la derecha, o eso parece, las mueve del todo a la izquierda, imaginándose que la presa es como un grifo gigante. Y lo es, ¿no? Más o menos.

Para demostrarle que ha acertado, un banco entero de luces empieza a parpadear dando la alarma y una voz robótica suena sobre su cabeza, no para preguntarle si le gustan las películas de terror (la pregunta que siempre ha esperado que alguien le haga), sino para informar a Jensen de que revise los niveles 1 y 2 porque, de lo contrario, la reducción del caudal podría provocar un peligroso aumento de la resistencia.

—Eso es —dice Jade, satisfecha con su trabajo.

Desliza los dedos por este inmenso tablero industrial como si quisiera ver qué más puede hacer. Cuando ya no queda nada por oprimir ni girar, empuja con el hombro para abrir la puerta desde el interior.

Sale a cielo descubierto con demasiada inercia, pero se lo esperaba, sabía que haría bien en agarrarse a la manilla de dentro.

Y ahora, si la garita le hiciera el favor de saltar por los aires envuelta en una nube con forma de hongo mientras ella se aleja por el espinazo del dique...

¿Cuánto tardará en subir el lago? ¿Se dará prisa? ¿Hasta qué ladrillo de la orilla llegarán las aguas en Proofrock? Se dará la prisa necesaria, decide Jade. Y serán todos los ladrillos.

Cuando la garita de control no explota (no está llena de instrumentos de demolición y, de todas formas, tampoco había saltado ninguna chispa), Jade sigue caminando igualmente, con los puños apretados y la mirada fija en el acantilado calcáreo del Campamento Sangriento a través del humo, y solo se detiene cuando…

«Hostia puta».

Lo que ve galopando para escapar de las llamas es un oso pardo. No el basurero que mató a Deacon Samuels, reflexiona una parte de su mente, sino aquella cría con la que se cruzó en Proofrock. Cría que ahora está corriendo desesperadamente, intentando no quedarse rezagada. De su mamá.

—Corre —le dice Jade de nuevo, hasta que se da cuenta de adónde se dirigen: directos a ella, por el espinazo del dique.

Se gira, también ella corre con todas sus fuerzas ahora, su única posibilidad entre un millón es plantar el pie descalzo encima del pomo redondeado del interior de la puerta que ella ha dejado entreabierta. Se le clava dolorosamente en la planta, la puerta oscila, abriéndose por su peso, e intenta arrojarla al vacío, pero ya tiene medio cuerpo encima del techo plano de la garita.

Empieza a arañar hacia abajo y atrás, la puerta se cierra y le golpea las piernas, pero forcejea, se agarra y tira, consigue llegar al techo de grava y se apresura a levantar los pies antes de que unas fauces se cierren sobre ellos.

Cuando se da la vuelta para escudriñar entre los remolinos de humo, sin embargo, a la mamá oso y su cría todavía les falta un buen trecho para llegar a la garita.

—¡No os caigáis, no os caigáis! —les susurra Jade, resistiéndose a delatar la posición de su refugio. Dos metros no es mucho para una osa por lo menos así de alta, pero espera, ¿por qué se han parado?

Jade mira detrás de ellos, siguiendo la línea del dique y, no estaban huyendo del fuego, sino de lo que está huyendo del fuego: el oso de la basura, un macho enorme con el pelaje chamuscado, humeante, y la cara surcada de cicatrices de garras y dientes, o tal vez de pelearse con los contenedores, no importa. Lo que sí importa es que, al igual que los hámsteres, Jade lo sabe (todos los habitantes de Proofrock lo saben), todos los papás oso son muy capaces de zamparse a un bebé oso a las primeras de cambio. Son presa fácil y además están ricos.

Jade se pone de pie sacudiendo la cabeza, no, no, por favor.

Al final del dique, la humareda se despeja lo suficiente como para permitirle distinguir a ese oso basurero erguido, lanzando poderosos zarpazos al aire, invadiendo todos los rincones con un rugido ensordecedor, y entonces, lo que Jade siempre ha dado por sentado que era mentira, lo que nunca ha estado dispuesta a creerse, el bulo que pensaba que todos los documentales de naturaleza querían colarle, lo que hace que su corazón retumbe como la motosierra que es: la mamá oso coloca a su cría debajo de ella, avanza por encima de ella y ruge aún con más fuerza que su congénere, con los labios temblando y una nube de saliva proyectada con rabia ante ella. Jade no habla su idioma, pero el mensaje es inequívoco.

Lo que está diciendo esa madre es que, si el macho feroz quiere a su osezno, antes tendrá que pasar por encima de ella. Jade mira al cielo para evitar que se le desborden las lágrimas y, por un instante, el humo se disipa lo suficiente como para permitir que un rayo de sol se filtre hasta la palma de su mano levantada en un intento por atesorar esta sensación durante tanto tiempo como le resulte posible.

Agradecimientos

Ante todo me gustaría dar las gracias a cierta persona que trabajó en un videoclub de Wimberley, Texas, entre 1985 y 1986. Si no les hubieras pasado de contrabando un puñado de películas de Freddy, Michael y Jason a aquellos escolares de octavo todos los viernes después de las clases, a condición de devolverlas el sábado a primera hora, pues... No quiero ni imaginarme una vida tan triste, tan carente de slashers. Y en segundo lugar me gustaría darle las gracias al padre de uno de los antedichos escolares, quien siempre esperaba a que ya lleváramos vistas dos o tres cintas para deslizar sus dedos de Freddy por la puerta metálica del garaje que nos servía de lugar de reunión. Nos caíamos del sofá desvencijado en el que estábamos apiñados, salíamos pitando por la puerta lateral y corríamos como no he vuelto a correr desde entonces, con lágrimas en los ojos y una sonrisa tan amplia que me dolía la boca, sin nada más que la noche oscura bostezando ante mí.

Hacia esa oscuridad corría, y todavía sigo corriendo.

Y ahora me gustaría darte las gracias a ti, lector, por correr a mi lado.

Si nos damos prisa, si cerramos los ojos con fuerza, si apretamos los puños y nos inclinamos hacia delante es posible que consigamos recordar cómo era estar, no solo aterrados, sino tan muertos de miedo como para sonreír sin poder evitarlo, como para soltar una carcajada al final, como para que escapar o no dejara ya de importarnos, porque lo que fuese que nos perseguía jamás nos habría podido borrar aquella sonrisa.

A continuación, quiero dar las gracias a unos cuantos escritores con los que *Mi corazón es una motosierra* está en deuda, si bien ellos no lo saben. El primero, una vez más, sería Stephen King, cuyo relato «La balsa» está presente a lo largo de toda esta novela. Debe de ostentar el récord por ser la historia que más he releído en mi vida. Y *Lo que más me gusta son los monstruos*, de Emil Ferris, ¡madre mía, Batman!: ¿cómo podría haber soñado siquiera con escribir *Mi corazón es una motosierra* sin ese libro para guiarme? Bueno, y hablando de cómics, es posible que haya colado cierta escena del número 4 de las *Secret Wars* originales en esta novela. Principalmente porque esa entrega, más que cualquier otra obra, me cambió la vida. También forma parte de esto la colección de relatos *13 Stories, 13 Epitaphs*, de William T. Vollmann, al igual que la novela de J. R. Angelella, *Zombie*, al igual que *Young Slasher,* de S. Elliot Brandis, al igual que *A Field Guide to the Aliens of Star Trek: The Next Generation,* de Zachary Auburn, o lo que es lo mismo: al igual que mi afición a tomar cosas prestadas de aquí y de allá. Ah, y también hay algo de *Las vírgenes suicidas*, de Jeffrey Eugenides. Su discurso en primera persona del plural me dejó tan fascinado que me obsesioné con reproducirlo en alguno de mis slashers. Así que, en 2013, durante algo más de tres semanas, eso fue lo que hice. Acababa de salir de mi segundo slasher, *The Last Final Girl*, por lo que me imaginé que sería coser y cantar. Craso error. *Mi corazón es una motosierra* se titulaba «Lake Access Only» por aquel entonces y, si bien el lago Indian y Proofrock ya estaban ahí, Jade todavía no.

Debería aprovechar este momento para confesar que Jade es el nombre de alguien que ya no está con nosotros, alguien que significaba mucho para alguien que significa mucho para mí, y Letha era una chica que conocí en el instituto, cuando tenía diecisiete años y vivía con mi parada de los monstruos particular en una caravana, en un desguace de Midland, Texas, cuando todos queríamos ser como George Lynch o Jon Bon Jovi. Ese apellido tan llamativo de Letha, es como si, por aquel entonces, todo el mundo tuviera un nombre más chulo que el mío. Yo era un Jones rodeado de Stonecipher y Outlaw, de Ledbetter y Mondragon. Pero también era como Jade, obligado a no dejarme pisotear por nadie en ninguno de los muchos institutos diferentes por los que acabaría pasando, repartidos de una punta a otra entre los estados de Texas y Colorado. En cualquier caso, quien narraba aquella versión de 2013 de *Mi corazón es una motosierra* aún no era Jade, sino un chico que llevaba puesta una máscara de hierro, un chico que, estoy bastante seguro, era mi intento por ponerle la voz de *El tambor de hojalata* a la ilustración de la carátula del *Metal Health* de Quiet Riot. Cosas que pasan. Por aquel entonces toda la historia se sustentaba sobre el aspecto de la parte trasera del caparazón de ciertas tortugas, lo que equivale a decir que la novela no funcionaba. Así que la guardé en un cajón hasta que mejorase como escritor. Cuatro años después, recién salido de *Mestizos*, pensé que ya me había convertido en ese mejor escritor. Craso error otra vez, chaval. Reformulé «Lake Access Only» desde el principio, nada de primera persona del plural, nada de tortugas, y conseguí encontrar allí a Jade y a Letha, a Hardy y al Campamento Sangriento, pero esa novela seguía sin despegar. Así que me dediqué a escribir otras, entre ellas *El único indio bueno*, también un slasher.

El corazón de *Mi corazón es una motosierra* volvía a latir, como hace siempre el de Jason.

Creé un documento nuevo, lo reescribí desde el principio otra vez y, aunque seguía sin ser lo bastante bueno como escritor (¿será alcanzable siquiera esa meta?), había aprendido que, si reclutaba el número necesario de lectores betas, podía dar el pego. Así que: gracias de corazón a Matthew Pridham, Krista Davis, Michael Somes, Cara Albert, Paul Tremblay, Kelly Lonesome, Adam Cesare, Matt Serafini, Jesse Lawrence… Creo que Jesse se ha leído la mayoría de estas versiones recientes, incluso. Pero también Mackenzie Kiera, y mi agente, BJ Robbins. Las dos me han animado sin descanso para seguir mejorando la novela cuando yo pensaba que había acabado, que ya estaba lista. Debería estar acostumbrado a equivocarme a estas alturas, no obstante. Por suerte, tengo personas que me lo recuerdan.

Y gracias también a Billy J. Stratton, siempre dispuesto a conversar largo y tendido sobre Jason Voorhees; gracias a Theo, por dejarme colar su nombre en el libro (esta es mi forma de pedirte permiso, Ted); gracias a Joe Ferrer, por suministrarme slashers cuando los necesito; gracias a Rob Weiner, por tener siempre otro título, otra peli de miedo que, de no ser por su memoria, se quedaría relegada al olvido. Gracias a Sandy Smith por ayudarme con esos peliagudos apóstrofes posesivos y mil cosas más, gracias a Jessica Guess por creer en los slashers (significa muchísimo, todo), gracias a Jason Heller por echarme una mano con cierta camiseta, gracias a Walter Chaw por hablar siempre del terror con tanta sabiduría, con tanta pasión, con tanta franqueza, gracias a Dan McKeithan por algunos detalles sobre las residencias de mayores que formaban una parte crucial de *Mi corazón es una motosierra*, gracias a Vince Liaguno por detectar ese fallo en el último segundo y gracias a mi hermana, Katie, por ayudarme con una cosa sobre plantas cuando la novela ya estaba muy avanzada.

Total, que aquí estoy, haciendo como si se me hubiera encendido una bombillita en la cabeza y Jade se hubiera materializado bajo el resplandor. Nada de eso. Lo que pasó fue que había escrito aquella cochambrosa versión primeriza de un slasher ambientado en el lago Indian, pero utilizar al chico de la máscara de hierro como eje central no funcionaba. Me temía que la historia no tuviese remedio, que fuera todo relumbrón, sin sustancia. Hasta que me crucé con una lectura (no logro encontrar el artículo, pero es que tampoco me apetece ponerme a buscarlo) sobre una adolescente nativa que se había suicidado después de que su padre, también nativo, abusara de ella. Recuerdo perfectamente haber leído aquel artículo una y otra vez, intentando entenderlo. Sin embargo, seguía pareciéndome incomprensible. El caso es que el autor se había documentado, había elaborado estadísticas y… Aquella chica estaba sola, sí, y a la vez no lo estaba. Las cifras de este tipo de casos entre las comunidades indias eran superiores a las de cualquier otro sitio.

No mentiré diciendo que hice una pelota con el artículo, la tiré a la papelera y abrí un documento nuevo para enfocar esta historia como debía. Lo que sí puedo decir sin faltar a la verdad, sin embargo, es que ahora tenía alguien contra quien escribir el libro: contra ese padre indigno de calificarse así. La única guía real de la que disponía para hacerlo era un relato de Mona Simpson, «Lawns», historia que David Kirby seleccionó para ser la única que su clase de graduandos habría de leer y releer durante todo un semestre. Así que gracias, David Kirby y Mona Simpson. Y gracias a Tony Earley, por ponerle un dique al lago Indian; el dique de su cuento «The Prophet from Jupiter» es, para mí, el primer y único dique de la literatura y, lo confieso, creo que Hardy también está sacado de ahí. Bueno, de ahí y de *Aullidos*. También hay un poema en esa antología ya clásica, *Vital Signs*, que es importante para el lago Indian (bueno, para que Jade sea Jade), pero cobrará aún más importancia en el futuro, así que espero acordarme de mencionarlo de nuevo llegado el momento. Y gracias también a un profesor de Lengua que tuve durante el último curso en el instituto Robert E. Lee de Midland, en Texas, profesor cuyo nombre he olvidado porque durante aquel último curso solo fui a clase un día. Pero el día que fui, tenía la pierna rota después de haber sufrido un accidente con la moto, y también tenía, no sé, una especie de chispa o socarronería en los ojos que me recordaba al doctor Johnny Fever de *WKRP in Cincinnati*, y supe que, si me quedaba en su clase, me reconocería, que vería mi auténtico yo, más allá de mis vaqueros rotos, mi pendiente con forma de serpiente de cascabel y mi mechón de mofeta en la cabeza. Así que dejé las clases, hui, me escapé. Pero después he vuelto y he dejado que Jade se quede, y eso significa mucho para mí. Lo significa todo, señor. A ver, usted siempre ha estado ahí para ella cuando nadie quería acercarse siquiera. Estoy en deuda.

Y, por supuesto, gracias de corazón a Carol J. Clover por su disección del concepto de chica final. Y gracias a Kevin Williamson por proporcionarle el hilo perfecto del que tirar. Y gracias a Ryan Van Cleave por llamar a la puerta de mi apartamento durante aquellas vacaciones de invierno en enero de 1997, en Tallahassee, Florida, y obligarme a ir a ver aquella película que, según él, no me podía perder. Yo no quería, me apetecía más quedarme escribiendo, pero te empeñaste, tío, así que acabé acompañándote. La peli era *Scream*. Me pasé todo el rato notando cómo los pliegues de mi cerebro se removían, se retorcían, sonreían. Todos los deberes que llevaba haciendo durante toda mi vida, de repente, merecían la pena.

Y, bueno, Wes Craven. No me suelo sacar muchos selfis (a propósito, por lo menos), pero hay uno que sí me saqué, y todavía conservo, en el que llevo puesta una máscara de Ghostface. Es del 2015, en Salt Lake City, Utah, el día que falleció Wes Craven. O sea, la historia de *Mi corazón es una motosierra* no transcurre cuando transcurre por casualidad.

Gracias, señor Craven. Puso mi mundo patas arriba en 1984 y lo volvió a hacer en 1996. Sin usted, yo no sería quien soy.

Del mismo modo que *Mi corazón es una motosierra* no sería lo que es sin el titán de mi editor, Joe Monti. Él y todo el equipo de Saga y Simon & Schuster: Lisa Litwack, por esa cubierta tan fabulosa y por todo el trabajo realizado para llegar hasta ella; Sherry Wasserman y Dave Cole, por salvarme la vida con sus labores de corrección; Jaime Putorti, por diseñar el increíble interior; Kaitlyn Snowden, directora de producción, por engrasar todos los engranajes; Madison Penico, por seguir la pista de todas las distintas versiones, por mantener el manuscrito dentro de unos límites razonables y por poner todos mis papeles en orden, cosa que yo jamás habría podido hacer por mí solo; Caroline Pallotta, Iris Chen y Allison Green, coordinadoras de redacción; Jennifer Bergstrom, editora, Jennifer Long, editora adjunta, y Sally Marvin, vicepresidenta de márquetin y publicidad. No se me ocurre un equipo mejor. Gracias también a Lauren Jackson, la maga del márquetin, estadista y obradora de milagros más asombrosa con la que yo haya tenido el gusto de trabajar. Ahora bien, Joe Monti: qué fácil habría sido para él pedirme que retocara la novela para que el hecho de que Jade sea pies negros se convirtiera en un detalle crucial para la trama en vez de algo fortuito. Lo que hizo, en cambio, fue eso que solo los mejores editores están dispuestos a hacer: se metió en la historia, echó un vistazo a lo que yo intentaba conseguir y me presentó una lista de formas de conseguirlo, sí, pero mejor. Lo que quiero decir es que impuso orden en *Mi corazón es una motosierra*, tal y como hiciera ya con *El único indio bueno*, érase una vez otro cuento de hadas. Después de eso, en fin, las piezas del argumento comenzaron a encajar en su sitio. Me las vi y me las deseé para ser capaz de escribir a la velocidad que me exigía la historia. ¿Recordáis *Cuna de gato*, cuando el agua se empieza a transformar en hielo-nueve? Pues eso es lo que le pasó a *Mi corazón es una motosierra* cuando vi los apuntes de Joe a mi manuscrito.

Gracias, Joe Monti. Siempre me has sabido guardar las espaldas.

Hablando de guardar.

Acabo de hacer una búsqueda en mi bandeja de entrada. Lo que buscaba era «Lake Access Only», el título original de *Mi corazón es una motosierra*. El resultado más antiguo es del 15 de julio de 2010. Es el segundo de una serie de cuatro títulos que algún día pensaba convertir en slashers.

Todo llega, tarde o temprano.

Gracias a ti de nuevo, lector, por aventurarte conmigo en el lago Indian, donde el aire es tan bajo en oxígeno como rojas las aguas, y gracias a mis dos hijos, Rane y Kinsey, que siempre ven slashers conmigo, hablan de slashers conmigo y se disfrazan de personajes de los slashers conmigo. Significa muchísimo para mí, chicos. Lo atesoro más que nada en el mundo. Me considero el padre más afortunado del mundo por disfrutar de la oportunidad de veros crecer. Y gracias a mi esposa, Nancy. En 1999, cuando estaba escribiendo mi primer slasher, *Demon Theory*, los videoclubes de Lubbock, Texas, siempre tenían pelis de miedo a 99 centavos y todas las noches me llevaba un montón de cintas de Jason, Michael y Freddy, pero me daba miedo verlas yo solo. Esto fue en la primera casa en la que vivimos, ¿te acuerdas? La antigua casa de tus abuelos. Recuerdo perfectamente estar plantado en su puerta cuando los conocí, en 1991, y ver que detrás de ellos salía Lawrence Welk tocando en la tele. Ocho años después éramos nosotros los que estábamos allí, Nan, y el televisor no se había movido del sitio, solo que, en vez de Lawrence Welk, lo que salía eran motosierras y machetes, máscaras y gritos, y yo en una silla empapándome de todo hasta las tantas, y tú, que te tenías que levantar a las cinco para trabajar en la ventanilla de pagos de la compañía eléctrica, durmiendo en el viejo diván con el resplandor de la tele, durmiendo allí porque sabías que yo lo pasaría mal si me quedaba a solas con aquellas cosas que daban tanto miedo.

Gracias, Nancy, por velar por mí todas esas noches. Creo que la única vez que no me he equivocado fue cuando te dije que a lo mejor podríamos formar una familia juntos y hacernos mayores cogidos de la mano.

Mi corazón es una motosierra, sí, pero la que lo pone en marcha eres tú.

Stephen Graham Jones
Boulder, Colorado, EE.UU.
27 de noviembre de 2020

Películas mencionadas en la novela

- *Acero azul* (*Blue Steel*, Kathryn Bigelow, 1990)
- *Alien, el octavo pasajero* (*Alien*, Ridley Scott, 1979)
- *Aliens* (James Cameron, 1986)
- *Alien³* (David Fincher, 1992)
- *Alta tensión* (*Haute Tension*, Alexandre Aja, 2003)
- *Angustia en el Hospital Central* (*Visiting Hours*, Jean-Claude Lord, 1982)
- *Animadoras asesinas* (*Cheerleader Camp*, John Quinn, 1988)
- *Aquarius* (*Deliria*, Michele Soavi, 1987)[1]
- *Atracción fatal* (*Fatal Attraction*, Adrian Lyne, 1987)
- *Aún sé lo que hicisteis el último verano* (*I Still Know What You Did Last Summer*, Danny Cannon, 1998)
- *Bahía de sangre* (*Ecologia del delitto*, Mario Bava, 1971)
- *Barco fantasma* (*Ghost Ship*, Steve Beck, 2002)
- *Black Christmas* (Bob Clark, 1974)
- *Calma total* (*Dead Calm*, Phillip Noyce, 1989)
- *Campamento sangriento* (*Sleepaway Camp*, Robert Hiltzik, 1983)
- *Campamento sangriento II* (*Sleepaway Camp II: Unhappy Campers*, Michael A. Simpson, 1988)
- *Candyman, el dominio de la mente* (*Candyman*, Bernard Rose, 1992)
- *Carretera al infierno* (*The Hitcher*, Robert Harmon, 1986)
- *Carretera perdida* (*Lost Highway*, David Lynch, 1997)
- *Carrie* (*Brian De Palma*, 1976)
- *Clase sangrienta* (*Cutting Class*, Rospo Pallenberg, 1989)
- *Cold prey* (*Fritt Vilt*, Roar Uthaug, 2006)

---

[1] El capítulo «Pánico en la escena» se refiere a esta película. El título original de este film italiano es *Deliria*, que se tradujo al inglés como *Stage Fright* y en español como *Aquarius*. Hemos optado por la traducción del primero por ajustarse más a la trama del capítulo.

- *Cold prey 2* (*Fritt Vilt II*, Mats Stenberg, 2008)
- *Cortinas* (*Curtains*, Richard Ciupka, 1983)
- *Creando el terror* (*Girls Nite Out*, Robert Deubel, 1982)
- *Cry Wolf* (Jeff Wadlow, 2005)
- *Cumpleaños mortal* (*Happy Birthday to Me*, J. Lee Thompson, 1981)
- *De profesión: duro* (*Road House*, Rowdy Herrington, 1989)
- *Demons* (*Dèmoni*, Lamberto Bava, 1985)
- *Destino final* (*Final Destination*, James Wong, 2000)
- *Detrás de la máscara: el encumbramiento de Leslie Vernon* (*Behind the Mask: The Rise of Leslie Vernon*, Scott Glosserman, 2006)
- *Dulce hogar* (*Home Sweet Home*, Nettie Peña, 1981)
- *El asesino de Rosemary* (*The Prowler*, Joseph Zito, 1981)
- *El aviador nocturno* (*The Night Flier*, Mark Pavia, 1997)
- *El día de la graduación* (*Graduation Day*, Herb Freed, 1981)
- *El día de la madre* (*Mother's Day*, Charles Kaufman, 1980)
- *El día de los inocentes* (*Slaughter High*, Mark Ezra, George Dugdale y Petter Litten, 1986)
- *El exorcista* (*The Exorcist*, William Friedkin, 1973)
- *El exorcista III* (*The Excorcist III*, William Peter Blatty, 1990)
- *El fantasma de la ópera* (*The Phantom of the Opera*, Rupert Julian, 1925)
- *El fotógrafo del pánico* (*Peeping Tom*, Michael Powell, 1960)
- *El llanero solitario* (*The Lone Ranger*, Gore Verbinski, 2013)
- *El muñeco diabólico* (*Child's Play*, Tom Holland, 1988)
- *El resplandor* (*The Shining*, Stanley Kubrick, 1980)
- *El señor de las ilusiones* (*Lord of Illusions*, Clive Barker, 1995)
- *El silencio de los corderos* (*The Silence of the Lambs*, Jonathan Demme, 1991)
- *Enterrado vivo* (*Mortuary*, Howard Avedis, 1982)[2]
- *Examen Final* (*Final Exam*, Jimmy Huston, 1981)

[2] En la novela hemos traducido este título de manera literal (*Mortuorio*) para no perder el sentido del texto.

- *Footloose* (Herbert Ross, 1984)
- *Fuego en el cielo* (Fire in the Sky, Robert Lieberman, 1993)
- *Furia silenciosa* (Silent Rage, Michael Miller, 1892)
- *Grizzly* (William Girdler, 1976)
- *Halloween 4: El regreso de Michael Myers* (*Halloween 4: The Return of Michael Myers*, Dwight H. Little, 1988)
- *Halloween 5: La venganza de Michael Myers* (*Halloween 5: The Revenge of Michael Myers*, Dominique Othenin-Girard, 1989)
- *Hannibal* (Ridley Scott, 2001)
- *Hatchet* (Adam Green, 2006)
- *Hello Mary Lou: Noche de graduación 2* (*Hello Mary Lou: Prom Night II*, Bruce Pittman, 1987)
- *Hellraiser: Los que traen el infierno* (*Hellraiser*, Clive Barker, 1987)
- *Inocentada sangrienta* (*April Fool's Day*, Fred Walton, 1986)
- *Intruso en la noche* (*Intruder*, Scott Spiegel, 1989)
- *Jason X* (James Isaac, 2001)
- *Jóvenes y brujas* (*The Craft*, Andrew Fleming, 1996)
- *Juegos mortales* (*Deadly Games*, Scott Mansfield, 1982)
- *Kristy* (Olly Blackburn, 2014)
- *La casa del terror* (*Don't Go in the House*, Joseph Ellison, 1979)
- *La escalera de Jacob* (*Jacob's Ladder*, Adrian Lyne, 1990)
- *La iniciación* (*The Initiation*, Larry Stewart y Peter Crane, 1984)
- *La mansión ensangrentada* (*The Dorm that Dripped Blood*, Stephen Carpenter y Jeffrey Obrow, 1982)
- *La matanza de Texas* (*The Texas Chain Saw Massacre*, Tobe Hooper, 1974)
- *La noche de Halloween* (*Halloween*, John Carpenter, 1978)
- *La noche de los muertos* (*Children Shouldn't Play With Dead Things*, Bob Clark, 1972)[3]

[3] En la novela, esta película aparece como *Los niños no deben jugar con cosas muertas*, que es uno de los títulos alternativos que se le atribuyen en IMDb. Elegimos este por adapatarse mejor al sentido del texto.

- *La noche del cazador* (*The Night of the Hunter*, Charles Laughton, 1955)
- *La noche del duende* (*Leprechaun*, Mark Jones, 1992)
- *La noche del terror* (*Le notti del terrore*, Andrea Bianchi, 1981)[4]
- *La nueva pesadilla de Wes Craven* (*Wes Craven's New Nightmare*, Wes Craven, 1994)
- *La quema* (*The Burning*, Tony Maylam, 1981)
- *La semilla del diablo* (*Rosemary's Baby*, Roman Polanski, 1968)
- *La tierra olvidada por el tiempo* (*The Land That Time Forgot*, Kevin Connor, 1974)
- *La última casa a la izquierda* (*The Last House on the Left*, Wes Craven, 1972)
- *Las desventuras de Beaver* (*Leave it to Beaver*, Andy Cadiff, 1997)
- *Leviathan: El demonio del abismo* (*Leviathan*, George P. Cosmatos, 1989)
- *Leyenda urbana* (*Urban Legend*, Jamie Blanks, 1998)
- *Masacre en la fiesta de pijamas* (*The Slumber Party Massacre*, Amy Holden Jones, 1982)
- *Mausoleum* (Michael Dugan, 1983)
- *Movida del 76* (*Dazed and Confused*, Richard Linklater, 1993)
- *Muerte a 33 revoluciones por minuto* (*Trick or Treat*, Charles Martin Smith, 1986)
- *Muertos y enterrados* (*Dead & Buried*, Gary Sherman, 1981)
- *No vayas al bosque… sola* (*Don't Go in the Woods*, James Bryan, 1981)
- *Noche infernal* (*Hell Night*, Tom DeSimone, 1981)
- *Pánico antes del amanecer* (*Just Before Dawn*, Jeff Lieberman, 1981)

[4] En título que se le dio en EE. UU. a esta película italiana fue *Burial Ground*. En la novela hemos traducido el título en inglés de manera literal (*Cementerio*) para no perder el sentido del texto.

- *Pesadilla en Elm Street* (*A Nightmare on Elm Street*, Wes Craven, 1984)
- *Pesadilla en Elm Street 3: Los guerreros del sueño* (*A Nightmare on Elm Street 3: Dream Warriors*, Chuck Russell, 1987)
- *Pesadilla en Sherman Woods* (*Blood Rage*, John Grissmer, 1987)
- *Pistola de clavos* (*Nail Gun Massacre*, Bill Leslie y Terry Lofton, 1985)
- *Poltergeist II: El otro lado* (*Poltergeist II: The Other Side*, Brian Gibson, 1986)
- *Popcorn* (Mark Herrier y Alan Ormsby, 1991)
- *Posesión infernal* (*The Evil Dead*, Sam Raimi, 1981)
- *Profecía maldita* (*Prophecy*, John Frankenheimer, 1979)
- *Profundidad seis* (*DeepStar Six*, Sean S. Cunningham, 1989)
- *Psicópata* (*Schizoid*, David Paulsen, 1980)
- *Psicosis* (*Psycho*, Alfred Hitchcock, 1960)
- *Psicosis II* (*Night School*, Ken Hughes, 1982)[5]
- *Reeker* (Dave Payne, 2005)
- *San Valentín sangriento* (*My Bloody Valantine*, George Mihalka, 1981)
- *Saw* (James Wan, 2004)
- *Scanners* (David Cronenberg, 1981)
- *Scream: Vigila quién llama* (Scream, Wes Craven, 1996)
- *Scream 2* (Wes Craven, 1997)
- *Scream 3* (Wes Craven, 2000)
- *Scream 4* (Wes Craven, 2011)
- *Sé lo que hicisteis el último verano* (*I Know What You Did Last Summer*, Jim Gillespie, 1997)
- *Seducción mortal* (*All The Boys Love Mandy Lane*, Jonathan Levine, 2006)

[5] El capítulo *Escuela nocturna* se refiere a esta película. En España, *Night School* se tituló *Psicosis II*, aun sin tener nada que ver con el clásico de Hitchcock de 1960. Hemos optado por la traducción que se hizo para América Latina, más acorde con la trama del capítulo.

- *Siete mujeres atrapadas* (*The House on Sorority Row*, Mark Rosman, 1982)
- *Solos en la oscuridad* (*Alone in the Dark*, 1982)
- *Sueños tortuosos* (*Twisted Nightmare*, Paul Hunt, 1987)
- *Sweet sixteen* (Jim Sotos, 1983)
- *Terminator* (*The Terminator*, James Cameron, 1984)
- *Terminator 2: El juicio final* (*Terminator 2: Judgment Day*, 1991)
- *Thankskilling* (Jordan Downey, 2008)
- *The Prey* (Edwin Brown, 1983)
- *The Ring (El círculo)* (*Ringu*, Hideo Nakata, 1998)
- *Tiburón* (*Jaws*, Steven Spielberg, 1975)
- *Triangle* (Christopher Smith, 2009)
- *Viernes 13* (*Friday the 13th*, Sean S. Cunningham, 1980)
- *Viernes 13 (2ª parte)*, (*Friday the 13th Part 2*, Steve Miner, 1981)
- *Viernes 13 (parte III)*, (*Friday the 13th Part III*, Steve Miner, 1982)
- *Viernes 13: Capítulo final* (*Friday the 13th: The Final Chapter*, Joseph Zito 1984)
- *Viernes 13. Parte V: Un nuevo comienzo* (*Friday the 13th: A New Beginning*, Danny Steinmann, 1985)
- *Viernes 13. 7ª parte: Sangre nueva* (*Friday the 13th Part VII: The New Blood*, John Carl Buechler, 1988)
- *Viernes 13 VIII: Jason toma Manhattan* (*Friday the 13th Part VIII: Jason Takes Manhattan*, Rob Hedden, 1989)
- *Virus* (John Bruno, 1999)
- *Wishmaster* (Robert Kurtzman, 1997)

«No hay vínculo igual entre dos personas como el de haber leído y disfrutado los mismos libros».

Edith Nesbit
El jardín de las maravillas

Esta reimpresión de *Mi corazón es una motosierra* se terminó de imprimir en Salamanca en octubre de 2024

Impreso en
Imprenta Kadmos
Río Ubierna, 12-14, P. I. El Tormes
37003 Salamanca